das neue buch
Herausgegeben von Jürgen Manthey

Heinz Brüggemann
Literarische Technik und soziale Revolution

Versuche über das Verhältnis
von Kunstproduktion, Marxismus und literarischer Tradition
in den theoretischen Schriften Bertolt Brechts

Erstausgabe
Redaktion: K. A. Eberle
Veröffentlicht im Rowohlt Taschenbuch Verlag GmbH,
Reinbek bei Hamburg, Februar 1973

Printed in Germany
ISBN 3 499 25033 0

Inhalt

Es wird nicht angeknüpft an das gute Alte, sondern an das schlechte Neue. Es handelt sich nicht um den Abbau der Technik, sondern um ihren Ausbau. Der Mensch wird nicht wieder Mensch, indem er aus der Masse herausgeht, sondern indem er hineingeht in die Masse.
Bertolt Brecht

Einmal, wenn da Zeit sein wird
Werden wir die Gedanken aller Denker aller
Zeiten bedenken
Alle Bilder aller Meister besehen
Alle Spaßmacher belachen
Alle Frauen hofieren
Alle Männer belehren.

Bertolt Brecht

Vorwort

Dieses Buch wurde in den Jahren 1968 bis 1972 geschrieben. Dem Leser wird nicht entgehen, daß es an der politischen Geschichte dieser Jahre und den wechselnden Bewußtseinsformen der antikapitalistischen emanzipatorischen Bewegungen teilhat. Darauf vielleicht sind manche seiner Unstimmigkeiten und Brüche zurückzuführen, die ich nicht nachträglich glätten und einebnen wollte.

Diese Rekonstruktion einer kulturrevolutionären Theorie beansprucht mehr als ein bloß historistisches Interesse, sie versucht die gelassene, kontemplative Haltung gegenüber dem nachgerade ‹klassisch› gewordenen Gegenstand Brecht aufzugeben und die kritische Konstellation bewußt zu machen, «in der gerade dieses Fragment der Vergangenheit mit gerade dieser Gegenwart sich befindet» (Walter Benjamin). Ihre Absicht ist so beizutragen zur praktischen Kritik einer Kultur, von der die kämpfenden italienischen Arbeiter heute singen:

la cultura dei borghesi
non ci fraga più
l'abbiamo messa
nella fossa

Für Kritik, Anregungen und Hinweise danke ich meinem Freund Wolfgang Eßbach, Rainer Friedrich, Michael Buckmiller, Hans-Peter Gente, Katrin Swoboda und dem leider zu früh verstorbenen Erich Gerlach.
Seinem Andenken sei dieses Buch gewidmet.

Göttingen, im Dezember 1972 — Heinz Brüggemann

Einleitung

Die vorliegende Arbeit war in ihrer ursprünglichen Konzeption auf die Frage nach der *Funktion* der literarischen Tradition in der Lyrik Bertolt Brechts beschränkt. Im Zuge ihrer Abfassung jedoch weckten sowohl die theoretischen Implikationen des Themas als auch besonders Brechts eigener Versuch, eine materialistische Kunsttheorie auf der Ebene theoretischer Selbstreflexion zu entwickeln, mehr und mehr mein Interesse. Das hatte zur Folge, daß die Arbeit sich in zunehmendem Maße auf die theoretischen Schriften Brechts konzentrierte und damit die Frage nach dem Verhältnis von marxistischer ästhetischer Theoriebildung und literarischer Tradition zu ihrem zentralen Thema wurde – ein Komplex, der eine Fülle von Problemen und neuen Fragestellungen in sich enthielt. Denn nach dem Verhältnis von marxistischer ästhetischer Theorie und literarischer Tradition zu fragen, heißt zugleich, dem Problem des Verhältnisses von Marxismus und Geschichte sich auszusetzen. Dessen spezifische Schwierigkeiten sind darin beschlossen, daß schon aus dem Werk von Karl Marx selber, und nach dessen praktischem Anspruch durchaus folgerichtig, keine geschlossene, etwa in Gestalt eines Kanons von historischen Gesetzmäßigkeiten gefaßte, allgemeine Geschichtsdeutung im Sinne einer universalhistorischen Seinslehre sich konstruieren läßt. Gerade dagegen hat sich Marx selbst entschieden gewandt. In seiner Antwort an N. K. Mihajlovskij vom November 1877 wirft er diesem vor: «Er muß durchaus meine historische Skizze von der Entstehung des Kapitalismus in Westeuropa in eine geschichtsphilosophische Theorie des allgemeinen Entwicklungsganges verwandeln, der allen Völkern schicksalsmäßig vorgeschrieben ist, was immer die geschichtlichen Umstände sein mögen, in denen sie sich befinden . . .»[1]* Der historische Materialismus sei gerade nicht der «Universalschlüssel einer allgemeinen geschichtsphilosophischen Theorie, deren größter Vorzug darin besteht, übergeschichtlich zu sein»[2]. Freilich haben diese Ausführungen von Marx wiederum ihren spezifischen historischen Ort in der Entfaltung der materialistischen Theorie der Geschichte. Diese kann schon deshalb keine Homogenität, keine Geschlossenheit beanspruchen, weil das Bewußtsein der eigenen Historizität zu ihrer methodischen Konstitution gehört. Nur im Einlösen dieses Anspruchs, selber Manifestation und aktives Bildungselement revolutionärer gesellschaftlicher Praxis zu sein, hat die ihrem Wesen nach kritische und revolutionäre marxistische Theorie der Geschichte ihre Wahrheit und nur in ihm kann sie Theorie als kontemplativ-ontologischen Systementwurf und metaphysische Selbstbegründung wirklich aufheben. Der Versuch solcher Aufhebung aber impliziert, daß die materialistische Theorie der

* Die hochgestellten Ziffern verweisen auf die Anmerkungen S. 269 f.

Geschichte selber sich der historischen Dialektik von Subjekt und Objekt, von revolutionärer Tat der geschichtlichen Subjekte und analytisch ermittelter objektiver gesellschaftlicher Entwicklungstendenz aussetzen muß: darin jedoch ist unausweichlich ihre eigene historische Veränderbarkeit und Wandlungsfähigkeit beschlossen. In ihr sind als historische Möglichkeiten angelegt sowohl die reflektierte Selbstveränderung der Theorie in der gesellschaftlichen revolutionären Praxis selber, aber auch ihre objektivistische Verdinglichung zur ‹Weltanschauung›, die in systemhafter Geschlossenheit die ‹Naturgesetze› der historischen Entwicklung und die Entwicklungsgesetze der Natur zur allgemeinen materialistischen Lehre zusammenfaßt und damit der Restitution von kontemplativem Systementwurf und Fundamentalontologie innerhalb des Marxismus selber den Weg bereitet (so etwa in den geschichtsphilosophischen Systementwürfen des Marxismus der II. Internationale, etwa Karl Kautskys «Materialistische Geschichtsauffassung» und in den der Ontologie sich annähernden Weltanschauungs-Systemen des sowjetischen Marxismus der Stalin-Ära). Die Theorie von Marx und Engels ging auf in der Geschichte ihrer Deutungen – sie alle konnten sich auf verschiedene inhaltliche Ansätze und Elemente in dieser Theorie selber beziehen, zumeist um den Preis ihrer Partialisierung und Hypostasierung. Das hat seinen Grund zum einen darin, daß Marx und Engels keine ausgeführte, formell entwickelte Theorie der proletarischen Revolution hinterlassen haben, sondern in ihren materialen Analysen ausgehen von der Transformation bürgerlicher Revolutionen in proletarische, zum andern darin, daß sich im Werk von Marx und Engels selber unterschiedliche Ansätze und Akzentsetzungen in der Entfaltung einer materialistischen Geschichtsauffassung konstatieren lassen.

Helmut Fleischer unterscheidet in seiner fundierten Analyse ‹*Marxismus und Geschichte*› drei Ansätze zu einem marxistischen Begriff der Geschichte:

1. einen «anthropologischen oder anthropogenetischen Ansatz», der im universalen Sinnbezug Geschichte als Werden des Menschen begreift;
2. einen «pragmatologischen Ansatz», der Geschichte als «die mehr blinde als zielstrebige Resultante» der konkret-historischen Praxis von bedürfnisgeleitet und situationsbezogen handelnden Individuen und Gruppen begreift und
3. einen «nomologischen Ansatz», dem Geschichte wesentlich «gesetzmäßig ablaufender naturhistorischer Prozeß» ist.[3]

H. Fleischer, mit der Herstellung der Synthese «eines marxistischen Gesamtbegriffs der Geschichte»[4] befaßt, betont, diese Ansätze seien nur insofern legitim, als sie einander ergänzten. Er verweist jedoch zugleich auf die historische Möglichkeit, diese Ansätze gegeneinander

zu isolieren und in der Isolierung zu hypostasieren.
Das marxistische Verhalten zur vergangenen historischen Erscheinung, zur Tradition überhaupt und, im Rahmen einer materialistischen Ästhetik, zur literarischen Tradition ist entscheidend durch die selber historisch bestimmte Spezifität der materialistischen Geschichtskonzeption – und das heißt konkret durch die Spezifität der jeweiligen Marx-Rezeption – bestimmt.
Für das Verhältnis von marxistischem Selbstverständnis und literarischer Tradition im Werk Brechts ergeben sich von daher zunächst die folgenden Aufgaben und Fragestellungen:
1. Der Versuch, Brechts marxistische Theoriebildung in ihren wesentlichen Grundzügen zu rekonstruieren – hier soll vor allem auf die Bedeutung der Schriften Karl Korschs für Brechts theoretische Ansätze, insbesondere seinen Begriff von Dialektik und seine Konzeption der materialistischen Geschichtsauffassung, eingegangen werden (der Verfasser konnte zu diesem Zweck den immer noch unveröffentlichten Briefwechsel zwischen Korsch und Brecht im Internationalen Institut für Sozialgeschichte Amsterdam einsehen).
2. Der Versuch, aus dieser Rekonstruktion seiner marxistischen Theoriebildung und seines Konzepts der materialistischen Geschichtsauffassung Brechts spezifischen Ansatz der marxistischen Fundierung literarischer Praxis herzuleiten und die theoretische Selbstreflexion seines Verhältnisses zur literarischen Tradition nachzuzeichnen.
Brechts materialistische Geschichtsauffassung soll dabei im Bezugsrahmen des von Fleischer entwickelten Modells der drei Ansätze diskutiert werden, weil es im Kern die theoretischen Grundlagen der historischen Differenzierungen und Fraktionierungen in der Marxismus-Interpretation festhält. Die spezifische theoretische Fundierung der Kunstproduktion Brechts soll durch den Vergleich und die Konfrontation mit den offiziellen ästhetischen Theoremen des sozialistischen Realismus, mit den theoretischen Ansätzen Sergej M, Tretjakovs, mit der materialistischen Kunsttheorie Walter Benjamins und schließlich mit den ästhetischen Theoremen Theodor W. Adornos (insbesondere seiner Brecht-Kritik) ermittelt und dargestellt werden.
Cesare Cases hat im Vorwort zur deutschen Ausgabe seiner ‹*Saggi e note di letteratura tedesca*› eine These formuliert, die ich an dieser Stelle kritisch in meinen Überlegungen aufnehmen und weiterführen möchte. Cases schreibt: «Ich glaube, es ist selten bemerkt worden, daß auf marxistischer Grundlage zweierlei Auffassungen der Kunst zulässig sind, die miteinander schwer zu versöhnen sind. Wenn man nämlich die Vernünftigkeit des geschichtlichen Prozesses betont, erscheint die Kunst als ‹Widerspiegelung› dieses Prozesses in seiner Bewegtheit, also auf eine ‹Perspektive›, auf den nächsten Schritt hin. Wenn man dagegen von der Spannung zwischen Geschichte als Ort der Unterdrückung und Ent-

menschung und utopischen Horizonten ausgeht, wird die Kunst nicht als Widerspiegelung, sondern als Negation alles Bestehenden und Vorwegnahme des Utopischen aufgefaßt.»[5] Cases ordnet der ersten Auffassung die Position des späten Lukács zu, während er die zweite «mit verschiedenen Nuancierungen» durch Benjamin, Bloch, Adorno und «wohl auch» Bertolt Brecht vertreten sieht.[6]

Für Cases ist die Differenzierung beider Kunstauffassungen wesentlich begründet in der unterschiedlichen Konzeption des Geschichtsprozesses als einer Totalität, zu der beide Richtungen sich bekennen. Indem er nur auf diesen objektiven Aspekt – Vernünftigkeit des geschichtlichen Prozesses hier, Geschichte als Spannungsfeld von Entmenschung und utopischen Horizonten da – reflektiert, kann Cases beide undifferenziert auf Hegel beziehen, muß aber die entscheidende Frage nach der Qualität der künstlerischen Tätigkeit als eine Weise historisch-gesellschaftlicher Produktion und Praxis außer acht lassen. Damit entgeht ihm die wirkliche *differentia specifica* in den Kunsttheorien der von ihm genannten Autoren. Diese liegt nicht nur in der unterschiedlichen Auffassung von historischer Prozeß-Totalität und deren vernünftigem *telos* oder utopischem Horizont, sondern auch und gerade darin, ob Kunst als eine bestimmte Form der produktiven Selbstbetätigung des gesellschaftlichen Menschen, als Element gesellschaftlicher und damit potentiell auch verändernder Praxis begriffen wird oder ob sie vorab und kategorisch als Mimesis, als geschlossenes Werk, die objektive Vernünftigkeit des historischen Prozesses ganz in Form gewordener Idee ‹widerspiegelnd› und ein in jener angelegtes, vorgegebenes utopisches Ziel antizipierend, vorgestellt wird. Während für das zuletzt genannte Theorem, vor allem vertreten von Georg Lukács und, in differenzierter Form, Ernst Bloch die materialistisch uminterpretierte Philosophie des Kunstwerks als sinnlichem Scheinen der Idee und der Geschichte als seinslogisch garantiertem Verwirklichungsprozeß der objektiven Vernunftidee direkt wirksam geworden ist, ist für den zuerst skizzierten Ansatz – ihm wären Benjamin und Brecht zuzuordnen – der theoretische Bezug auf Hegel nur indirekt und historisch vermittelt bedeutsam geworden. Das gilt sowohl für die Ausbildung der materialistischen Kunsttheorie Brechts und Benjamins, die am ehesten noch historisch in der Wirkungsgeschichte des Hegelschen Gedankens vom «Ende der Kunst» und seiner Konkretisierung und Fortführung durch Heinrich Heines frühes und lange nicht wiederaufgenommenes Programm des «Endes der Kunstperiode» und einer operativen Literatur als Organon sozialer, umwälzender Praxis steht[7], als auch für deren erkenntnistheoretische Grundlage bei Brecht, der durch Marx konkretisierten und materialistisch gewendeten Dialektik von Wesen und Erscheinung als durch Einsicht in die Anatomie der bürgerlichen Gesellschaft konstituierte Ideologiekritik. Wesentlich konstitutiv geworden für die Position

Brechts und, mit Einschränkungen, Benjamins sind aber weniger Theoreme Hegels als die in ihrer revolutionstheoretischen Bedeutung rekonstruierten Marxschen Kategorien ‹Produktion› und ‹Praxis› qua Selbstverwirklichung und ‹Menschwerdung des Menschen›, das heißt auf das Modell Fleischers bezogen, daß anthropogenetischer und pragmatologischer Ansatz in der materialistischen Geschichtskonzeption Brechts strukturbestimmend sind.
‹Produktion› als fundierende Kategorie literarischer Praxis wird von Brecht verstanden als emanzipative und revolutionstheoretische: umwälzende Praxis, praktisch-kritische Tätigkeit soll zuallererst Produktivität als aktivisches Verhältnis der Menschen zur Natur, zu den von ihnen selbst geschaffenen und entfremdeten Produkten und gesellschaftlichen Verhältnissen in einem umfassenden Sinne freisetzen. Sie kann den Prozeß der «Destruktion der Pseudokonkretheit»[8] der kapitalistischen Welt, ihrer Ideen wie ihrer Verhältnisse einleiten und vollziehen. Wirklichkeit kann «nur deshalb und nur soweit *revolutionär* umgewandelt werden [...] weil und wieweit wir die Wirklichkeit selbst gestalten und auch wissen, daß die Wirklichkeit durch uns gestaltet wird»[9]. Destruktion der Pseudokonkretheit, als praktische Kritik verdinglichter gesellschaftlicher Verhältnisse, zur zweiten Natur gewordener menschlicher Selbstentfremdung und durch die Universalität der Warenform erstickter und deformierter Produktivität und Bedürfnisse vollzieht sich durch umwälzende revolutionäre Praxis als Weg zur Selbstverwirklichung der Menschen und dialektisches – Brecht formuliert synonym ‹eingreifendes› – Denken, «das die fetischisierte Welt des Scheins auflöst, um zur Wirklichkeit und zur ‹Sache selbst› durchdringen zu können»[10].
Von daher bestimmen Brecht und Benjamin die Chance und die Funktion revolutionärer Literatur. Der Beitrag des «Autors als Produzenten» zum Befreiungskampf der größten Produktivkraft, der revolutionären Klasse, besteht in der Aktivierung der eigenen Produktivkraft, der Erarbeitung einer revolutionären Literatur, die an der Selbstbefreiung und der Entfaltung revolutionärer Selbsttätigkeit der unterdrückten Klasse mitwirken kann. Dichtung wird so, wie Benjamin über die Versuche Brechts schreibt, «Nebenprodukt in einem sehr verzweigten Prozeß zu Änderung der Welt [...] Hauptprodukt aber ist: eine neue Haltung»[11]. Diese neue Haltung, das Resultat der pädagogischen, politischen und poetischen Bemühungen Brechts umfaßt zugleich die Selbstveränderung des produzierenden Autors, die permanente Revolutionierung seiner Kunstmittel und die Veränderung des Publikums im weitesten Sinne. In dessen kritischem und selbständigem Urteil gegenüber dem poetisch-politisch präsentierten Verblendungszusammenhang der bürgerlichen Gesellschaft, in dessen praktisch werdender Einsicht sollen Bewußtwerdung des eigenen emanzipatorischen Vernunft-

interesses und die historische Möglichkeit umwälzender Praxis qua sozialer Revolution zusammenfallen. Für die literarische Produktion hat die ‹neue Haltung› ebenfalls tiefgreifende Konsequenzen. Sie kann und will nicht länger beanspruchen, ‹Werk› zu sein, geschlossenes Gebilde im Sinne der klassischen Ästhetik – das Geschriebene ist Brecht, so Benjamin, «Apparat, Instrument. Es ist, je höher es steht, desto mehr der Umformung, der Demontierung und Verwandlung fähig.»[12]

Dialektisch-materialistische Theorie literarischer Praxis, so konzipiert, impliziert ein spezifisches Verhältnis zu den literarischen Manifestationen der Vergangenheit. Da sie den historischen Prozeß wesentlich von der praktisch-umgestaltenden Seite her faßt, die praktisch-kritisch handelnden historischen Subjekte im Zentrum ihres Interesses stehen, kann sie Literatur nicht reduzieren auf die ‹Widerspiegelung› eines vorab als vernünftig unterstellten historischen Prozesses, die Typisches unter typischen Umständen ‹gestaltend› gesellschaftliche Totalität fürs kontemplative, nachvollziehende ‹Erleben› bloß reproduziert und auf diese Weise von aktueller Kunstproduktion als klassische Norm zu rezipieren wäre. Der Vernunft-Begriff der materialistischen Kunsttheorie Brechts ist emanzipatorisch; Vernunft ist zuallererst eine zu realisierende, sie ist, so eine Formulierung Karel Kosiks, die «Konfliktvernunft der historischen Dialektik»[13]. Die Auswirkungen dieser Konzeption auf das Verhältnis zur literarischen Tradition werden zu zeigen sein.

Die konstitutive Bedeutung der Kategorie des emanzipatorischen Vernunftinteresses für die theoretische Fundierung der literarischen Praxis Brechts verweist auf philosophische und literaturtheoretische Traditionen, in welche diese sich bewußt gestellt hat: es sind die der frühen bürgerlichen Aufklärung und des bürgerlichen Materialismus.

Daraus ergeben sich für die Fragestellung der Arbeit neue Probleme und Aufgaben:

1. Es soll der theoretische und geschichtsphilosophische Stellenwert analysiert werden, den diese Theoreme als Bildungselemente der theoretischen Selbstreflexion Brechts haben – exemplarisch kann das verdeutlicht werden an der Bacon-Rezeption Brechts.

2. Inwiefern ist diese keineswegs akzidentielle, sondern zentrale Orientierung an der radikalen Aufklärung das theoretische Pendant einer Rückwärtsgewandtheit der literarischen Praxis im Sinne inhaltlicher «Auffüllung vorgegebener Gattungen bisheriger Literaturtradition»[14]? Wieweit gerät Brechts literarische Praxis von daher in Widerspruch zu seinen theoretischen Ansprüchen, deren Radikalität gemessen werden kann an den Positionen der linken sowjetischen Avantgarde, insbesondere Tretjakovs.

Marx hatte im ‹*18. Brumaire des Louis Bonaparte*› schon von der sozialen Revolution des 19. Jahrhunderts gesagt, diese könne «ihre Poesie nicht aus der Vergangenheit schöpfen, sondern nur aus der Zukunft. Sie kann nicht mit sich selbst beginnen, bevor sie allen Aberglauben an die Vergangenheit abgestreift hat. Die früheren Revolutionen bedurften der weltgeschichtlichen Rückerinnerungen, um sich über ihren eigenen Inhalt zu betäuben. Die Revolution des neunzehnten Jahrhunderts muß die Toten ihre Toten begraben lassen, um bei ihrem eigenen Inhalt anzukommen.»[15] Der revolutionstheoretische Sinn dieser Ausführungen ist darin beschlossen, daß das Proletariat Marx zufolge als historisch letzte unterdrückte Klasse in der sozialen Revolution lernt, wirklich mit Bewußtsein Geschichte zu machen. Waren die bürgerlichen Revolutionen wesentlich politische, ließen sie die verdinglichte zweite Natur der gesellschaftlichen Verhältnisse unangetastet, ja konstituierten sie zuallererst deren Kontingenz und waren daher der historischen Legitimation bedürftig, so haben proletarische Revolutionen ihre historische Qualität gerade darin, daß sie die verdinglichten Verhältnisse und deren falsche Bewußtseinsformen von ihrem Kern, von der gesellschaftlichen Organisation der Arbeit und der Arbeitsteilung her aufsprengen und die assoziierten Produzenten im Prozeß ihrer Selbstbefreiung zum selbstbewußten historischen Subjekt emanzipieren wollen. Wenn die literarische Theorie und Praxis Brechts beansprucht, diesen Prozeß der Selbstbefreiung und Selbstbewußtwerdung des Proletariats befördern zu helfen – und das ist ihre politische Intention –, dann wäre zu fragen, warum sie gleichwohl so offensichtlich und häufig der weltgeschichtlichen und weltliterarischen ‹Rückerinnerung› sich bedient und ihrer also auch bedarf.

Im Verhältnis zur literarischen Tradition ist die spezifische Differenz auszumachen zwischen einer an emanzipatorischem Vernunftinteresse und proletarischer Kulturrevolution, an praktisch-kritischem Subjekt-Handeln orientierten literarischen Theorie und Praxis und einer der Tradition des objektiven Idealismus Hegels im systematischen Sinne verhafteten Theorie der Literaturgeschichte und des literarischen ‹Werks› als Widerspiegelung eines objektiv vernünftigen, Vernunft in hierarchischer, welthistorischer Stufenfolge geschichtsmetaphysisch realisierenden Prozesses. Diese soll analysiert werden in der Konfrontation der Theoreme von Brecht, Eisler, Bloch und Benjamin mit den Versuchen vor allem von Lukács, aber darüber hinaus auch der offiziellen sowjetischen Kulturpolitik, mit der normativen Festlegung des ‹kulturellen Erbes› auch den sozialistischen Realismus als Stilprinzip zu fixieren.

Schließlich ist zu fragen nach dem Zusammenhang von artistischem Interesse und literarischer Tradition – wieweit partizipiert Brecht an den formalen Neuerungen und Techniken der Moderne, wieweit teilt er strukturtypische Verhaltensweisen der Moderne zur literarischen Tradition überhaupt und wie gehen diese in seine marxistisch fundierten

literarischen Versuche ein? –
Der Versuch, die Funktion der literarischen Tradition im Werk Brechts zu beschreiben, setzt die theoretische Reflexion auf die historischen Bedingungen und den historischen Entwicklungszusammenhang des Verhältnisses zur Tradition im 19. und 20. Jahrhundert voraus. Nur vor dem Hintergrund der entscheidenden und geschichtlich wirksam gewordenen Wandlungen in diesem Prozeß kann die Frage nach der *Funktion* der literarischen Tradition zuallererst in einem umfassenden, bestimmte Grundzüge der modernen Poesie miteinbeziehenden Interpretationsrahmen beantwortet werden. Erst mit der theoretisch-historischen Herleitung jener Phänomene, in denen auch das Werk Brechts dem unterliegt, was Hugo Friedrich einen «epochalen Stil- und Strukturzwang»[16] genannt hat, kann bestimmt werden, welche spezifischen formalen und inhaltlichen Abwandlungen sie in Brechts literarischer Praxis erfahren. Der «Traditionsbruch», den Friedrich als konstitutiv für die Moderne festgehalten hat[17], erscheint in den Produktionen der einzelnen Autoren des späten 19. und frühen 20. Jahrhunderts immer artikuliert in ihren kritischen und poetischen Intentionen. Mit diesen geht zumeist einher, als ständige Unruhe, eine intensive programmatische Reflexion des eigenen Werks, des historischen Orts und des Bezugs zur Gesellschaft, zumal deren moralischen, kulturellen und ideologischen Manifestationen. Kritik und Erkenntnis werden zum Konstituens der Werke selber; ihre Impulse, die in ständigen Formvariationen und Kontaminationen des inhaltlich Heterogenen sich niederschlagen, bereiten der Zerrüttung der Werke den Weg. Sie markiert die historische Folge eines Prozesses der Aufklärung und der Entfaltung der Produktivkräfte, an dem auch die Kunst teil hatte und mit dem ihr Fortschritt zusammenfiel.[18] Sie stellt auch die Geschlossenheit des ‹Werks› in Frage.
Der Begriff der Geschlossenheit des Kunstwerks ist weitgehend identisch mit dem der Aura. Deren Definition als «einmalige Erscheinung einer Ferne, so nah sie sein mag»[19], die auch das Kunstwerk als historischen Gegenstand miteinbezieht, «hebt die geschichtsphilosophische Erscheinungsweise des Sachverhalts hervor, der Begriff des geschlossenen Kunstwerks den ästhetischen Grund»[20]. Benjamins Analyse des Verfalls der Aura als «Liquidierung des Traditionswertes am Kulturerbe»[21], hervorgerufen durch die Bedingungen der Massenproduktion und Reproduktion, die die zuvor in die Ferne des Kultbildes entrückten Werke in die nächste Nähe des Konsums zwingen, erlaubt, einen Wandel im Verhältnis zur Tradition zu beschreiben, der selber jedoch aus der Stellung der zerfallenden Werke zur Erkenntnis seine spezifische Qualität gewinnt. Benjamins Scheidung der Werke in auratische und nichtauratische erweist sich, unter diesem Aspekt betrachtet, als undialektisch. Nur wenn der Zerfall den Werken selber unbewußt bleibt, verfal-

len sie, zu bloßer kulinarischer Unmittelbarkeit heruntergebracht und in ihren Gehalten auf das Ideologische reduziert, den Mechanismen der Kulturindustrie und deren Reklame für den verordneten Genuß. Als erkennendes und Erkenntnis stiftendes reflektiert das moderne Kunstwerk in seiner eigenen Gestalt seinen Scheincharakter, es wird fragmentarisch und kritisch – die Werke lösen den Schein innerhalb ihres Scheins selber auf. Kraft dieser Selbstreflexion versucht Kunst dem Betrieb zu widerstehen – auch im nicht-auratischen Werk ist jedoch das Sakrale verändert noch mitenthalten.

Modernität als qualitativ Neues erweist sich auch an der Inkonsequenz sich selbst gegenüber: manche Werke enthalten Elemente, die nicht ganz durchgeformt sind – Momente, in denen das Gebilde nicht weit genug geht und das Versprechen, das es durch die Auswahl seines Materials erkennen ließ, nicht konsequent einlöste: auch das macht das Moderne aus. Rückblickend kann man oft feststellen, daß, was modern sei, sich erst durch die Zeit zeigt – die Werke lassen erst durch Korrelation mit späteren Werken jene Tendenzen hervortreten, die eigentlich ihrer Zeit immanent waren.

Das literarische Werk Brechts, zumal seine frühen Versuche, betreibt die Auflösung des geschlossenen bürgerlichen Kunstwerks nicht bis zu jener Konsequenz, die dem historischen Augenblick entsprochen hätte: sie schlägt sich – vor allem in der Lyrik – nicht ganz in der Form nieder, sondern in einem intakten und geschlossen gehaltenen formalen Rahmen erscheinen die Zitate, die Form- und Sprachgesten der traditionellen Werke, aber auch die Sentenzen der bürgerlichen Moral und der dünne Trost kleinbürgerlicher Lebensweisheit in der kritischen Illumination eines thematisch asozialen Kontextes. Der ‹Wortsalat› der Dada-Gedichte ist das am weitesten vorangetriebene Resultat dieser Entwicklung – der junge Brecht teilt sie nur bis zu dem historischen Stand, den die Lyrik Arthur Rimbauds bezeichnet, dessen Zyklus *‹Ein Sommer in der Hölle›* das formale und weitgehend auch inhaltliche Vorbild seiner ‹Psalmen› abgab. Weiter haben Brechts Gedichte freilich die «Vernichtung der Aura ihrer Hervorbringung»[22] nicht vorangetrieben.

Das Pathos des Neuen, wie es bei Baudelaire und Rimbaud hervortrat, bedeutet jedoch nicht ein Aufheben der ästhetischen Erfahrung, sondern diese gedeiht erst in jenem Klima und kann erst darin sich entfalten. Insofern nährt alles Neue, das einer Tradition entgegentritt, sich auch aus deren Kräften – wogegen es sich polemisch oder kombinatorisch verhält, ist die verdinglichte Hülle, zu der erstarrte, was einst lebendige geistige Wirklichkeit war. Nirgends wird solche Dialektik deutlicher als im Verhältnis zur Tradition, wie es im literarischen Werk Brechts erscheint: der offene Traditionsbruch setzt zugleich eine – polemisch gelenkte – Empfänglichkeit für formale und inhaltliche Traditionen frei, die durch die integrative Kraft seiner poetischen Technik zu

einem qualitativ Neuen amalgamiert werden.
Der von Leitbildern und Kulturpessimisten so heftig beklagte Verlust an Tradition, der mit dem der ‹Mitte› gleichgesetzt wird, erweist sich als Bedingung der Möglichkeit für ein gewandeltes, qualitativ anderes Verhältnis zur Tradition. Konventionen sind einzig da noch im Stand der Naivität, wo die Künstler auf sie nicht reflektieren können – nach ihrer Brechung im Prozeß der Gesellschaft fordern sie schon von sich aus das Moment der Reflexion. Diese ist notwendig im historischen Stand des Bewußtseins selbst angelegt, durch sie wird der Konflikt zwischen Tradition und Neuem dem Kunstwerk selber immanent. Das Subjekt, sich selber problematisch geworden, ist auf Selbstreflexion verwiesen, wenn anders es der Gefahr der Ideologie und des Provinzialismus entgehen will. Die Naivität des Künstlers läßt sich auch als Fiktion nicht aufrechterhalten – sein Versuch, an Naivität festzuhalten in einer Welt, die den Boden dazu entzogen hat, schlägt ihm zu Selbstbetrug und Ideologie aus. Naivität ist möglich nur noch als sekundäre, durch Reflexion und Kritik gebrochene. Daran ist gerade angesichts vieler Deutungsversuche der Brecht-Interpretation festzuhalten, die die Simplizität seines poetischen Gestus einem Vermögen zuschreiben, das ihm aus der Sprache selbst zuwachse. Brechts künstlerische Produktion ist wesentlich auf die Kombinationen und Operationen kritischer Intellektualität gegründet.
Von ihr schreibt sich die andere Fragestellung her: in dem Maße, in dem Reflektiertheit zum Konstituens des modernen Kunstwerks selber wird, löst sie es aus einem vorgegebenen Traditionszusammenhang. Selbstreflexion und Wandel des Verhältnisses zur Tradition sind dialektisch aufeinander verwiesen derart, daß auch die negative Fixierung an Tradition in ihren klassischen Formen der Parodie und Satire sich gewandelt hat. Zu fragen wäre, ob Parodie und Satire noch jenen unmittelbaren historischen Bezug auf eine Epoche haben wie etwa bei Lukian, der «sich gegen die gesamte griechische Vergangenheit erhob»[23], oder bei Ariosto und Cervantes, die sich «beim scheidenden Mittelalter [...] gegen das Rittertum zu wenden anfingen»[24]. Haben, so soll diesem Ansatz folgend weitergefragt werden, Christentum und christliche Moral, bürgerlicher Sittenkodex und Pathos des deutschen Idealismus für Brecht noch jene unmittelbare, die Epoche bestimmende und seine Gegenwart prägende Geschichtsmächtigkeit oder bildet ein ebenso aleatorisches wie artistisches Interesse das Zentrum seiner poetischen Bemühungen, das Bloch mit dem Begriff der ‹Montage› zu beschreiben und dessen historischen Ort er zu bestimmen versucht hat? Wie verhält sich zu solchem aleatorischen Interesse, dem eher als Parodie und Satire das Stilmittel der Ironie eignet, ein kritisches Interesse, das im Zerfall der Legitimationsgrundlage herrschender Traditionen und zur Ideologie erstarrter Kultur seinen Ursprung hat?

Je größer die Diskrepanz zwischen schlechter Wirklichkeit und idealistischer Kulturideologie wurde, um so starrer und unbedingter wurde an dieser Ideologie festgehalten. Das Moment der Verzerrung, das in der bürgerlich-idealistischen Kultur als der einer antagonistischen Gesellschaft von Anbeginn angelegt war, wurde zu Beginn des 20. Jahrhunderts so übermächtig – für den jungen Brecht wird in diesem Zusammenhang wie für viele andere seiner Generation der Erste Sieg zu einer entscheidenden Erfahrung –, daß es, vom Autor in den Kontext der ihm zugehörigen Wirklichkeit gestellt, selber zu sprechen beginnt und Zeugnis ablegt gegen sich selbst. In einem solchen Verfahren verbindet sich artistisches mit kritischem Interesse im Stilmittel der Ironie. Die ironisierte literarische Tradition, selber zur Ideologie heruntergekommen, gerinnt zum funktionellen Material der polemischen Montage.

Diese «improvisiert mit dem gesprungenen Zusammenhang, sie macht aus den pur gewordenen Elementen [...] variable Versuchungen und Versuche im Hohlraum. Dieser Hohlraum eben ist durch den Einsturz der bürgerlichen Kultur entstanden und in ihm spielt nicht nur die Rationalisierung einer anderen Gesellschaft, sondern sichtbarer eine neue Figurenbildung aus den Partikeln des chaotisch gewordenen Kulturerbes.»[25] Den Begriff der Montage verwendet auch Friedrich, um dieses poetische Verfahren zu beschreiben: «Doch entspringen derartige Erscheinungen nicht mehr einer echten Traditionsbindung, die voraussetzt, daß man sich in einer einheitlichen und geschlossenen Geschichtsepoche zu Hause fühlt. Solche Übernahmen, Anspielungen und Zitate sind geisterhafte, wahllos herangeholte Reste einer geborstenen Vergangenheit. Sie mögen als Synthese gemeint sein. Ihre Wirkung aber ist die der Montage und des Chaos. Sie gehören, wie auch die grenzenlose Aufnahme rangnivellierter Dingwelten, zum Stil der Beliebigkeit, der Inkohärenz, des Ineinanderschiebens von allem mit allem. Sie sind [...] Mittel, um das dichterische Subjekt zu einer Art Kollektivsubjekt zu machen, das im verblüffenden Maskenwechsel spielt.»[26] Montage, von Friedrich lediglich der Wirkung von moderner Literatur zugeschrieben, bildet jedoch – zumal im lyrischen Werk Brechts – deren intellektuelle und poetische Unruhe. Insofern sind auch die Anspielungen und Zitate nicht bloß «wahllos herangeholte Reste einer geborstenen Vergangenheit», sondern deren Funktion läßt sich daran ablesen, welche Faktoren eben die Auswahl bestimmen. Freilich gibt es erhebliche Differenzierungen im poetischen Prinzip der Montage, und für die Technik einer frei assoziierenden lyrischen Poesie trifft Friedrichs phänomenologische Strukturbeschreibung sicher zu, doch fehlt in seinem analytischen Ansatz das Moment der Selbstreflexion und Intellektualität des poetischen Subjekts.[27] Aus dieser aber rühren jene Motive her, die der Montage Richtung geben: sie haben ihren

Ursprung nicht allein in der Exzentrizität des Subjekts allein, sondern in dessen Verhältnis zur Gesellschaft und ihren Institutionen, zur Kultur und deren historischer Gestalt, zu Religion und Moral. Das Verhältnis zur literarischen Tradition ist unmittelbar an diesen Bedingungen als seinem allgemeinen Rahmen festgemacht. In diesem wie in den objektiven Tendenzen der Epoche sind die Identifikationen und Projektionen angelegt, die den Zitaten, Anspielungen und der Übernahme formaler Vorbilder zugrunde liegen und voraufgehen. Die ungeheuer vergrößerte Distanz zum Vorgegebenen eröffnet zugleich einen Spielraum poetischer Verfügbarkeit, in den alle Elemente der Kritik, der Polemik und der assoziativen Phantasie ungehindert durch Zwänge der Konvention einschießen können. Sie verbinden sich mit dem Paradox, daß die poetische Freiheit vom Vorgegebenen zugleich dessen Allgegenwärtigkeit heraufführte, zum Inbegriff der Moderne.[28]

Paul Valéry hat diesen qualitativen Wandel im Verhältnis zur Tradition, den die europäische Literatur seit dem Ausgang des 19. Jahrhunderts in ihren am weitesten fortgeschrittenen Produktionen vollzogen hatte, so formuliert: «Die Werke werden zu einer Art von Allgegenwärtigkeit gelangen. Auf unseren Anruf hin werden sie überall und zu jeder Zeit gehorsam gegenwärtig sein oder sich neu herstellen. Sie werden nicht mehr nur in sich selber da sein – sie alle werden dort sein, wo ein Jemand ist und ein geeignetes Gerät. Sie werden nur mehr etwas wie Quellen oder Wurzelstöcke sein, und ihre Gaben werden sich ungeschmälert überall einfinden oder neu befinden, wo man sie wird haben wollen.»[29] Der Versuch, den historischen Ursprung solcher Allgegenwärtigkeit unter dem Aspekt des Traditionswandels zu beschreiben, soll in einem ersten Kapitel unternommen werden. Den Ausgangspunkt der Analyse soll ein Text aus der Ästhetik Hegels bilden, weil in ihm Grundzüge einer Urgeschichte der Moderne festgehalten sind, deren Relevanz für eine Theorie des Wandels im Verhältnis zur literarischen Tradition erst durch den historischen Prozeß selber deutlich geworden ist.

Dieser Wandel hat auch Wirkungen auf den Umfang des Begriffs der literarischen Tradition zur Folge gehabt. Der Begriff der ‹literarischen Tradition› muß ausgedehnt werden auf die Bereiche der philosophischen und theoretischen Literatur, des Trivialen, der Folklore, aber auch auf außerliterarische Erscheinungen wie etwa zu Sentenzen geronnene moralische Anforderungen oder Handlungsmaximen, die direkt einer bürgerlichen Lebenspraxis entstammen und in denen gesellschaftliche Erfahrungen sich niedergeschlagen haben. Deren Gleichordnung mit Anspielungen und Zitaten aus der eigentlich literarischen Tradition entspringt unmittelbar dem poetischen Prinzip der Montage selber, für das die Rangnivellierung aller seiner Gegenstände konstitutiv ist.

Diese theoretischen Vorüberlegungen sind deshalb notwendig, weil erst auf der Grundlage ihrer Ergebnisse die Frage nach der Funktion der literarischen Tradition im Werk Brechts nicht länger allein werkimmanent, sondern mit einer historisch-dialektischen Methode beantwortet werden kann. Diese isoliert der Arbeit voranzustellen würde deren Möglichkeiten überschreiten. Sie soll sich vielmehr in der materialen Argumentation selber entfalten.

1. Tradition und Moderne – Historische Wandlungen im Verhältnis zur literarischen Tradition

Der Begriff der Tradition ist eng verknüpft mit denen der Dauer und des Bleibens. Der Begriff des bleibenden Werks (*aere perennius*) setzt eine geschlossene Tradition voraus mit einem bestimmten Kanon von Konventionen und Regeln, formalen wie inhaltlichen. Die geschlossene Tradition wiederum ist gebunden an den Begriff der Dauer. Doch nicht alle historischen Perioden sind der Tradition nahe: Tradition gehört traditionalistischen Gesellschaften an, nicht rationalen. Die Periode der aufkommenden bürgerlichen Gesellschaft war rationalistisch und traditionsauflösend – damit ward der Gedanke des Bleibens immer problematischer sich selber gegenüber.
Seine ökonomischen Grundlagen und Bedingungen hat dieser Vorgang in der permanenten Umwälzung und Entfaltung der Produktivkräfte durch die expandierende bürgerliche Klasse. Deren Wirkungen auf die ideologische Verfassung der traditionsnahen feudalen Gesellschaft hat Marx im ‹*Kommunistischen Manifest*› beschrieben: «Die fortwährende Umwälzung der Produktion, die ununterbrochene Erschütterung aller gesellschaftlichen Zustände, die ewige Unsicherheit und Bewegung zeichnet die Bourgeoisepoche vor allen früheren aus. Alle festen eingerosteten Verhältnisse mit ihrem Gefolge von altehrwürdigen Vorstellungen und Anschauungen werden aufgelöst, alle neugebildeten veralten, ehe sie verknöchern können. Alles Ständische und Stehende verdampft, alles Heilige wird entweiht, und die Menschen sind endlich gezwungen, ihre Lebensstellung, ihre gegenseitigen Beziehungen mit nüchternen Augen anzusehen.»[30]
Christopher Caudwell hat in seinem Buch ‹*Illusion and Reality. A Study of the Sources of Poetry*› versucht, in Analogie zu Marx' Analyse der revolutionären Rolle der Bourgeoisie, das Wesen der bürgerlichen Kunst zu bestimmen. Da die Existenzbedingung der bürgerlichen Klasse in der ständigen Revolutionierung der Produktionsmittel, «folglich der Produktionsverhältnisse und zugleich der gesamten gesellschaftlichen Verhältnisse» liege, so folgert er, sei das Wesen ihrer Kunst «aufrührerisch, nicht-formal und naturalistisch». Diese Kunst revolutioniere «ständig ihre Konventionen, ebenso wie die bürgerliche Ökonomie ständig ihre Produktionsmittel revolutioniert»[31]. Darin unterscheide sich die bürgerliche von aller vorhergehenden Kunst. Dieses analytische Schema Caudwells trägt indes nicht sehr weit: die geschichtliche Entwicklung der Kunst läßt sich nicht so umstandslos, im Sinne eines historischen Parallelismus und mechanischer Gleichzeitigkeit, auf die ökonomische Entwicklung beziehen. Marx hatte lediglich von den «altehrwürdigen

Vorstellungen und Anschauungen» gesprochen, die aufgelöst würden: deren sehr diffizile Vermittlung mit den künstlerischen Manifestationen der Epoche mag er dabei auch im Blick gehabt haben, seine folgende Explikation zeigt aber, daß er mit «altehrwürdigen Vorstellungen und Anschauungen» eher feudale Ständeverfassung, Leibeigenschaft und Religion gemeint hat. Caudwell extrapoliert aus dem selber problematischen Theorem von Marx sogleich das Wesen der bürgerlichen Kunst. Indem er deren komplizierte Vermittlung mit der Entfaltung der Produktivkräfte unterschlägt, bleiben auch ihre Bestimmungen leer und undialektisch: so kann aufrührerische bürgerliche Kunst sich durchaus der Konvention und des historischen Kostüms bedienen, kann ihre Partizipation an der Entfaltung der Produktivkräfte gerade in ihren formalen Neuerungen und Experimenten sich manifestieren, seltener im ‹Nicht-Formalen› oder gar ‹Naturalistischen›.
Hegel, der als letzter Systemphilosoph des objektiven Idealismus eine philosophische Ästhetik entwarf, hatte gleichwohl Einsicht in die historische Dialektik von Tradition, wenn er auch deren ökonomischen Bedingungen nur beschränkt und mittelbar erkannte. In seiner *‹Ästhetik›* finden sich Ansätze einer historisch-dialektischen Theorie der Tradition, die in der Reflexion auf den Zusammenhang von Aufklärung und Autoritätsverlust des Traditionalen entfaltet werden:
«In unseren Tagen hat sich fast bei allen Völkern die Bildung der Reflexion, die Kritik, und bei uns Deutschen die Freiheit des Gedankens auch der Künstler bemächtigt und sie in betreff auf den Stoff und die Gestalt ihrer Produktion [...] sozusagen zu einer tabula rasa gemacht. Das Gebundensein an einen besonderen Gehalt und eine nur für diesen Stoff passende Art der Darstellung ist für den heutigen Künstler etwas Vergangenes und die Kunst dadurch ein freies Instrument geworden, das er nach Maßgabe seiner subjektiven Geschicklichkeit in bezug auf jeden Inhalt, welcher Art er auch sei, gleichmäßig handhaben kann. Der Künstler steht damit über den bestimmten konsekrierten Formen und Gestaltungen und bewegt sich frei für sich, unabhängig von dem Gehalt und der Anschauungsweise, in welcher sonst dem Bewußtsein das Heilige und Ewige vor Augen war.»[32]
Hegels theoretische Überlegungen – von deren Systemzusammenhang hier durchaus abgesehen werden kann – beschreiben den historischen Augenblick, in dem Tradition und Konvention nicht länger unbefragt gegeben sind und ihre normative, umfangende und substantielle Kraft durch die sozio-ökonomische Entwicklung der bürgerlichen Gesellschaft und deren philosophischer Manifestation im kritischen Vernunftprinzip aufgelöst wird. Dieser Prozeß verweist das ästhetische Subjekt unabdingbar auf sich selbst, auf seine Reflektiertheit und Spontaneität. Ihm ist, nach einem Diktum Immanuel Kants, der kritische Weg allein noch offen. Auch die Emanzipation des Gefühls ist durch

jenen Prozeß der Aufklärung mitheraufgeführt worden, wie sehr sie sich auch gerade als Emanzipation von einer spezifischen Gestalt der Aufklärung, deren enzyklopädischem Anspruch, begriff. Dieser ging darauf aus, nach der kritischen Destruktion der scholastischen, universal gerichteten Weltdeutung eine eigene, ebenso umfassende Weltinterpretation aus der Souveränität des mündigen, sich selbst bestimmenden Menschen zu konstruieren. Diese Intention, auf alle Bereiche des materiellen und geistigen Lebens bezogen, hatte in der Ästhetik, zumal bei einigen ihrer deutschen Vertreter, einen rationalistischen Dogmatismus zur Folge, der die soeben hervorgetretene freie Selbstbewegung von Vernunft und Emotion in die Bahnen seines systematischen Anspruchs zu bannen drohte. Was jedoch dem subjektiven Ausdruck davon sich zu befreien half, das Pathos der Individuation, lag noch im Prinzip von Aufklärung selber. Damit Literatur, und nicht nur sie, spontan wurde, «mußte zuerst jeder Vorrat, mußte eine gegebene Gebärdensprache der Gefühle, ein Kanon der Formen, ein Stil und ein Anstand fallen, aus dem Denken der Menschen entschwunden sein, mußte die feste Anwendung und das lebendige Zeremoniell der lyrischen Poesie außer Gebrauch kommen. Es mußte ferner dem Dichter auch die Vorstellung des bestimmten Kreises, vor dem sein Gedicht zu erklingen hat, und der Erwartung, die dieser Kreis an das Gedicht stellt, verloren sein. Die letzte Nachwirkung des alten Zustands ist die Poetik: auch deren Geltung mußte gebrochen werden. In dieser schöpferischen Verlegenheit lernte das Lied sich selbst bestimmen . . .»[33] Kanon der Formen, Stil und Gebärdensprache der Gefühle jedoch hoben sich nicht gleichsam naturwüchsig, durchs bloße Fortschreiten der Zeit aus dem Gedächtnis der Menschen hinweg, wie Max Kommerell suggeriert, sondern wichen bewußter Kritik. Auch entschwanden sie nicht eigentlich aus dem Denken der Menschen, sondern was der historische Prozeß, das Altern der Werke, diesen entzog, die Unmittelbarkeit ihrer Wirkung, ihre «Einzigkeit»[34], die Eigenschaft, auf der Höhe ihrer Zeit zu sein, gab er ihnen in Gestalt ihrer «geschichtlichen Zeugenschaft»[35] doch auch wieder zurück, denn dieselben Gewalten, die «in der Welt der Offenbarung (und das ist die Geschichte) explosiv und extensiv zeitlich werden, treten in der Welt der Verschlossenheit (und das ist die der Natur und der Kunstwerke) intensiv hervor»[36].

Jene Intensität teilt sich der Form als deren Substantialität mit; diese ist kein neutrales Ordnungsgefüge, sondern enthält auch Bedeutung. Sie besitzt, wie Peter Szondi formuliert, «Aussagefähigkeit». Adorno spricht von den Formen als «niedergeschlagenen Inhalten» und expliziert: «In ihnen überlebt was sonst vergessen ist und unmittelbar nicht mehr zu reden vermag. Was einmal Zuflucht suchte bei der Form, besteht namenlos in deren Dauer. Die Formen der Kunst verzeichnen die Geschichte der Menschheit gerechter als die Dokumente.»[37]

Was in der Aussagevalenz der Formen überlebt, sind Aussagen über das Selbst- und Weltverständnis der Menschen und darin ist die Historizität der Formen begründet: der Geist und die Perspektive der Weltsicht, die in den Formen sich objektivierten, haben ihren Grund in der durch die jeweilige ökonomische Gesellschaftsformation vermittelten Gestalt des objektiven Geistes der Epoche, in der die verschiedenen Formen sich herausbildeten. Der innere Zusammenhang von Form und Inhalt hat zur Folge, daß der dem thematischen Zusammenhang immanente Gehalt auch in der Form ausgesagt wird, daß dieser nur im Medium der Form erscheint. Der Sinn künstlerischer Mittel freilich «geht nicht in ihrer Genesis auf und ist doch von ihr nicht zu trennen»[38]. Entstammen die Formen auch einem konkreten thematischen Zusammenhang, sind sie gleichwohl als objektive Gebilde von diesem ablösbar und werden als Formmittel verfügbar. Freilich werden sie dadurch auch abstrakter und leer, können formelhaft und dekorativ erstarren. Zwar büßen sie ihren ursprünglichen Bedeutungsgehalt nie ganz ein, aber dieser entfaltet neue Aussagevalenzen je nach dem Funktionszusammenhang, dem die Formen erneut integriert werden. Denn «alles Formale [enthält], im Gegensatz zum Thematischen, seine künftige Tradition als Möglichkeit in sich»[39]. Es geht ein in die Tradition und Konvention der künstlerischen Produktion. Formale Tradition nimmt die Gestalt eines institutionellen Gebildes an, in dem die einer historischen Stufe des Bewußtseins zugehörigen Erfahrungen und geistigen Impulse, die durch ihre Formwerdung dieses Gebilde hervortrieben, als geronnene enthalten sind. Paul Valéry hat diesen Prozeß in einem Bild formuliert: «Die Vergangenheit ist nur der Ort für Formen ohne Kräfte, an uns liegt es, sie mit Leben und Notwendigkeit auszustatten, ihr unsere Leidenschaften und Wertbegriffe zu unterstellen.»[40] Freilich verkennt Valéry, daß die Formen nicht bloß mehr leere sind – zwar scheint das Leben aus ihnen gewichen, aber jene Leidenschaften und Wertbegriffe, die der Autor ihnen unterstellt, sind als versteinerte doch auch in ihnen enthalten: was aus den Formen gleichsam mit erloschener Stimme zu ihm spricht, das beginnt, durch die Wahlverwandtschaft des Autors als Zitat, als Anspielung, als integrale Form ins Werk eingeholt, wieder zu reden. Jene Wahlverwandtschaft, jene der Vergangenheit zugewandte Identifikation artikuliert sich im Medium der poetischen und programmatischen Intentionen des Autors, seiner Stellung zur Gesellschaft seiner Zeit und seines geschichtsphilosophischen Selbstverständnisses.

Hegel unterscheidet drei Weisen des Künstlers seiner Zeit, sich zur Tradition zu verhalten, die an einen bestimmten geschichtsphilosophischen Ort gebunden sind:

1. Die parodistisch-satirische.

«Hat nun aber die Kunst die wesentlichen Weltanschauungen, die in ihrem Begriffe liegen, sowie den Kreis des Inhalts, welcher diesen Weltanschauungen angehört, nach allen Seiten hin offenbar gemacht, so ist sie diesen jedesmal für ein besonderes Volk, eine besondere Zeit bestimmten Gehalt losgeworden, und das wahrhafte Bedürfnis, ihn wieder aufzunehmen, erwacht nur mit dem Bedürfnis, sich *gegen* den bisher allein gültigen Gehalt zu kehren . . . .»[41]

Lukian, Ariosto und Cervantes sind die Autoren, in denen Hegels geschichtsphilosophischer Blick jenen poetischen Typus beispielhaft verkörpert sieht. Es gilt jedoch für seinen theoretischen Ansatz, daß er allein auf traditionalistische Gesellschaften anwendbar bleibt. Einer sich rational verstehenden Gesellschaft, die sich an der Kritik von institutionalisierter Tradition zuallererst gebildet hat, ist deren unmittelbare epochebestimmende normative Macht zergangen: die Werke der aufkommenden bürgerlichen Gesellschaft waren geprägt von jener selbstbewußten Kritik, von jenem Pathos der befreiten Intellektualität, die in ihnen auch dann noch überlebten, als das Bürgertum sich selbst als herrschende Klasse etabliert hatte. Gegenstände von Parodie und Satire wurden sie erst wieder in einer Periode, in der zumal die Werke der bürgerlichen Klassik in den Kanon einer Kulturideologie erhoben wurden, die ihren einst kritischen Gehalt entweder in positiv-affirmative Sentenzen umfälschte oder die deren kritische Elemente in der Interpretation überhaupt negierte. Konnten Lukian, Ariosto und Cervantes in der Parodie der Werke selber noch eine ganze vergangene oder versinkende Epoche, eine historische Bewußtseinsstufe treffen, so setzt Parodie und Satire in der bürgerlichen Gesellschaft die Ideologisierung der Werke voraus, ihr Absinken zur Kultur. Parodie in der bürgerlichen Gesellschaft gilt mit den Werken selber zugleich dem, was jene diesen angetan hat.

Die negative Gestalt von Tradition: die der Erstarrung geht dem vorauf. In dem Maße wie alle Tradition über ihre geschichtlichen und geistigen Bedingungen hinaus weiterwirkt, gerinnt sie zu einer «der Sache vorgeordnete[n] und am äußerlichen Consensus orientierten[n] Kategorie»[42], zu einem kodifizierten System von Regeln und Selektionsprinzipien, das allen Erfahrungen und geistigen Impulsen, die nicht in seinem Formgefüge ihren Niederschlag fanden, sich verschließt. War jedoch in traditionalistischen Gesellschaften und noch in der aufkommenden bürgerlichen Gesellschaft die Parodie und Satire des Alten selber ein Moment in der Entfaltung des Neuen gewesen, so bildet sich der Impuls zur Parodie daran, daß in der Kanonisierung der Werke ein auf Perpetuierung seiner Herrschaft gerichtetes gesellschaftliches Interesse mitwirkt: die Entfernung, der Bruch zwischen den Werken des bürgerlichen Idealismus und der gesellschaftlichen Wirklichkeit, von Anbeginn in ihnen enthalten, wird im Zuge der politisch-ökonomischen Entwicklung des 19. Jahrhunderts immer größer.

Der ideologische Charakter, der ihnen im Altern zuwächst, wird noch verstärkt und offenbar gemacht durch ihre Integration in den gesellschaftlichen Verblendungszusammenhang der bürgerlichen Kultur und ihrer Institutionen. Die Tatsache, daß die Tradition ihre Macht über die Menschen verloren hat, trägt dazu bei, daß sie um so intensiver beschworen wird. Was zudem zur Parodie an den Werken des bürgerlichen Idealismus herausfordert, ist ihr harmonisches Formideal, das, geknüpft an die Idee der Versöhnung von Subjekt und Objekt, in einer Zeit, in der die Funktionalisierung der Menschen immer umfassender wird und auch die Sprache immer mehr dem Markt verfällt, gegen sich selber zu reden beginnt. Der Absolutheitsanspruch dieser Kulturideologie nimmt derart zu, wirkt so erdrückend, daß auch und gerade das Verhältnis zur literarischen Tradition von ihm sich bestimmen läßt. Bei jenen Autoren, die nicht blind dessen Ansprüchen folgen, erweist sich die Funktion der literarischen Tradition in ihrem Werk am Verhältnis zum vorgegebenen Kanon. Die ‹Allgegenwärtigkeit› der tradierten Werke hat zur Folge, daß auch die poetischen Verfahrensweisen Parodie und Satire sich wandeln, andere Gestalt annehmen, ihren historischen Charakter verändern. Der Autor bleibt, um seiner reflektierten Abweichung vom Konsens zum Ausdruck zu verhelfen, nicht auf Parodie und Satire verwiesen – schon der Rückgriff auf jene Traditionen, die eine bestimmte Kulturideologie verschüttet oder aus ihrem Bewußtsein verdrängt hat, enthält ein polemisch-satirisches Moment gegen diese. Daher bei den Lyrikern, die am Ausgang des 19. oder am Anfang des 20. Jahrhunderts stehen, immer wieder Anspielung, Zitat, formale oder thematische Übernahme des Ältesten, der Folklore oder früher ‹wahlverwandter› Autoren (bei Brecht etwa Villon), aber auch ein verfremdend-exotisches Moment – ein stilisiertes Amerika, das Afrika Rimbauds, chinesische Vorbilder – tritt hinzu. Zugleich ist das Verhältnis zur literarischen Tradition weniger durch die unmittelbare Rezeption der Werke bestimmt, sie werden vielmehr oft mittelbar rezipiert, im Medium von Produktionen, die Wahlverwandte, Vorgänger oder Zeitgenossen hinterlassen haben.[43] Beim frühen Brecht wird das am Beispiel Rimbauds und Wedekinds deutlich, von denen jener die Rezeption Villons, dieser die der Balladenform und des Bänkelsangs vorbereiten half.

Parodie und Satire verlieren ihren überkommenen historischen Charakter in dem Maße, in dem ihr Gegenstand seine normative Autorität verloren hat – sie gelten lediglich noch jenem angestrengten Gestus, mit dem eine längst ihrer Macht über die Menschen beraubte Tradition beschworen wird. Verband sich zum Beispiel mit den Satiren auf das Christentum und dessen Institutionen, wie die Aufklärung sie betrieben hat, das unmittelbare emanzipatorische Interesse einer gesellschaftlichen Klasse und ihrer intellektuellen Avantgarde, so tritt an deren

Stelle das artistische Interesse des reflektierten Autors, der die Form eines protestantischen Kirchenliedes lediglich als Medium verwendet, in dem er im Sinne einer Montage sein eigenes Selbst- und Weltverständnis ausspricht. Neben Parodie und Satire treten, sie allmählich ablösend, Kontrafaktur und Ironie. Jenes wahrhaft satirische Bedürfnis, einen Gehalt wieder aufzunehmen, das Hegel als das bestimmte, «sich *gegen* den bisher allein gültigen Gehalt zu kehren», ist einem artistisch-aleatorischen Interesse des poetischen Subjekts gewichen, das die Elemente literarischer Tradition, die Alleingültigkeit nicht mehr besitzen, in ironischer Montage seinem eigenen Werk integriert.
Hegel hat prognostisch jenes Prinzip der Montage mit dem Bild des Künstlers als eines Dramatikers beschrieben, «der andere, fremde Personen aufstellt und exponiert». «Er legt zwar auch jetzt noch sein Genie hinein», heißt es bei ihm weiter, «er webt von seinem eigenen Stoffe hindurch, aber nur das Allgemeine oder das ganz Zufällige; die nähere Individualisierung hingegen ist nicht die seinige, sondern er gebraucht in dieser Rücksicht seinen Vorrat von Bildern, Gestaltungsweisen, früheren Kunstformen, die ihm, für sich genommen, gleichgültig sind und nur wichtig werden, wenn sie ihm gerade für diesen oder jenen Stoff als die passendsten erscheinen.»[44] Freilich bindet Hegel die Übernahme von Formen und Inhalten noch an die Explikation eines ihnen adäquaten Stoffs, er bezeichnet jene historische Stufe, auf der der Autor «von der selbstverständlichen Voraussetzung seines Objekts wie der absoluten Wahrheit der überkommenen Formen»[45] sich befreit hat, jedoch noch nicht der ungeheuren Möglichkeiten sich bewußt geworden ist, die ihm solche Freiheit eröffnet – eine Freiheit, die sich am Ende des Jahrhunderts zu einem Überdruck an Tradition und zu einer Last für den Künstler gewandelt haben wird. Hegel hat freilich theoretisch die Reflektiertheit des Autors zur Grundvoraussetzung der Moderne erhoben, hinter die nur um den Preis der Ideologie und des Epigonalen zurückgegangen werden kann. Die Freiheit, die die Künstler gewonnen haben, verweist sie unabdingbar auf den Gedanken. In dessen Negation ist für Hegel eine andere Weise, sich zur literarischen Tradition zu verhalten, begründet.
2. *Die affirmativ-restaurative.*
«Es hilft da weiter nichts», konstatiert er kategorisch in seiner ‹*Ästhetik*› mit allem ironischen Ingrimm des Klassizisten gegen die Romantik, «sich vergangene Weltanschauungen wieder, sozusagen, substantiell aneignen, d. i., sich in eine dieser Anschauungsweisen fest hineinmachen zu wollen, als z. B. katholisch zu werden, wie es in neueren Zeiten der Kunst wegen viele getan, um ihr Gemüt zu fixieren und die bestimmte Begrenzung ihrer Darstellung für sich selbst zu etwas Anundfürsichseiendem werden zu lassen.»[46] Hegels Polemik verkennt, daß die rückwärtsgewandte Utopie, die poetische Übung in längst ver-

gangenen Formen und Inhalten als deren künstlerische Erscheinung « [...] die ebenso ihren Grund in jener Freiheit der Reflexion hat und daß gerade die von ihm befehdeten Romantiker die Freiheit des poetischen Subjekts bis zu jener Konsequenz durchgehalten haben, die sie traditionelle Formen in Frage stellen und Inhalte ironisieren ließ. Es ist aber vielleicht kein Zufall, daß gerade jene, die dem Prinzip der freien Subjektivität mit größter Stringenz die Treue hielten, «dem Ausbruch aus der Bewußtheit, welche die Not der Offenheit motiviert»[47], am nächsten waren. Solche gewaltsame Beschwörung des Vergangenen, die artistische Rückkehr in eine stilisierte Religiosität oder idealisierte feudale Lebens- und Gesellschaftsformen als die fiktive Rekonstruktion einer Zeit, in der Subjekt und Objekt, Ich und Welt in der Allgemeinheit und Verbindlichkeit des Mythos versöhnt schienen, hat es seit der Romantik, zumal in Deutschland, wieder und wieder gegeben – und auch ihre geschichtsphilosophische Begründung wirkte noch nach. Hegel streift sie nur kurz: «... die Not der Zeit, den prosaischen Sinn, den Mangel an Interesse» führt er an – und in der Tat hat der deutsche Idealismus, haben zumal Schiller, Fichte und Hölderlin ein Bewußtsein von den gesellschaftlichen Widersprüchen, die die Organisation der gesellschaftlichen Arbeit zur Folge hatte, gehabt. Die romantische Kritik nahm solche Motive auf, der Philister ward ihr zum Symbol der gesellschaftlichen Tendenzen, denen sie das Pathos der Subjektivität, die geschichtsphilosophische Konstruktion eines goldenen Zeitalters und schließlich die Fixierung im Glauben entgegensetzte. Mit der fortschreitenden Industrialisierung, in deren Verlauf die Struktur des kapitalistischen Arbeitsprozesses auf die Institutionen der Gesamtgesellschaft mehr und mehr übertragen wird[48] und kein Bereich sich diesem Prozeß mehr entziehen kann, treten immer häufiger Tendenzen einer Ideologiesierung der Kunst auf – Manifestation eines ‹Verlegenheitshistorismus›, der die «völlig neuartige, im eminenten Sinne traditionslose Erwerbsart des Kapitalismus und Industrialismus zu verdecken hatte»[49]. Sie verbanden sich mit einem gerade in Deutschland verbreiteten Typus von Zivilisationskritik, die die Kultur «als das Reich der eigentlichen Werte und Selbstzwecke der gesellschaftlichen Nutz- und Mittel-Welt»[50] entgegenhielt. In diesem Gestus war jene angestrengte ‹Genialität›, die leidenschaftliche Bemühung um eine Sprache, die wie ein Schibboleth dem Banalen wehren sollte, und die Rekonstruktion vergangener Kultur- und Lebensformen begründet, wie sie das Werk Stefan Georges auszeichnen und überdies von zahlreichen Autoren, ‹Bewegungen› und ‹Kreisen› programmatisch vertreten wurden. Der exklusive, durch Ritual, Mythos und Führergestalt zusammengehaltene ‹Kreis› als Form künstlerischer Sezession diente der Wiederherstellung des höfischen Publikums der Renaissance, in religiöser Wendung der mittelalterlichen Gemeinde: die vorgegebene und unmittelbare Bindung der poetischen Produktion an eine bestimmte gesellschaftliche Gruppe, die durch den historischen Prozeß unwiederbringlich dahingegangen war, sollte in ihm noch einmal zum Leben erweckt werden:

> Eine kleine schar zieht stille bahnen
> Stolz entfernt vom wirkenden getriebe
> Und als losung steht auf ihren fahnen:
> Hellas ewig unsre liebe.[51]

Neben die poetische trat die unmittelbar rituelle Beschwörung der vergangenen ‹Hochkulturen›. So nimmt es sich wie die geschichtsphilosophische Probe auf Hegels Sätze aus: «Kein Homer, Sophokles usf., kein Dante, Ariost oder Shakespeare können in unserer Zeit hervortreten; was so groß besungen, was so frei ausgesprochen ist, ist ausgesprochen; es sind dies Stoffe, Weisen, sie anzuschauen und aufzufassen, die ausgesungen sind»[52], wenn George im Februar 1904 bei einem ‹Dichterzug› als Dante und Wolfskehl als Homer im Kreise ‹Florentiner Edelfrauen› auftreten[53]: die ideologische Restauration in der Kunst kommt zu sich selbst als weltliterarische Maskerade.
Solchen Erscheinungen gehörte auch die ‹Neo-Gotik› mit ihrer Pflege des mittelalterlichen Marienkults und der Heiligenverehrung zu. Daneben gab es noch zahlreiche andere sakrale Kulte. Ihnen allen war das Bestreben gemeinsam, mit den Formen, die sie zitierten und wieder verwandten zugleich jene traditionalistisch-hierarchische und religiöse Lebensordnung wieder heraufzuführen, in der diese sich gebildet hatten. Die Wirklichkeit aber, aus deren gewaltsamer Verdrängung solche ideologische Verblendung entstand, erschien ihnen – und das Beispiel mag für viele stehen – in ihren Manifesten zur Hölle stilisiert: «Nach weiteren fünfzig jahren fortgesetzten fortschritts werden auch diese letzten reste alter substanzen verschwunden sein [...] wenn durch verkehr, zeitung, schule, fabrik und kaserne die städtische fortschrittliche verseuchung bis in die fernste weltecke gedrungen und die satanisch verkehrte, die Amerika-Welt, die ameisenwelt sich endgültig eingerichtet hat.»[54] Was Hegel noch «Not der Zeit» und ihren «prosaischen Sinn» nannte, was dem späten Goethe eine Barbarei dünkte, in der man «schon mitten darinne»[55] sich befände, was beiden dennoch Gegenstand theoretischer, politischer und pädagogischer Bemühungen blieb, die gegenwärtige Wirklichkeit, das war am Ende des Jahrhunderts nur noch der negative Anlaß für ästhetische und ideologische Restauration. Ihr ward Geschichte und vergangene Kultur zum Objekt ihrer Ansprüche, zum Arsenal und bisweilen auch zur Rüstkammer, aus dem ihre Autoren, mit Rudolf Borchardt zu reden «das rückwärts Stiftende und Befestigende»[56] auszuwählen hatten.
Wurde ihnen jedoch die Gegenwart zum bloßen Hohlraum, so blieben

dennoch ihre Werke auf sie bezogen, und da mit den beschworenen Formen deren Substanz und deren Epoche denn doch nicht wiederkehren wollten, blieben sie bloße Stilfigur, ästhetisches Ornament und näherten sich dem Kunstgewerbe an. Denn solche ‹Fixierung des Gemüts› im Vergangenen trug ihren Zweck und ihre Grenze in sich selbst: ihre rückwärts gewandten Utopien hatten, im Gegensatz zu denen der Romantik, keinen kohärenten geschichtsphilosophischen Grund. Hatte in den utopischen Entwürfen der Romantik, bei allem antiaufklärerischen Impetus, doch auch die große, emanzipatorische Bewegung der Epoche sich niedergeschlagen, so blieben deren späte Verfallsprodukte auf die ideologische und ästhetische Gebärde beschränkt. Diese aber wies mimetisch auf vergangene Schönheit als einen Fetisch, der dem gegenwärtigen Unheil wehren sollte – und auch die Reiche, die mit ihr gegründet wurden, blieben ästhetische Chimären, die mit den bestehenden Reichen um so eher paktierten. Der magische Rückgriff auf vergangene Kulturen floh die Gegenwart als zivilisatorische Hölle und konstituierte den zur auserwählten Schar stilisierten ‹Kreis› als Urbild des neuen Reiches.
Hegels Polemik gegen die Romantiker hatte, bei aller Einseitigkeit, Tendenzen ausgesprochen, die entfaltet eine Ideologisierung der Kunst heraufführten, welche am Ende des Jahrhunderts in deren Absolutheitsanspruch sich vollendete. Die hybride Programmatik des George-Kreises stand in dieser Hinsicht in der Tradition der Wagnerschen Konzeption von Kunst – sie war auch die Antwort darauf, daß der totale Anspruch der philosophischen Systeme und der Religion im 19. Jahrhundert zergangen war.

3. Das in Reflexion begründete kritisch-selektive Verhältnis zur Tradition.

Solchem restaurativ-affirmativen Verhältnis zur Tradition stand ein anderes diametral entgegen, für das freilich auch eine negative Einstellung gegenüber den gesellschaftlichen Tendenzen der Zeit konstitutiv war. Doch im Gegensatz zu jenem fehlte diesem das bloß kontemplative oder eskamotierende Moment: die Zeit ist in die Werke, in denen es sich manifestiert, hineingenommen und bildet deren poetische Unruhe. Die Kultur, deren kanonische idealistische Autoren sie zitieren, die Religion, deren geheiligte Texte, Liturgie und Choräle sie parodieren, erscheint ihnen als mit den Mächten der Zeit paktierende, nicht, wie bei George, als die Mächte der Zeit bannende, versenkte man sich nur ganz in sie. Der Naturalismus hatte noch geglaubt, es sei hinreichend, um der herrschenden Kulturideologie und den epigonalen Autoren, die ihr das Wort redeten, zu begegnen, ihnen das Pathos der Faktizität entgegenzuhalten, die schlechte Realität in einem auf seine Zusammenhalt stiftende Funktion reduzierten formalen Rahmen gleichsam selber sprechen zu lassen. Doch in seiner Lyrik – manche Gedichte von Arno Holz sind Beispiele dafür – war der satirische Gestus, der Rückgriff auf den

kollektiven Unterstrom, aufs Triviale schon angelegt. Die poetischen Gattungen des hohen Stils verfielen radikaler Kritik: sie wurden parodiert, ihre formale und inhaltliche Harmonie gebrochen im Zerrspiegel archaisch-trivialer Formen wie der Moritat und dem Bänkelsang. Autoren wie Frank Wedekind, Alfred Lichtenstein und Walter Mehring gaben dem, was als naturalistischer Protest begann, jene Wende in die auf bürgerliche Kultur, bürgerliche Moral und Religion gerichtete Parodie, an die das Werk des jungen Brecht anknüpfte und der es, bei aller Einzigartigkeit, doch auch zugehört. Die naturalistische freilich war ihm bereits eine ästhetische Position, die mit dem Ersten Weltkrieg der wilhelminischen Gestalt der bürgerlichen Gesellschaft in den Abgrund gefolgt war, und die er nur noch ironisch einnehmen konnte.
Viel näher war ihm jene Haltung, die Richard Huelsenbeck 1920 als die des Dadaisten beschrieb: «Er ist ein Wirklichkeitsmensch, der den Wein, die Weiber und die Reklame liebt, seine Kultur ist vor allem eine Körperkultur. Er sieht instinktmäßig seinen Beruf darin, den Deutschen ihre Kulturideologie zusammenzuschlagen.» Es gelte, «mit allen Mitteln der Satire, des Bluffs, der Ironie, am Ende aber auch mit Gewalt gegen diese Kultur vorzugehen»[57]. Freilich verband Brecht mit dem Angriff auf die Kulturideologie die Intention, das Wesen der Gesellschaft, deren Ausdruck sie war, offen auszusprechen. Dafür verwandte er nicht nur das Mittel der Ironie und Parodie auf jene «poetischen Formen, mit denen die Bourgeoisie ihre Existenz umspielt»[58] – die Gegengestalten, die die Subjekte seiner Gedichte abgeben, sind nicht länger – wie noch bei den Naturalisten und deren Nachfahren – Zeugen für reales Elend, sondern synthetische Figuren, zusammengesetzt aus Elementen des Kolportageromans, der Jahrmarktsrevue und des Bänkelsangs: nicht der Asoziale gab das Gegenbild ab, sondern der synthetische Typus des Asozialen als Ergebnis von Montage. Der Sinn, zu dem die kaleidoskopischen Kolportage-Bilderfolgen solcher Asozialität zusammentreten, bleibt der kalkulierter anti-idealistischer und anti-bürgerlicher Polemik. Daher Brechts Hinwendung zum Unteren als dem Negativ der mißlungenen Kultur – eine Hinwendung, die all jenem galt, das die bürgerliche Kultur verstoßen, verschmäht und verstümmelt hatte. Indem dem Trivialen, dem Kitsch in der Konstruktion seiner Gedichte die Zunge gelöst wird, entbinden sie zugleich die Sehnsucht, die der Kommerz bloß ausbeutet.[59] Problematisch bleibt freilich für den jungen Brecht die in der Forschung mehrfach vorgetragene These, der Rückgriff auf niedere Formen gehe einher mit einer Parteinahme für die besitzlose Klasse.[60] Jener bereitet dieser lediglich den Weg: den Intentionen, die ihm zugrunde liegen, ist ein Positives nicht abzugewinnen oder zu unterstellen.
Brechts frühes Verhältnis zur Tradition kann verstanden werden als ein

Extrem, zu dem das Georges das andere bildet – was ihre Positionen aufeinander bezieht ist der gesellschaftliche Zusammenhang, die von beiden wie auch immer negativ erlebte bürgerliche Zivilisation. Die Differenz wird schon am Verhältnis zu deren Sprache deutlich: versucht George die Sprache des Marktes durch das einer fingierten Feudalität entlehnte Formideal zu bannen, so nimmt Brecht deren Elemente durch das Prinzip der Montage in seine Werke hinein. Georges Haltung hat wie die Brechts den Schein von Asozialität – doch besteht Georges ‹Asozialität› darin, gegen die Gesellschaft seiner Zeit sein Werk an der Substantialität vergangener Kulturen und Lebensformen gleichsam festzumachen, so nährt das Werk Brechts sich aus den Kräften der Tradition, indem es sich kritisch zu ihr verhält. Der Not der Offenheit begegnet es nicht durch Flucht in die Rekonstruktion dahingegangener Formideale, sondern in deren aleatorisch-ironischer Destruktion. Georges Verhältnis zur Tradition besteht in dem Versuch, die Aura der vergangenen Werke zu der seiner eigenen zu machen. Benjamins Definition zufolge ist Aura die «Formulierung des Kultwertes des Kunstwerks in Kategorien der raum-zeitlichen Wahrnehmung»[61]. In der Moderne ist sie unwiederbringlich dahin, der Zerfall der Aura ist ihr konstitutiv: Georges outrierter Versuch, sie sich wieder anzueignen, endete notwendig darin, den Kultwert der Werke, der im historischen Prozeß nicht überlebt hatte, synthetisch wiederherzustellen. Sein Verhalten gleicht dem von Nachahmung und Reproduktion und wirkt so gerade mit an dem Prozeß, dem er doch aufs Entschiedenste widerstehen wollte. Brecht hingegen gibt den Zerfall der Aura in seinem Werk selbst zu – sie bildet die Bedingung der Möglichkeit seines Verhältnisses zur Tradition.[62] Indem er den ideologischen Charakter der Werke des hohen Stils durch Parodie zu entlarven sucht, indem er die Formen des Kirchenliedes zu ironischer Kontrafaktur verwendet, indem er im Medium der historischen Inhalte, die in ihnen sich niedergeschlagen haben, eigene Erfahrungen objektiviert und didaktisch vorträgt, wächst seinem Werk jene Erkenntnis zu, die vom Stand des historischen Prozesses selbst gefordert ward.

Jener didaktische Grundzug, der schon beim jungen Brecht, wenn auch als ironisch-fiktive Haltung von ambivalenter Distanz, erscheint, ist auch in dem Gleichgültig- und Verfügbarwerden des Materials begründet. Es bringt «den Verzicht auf jene Identität von Gehalt und Erscheinung mit sich, in welcher die traditionelle Idee der Kunst terminierte [...] Das Subjekt opfert die Anschaulichkeit des Werkes, treibt es zu Lehre und Spruchweisheit und versteht sich als Repräsentanten einer nicht existenten Gemeinschaft.»[63] Max Kommerell hat diesen Vorgang, noch ganz im Sinne Georges, zurückgeführt auf das «Versagen der weltlichen und geistigen Verbände, wie es die letzten beiden Jahrhunderte kennzeichnet»[64] und daraus abgeleitet, daß der Autor sich «zum Gesetz-

geber weltlich-geistiger Art» erhebe oder als «Träger der Weihe» erscheine und «die vergessenen und verleugneten Übergänge des Lebens ins Göttliche» verkünde. Dann habe nichts mehr gehindert, «daß Evangelien und Breviere in lyrischer Form»[65] entstanden seien. Indem Kommerell die historischen Ursachen nennt und die in ihnen entsprungenen Formen angibt, läßt sich gerade an ihnen – bei aller strukturellen Ähnlichkeit, die hieran für das Verfahren Georges und Brechts sich ablesen läßt und die in der Tat aus dem erfahrenen «Schmerz der Zeit»[66] herrührt, die zentrale Differenz aufweisen.
Wollen Georges ‹Evangelien› im Ernst ‹Gesetz› und ‹Weihe› in einer Zeit, die unmittelbar nicht mehr von ihnen bestimmt wird, in der poetischen Verkündigung wiederherstellen, so verwendet Brecht die Form des Breviers und des Chorals, nimmt er ironisch-aleatorisch die Haltung eines ‹Gesetzgebers› und ‹Trägers der Weihe› ein, um zu verkünden, daß es ‹Gesetz› und ‹Weihe› in der bürgerlichen Gesellschaft nicht mehr gebe. Wenn aber beide Autoren, und sie können für viele ihrer Zeit stehen, auf jene Formen und Haltungen sich verwiesen sehen, wie immer auch in der Gestalt negativer Fixierung, so waltet darin ein geschichtlich Objektives, das ein extrem restauratives und ein ironisch-destruktives Verhältnis zur Tradition als genaue Gegenbilder aufeinander beziehbar macht.
Doch gibt es auch im Werk des jungen Brecht den identifikatorischen, sich historischer Gestalten als ‹Wahlverwandte› versichernden Rückgriff auf die literarische Tradition: daran wird deutlich, daß ein Verhältnis bestimmter Negation zur Tradition sich selber zur Tradition und seiner Anciennität inne werden kann. Der Autor interpretiert sich selbst als Vermittler, Fortsetzer und Repräsentanten einer bislang verschütteten Thematik und ihrer formalen Ausprägungen: indem er derart selber Tradition zuallererst konstituiert, die ihm aus seinem eigenen historischen und poetischen Selbst- und Weltverständnis zuwächst, wird der Begriff von Tradition selbst in seiner Zusammensetzung verändert und verliert seine gesellschaftlich festgelegte und sanktionierte Einsinnigkeit als Fetisch des bewahrten und geretteten Überkommenen, dem schon von sich aus normative Macht zukäme. An seine Stelle tritt ein Begriff von Tradition als der einer Korrespondenz: diese «ist keine der Einfühlung und unmittelbaren Verwandtschaft, sondern bedarf der Distanz»[67]. Als solche ist sie durch Reflexion hindurchgegangen und hat ihren Ursprung in der durch das historische Selbst- und Weltverständnis des Autors vermittelten intellektuellen Wahl und Identifikation.
Die Lyrik des jungen Brecht bietet dafür zahlreiche Beispiele, ja dieser Sachverhalt ist eines ihrer konstitutiven Strukturprinzipien. So waren die Gedichte des François Villon, deren Form und Thematik er verwandte, selber «schon Parodien auf die damals in Verfall geratene Liebeslyrik und auf die feierlichen Testamente»[68], zugleich aber teilt

Brecht die identifizierende Rezeption der Villonschen Lyrik mit anderen zeitgenössischen Autoren: Richard Dehmel hatte bereits Balladen Villons übersetzt, ihm folgte K. L. Ammer, der 1909 einen großen Teil des Villonschen Werkes so übertrug, daß es für Brecht sprachbildende Kraft bekam, und Klabund schrieb einen Villon-Zyklus. Solches Wiederfinden einer literarischen Gestalt lag nun freilich nicht gerade, wie Clemens Heselhaus meint, bloß «in der Luft»[69], es deutet vielmehr auf nicht allein der Kunst immanente, sondern objektiv historisch-gesellschaftliche Tendenzen. Seine Nähe zur ‹Mode› verweist zugleich auf seinen geschichtlichen Ursprung: «Die Mode hat die Witterung für das Aktuelle, wo immer es sich im Dickicht des Einst bewegt. Sie ist der Tigersprung ins Vergangene. Nur findet er in einer Arena statt, in der die herrschende Klasse kommandiert.»[70]

Walter Benjamin hat diesen Sachverhalt daran demonstriert, daß die Französische Revolution von 1789 die römische Republik zitierte – aber es gibt, wo der Weg der Revolution nicht bestritten wird, andere Formen, auf eine als unerträglich und bedrückend empfundene gesellschaftliche Ordnung und die von ihr sanktionierten Institutionen und Traditionen zu reagieren: der polemische Angriff der Parodie weiß das Aktuelle im Dickicht des Einst aufzuspüren und in der Korrespondenz eine Tradition des Anti-Traditionellen zuallererst zu konstituieren.

Im Gegensatz zu George und seiner Schule geht es solchem Verhältnis zur literarischen Tradition nicht darum, sich im Vergangenen gleichsam festzumachen, die Distanz zu ihr in der outrierten formalen Anstrengung aufzuheben und die negativ erlebte Gegenwart durch das traditionalistische Formideal aus dem Werk zu verbannen, sondern darum, im Kritischen und Anti-Traditionellen der Vergangenheit sich der eigenen Kritik der Gegenwart um so intensiver zu versichern, sie in deren Medium vorzutragen und gerade der Distanz jene aleatorische Ironie abzugewinnen, die der schlechten Gegenwart indirekt das Urteil spricht. Die bestimmte Anciennität des Formalen und Thematischen setzt im Kontext gegenwartsbezogener Kritik die Kraft geschichtlichen Eingedenkens frei und bringt sie in deren Gehalt ein.

Die andere Weise der Literatur auf bedrängende Ansprüche von Kultur und Gesellschaft zu reagieren ist – im Bilde Benjamins formuliert – der Sprung ins Dickicht räumlicher Ferne, der dem in die zeitliche korrespondiert – freilich nicht in der Intention von Aktualisierung, sondern zunächst in der, exotische Räume zu beschwören, in denen diese Ansprüche aufgehoben scheinen, sodann aber auch in der Absicht, in der Gestalt des Abenteurers, im Entwurf exotisch-anarchischer Schauplätze die bürgerliche Gesellschaft in der Verfremdung und aller Ideologien beraubt als Chaos und Hölle darzustellen. Wie schon beim Naturalismus so ist Brecht auch hier Nachfahre: die Flucht ins Exotische hat bei ihm nicht mehr jene Unmittelbarkeit wie bei den

Autoren der Kolportage im 19. Jahrhundert, die «für alles, was in Europa nicht geworden war, draußen Entladungsräume hatten»[71], ihm ist sie bereits zum Material geworden. Dennoch ist der Vorgang der Identifikation hier besonders augenfällig: die Gestalten jener Abenteuerliteratur und deren Schauplätze kehren noch sehr spät im Werk Brechts wieder, freilich als Elemente einer ganz anders, bewußt kritisch gerichteten Intention – aber das Moment der Flucht aus den engen Grenzen später europäischer Bürgerlichkeit, das ihnen immanent war, bleibt lebendig und entfaltet in der Montage seinen illuminierenden Glanz.

Die bedeutendste Gestalt für solche Identifikation war für den jungen Brecht indes die Rimbauds, in dessen Werk die Motive der Flucht aus europäischer Gesellschaft und Kultur, des Bruchs mit deren Tradition und des visionären Gegenentwurfs exotischer Freiheitsräume versammelt sind. Sie kehren in der Lyrik Brechts als bestimmende wieder – ihr Zitat, ihre Wiederaufnahme ist die Figuration einer Korrespondenz im Thematischen. Wesentlich an der Wahl des Rimbaudschen Werkes als deren Gegenstand war für Brecht dessen entschiedener Bruch mit der etablierten und saturierten bürgerlichen Gesellschaft, deren Kulturideologie und dem tradierten Schönheitsideal, wie er in dem Gedicht ‹*Das trunkene Schiff*› im Bild festgehalten wird:

> Da scherte ich weiter mich nicht um die Waren:
> englische Wolle und flämische Saat,
> ließ Schiffszieher samt allem Rummel fahren
> und vom Strome mich treiben, wo ich wollte grad.[72]

Rimbauds Flucht führte in die Vision, in deren imaginären Dingwelten das poetische Subjekt sich selbst auflöst:

> Frei, rauchend, von violetten Nebeln umsponnen,
> bin ich in den roten Himmel geschwebt.[73]

Auch dies ein Motiv, das in der Lyrik des jungen Brecht häufig wiederkehrt. Solche Selbstauflösung, die das poetische Subjekt der Vision als deren Element anzuverwandeln sucht, war geboren aus dem Grauen «vor der Mauer, die Europa umschnürt»[74] – der Entwurf exotischer Dingwelten soll auch aufs Subjekt sich erstrecken und es der erstickenden Enge seiner bürgerlichen Umwelt entreißen. Diese Sehnsucht artikuliert sich, Ironie und Trauer einander verbindend, im Bilde des Eingedenkens selbstvergessener Spiele der Kindheit als einem Unwiederholbaren, und im Spiegel des ironisch gebrochenen Blicks erscheint das geflohene Europa als spielzeughafte Miniatur wie einst in der späten Romantik das versunkene Dorf am Grunde des Sees:

Das Wasser Europas, zu dem es mich zieht, ist ein kalter,
schwarzer Tümpel, wo traurig mit einem Boot,
ganz kleinem Boot, wie ein Frühlingsfalter
ein Kind spielt in duftendem Abendrot.[75]

Dem Nachfahren Brecht freilich ging es – bei aller Identifikation – schon nicht mehr um visionäre Flucht, die sich in sich selber erschöpfte, ihm war der exotische Schauplatz, die asoziale Gemeinschaft auch Gleichnis der auf die krude Extremität ihrer Lebensbedingungen reduzierten bürgerlichen Gesellschaft. Jene Rimbaudschen Motive der Flucht, des Bruchs mit dem alten Europa, seiner Kultur, seiner Religion und seiner Ästhetik waren für Brecht schon nur mehr Gegenstand seiner Konstruktionen, Material für Montage – nicht, daß nicht auch noch Identifikation und Wahlverwandtschaft dem poetischen Impuls innewohnten[76], dem Verhältnis zur Tradition als Korrespondenz jedoch wächst aus bewahrter Distanz jene Erkenntnis, jene Freiheit aleatorischer Intellektualität zu, die die Elemente und Motive des subjektiven visionären Ausbruchs in die bei aller Ferne zugleich realitätsnahe kritische Ironie der Montage einbezieht.
Der Prinzip der Montage ist unmittelbar an die Gegenwart gebunden: die Realität, aus den verbindlichen Definitionen des Glaubens entlassen und durch den raschen Zerfall bürgerlicher Ordnung, die Aushöhlung ihrer moralischen Maximen und die Ideologisierung ihrer Kultur ohne vorgegebene Bestimmungen und Formen, erscheint als chaotische. Ihr Sinnbild ist die Großstadt und die großstädtische Masse. Als «Angst, Widerwillen und Grauen»[77] hat Benjamin den Eindruck beschrieben, den die Großstadtmenge auf ihre ersten poetischen und kritischen Betrachter machte, und Valéry schrieb über den «Bewohner der großen städtischen Zentren», er verfalle «wieder in den Zustand der Wildheit, will sagen der Vereinzelung. Das Gefühl, auf die anderen angewiesen zu sein, vor dem ständig durch das Bedürfnis wachgehalten, stumpft sich im reibungslosen Ablauf des sozialen Mechanismus allmählich ab. Jede Vervollkommnung dieses Mechanismus setzt gewisse Verhaltungsweisen, gewisse Gefühlsregungen [...] außer Kraft.»[78] Die Erfahrung dieses Choks, in der Lyrik Charles Baudelaires zuerst wirksam, ist lebendig noch im Werk des jungen Brecht und steht lange in dessen Zentrum.[79] Die chokhafte Wahrnehmung der großen Stadt hält diese im Bilde des Dschungels fest: sie verwendet die Motive eines Apologeten des englischen Imperialismus wie Rudyard Kipling, um in deren Medium ihr anarchisches Wesen auszusprechen: «Als ich mir überlegte, was Kipling für die Nation machte, die die Welt ‹zivilisiert›, kam ich zu der epochalen Entdeckung, daß eigentlich noch kein Mensch die große Stadt als Dschungel beschrieben hat. Wo sind ihre Helden, ihre Kolonisatoren, ihre Opfer? Die Feindseligkeit der großen Stadt, ihre bösartige, stei-

nerne Konsistenz, ihre babylonische Sprachverwirrung, kurz: ihre Poesie ist noch nicht geschaffen.»[80] Die Verwendung des Exotischen enthält als Tendenz das Moment des Parabolischen: doch Parabel und Allegorie sind an Weltdeutung und Geschichtsphilosophie und als deren Folge an die souveräne Verfügung über Bild und Bedeutung gebunden, sie werden daher erst am Ende der zwanziger Jahre für die Literatur Brechts bestimmend. Konstruktion aus heterogenen Elementen, Experiment und Montage haben ihren Ursprung in der Erfahrung der Gegenwart als einer leeren Zeit, zu deren Schrecken und Chaotischen, deren gesellschaftlicher und ideologischer Zerrissenheit sie dadurch adäquat sich verhalten, daß sie diese, ohne sich gegen sie blind zu machen oder sie hinweg zu eskamotieren, in ihre Form selbst hineinnehmen und darin aussprechen.
Den Motiven einer Flucht ins Exotische, die Brecht seiner Lyrik integriert, gewinnt er durch die Kontamination mit dem Alltäglichen und Trivialen als dem konventionellen Oberflächenzusammenhang ein Moment der Kritik und Erkenntnis ab, das diesen durchbricht und sein Anarchisches freilegt.

Von solcher Erkenntnis wird auch das Verhältnis zur literarischen Tradition getroffen: nichts, was von ihr noch mit verbindlichem Anspruch dem Werk vorgeordnet wäre, zertrümmert und zur Gleichgültigkeit des Materials nivelliert, ideologisiert in den Kanon einer bürgerlichen Kulturideologie erhoben, lebendig da, wo ihre verschütteten und dem Vergessen überantworteten Produktionen wieder in das Kraftfeld der kritischen Werke eintreten – so erscheint sie dem Autor der Moderne, dessen Intellektualität dieser Not der Offenheit mit Ironie, Parodie und dem poetischen Prinzip der Montage begegnet. In ihm zeigt sich der Stand eines historischen Prozesses an, dessen Ausgangspunkt Hegel in der dritten Weise des Verhaltens zur Tradition, die er unterschied, als «freie Ausbildung des Geistes», als Reflektiertheit des Künstlers bezeichnet hat.

2. Hegels Satz vom Ende der Kunst und Heines Kritik der Kunstperiode als «Urgeschichte der Moderne» – die Auflösung des klassisch-romantischen Kunstbegriffs durch die Fundierung der Kunst auf Wissenschaft und Politik

Die «Freiheit des Gedankens», die Hegel, das Prinzip der Aufklärung formulierend, zur unentrinnbaren Bedingung der Kunst seiner Zeit machte, hatte diese aus dem bindenden Anspruch von Tradition entlassen. Die Intellektualität des freien Subjekts, wie die Aufklärung sie zum Prinzip erhoben hatte, half der poetischen Produktion sich zu befreien von der selbstgewissen und unbefragten Übung in Formen und Stoffen, mit denen – wie Hegel formulierte – der Künstler «in unmittelbarer Identität und festem Glauben verwebt»[81] war. Im Verlauf dieses Prozesses, der zunächst die freie Verfügung über die Inhalte zur Folge hatte, bildete sich das geschlossene[82] bürgerliche Kunstwerk, aus dessen Organisation, der notwendigen Durchdringung aller Teile mit ihrem Ganzen, Identität von Subjekt und Objekt als Konfiguration sich herstellte. Das Subjekt, dem es zum Ausdruck verhalf, sollte in seinem Allgemeinen zugleich sich aufheben – mit ihm aber auch die Erkenntnis in symbolisch vermittelter Anschauung. Die Literatur des klassischen Idealismus hatte aus solcher Freiheit, im Bestreben zumal ihrer mittleren und späten Hervorbringungen, im subjektiven Ausdruck zugleich ein Allgemeines, Objektives zu realisieren, antiker Formideale und Stoffe sich bedient. In deren Medium sollte ihr Gehalt sich geschichtsphilosophisch legitimieren: in dieser Absicht trat zugleich der philosophische Optimismus zutage, der noch aus der Aufklärung sich herleitete und wie diese glaubte, Individuum und Gesellschaft, Subjekt und Objekt in der Verwirklichung des Ideals zu versöhnen. Dieser Glaube, der der Poesie eine Funktion noch in der bürgerlichen Gesellschaft zumessen wollte, zerbrach an deren inneren Widersprüchen, die sich schon früh entfalteten und ihre sprengende Wirkung zeigten. Sie manifestierten sich auch in der Destruktion des geschlossenen Kunstwerks als symbolisch vermittelter Einheit von Form und Inhalt. Die Werke wurden kritisch sich selbst gegenüber, Distanz und Reflektiertheit als ein wesentlicher Grundzug der Moderne zur Voraussetzung von Kunst selber. Deren Konsequenz tritt auch in solchen Werken hervor, die scheinbar noch geschlossene sind. Was diese zusammenhält ist nicht länger der unbefragte und ritualisierte Zwang eines gegebenen Traditionszusammenhangs oder die ins Allgemeine erhobene Weltfülle einer bürgerlichen Biographie – ihr formbildendes Prinzip liegt wesentlich in der Intellektualität des Autors, in dessen kritischer Intention und kombinatorischer Phantasie. Solche Tendenzen der historischen Veränderung des Begriffs der Kunst selber hat die Ästhetik Hegels, indem sie auf das «Ende der Kunst» reflektierte, antizipiert. Heinrich Heines Programm vom «Ende der Kunstperiode», theoretisch fundiert auf den ideologiekritischen Verdacht gegenüber den ästhetischen Produktionen des deutschen Idealismus, die zerrissene Wirklichkeit bloß harmonisch zu verklären, hat Hegels Konzeption wieder aufgenommen und zugleich politisch konkretisiert wie ästhetisch radikalisiert. Ihre Bedeutung für eine ästhetisch-theoretische ‹Urgeschichte der Moderne› liegt in der geschichtsphilosophischen Thematisierung und Problematisierung des Verhältnisses der Kunstproduktion zu Wissenschaft und Politik.

2.1. Hegels Satz vom Ende der Kunst und das Verhältnis von Wissenschaft und Kunst als Problem der Moderne

Das Theorem vom «Ende der Kunst»[83], auf dessen systematischen Stellenwert im Rahmen der Philosophie Hegels hier nicht näher eingegangen werden soll[84], reflektiert in seinem historisch-gesellschaftlichen Begründungszusammenhang die Bedeutung, die die Entstehung der bürgerlich-kapitalistischen Gesellschaft für die Kunstentwicklung und den traditionalen Kunstbegriff hat. Zugleich hebt Hegel, wie im ersten Kapitel dargestellt wurde, die Reflektiertheit des ‹modernen› Künstlers als unausweichliche Voraussetzung aller künftigen Kunst hervor und thematisiert damit implizit das Verhältnis von Wissenschaft und Kunst. Hegel diskutiert das Problem freilich einseitig unter dem Aspekt der Freisetzung des Künstlers von traditionalen substantiellen Gegebenheiten. Die substantielle Totalität des ‹heroischen Weltzustands›, die von der Kunst noch anschaulich dargestellt werden konnte, ist für Hegel durch das Christentum, die kapitalistische Gesellschaft und den bürokratischen Staat[85] endgültig vergangen. Seine Darstellung der Konsequenzen, die dieser Prozeß für den Begriff der Kunst selber hat, bleibt gleichwohl zwieschlächtig und widersprüchlich. Die vom philosophischen System bestimmte Antwort auf die Frage nach dem Ende der Kunst lautet folgerichtig, daß die Kunst, wenn Totalität *anschaulich* sich nicht länger darstellen läßt, ihre höchste Bestimmung verloren hat, Religion und Philosophie an ihre, Vorstellung und Begriff an die Stelle der Anschauung treten.

Der philosophische Systementwurf wird jedoch immer wieder gesprengt. Das gleiche geschichtsphilosophische Pathos absoluter Gegenwärtigkeit und qualitativer Modernität, das sich negativ gegen die Versuche der Spätromantiker kehrt, vergangene Weltanschauungen sich substantiell wieder aneignen und in vergangene Anschauungsweisen sich ‹festhineinmachen› zu wollen (vgl. 1. Kapitel), stattet in positiver Wendung den reflektierten Künstler der Moderne mit allen Attributen eines emanzipativen Vernunftinteresses aus. Der Klassizismus Hegels, dem die griechische die eigentliche ästhetische Epoche war, hält dem emanzipativen Pathos bürgerlicher Rationalität nicht durchweg stand. Die Freisetzung des Künstlers von traditionalen, ‹weltanschaulichen› Zwängen wird so für Hegel, gegen die Intention des Systems, zur historischen Bedingung der Möglichkeit von Kunst in der modernen Welt. Die Reflektiertheit jedoch, die Hegel vom Künstler seiner Zeit fordert, die Teilhabe an Aufklärung gleichsam, hat Konsequenzen für den Begriff der Kunst, die sich in der Ungebundenheit der Autoren gegenüber Darstellungsinhalt und Darstellungsstil allein, der tabula rasa «in betreff auf den Stoff und die Gestalt ihrer Produktion»[86] nicht erschöpfen – sie gehen tendenziell auf den Scheincharakter der Kunst überhaupt und damit auf den Begriff der Anschauung, an dem Hegel dennoch festhält. Am Beispiel des Epos expliziert er: «Unser heutiges Maschinen- und Fabrikenwesen mit den Produkten, die aus demselben hervorgehen, sowie überhaupt die Art, unsere äußeren Lebensbedürfnisse zu befriedigen, würde nach dieser Seite hin ganz ebenso als die moderne Staatsorganisation dem Lebenshintergrunde unangemessen sein, welchen das ursprüngliche Epos erheischt»[87]; und er folgert daraus, nicht nur für das Epos, die gegenwärtige Welt sei als *anschauliche* Totalität nicht mehr darstellbar. Indem Hegel das Begreifen der Totalität als identischem Subjekt–Objekt den nachfolgenden Manifestationen des absoluten Geistes, Religion und Philosophie, zuweist und zugleich am Begriff der Anschauung als aufgehobener, also gleichwohl daseiender Kategorie von Erkenntnis festhält, ordnet er der Kunst nur noch einen partialen, den subjektiven Bereich der Totalität zu. Die ‹freie› Kunst wird «das Erscheinen und Wirken des unvergänglich Menschlichen in seiner vielseitigsten Bedeutung und unendlichen Herumbildung»[88], also das Subjekt in der Entfaltung seiner bürgerlichen Lebensgeschichte, die für Hegel mit dem unvergänglich Menschlichen zusammenfällt, zum künftigen Gegenstand haben und darin ihre Erfüllung finden. Sie bleibt aber in alldem schöne Kunst; das Lebendige, Sinnliche und Anschauliche, der Kunstcharakter, wird nicht in Frage gestellt. Hier freilich tut sich ein fruchtbarer Widerspruch auf. Hegel konstatiert: «Der Gedanke und die Reflexion hat die schöne Kunst überflügelt.»[89]

Er begründet diesen Gedanken ausführlich: wenn man es liebe, sich in Klagen und Tadel zu gefallen, so könne man diese Erscheinung für ein Verderbnis halten, man könne sie dem Übergewicht von «eigennützigen Interessen» zuschreiben oder die «Not der Gegenwart», den «verwickelten Zustand des bürgerlichen und politischen Lebens» dafür anklagen, daß die «Intelligenz selbst dieser Not und deren Interessen in Wissenschaften dienstbar sei, welche nur für solche Zwecke Nützlichkeit haben, und sich verführen lasse, sich in diese Trockenheit festzubannen»[90]. Mit der Unerbittlichkeit und der Insistenz, die Hegels sprachlichen Gestus immer charakterisiert, wenn er festhält, daß eine Gestalt des Lebens alt geworden ist, folgert er, daß, wie auch immer diese bürgerliche Gegenwart beschaffen sei, hinter sie nicht mehr zurückgegangen werden kann: «Die schönen Tage der griechischen Kunst wie die goldene Zeit des späteren Mittelalters sind vorüber. Die Reflexionsbildung unseres heutigen Lebens macht es uns, sowohl in Beziehung auf den Willen als auch auf das Urteil, zum Bedürfnis, allgemeine Gesichtspunkte festzuhalten und danach das Besondere zu regeln, so daß allgemeine Formen, Gesetze, Pflichten, Rechte, Maximen als Bestimmungsgründe gelten und das hauptsächlich Regierende sind.»[91]

Neben die allmähliche Ausbildung der kapitalistischen Gesellschaft und die mit ihr einsetzende formelle Subsumtion der Intelligenz unter das Kapitalinteresse – die Hegel durchaus schon erkennt und, wenn auch moralisch, reflektiert[92] – tritt die zunehmende Vergesellschaftung und administrative Regelung noch der elementaren Lebensbereiche sowie die kapitalistische Durchrationalisierung des öffentlichen Lebens, die ‹das Besondere›, das Individuelle und Spontane ihren abstrakten Bestimmungen unterwirft. Alle diese historisch-gesellschaftlichen Erscheinungen, die den Zustand der Epoche ausmachen, sind «der Kunst nicht günstig». Denn ‹Kunstinteresse› wie ‹Kunstproduktion› erfordern Hegel zufolge eine ‹Lebendigkeit›, der das Allgemeine als Gesetz und Maxime nicht bereits vorgegeben sei, sondern «als mit dem Gemüte und der Erfindung identisch wirke, wie auch in der Phantasie das Allgemeine und Vernünftige als mit einer konkreten sinnlichen Erscheinung in Einheit gebracht enthalten ist»[93]. Indem das Allgemeine, das Vernunftprinzip und dessen Manifestation in der sinnlichen, künstlerischen Erscheinung mit geschichtsphilosophischer Notwendigkeit auseinanderfallen, treten bei Hegel auch Wissenschaft und Kunst notwendig in Opposition. Er formuliert daher: «Selbst der ausübende Künstler ist nicht etwa nur durch die allgemeine Gewohnheit des Meinens und Urteilens über die Kunst *verleitet* und *angesteckt*, in seine Arbeiten selbst mehr Gedanken hineinzubringen; sondern die ganze Bildung ist von der Art, daß er selber innerhalb solcher reflektierenden Welt und ihrer Verhältnisse steht und nicht etwa durch Willen und Entschluß davon abstrahieren oder durch besondere Erziehung oder Entfernung von den Lebensverhältnissen sich eine besondere, das Verlorene wieder ersetzende Einsamkeit erkünsteln und zuwege bringen könnte.»[94] Willi Oelmüller hat in seiner Studie ‹*Die unbefriedigte Aufklärung*› diese Stelle im Rahmen der geschichtsphilosophischen Theorie Hegels über das Verhalten des Künstlers zur Tradition interpretiert und in ihr einen Beleg dafür gesehen, daß die Freisetzung des Künstlers von vergangenen Weltanschauungsweisen für Hegel nicht Verlust, sondern

Gewinn bedeute. Er bringt daher die zitierte Passage in unmittelbaren Zusammenhang mit Hegels Kritik der Spätromantiker.[95] Diese Deutung ist insofern verfehlt, als Hegel die Freisetzung des Künstlers vom vorgegebenen traditionalen Kanon gar nicht in den Kategorien von Gewinn oder Verlust (etwa gar ‹Verlust der Mitte›) reflektiert, sondern im geschichtsphilosophischen Insistieren darauf, daß hinter die ‹Not der Gegenwart› nur um den Preis restaurativer Ideologie zurückgegangen werden kann. Die Auseinandersetzung des ausübenden Künstlers mit dieser Gegenwart, der bürgerlichen Gesellschaft und ihren durchrationalisierten Verkehrsformen bildet das wesentliche Thema dieser Passage. Die Freisetzung der Kunst vom traditionalen und weltanschaulichen Anspruch hat ihre Grenze darin, daß der ausübende Künstler sich ihrer als Bedingung der Möglichkeit künftiger Kunst bewußt sein, aber zugleich in diesem Bewußtsein die Einschränkung der Erkenntnisfunktion von Kunst aufs Humanum in seiner ‹unendlichen Herumbildung› hinnehmen und die Kunstproduktion gegenüber der Wissenschaft als bloß partiale, untergeordnete und überwundene Gestalt der Wahrheit begreifen soll. Daher ist in der zitierten Passage die um den Künstler «laut werdende Reflexion», die «allgemeine Gewohnheit des Meinens und Urteilens über die Kunst», das heißt die seit der Aufklärung sich immer mehr institutionalisierende Kunst- und Literaturkritik in ihrer Bedeutung für die künstlerische Praxis deutlich negativ akzentuiert. Duch die allgemeine Reflexionsbildung werde, so Hegel moralisierend, «selbst der ausübende Künstler [...] verleitet und angesteckt, in seine Arbeiten selbst mehr Gedanken hineinzubringen». Die diesen folgenden Sätze, auf die Oelmüller seine Interpretation bezieht, sind erst unter historischem, insbesondere wirkungsgeschichtlichem Aspekt bedeutsam. Denn die Feststellung, der Künstler stehe selber in solcher reflektierenden Welt und ihrer Verhältnisse und könne davon auch nicht mehr durch erkünstelte Einsamkeit abstrahieren, wird erst von der linkshegelianischen ästhetischen Theorie des Jungen Deutschland ganz bei ihrem Anspruch genommen und durch das Postulat einer sich bewußt in die ‹Zeitbewegung› stellenden, auf Politik fundierten Kunst konkretisiert und radikalisiert.

Eine wesentliche Explikation zu der negativen Akzentuierung des Verhältnisses von Wissenschaft und rationalisierten Verkehrsformen zur Kunstproduktion stellen die nun folgenden Ausführungen Hegels, in denen er aus der systemphilosophischen Einsicht, daß die Kunst «nach der Seite ihrer höchsten Bestimmung für uns ein Vergangenes» geworden sei, der Allegorie von der Eule der Minerva gemäß folgert: «Die *Wissenschaft* der Kunst ist darum in unserer Zeit noch viel mehr Bedürfnis als zu den Zeiten, in welchen die Kunst für sich als Kunst schon volle Befriedigung gewährte. Die Kunst ladet uns zur denkenden Betrachtung ein, und zwar nicht zu dem Zwecke, Kunst wieder hervorzurufen, sondern, was die Kunst sei, wissenschaftlich zu erkennen.»[96] Sein geschichtsphilosophisches System, in dem er die Hierarchie der Selbsterkenntnisweisen des absoluten Geistes stufenweise entfaltet, bringt Hegel um die Reflexion darauf, daß auch der Künstler selbst an der wissenschaftlichen Betrachtung der Kunst teilhaben könne, daß ihm wissenschaftlich-theoretische Erkenntnis der Gesellschaft wie der Kunst, das heißt Selbstreflexion der Produktionsbedingungen wie der Produktion, zur Voraussetzung der künstlerischen Praxis selber werden und sich schließlich gegen den überkommenen Kunstbegriff selber wenden könnte. Zwar gesteht Hegel, und darin liegt seine Bedeutung für die ‹Urgeschichte der Moderne›, dem modernen Künstler zu, tabula rasa gegenüber den vergangenen Kunstformen und -inhalten zu sein, sich kritisch und selektiv zu ihnen zu verhalten; er gesteht ihm zu, das «Höchste und Tiefste des menschlichen Glaubens, Vorstellens und Erkennens: de[n] wesentliche[n] Gehalt der Religion, Kunst, ja selbst der wissenschaftlichen Gedanken» zu seinem Gegenstand zu machen, freilich nur unter der einen Bedingung: «[...] insofern dieselben sich noch der Form der Vorstellung und der Anschauung fügen»[97]. Hegel entfaltet von den Bestimmungen des Gehalts her, dem Vernunftprinzip des objektiven Idealismus folgend, die ästhetische Theorie bis an jene Grenze, wo der Scheincharakter selber von einer reflektierten Kunst kritisch thematisiert werden könnte. Diesen möglichen Konsequenzen steht jedoch der Dogmatismus der Anschauung, des sinnlichen Scheins entgegen – und es ist dieser Dogmatismus der Anschauung, den lange nach Hegel in der Auseinandersetzung um eine materialistische Literaturtheorie die hegelianische Fraktion des offiziellen Marxismus gegen Brecht, Eisler, Ottwalt und Tretjakov ins Feld führen wird, um den Versuch einer operativen Kunst in praktischer Absicht restaurativ zu beenden.

Was Hegel – mühsam genug und dessen Brüchigkeit offenlegend – im philosophischen Systementwurf noch zu integrieren und einander wesenslogisch zuzuordnen suchte: Wissenschaft und Kunst, wird für den ‹ausübenden Künstler› der Moderne zu einem zentralen Problem seiner Produktion. 1830, noch zu Lebzeiten Hegels, notiert der junge Gustave Flaubert in einem Brief: «Die Zeit des Schönen ist vorbei. Wenn die Menschheit nicht dahin zurückkehren will, so weiß sie für die Viertelstunde nicht, was sie tun soll. Je weiter sie kommt, um so wissenschaftlicher wird die Kunst werden, ebenso wie die Wissenschaft künstlerisch werden wird; die beiden werden sich im Gipfel vereinen, wie sie sich an der Basis getrennt hatten. Kein menschlicher Gedanke kann bis jetzt ermessen, an welchen glänzenden psychischen Sonnen die Werke der Zukunft erblühen werden. Inzwischen sind wir in einem Korridor voller Schatten, wir tasten in Finsternissen.»[98]

Die linkshegelianischen Theoretiker des Jungen Deutschland nehmen

Hegels Gedanken von der ‹Not der Gegenwart›, die der Kunst ungünstig geworden sei, wieder auf und konkretisieren ihn zugleich, indem sie ihn auf das überkommene Kunstideal der ‹Goetheschen Kunstperiode› beziehen und es messen an einer Gegenwart, die für sie seit der Juli-Revolution von 1830 im Zeichen einer epochalen Zeitenwende steht. Ihren radikalsten und konsequentesten Ausdruck finden diese Positionen in Heines Theorem vom «Ende der Kunstperiode», das das Verhältnis von Kunst und Politik exemplarisch für die Moderne in der deutschen Literatur und weit über die eigene Entstehungszeit hinausweisend thematisiert. Flaubert hatte auch dieses Problem in dem schon erwähnten Brief angesprochen: «Es fehlt uns am Hebel; die Erde gleitet uns unter den Füßen fort, der Stützpunkt fehlt uns allen, uns Literaten und Sudlern. Wozu dient das? Welchem Bedürfnis hilft dies Geschwätz ab? Von der Menge zu uns kein Band: um so schlimmer für die Menge, vor allem aber um so schlimmer für uns . . .»[99]

2.2. Heines Theorie vom «Ende der Kunstperiode» und das Verhältnis von Kunst und Politik als Problem der Moderne

Das ‹Band zur Menge›, das der junge Flaubert vermißt, die Verbindung von Kunstproduktion und verändernder gesellschaftlicher Praxis wird für Heine nach der Juli-Revolution von 1830 zu einem wesentlichen Gegenstand seiner theoretischen Selbstreflexion. Diese ist nicht nur auf die Möglichkeit engagierter Kunst gerichtet, sondern stellt zugleich den überkommenen klassisch-romantischen Kunstbegriff selber in Frage. Zwar hat Heine schon vor der Juli-Revolution, im Jahre 1828, in der Rezension von Wolfgang Menzels *‹Die deutsche Literatur›* vom Ende der «Kunstidee», dem «Prinzip der Goetheschen Zeit» gesprochen und hinzugefügt: «Vielleicht fühlt Goethe selbst, daß die schöne objektive Welt, die er durch Wort und Beispiel gestiftet hat, notwendigerweise zusammensinkt . . .»[100], aber erst die Erfahrung der Juli-Revolution als einer *sozialen* Revolution bringt die zwingende Unausweichlichkeit der gesellschaftlichen Widersprüche ganz ins Bewußtsein. Heines Vermutung wird bestätigt durch die tiefe Verstörung, die die Revolution von 1830 bei den Protagonisten des objektiven Idealismus in Poesie und Philosophie, Goethe und Hegel, hervorruft.
Goethe nennt in einem Brief an Zelter vom 18. Juni 1831 die zeitgenössische französische Literatur eine «der Verzweiflung», die dem Leser das Entgegengesetzte von all dem aufdränge, was man dem Menschen zu einigem Heil vortragen sollte.[101] Zeigt sich in diesen Sätzen der Glaube an die ‹schöne objektive Welt›, der Optimismus der Kunstidee, dem die ästhetische Bildung mit der des Humanum zusammenfällt, zutiefst irritiert durch eine Literatur, die über eine Vorstellung vom

‹Heil› wohl nicht mehr verfügen kann, so deutet sein letzter Brief, der an Wilhelm von Humboldt gerichtet ist, bereits auf Zweifel, die so «in die Bewegung fortgerissene» (Heine) Zeit könnte die ‹schöne objektive Welt› seiner Kunstproduktion nicht mehr angemessen rezipieren, das geschlossene Werk an den Widersprüchen der historisch-gesellschaftlichen Wirklichkeit zerschellen: «Der Tag aber ist wirklich so absurd und konfus, daß ich mich überzeuge, meine redlichen, langverfolgten Bemühungen um dieses seltsame Gebäu [der zweite Teil des ‹*Faust*›, den Goethe versiegelt] würden schlecht belohnt und an den Strand getrieben, wie ein Wrack in Trümmern daliegen und von dem Dünenschutt der Stunden zunächst überschüttet werden. Verwirrende Lehre zu verwirrtem Handel waltet über die Welt, und ich habe nichts angelegentlicher zu tun, als dasjenige, was an mir ist und geblieben ist, womöglich zu steigern und meine Eigentümlichkeiten zu kohobieren, wie Sie es, würdiger Freund, auf Ihrer Burg ja auch bewerkstelligen.»[102] Auch Hegel zeigt sich gegenüber den Folgen der Juli-Revolution, der Politisierung der jungen bürgerlichen Intelligenz zutiefst betroffen und zum Pessimismus geneigt – im Gegensatz zu Goethe liegt ihm jedoch der stoische Rückzug in die eigene Subjektivität fern. Er versucht mit seiner letzten politischen Schrift, der Kritik der englischen Reformbill von 1831, zugunsten der Restauration in die gesellschaftlichen Auseinandersetzungen einzugreifen. Jürgen Habermas hat zu bedenken gegeben, daß Hegels Irritation durch die Juli-Revolution von beginnenden Zweifeln an der eigenen geschichtsphilosophischen Theorie herrühren könnte, Zweifel, die in der Frage beschlossen sind, «ob nicht Frankreich und England eher als Preußen die Wirklichkeit repräsentieren, in die sich das herrschende Prinzip der Geschichte am tiefsten eingebildet hat»[103]. Hegel scheine gefühlt zu haben, so vermutet Habermas, daß seine Kritik der Juli-Revolution sich gegen die Folgen derselben Revolution richtete, die er einst gefeiert hatte.[104] Diese Vermutung legt der Schluß seiner geschichtsphilosophischen Vorlesung nahe, wo Hegel im Rückblick auf die Revolution von 1830 in ihr den Schlüssel zu neuen Widersprüchen, zum unruhigen und bewegten Fortgang der Geschichte erblickt: «Der Wille der Vielen stürzt das Ministerium, und die bisherige Opposition tritt nunmehr ein; aber diese, insofern sie jetzt Regierung ist, hat wieder die Vielen gegen sich. So geht die Bewegung und Unruhe fort. Diese Kollision, dieser Knoten, dieses Problem ist es, an dem die Geschichte steht, und den sie in künftigen Zeiten zu lösen hat.»[105] Diese Kollision, Bewegung und Unruhe, die tiefen gesellschaftlichen Widersprüche der beginnenden Industrialisierung destruieren nicht nur die überkommene Gestalt von Poesie und rücken ihre ideologischen Momente ins theoretische Bewußtsein der revolutionären bürgerlichen Intelligenz des Jungen Deutschland, sie lassen auch den traditionalen Charakter der idealistischen Philosophie noch in den Augen ihres Vollenders bedroht, wenn nicht gar fragwürdig erscheinen. So schließt Hegel die Vorrede zur zweiten Ausgabe der ‹*Logik*› am 7. November 1831 «sogar unter dem Zweifel, ob der laute Lärm des Tages und die betäubende Geschwätzigkeit der Einbildung, die auf denselben sich zu beschränken eitel ist, noch Raum für die Teilnahme an der leidenschaftslosen Stille der nur denkenden Erkenntnis offen lasse»[106]. Wie immer auch diese Sätze von Revolutionsfurcht und Weltflucht diktiert sein mögen, sie zeigen, daß Philosophie als vita contemplativa, als reine theoria die historischen Bedingungen ihrer eigenen Möglichkeit schwinden sieht. Es ist diese «nur *denkende* Erkenntnis» (Hervorhebung d. A.), das kontemplative theoria-Ideal und die ihm entsprechende Hypostasierung der Kunst zu einer «unabhängige[n] zweite[n] Welt» durch die klassisch-romantische Kunstperiode, an der die Kritik der hegelianischen Linken, zumal Heines sich entzündet: für ihn gebührt fortan den «Ansprüchen jener ersten wirklichen Welt»[107] der uneingeschränkte Vorrang.

Die Ansprüche der wirklichen Welt aber traten 1830 entgegen allen Versuchen der Restauration, den revolutionären Prozeß gewaltsam und zugleich mit erheblichem ideologischem Aufwand stillzustellen und rückgängig zu machen, so unabweisbar ins Bewußtsein der zeitgenössischen bürgerlichen Intelligenz, daß sie gezwungen war, alle Bereiche ihrer Tätigkeit und gerade auch ihre literarische Produktion einer kritischen Reflexion auszusetzen, die die Selbstreflexion der politischen und darüber hinaus gesellschaftlichen Positionen miteinschloß. Dieser Zwang hatte darin seinen Grund, daß in der Juli-Revolution zwar vordergründig auf der politischen Ebene ein Konflikt zwischen Republik und Monarchie, Bürgertum und Aristokratie ausgetragen wurde, ihre historisch vorwärtsweisende und epochale Signatur aber darin bestand, daß durch sie, mit Lorenz von Stein zu reden, die «industrielle Gesellschaft»[108], das heißt die kapitalistische Gesellschaft sich definitiv etabliert. Schon im Zuge ihrer Etablierung aber tritt das noch sehr heterogen strukturierte Proletariat als aktiver und entscheidender Träger einer Revolution auf, deren politischen Früchte vorerst noch die Bourgeoisie erntet, deren unausgetragenen und fortschwelenden sozioökonomischen Widersprüche aber schon den Charakter des künftigen historischen Prozesses als Entfaltung und Zuspitzung des gesellschaftlichen Antagonismus von Bourgeoisie und Proletariat deutlich werden ließen. Das hat, als zeitgenössischer Beobachter, der konservative Jurist Stein, der sich bei seinen sozialhistorischen Analysen der französischen Gesellschaft von der dialektischen Geschichtsphilosophie Hegels leiten ließ, in seiner ganzen Tragweite erkannt: «Und so organisiert sich gleichsam jener Widerspruch; die Gesellschaft spaltet sich in zwei große Lager, die Auffassung der menschlichen Verhältnisse in zwei durchaus entgegengesetzte Systeme, und die Entwicklung in zwei große Bewegungen, die sich gegenseitig ausschließen und des Augenblicks warten, wo sie in offenem Kampf auftreten können. Das nun ist die hohe, wahrhaft weltgeschichtliche Bedeutung der Julirevolution, daß sie für diese Entwicklung den Wendepunkt abgegeben hat.»[109] Dialektisch formuliert Stein, daß die Juli-Revolution, indem sie die Gesellschaftsordnung des freien Erwerbs zur vollsten Geltung in der menschlichen Gemeinschaft erhoben habe, sie zugleich der «Punkt» gewesen sei, «bei welchem der Widerspruch, der in dieser Gesellschaft liegt, beginnt»[110]. Sie ist darum «nichts als das Signal zu einer Reihe neuer wütender Kämpfe; der Zustand, der ihr folgt, war ein dauernder Kriegszustand»[111], «eine neue, bisher in der Geschichte nie gesehene Bewegung in der Gesellschaft, die tiefer und tiefer in alle Verhältnisse, in alle Grundsätze, in allen Glauben hineindringt»[112].

Sie drang auch in die Kunst ein, und Heine hat den epochalen, den Antagonismus der bürgerlichen Gesellschaft klar herausbildenden Charakter der Revolution von 1830 erkannt. Er hat deren Konsequenz für den überkommenen bürgerlichen Kunstbegriff in einer Radikalität reflektiert, die, durch das klassizistisch, romantisch und nationalistisch bestimmte Traditionsdiktat des deutschen Bürgertums lange unterdrückt und verdrängt, auf gleicher Stufe im Grunde erst im 20. Jahrhundert von Bertolt Brecht theoretisch und praktisch fortgeführt wird.

Heine schreibt 1839, in auffälliger Affinität zu der Metaphorik Steins, es sei die «Juliusrevolution» gewesen, «welche unsere Zeit gleichsam in zwei Hälften auseinandersprengte»[113]; er läßt auch keinen Zweifel daran, aus welchen gesellschaftlichen Klassen die ‹zwei Hälften› bestehen, und ebenso wie Stein sieht er den künftigen Fortgang der Geschichte durch deren Widerspruch konstituiert: «Nicht für sich, seit undenklicher Zeit, nicht für sich hat das Volk geblutet und gelitten, sondern für andre. Im Juli 1830 erfocht es den Sieg für jene Bourgeoisie, die ebensowenig taugt wie jene Noblesse, an deren Stelle sie trat, mit demselben Egoismus ... Das Volk hat nichts gewonnen durch seinen Sieg als Reue und größere Not. Aber seid überzeugt, wenn wieder die Sturmglocke geläutet wird und das Volk zur Flinte greift, diesmal kämpft es für sich selber und verlangt den wohlverdienten Lohn.»[114]

Dem Dichter Heine, der in solche gesellschaftlichen Gegensätze sich hineingestellt sieht, muß freilich der Goethe–Schillersche Xenienkampf nur als «ein Kartoffelkrieg» erscheinen: « [...] es war die Kunstperiode, es galt, den Schein des Lebens, die Kunst, nicht das Leben selbst – jetzt gilt es die höchsten Interessen des Lebens selbst, die Revolution tritt in die Literatur, und der Krieg wird ernster.»[115]

Heines zunächst überwiegend ästhetisch reflektierte und in der philosophischen Nachfolge Hegels vorgetragene Kritik an der ‹Kunstperiode› erhält durch die Erfahrung der Juli-Revolution ihre soziale und politische Fundierung. Sie ist daher mehr und anderes als eine rein negatori-

sche Denunziation der Goetheschen Kunstidee oder gar der Hegelschen Philosophie als Produkte «einer bloßen Harmonisierung»[116]. Heine hat durchaus ein sehr differenziertes Urteil über Goethes Dichtung und hat sich von den bilderstürmerischen und wenig reflektierten Anti-Goetheana des Jungen Deutschland meistens distanziert – er kritisiert in einem außerordentlichen Sinn, und man kann den Begriff Brechts hier bereits verwenden, die ‹Folgenlosigkeit› der Poesie Goethes, oder mit den Worten Heines «die [...] Kunstbehaglichkeit des großen Zeitablehnungsgenies, der sich selbst letzter Zweck ist»[117]. Dabei muß vorab die Einschränkung gemacht werden, daß Heines Kritik der Kunstperiode nur in ihren radikalsten Formulierungen den Scheincharakter von Kunst selber in Frage stellt, eine Überführung der ästhetischen in die gesellschaftliche Dimension kommt ihm lediglich als hedonistisch-sensualistische Utopie fürs poetische Subjekt in den Blick. Diese Grenzen Heines werden deutlich an der Gegenüberstellung von Goethe und Schiller im ersten Buch der *‹Romantischen Schule›*, in dem Schiller für die Tradition einer engagierten Poesie im Sinne Heines ganz in Anspruch genommen wird. «Die Goetheschen Dichtungen», heißt es da, «bringen nicht die Tat hervor wie die Schillerschen. Die Tat ist das Kind des Wortes, und die Goetheschen schönen Worte sind kinderlos. Das ist der Fluch alles dessen, was bloß durch die Kunst entstanden ist.»[118]
Für Heine wird also gleichwohl die Selbstbegründung von Poesie fragwürdig – die ‹Zeitbewegung›, der historisch-politische Prozeß ist der Literatur nicht äußerlich, sondern wesentlich. So rühmt er an Schiller, daß ihn der «Geist seiner Zeit» lebendig erfaßt und er dasselbe Banner getragen habe, «worunter man auch jenseits des Rheines so enthusiastisch stritt und wofür wir noch immer bereit sind, unser bestes Blut zu vergießen»[119]. Die Kritik der Kunstperiode erschöpft sich jedoch nicht in dem gehalts- und wirkungsästhetischen Imperativ, «mit den höchsten Menschheitsinteressen»[120] sich zu identifizieren, weil nur das einer «Zeit der Begeisterung und der Tat»[121] angemessen sei, sondern sie reflektiert bereits, daß eine Literatur, die engagiert in die Zeitbewegung sich stellt, auch ihre formalen Mittel verändern muß. Diese Einsicht ist am klarsten formuliert in der Schrift *‹Französische Maler›* von 1831. Die Rezension einer Gemäldeausstellung im nachrevolutionären Paris enthält zudem Passagen, die den sozialen und politischen Ursprung der Kritik Heines am klassisch-romantischen Kunstbegriff freilegen – die sinnliche Erfahrung der Existenz von Verelendung, die Wahrnehmung des öffentlichen Elends. «Das rohe Geräusch des Lebens», der «Notschrei der erbitterten Armut» und der «Anblick des öffentlichen Elends» stehen dem Kunstgenuß, ja sogar der Kunstkritik entgegen: « [...] wenn auf einmal ein ganzes Volk niederfällt an den Boulevards von Europa – dann ist es unmöglich, ruhig weiterzuschrei-

ben.»[122] Die Erfahrung des Widerspruchs zwischen schlechter gesellschaftlicher Wirklichkeit und Kunstproduktion überhaupt läßt Heine jedoch noch nicht zu dem radikalen Zweifel gelangen, ob nicht aller bürgerlichen Kultur, auch da, wo sie ‹Emanzipationsgeschichten› besingt[123], das Moment der Unwahrheit, des Unrechts, das sie dem Leben antut, notwendig innewohnt.
Indem er diesen Widerspruch aber am geschichtsphilosophischen Rahmen der Hegelschen Ästhetik festmacht, schützt er gleichsam die eigene Kunstproduktion vor dessen destruktiven Konsequenzen. Die Opposition von schlechter gesellschaftlicher Realität und Kunstübung überhaupt wird in der ästhetischen Reflexion artikuliert als historischer Widerspruch zwischen der Kunstidee der Kunstperiode und den Anforderungen der Gegenwart. Das «Ende der Kunstperiode, die bei der Wiege Goethes anfing und bei seinem Sarge aufhören wird», ist deshalb «ihrer Erfüllung nahe», weil, so schreibt Heine mit deutlicher Affinität zur Periodisierung der Hegelschen Ästhetik, «ihr Prinzip noch im abgelebten, alten Regime, in der heiligen römischen Reichsvergangenheit wurzelt. Deshalb, wie alle welken Überreste dieser Vergangenheit, steht sie im unerquicklichsten Widerspruch mit der Gegenwart.»[124] Der Linkshegelianer Heine kann nach dieser geschichtsphilosophischen Explikation gegen Hegels Auffassung, daß die Gegenwart der Kunst nicht günstig sei, folgern: «Dieser Widerspruch und nicht die Zeitbewegung selbst ist der Kunst so schädlich; im Gegenteil, diese Zeitbewegung müßte ihr sogar gedeihlich werden.» Er stellt aber diese Einsicht sogleich in einen nun wiederum an Hegel orientierten geschichtsphilosophischen Legitimations- und Traditionszusammenhang, wenn er fortfährt: « [...] wie einst in Athen und Florenz, wo eben in den wildesten Kriegs- und Parteistürmen die Kunst ihre herrlichsten Blüten entfaltete»[125]. Der Gedanke Hegels jedoch, auf den Heine sich hier und mit den folgenden Beispielen (Phidias und Michelangelo, Aischylos und Dante) bezieht, daß nämlich im klassischen Griechenland und noch im italienischen Mittelalter die Kunst als Gestalt des absoluten Geistes mit dem Substantiellen unmittelbar verwebt war, Subjekt und Objekt, Individuum und Allgemeines in ihr eins wurde, wird von Heine in materialistischer Wendung gegen Hegel, jedoch noch in dem von Hegel vorgegebenen geschichtsphilosophischen Rahmen politisch interpretiert als Einheit von Kunstproduktion und engagierter Praxis. «Jene griechischen und florentinischen Künstler», und ihre Kunst wird Heine zum Exempel der Zukunft in der Vergangenheit, «führten kein egoistisch isoliertes Kunstleben, die müßig dichtende Seele hermetisch verschlossen gegen die großen Schmerzen und Freuden der Zeit.»[126] Phidias und Michelangelo standen, an diesem Bild Heines wird der Hegelsche Ursprung seiner Argumentation ganz deutlich, «in heiliger Harmonie mit ihrer Umgebung», doch die linkshegelianische Explikation folgt im

unmittelbaren Anschluß: « [...] sie trennten nicht ihre Kunst von der Politik des Tages, sie arbeiteten nicht mit kümmerlicher Privatbegeisterung, die sich leicht in jeden beliebigen Stoff hineinlügt.»[127]
Die linkshegelianische Interpretation der Substantialität von Kunst als Zusammenfallen von künstlerischer und politischer Praxis hat zur Folge, daß Heine im Gegensatz zu Hegel kein Theorem vom Ende der Kunst bzw. ihrer erkenntnistheoretisch-geschichtsphilosophischen Dequalifizierung entwickelt. Er überträgt vielmehr Hegels geschichtsphilosophische Dialektik der prozessualen Selbstverwirklichung des absoluten Geistes als identischem Subjekt–Objekt auf die historische Entfaltung des Verhältnisses von Kunst und ‹Zeitbewegung› und prognostiziert daher, daß deren Einklang sich in der neuen Zeit mit einem gewandelten Kunstbegriff herstellen wird: «Indessen, die neue Zeit wird auch eine neue Kunst gebären, die mit ihr selbst in begeistertem Einklang sein wird, die nicht aus der verblichenen Vergangenheit ihre Symbolik zu borgen braucht und die sogar eine neue Technik, die von der seitherigen verschieden, hervorbringen muß.»[128] Heines geschichtsphilosophische Gewißheit hat darin ihren Grund, daß ihm die Juli-Revolution ein historisch-sinnfälliges Signal dafür ist, daß der im Jahre 1789 eingeleitete revolutionäre Prozeß nicht restaurativ hatte stillgestellt werden können und dessen inhärenter gesellschaftlicher Widerspruch sich weiter entfaltete. Die ‹Not der Gegenwart›, die ‹Reflektiertheit› aller Verhältnisse ist für Heine, im Gegensatz zu Hegel, nicht der Kunst feindlich, sondern bildet im Verein mit den revolutionären Tendenzen der ‹Zeitbewegung› die Bedingung ihrer neuen inhaltlichen und formalen Möglichkeiten. Dabei akzentuiert Heine besonders die Revolutionierung der Form, die Ausbildung neuer Techniken: eine ‹neue Zeit›, eine gewandelte gesellschaftliche und politische Wirklichkeit kann mit den überkommenen formalen Mitteln des geschlossenen Werks der Kunstperiode nicht mehr adäquat dargestellt werden. Die ‹neue Technik› wird freilich erst dann sich herausbilden, wenn Individualität und Allgemeines, Subjektivität und objektive Zeitbewegung wieder in Einklang sein werden, also der Kunst, hegelianisch gesprochen, wieder Substantialität zuwachsen wird: «Bis dahin möge, mit Farben und Klängen, die selbsttrunkenste Subjektivität, die weltentzügelte Individualität, die gottfreie Persönlichkeit mit all ihrer Lebenslust sich geltend machen, was doch immer ersprießlicher ist als das tote Scheinwesen der alten Kunst.»[129] Mit diesen Sätzen, wie radikal formuliert auch immer, fällt Heine im Prinzip wieder auf die Positionen der Ästhetik Hegels zurück, denn schon Hegel hatte, wie oben dargestellt, der Kunst seiner Zeit den Bereich des Subjektiven, des Menschlichen in seiner «unendlichen Herumbildung» als künftig möglichen Gegenstand zugewiesen.
Wolfgang Preisendanz hat die angeführten Passagen Heines weniger von der immanenten Auseinandersetzung mit Hegels Ästhetik her

interpretiert, sondern mit dem erkenntnisleitenden Interesse an ihrem möglichen Beitrag zur Konstruktion eines neuen rezeptionsästhetischen Dichtungsbegriffs. Er kommt zu folgendem Ergebnis: «Das heißt: die poetische Vermittlung von neuem Bewußtsein und in Bewegung geratener Menschenwelt ist nicht als welthafte Vermittlung möglich, nicht durch Darstellung einer zwar ‹geistgeborenen›, aber welthaft in sich abgeschlossenen (epischen oder dramatischen) Wirklichkeit. Erst in näherer oder fernerer Zukunft sind für Heine wieder Gebilde denkbar, die, aufgrund einer neuen, unabsehbaren Technik, als welthaft dargestellte Wirklichkeit das Bewußtsein der Moderne enthalten, indem die subjektive Reflektiertheit des Objektiven zu einer Dimension des Objektiven selbst wird. Für den Augenblick aber hält Heine nur die Subjektivität als solche, als den Bezugspunkt aller Wirklichkeitserfahrung, für im eigentlichen Sinne darstellbar.»[130] Odo Marquard erläutert diese Deutung mit dem Hinweis, Heine habe geglaubt, jene ‹Welthaltigkeit› der Schreibart zu seiner Zeit noch nicht voll erreichen zu können, darum komme bei ihm massiv die Position der Subjektivität ins Spiel, freilich als interimistische Subjektivität: «Das also ist Heines Position: einerseits macht das *Ende der Kunstperiode* den Einbruch des Außerästhetischen – des real oder ideologisch Gesellschaftlichen und Geschichtlichen – bei ihm unvermeidlich; andererseits muß er einstweilen notwendig auf der Position ästhetischer Subjektivität bestehen.»[131]
Weil Preisendanz und Marquard darauf verzichten, die Kritik der Kunstperiode aus den ‹*Französischen Malern*› von 1831 unter dem für ihr Verständnis zentralen Aspekt der immanenten Auseinandersetzung mit der Ästhetik Hegels zu diskutieren, verkennen sie den geschichtsphilosophisch-ästhetischen Begründungszusammenhang, der für Heine die neue Kunst erst in einer neuen Zeit möglich werden läßt. Weil Heine aber am kategorialen geschichtsphilosophischen Rahmen der Ästhetik Hegels, zumal an der von ihm ins Zusammenfallen von Kunstproduktion und Lebenspraxis uminterpretierten Kategorie der Substantialität[132] festhält, bringt er sich selber um die Einsicht, daß die von ihm schon praktizierte, *offene*, assoziative, die Widersprüche der Epoche und der Gesellschaft reflektierend in sich hineinnehmende Schreibart bereits jene ‹neue Technik› antizipiert, die dem modernen Bewußtsein entspricht. Wie sehr die Kritik der Kunstperiode durch die immanente Auseinandersetzung mit Hegel bestimmt ist, kann noch daran erhärtet werden, daß Heine im unmittelbaren Anschluß an die Sätze über die ‹selbsttrunkenste Subjektivität› Hegels Frage nach dem Ende der Kunst und auch deren philosophische Begründung aufnimmt und diskutiert: «Oder hat es überhaupt mit der Kunst und mit der Welt selbst ein trübseliges Ende? Jene *überwiegende Geistigkeit*, die sich jetzt in der europäischen Literatur zeigt, ist sie vielleicht ein Zeichen von

nahem Absterben...?» Heines Gegenfrage, ob das «greise Europa sich wieder verjüngen» werde und die «dämmernde Geistigkeit seiner Künstler und Schriftsteller [...] das schaurige Vorgefühl einer Wiedergeburt, das sinnige Wehen eines neuen Frühlings» sei, hat nurmehr rhetorischen Charakter: die «diesjährige Ausstellung hat durch manches Bild [...] die bessere Verheißung bekundet»[133].

Indem Heine in dieser Fragestellung wiederum über die Positionen Hegels hinausgeht, relativiert er seinen eigenen Rückzug auf «ästhetische Subjektivität» (Marquard) und läßt die aus vielleicht undurchschautem Hegelianismus bloß prognostizierte ‹neue Technik› in anderem Licht erscheinen. Technik – schon der Terminus ist außerordentlich modern und wird noch in der Brecht–Lukács-Debatte von letzterem als kunstfern bekämpft – bezeichnet demnach ein bewußtes, im Hinblick auf seine Wirkung und seine Erkenntnis vermittelnden Funktionen und Formelemente reflektiertes, operatives künstlerisches Verfahren. Wenn Heine diesen Begriff, wie antizipatorisch gemeint auch immer, in die kunsttheoretische Debatte einführte, half er, noch gegen die Zwänge einer hegelianisch bestimmten Selbstreflexion, die Emanzipation der Kunst vom Ritual entschieden vorantreiben. Denn eine als Technik sich begreifende Kunstproduktion mußte mit dem Dogma der ‹Gestaltung›, der Geschlossenheit des Werks, der in seiner Ganzheit repräsentierten Anschauung, wie es die Kunstperiode hervorgebracht hatte, brechen und zugleich in Widerspruch treten zu allen Versuchen eines restaurativ-affirmativen Verhaltens zur literarischen Tradition. In seiner Kritik am ästhetischen Postulat der ‹Ganzheit› und seinen satirischen Angriffen auf das Traditionsverhalten der Spätromantiker, die er wiederum mit Hegel teilt, zieht Heine diese Konsequenzen.

Im vierten Kapitel der *‹Bäder von Lucca›* setzt er sich mit dem gegen ihn erhobenen Vorwurf der ‹Zerrissenheit› auseinander. Seine Replik fällt dialektisch aus: «Ach, teurer Leser, wenn Du über jene Zerrissenheit klagen willst, so beklage lieber, daß die Welt selbst mitten entzwei gerissen ist. Denn da das Herz des Dichters der Mittelpunkt der Welt ist, so mußte es wohl in jetziger Zeit jämmerlich zerrissen werden», so sei auch durch sein Herz «der große Weltriß» gegangen.[134] Heine wendet den modischen Begriff der ‹Zerrissenheit›, Ausdruck subjektiver psychischer Exaltation, historisch-gesellschaftlich und benutzt ihn als Metapher für die antagonistische Gesellschafts- und Weltverfassung seiner Zeit.[135] Diese Umfunktionierung impliziert die ästhetisch-politische Programmatik, daß eine künftige Kunst in ihrem Sinngehalt wie ihrer Formgestalt diese zerrissene Wirklichkeit, den ‹großen Weltriß›, in sich hineinnehmen muß – das aber bedeutet den bewußten Bruch mit der überkommenen Kunstidee, die Totalität und Geschlossenheit kanonisiert hatte. Kunst wird kritisch, partial und reflektiert, sie thematisiert noch in ihren Grenzen den eigenen Scheincharakter. ‹Ganzheit› und

Geschlossenheit, der Schein, den Ansprüchen der ersten, wirklichen Welt enthoben zu sein, sind endgültig zergangen – in dieser Einsicht ist Heines Modernität begründet. Wie lange sie verschüttet ward, mag daran deutlich werden, daß noch der späte Brecht gegen die vulgärhegelianischen Ganzheits-Postulate des kulturpolitischen Revisionismus formuliert: «Das Thema der Kunst ist, daß die Welt aus den Fugen ist.»[136]

Diese frühen Einsichten Heines haben ein spezifisches Verhältnis zur literarischen Tradition zur Folge, das er wiederum ganz im Sinne der Positionen Hegels, wie sie im 1. Kapitel dargestellt wurden, expliziert: «Einst war die Welt ganz, im Altertum und im Mittelalter, trotz der äußeren Kämpfe gab's doch noch immer eine Welteinheit, und es gab ganze Dichter. Wir wollen diese Dichter ehren und uns an ihnen erfreuen; aber jede Nachahmung ihrer Ganzheit ist eine Lüge, die jedes gesunde Auge durchschaut und die dem Hohne dann nicht entgeht.»[137] Durch die entschiedene Abgrenzung gegen ein restauratives Traditionsverhalten, das in mimetischer Restitution vergangener Formideale den Anforderungen der Gegenwart sich entziehen möchte, erscheint Heines geschichtsphilosophisch begründete Annahme, daß eine neue Zeit eine neue Technik hervorbringen muß, die nicht aus der verblichenen Vergangenheit ihre Symbolik zu borgen braucht, in einem anderen Licht. Die geschichtsphilosophische Erwartung einer neuen Substantialität von Kunst im Sinne Hegels oder neuer, welthaft abgeschlossener Darstellung der Wirklichkeit, wie Preisendanz interpretiert, wird durch Heines Kritik am restaurativen Epigonentum zumindest relativiert. Denn weil Heine die formale Realisierung der neuen, praktischen Funktionen von Kunst aus der Erkenntnis des widersprüchlichen Charakters seiner gesellschaftlichen Gegenwart herleitet, wird schon von vornherein die Prätention neuer ‹Ganzheit›, das Erschleichen neuer Abgerundetheit des Werks ideologiekritisch verurteilt. Von daher erscheint es zweifelhaft, ob Heines Vorstellung einer künftigen Kunst wiederum auf «welthaft dargestellte Wirklichkeit» (Preisendanz), also auf einen anderen, gewandelten Begriff von Ganzheit zielt. Vielmehr deutet der Terminus ‹neue Technik› eher auf die Einsicht Heines, daß in und nach der von ihm erhofften und ein wenig auch gefürchteten sozialen Revolution das Ästhetische selber fragwürdig wird, weil es keinen autonomen Erkenntnisanspruch mehr erheben kann. Der Schriftsteller Heine will «keinen Unterschied machen [...] zwischen Leben und Schreiben» und «nimmermehr die Politik trennen von Wissenschaft, Kunst und Religion»[138]. In solcher Programmatik wird ein Begriff von Kunst artikuliert, der entgegen seiner klassisch-romantischen Fixierung gegen andere Erkenntnis- und praktische Handlungsweisen nicht verschlossen, sondern ihnen als genuine Form verändernder Praxis zugeordnet ist und sie in sich aufzunehmen sucht. Diese Konzeption von Kunst aber geht, wie die rezeptionsästhetische Interpretation vorgibt, im bloßen «Anspruch auf publizistische Einflußnahme»[139] nicht auf, sondern reflektiert bereits die Konsequenzen der Fundierung von Kunst auf Politik: diese rühren in der Tat an die «Grenze des ‹Ästhetischen›»[140] selber, aber der durch sie bewirkte Funktionswandel weist in seiner Tendenz über ‹publizistische Einflußnahme› hinaus auf die Verbindung von Kunstproduktion und verändernde gesellschaftliche Praxis.

Heines Beitrag zu ‹Urgeschichte der Moderne› besteht, von der Affinität seiner Positionen zu jenen Brechts her gesehen, in den folgenden theoretischen und praktischen Ansätzen:

1. dem Versuch, die Kunst nicht länger von Wissenschaft und Politik zu trennen, sondern eine auf wissenschaftliche Erkenntnis qua Aufklärung wie Politik qua Theorie der Gesellschaft und gesellschaftliche Praxis fundierte Kunst zu reflektieren und in der eigenen Kunstproduktion zu realisieren;
2. der durch die Einsicht in die Widersprüche der bürgerlichen Gesellschaft und die Erkenntnis der Teilhabe von Kunst an derem ideologischen Verblendungszusammenhang begründeten Absage an den klassischen formalen Kanon von ‹Ganzheit› und ‹Geschlossenheit› des Werks zugunsten einer neuen, offenen ‹Schreibart› und literarischen ‹Technik›, die der Wirkungsabsicht Heines, das «Verständnis der Gegenwart»[141], Einsicht in gesellschaftliche Prozesse zu fördern und die, mit Brecht zu reden, Ideologiezertrümmerung voranzutreiben, entspricht;
3. dem ebenso begründeten Kampf gegen ein restaurativ-affirmatives Traditionsverhalten zugunsten eines freien, auf Distanz, Ironie und Parodie angelegten Verhältnisses zur literarischen und auch philosophischen Tradition – was nicht Verzicht auf Tradition bedeutet, sondern aufgeklärte Interpretation der Vergangenheit aus der Sicht der bürgerlichen und darüber hinaus der sozialen Revolution. Die Literatur- und Philosophiegeschichte wird interpretiert als eine Folge immer wieder aufgenommener Versuche, ein emanzipatorisches Vernunftinteresse zu artikulieren und politisch-gesellschaftlich zu realisieren (vgl. etwa ‹*Zur Geschichte der Religion und Philosophie in Deutschland*›). Dabei legitimiert Heine diese Interpretation nicht durch eine geschichtsmetaphysisch garantierte Notwendigkeit der prozessualen Selbstverwirklichung einer Vernunftidee, sondern begreift Vernunft als eine immer erst durchzusetzende. So grenzt er sich in der kleinen Studie ‹*Verschiedenartige Geschichtsauffassung*› sowohl gegen eine zyklische als auch gegen eine teleologische Geschichtstheorie ab: «Das Leben ist weder Zweck noch Mittel; das Leben ist ein Recht. Das Leben will dieses Recht geltend machen gegen den erstarrenden Tod, gegen die Vergangenheit, und dieses Geltendmachen ist die Revolution.»[142]

Eine Literatur, die sich als revolutionär begreift, kann sich also per definitionem nicht durch das traditionale Muster, auch nicht das progressive, legitimieren: sie muß die Toten ihre Toten begraben lassen, wie Marx im ‹*18. Brumaire*› postuliert, ihr Ausgangspunkt ist die Gegenwart, ihre Veränderungsvorschläge gelten dieser und damit zugleich der Zukunft. «Nicht an das Gute Alte anknüpfen, sondern an das schlechte Neue»[143] lautet noch eine Maxime Brechts.
Die revolutionäre Literaturtheorie Heines markiert, nicht zuletzt weil sie im französischen Exil in der Konfrontation mit den Widersprüchen der bürgerlichen Gesellschaft entwickelt wird, einen historischen Stand, an den in der deutschen Literatur theoretisch wie praktisch erst Brecht anknüpfen kann. In der historischen Verspätung der deutschen Nation, die erst 1918/19 eine zwar vom Proletariat getragene, aber in ihren Resultaten allenfalls bürgerliche, nicht soziale Revolution erlebt, in dem damit verbundenen außerordentlichen Beharrungsvermögen der ideologischen Strukturen der auch nach 1918 noch halbfeudalen deutschen Gesellschaft ist die Affinität der kunsttheoretischen Positionen des revolutionären Schriftstellers Heine und der Ausgangspunkte des kritischen Realisten Brecht, der die Sache des Proletariats zu seiner eigenen machen will, begründet.

Nach Heine lassen sich mit aller Vorsicht zwei Weisen, zu der historisch-gesellschaftlichen Entwicklung sich zu verhalten, unterscheiden, die oft bei einem Autor sich miteinander verbinden: zum einen die Tendenz zur absoluten Privatheit und Subjektivität, die, nachdem sie schon bei einigen Autoren der Romantik in äußerste Restauration sich verkehrt hatte, latent mit einer Wendung zur Idylle und zum Festmachen des Werks am überkommenen Formideal einherging; zum anderen die Tendenz zu Ironie und Parodie, zum beständigen Zweifel an den eigenen Hervorbringungen, zur Politisierung der Literatur und zum bewußten Traditionsbruch. Die Literatur trat in den Stand der Klage, die zur Aggressivität gegen das Bestehende, zum Ausbruch sich verschärfte, die zum andern die Abwendung von der gegenwärtigen Zivilisation bis zur restaurativ-affirmativen Beschwörung vergangener Formideale trieb. Der bewußte Traditionsbruch hatte seinen Ursprung nicht allein darin, daß durch «die historischen Wissenschaften, durch die bequeme Verfügbarkeit aller Literaturen, durch museale Einrichtungen, durch die hochentwickelten Methoden des Reproduzierens und Interpretierens» ein «Überdruck des geschichtlichen Gutes»[144] entstand, dem die Poesie mit einem Gegendruck begegnete, sondern noch in anderen, mit diesem zusammenhängenden Sachverhalten. Das ungeheuer angewachsene und aufbereitete Erbe verband sich weitgehend mit einer herrschenden Kulturideologie, die den Autoren mit Ansprüchen und Sanktionen gegenübertrat; es wurde – an der Rezeption der

Dichter des deutschen Idealismus wurde das manifest – integriert in ein starres System, das literarische Tradition und deren Vermittlung ebenso wie Religion, Moral und Sollensethik einschloß, ja diese an jener zu exemplifizieren suchte.

Zugleich traten die Elemente der Tradition nicht länger zu einem Substantiellen zusammen, dem die Autoren unmittelbar sich zugehörig fühlten als vorgegebenem Grund ihrer Werke.

Vermochte die Poesie des deutschen Idealismus Tradition, zumal die antike, geschichtsphilosophisch reflektiert noch einmal sich anzuverwandeln, so zerfällt sie nun vollends: nichts gibt es mehr in der Gesellschaft, das ihr einen Platz zuwiese, es sei denn die Agenturen der Kultur und später der Kulturindustrie okkupierten sie und ließen sie zur Ideologie verkommen. So zerfallen und atomisiert verfällt Tradition radikaler Kritik, dem Hohn und der Ironie oder dem Spiel mit entsubstantialisierten Formen und Stoffen. Am Ausgang des Jahrhunderts hat Friedrich Nietzsche solches Verhältnis zur Tradition beschrieben: «Wir sind das erste studierte Zeitalter in puncto der ‹Kostüme›, ich meine der Moralen, Glaubensartikel, Kunstgeschmäcker und Religionen, vorbereitet wie noch keine Zeit es war, zum Karneval großen Stils [...] Vielleicht, daß wir hier gerade das Reich unsrer *Erfindung* noch entdecken, jenes Reich, wo auch wir noch original sein können, etwa als Parodisten der Weltgeschichte und Hanswürste Gottes, – vielleicht, daß wenn auch nichts von heute sonst Zukunft hat, doch gerade unser *Lachen* noch Zukunft hat!»[145]

Auf den Zerfall der vorgegebenen literarischen Tradition, auf eine ‹zerrissene›, durch gesellschaftliche Widersprüche konstituierte Wirklichkeit antworten jene Autoren, die darüber sich nicht ideologisch oder mit der Rekonstruktion eines scheinbar Naiven hinwegtäuschen, damit, daß sie Zerfall und Atomisierung in der Form aussprechen und wo die Wirklichkeit im anschaulichen, homogenen Bild ohne Lüge sich nicht mehr darstellen läßt, dieses sprengen. Das formale Prinzip solcher Poesie – bei Heine findet es sich in Ansätzen schon vorgebildet – ist das der Montage. Als Resultat der konsequenten Selbstreflexion des Künstlers und der Auflösung des Traditionszusammenhangs eröffnet sie verschiedene Möglichkeiten des Verhältnisses zur literarischen Tradition, denen eine intellektuelle Wahl zugrunde liegt, sie reichen von der Ironie und Parodie bis zu Identifikation und Korrespondenz. Ihnen allen freilich ist ein aleatorischer und artistischer Grundzug im Interesse an der literarischen Tradition gemeinsam. Solches artistische Interesse ist noch in einer engagierten Poesie wirksam und wird ihr schließlich problematisch – zumal dann, wenn die inhaltliche, satirische und ironische Umfunktionierung vorgegebener formaler Muster der literarischen Tradition zum einen mit dem politischen Anspruch der Wirkungsabsicht kollidiert, zum andern die Revolutionierung der formalen Möglichkeiten hemmt. Dieser Problematik war sich der Emigrant Brecht, in der Rezeption des Marxismus begriffen, schon bewußt. Walter Benjamin notiert über seine Gespräche mit Brecht am 6. Juli 1934, dieser habe sich oft ein Tribunal vorgestellt, vor dem er gefragt würde, ob es ihm eigentlich ernst sei, und er habe dann anerkennen müssen: « [...] ganz ernst ist es mir nicht. Ich denke ja auch zu viel an Artistisches ...» Dichter, denen es ganz ernst sei, nannte Brecht in diesem Gespräch «die Substanz-Dichter»[146]. Weiter bemerkenswert in diesem Zusammenhang ist eine Notiz Benjamins vom 27. September desselben Jahres, in der er Brechts Skrupel gegenüber dem Plan eines philosophischen Lehrgedichts schildert: « [...] die satirische und zumal die ironische Haltung als solche» müßte Bedenken ausgesetzt werden, und Benjamin fügt interpretierend hinzu, solche Bedenken richteten sich in einer tiefer liegenden Schicht auf «das artistische und spielerische Element der Kunst»[147] – in solchen Skrupeln und Bedenken manifestierte sich ein Bruch, der dann ins Bewußtsein trat, als die Erfahrung der bürgerlichen Gesellschaft als eines «Hohlraums»[148] und anarchischer Leere in deren gesellschaftstheoretische Erkenntnis und die Bereitschaft zu ihrer revolutionären Veränderung mündete. Artistik, Ironie und Satire werden selber Gegenstand des Zweifels, wo ein geschichtsphilosophisches Verhältnis zur Tradition diese nicht mehr bloß als in atomisierte Elemente zerfallene begreifen kann, die einem primär artistischen Interesse als Material dienen, sondern deren geschichtsphilosophischen Gehalt für die eigene politische Wirkungsabsicht fruchtbar machen will. Darin ist ein Funktionswandel der literarischen Tradition im Werk Brechts beschlossen, dessen geschichtsphilosophischer Rahmen bestimmt ist durch die Verwandlung jenes ‹Hohlraums›, jener ‹leeren Zeit› in die Erfahrung einer als historisch begriffenen Gegenwart, die selber in allen ihren Manifestationen einem als sinnvoll erkannten und behaupteten historischen Prozeß zugehört. Dieser Erkenntnis zufolge, die aus der materialistischen Geschichtsauffassung gewonnen wird, wandeln sich die im Frühwerk so disparat und aleatorisch verwandten Elemente der Montage selber in literarische Manifestationen eines dialektisch-materialistisch aufgefaßten historischen Prozesses und müssen als solche daraufhin befragt werden, in welchem Maße der artistische Gebrauch, den eine als Teil verändernder Praxis sich begreifende Literatur der Gegenwart von ihnen macht, ihren Intentionen entspricht und weiterhilft oder in vielfältigen und problematischen Widerspruch zu ihnen gerät.

3. Frühwerk und marxistische Fundierung der literarischen Produktion Brechts – Differenzen und Zusammenhänge

Der Funktionswandel der literarischen Tradition im Werk Brechts ist gebunden an die Rezeption des historischen Materialismus als einer geschichtsphilosophischen und revolutionstheoretischen Position, um die Brecht sich seit Mitte der zwanziger Jahre immer intensiver bemüht. Da sie für sein Traditionsverständnis und dessen Wandel die größte Relevanz besitzt, soll hier jene Phase, die Hans Mayer mit dem Begriff der «unliterarischen Tradition»[149] bezeichnet hat, nicht eingehend erörtert werden. Sie ist für den hier entwickelten theoretischen Rahmen nur insofern wichtig, als sie die anti-idealistischen und abstrakt ideologiekritischen Haltungen des Frühwerks noch in die Positionen des Gegen-Literarischen verschärft, freilich noch nicht im Sinne einer Überführung der ästhetischen in die gesellschaftliche Funktion. In dieser Entwicklung ist eine Konsequenz beschlossen, die mit den provozierenden und provokant gemeinten abstrakt-materialistischen Reduktionen Brechts zugleich Bemühungen um eine theoretische Fundierung seiner poetischen Produktion bewirkt und notwendig macht. Die schon in den frühen lyrischen Gedichten und Balladen manifeste Reflektiertheit dieses Autors, wie sie in deren kalkulierter Naivität – Hanns Eisler hat diesen Gestus einmal sehr treffend mit dem Paradoxon «naiv–ironisch»[150] bezeichnet – sichtbar wird, weitet sich nun aus zur fortan dem Werk nicht bloß äußerlichen, sondern wesentlichen expliziten theoretischen Reflexion: Ablehnung von Metaphysik, wenn auch vorerst nur in abstrakter Negation, Wissenschaftlichkeit, eine Objektivität, die das Subjekt und die subjektive Regung auszusparen, in der epischen Distanz aufzulösen und aufs Verhalten als Funktion der Umwelt zu reduzieren sucht, der frühe Protest gegen jegliche Form bürgerlicher Ideologie – all das führt nach wechselnden Optionen und auch ‹Moden› (so z. B. der des Amerikanismus, des Sport- und Technikenthusiasmus) schließlich zur Rezeption des Behaviorismus als neuer ‹wissenschaftlicher Psychologie›. Er blieb, wie Hansjürgen Rosenbauer[151] nachgewiesen hat, eine wesentliche Komponente in Brechts ästhetischer Theorie. Was ihn mit dem historischen Materialismus verbindet und dessen Rezeption vorbereiten hilft ist sein rationaler Impetus, der Brechts aufklärerischer Überzeugung, «daß Metaphysik, Seele, Unbewußtes, Ewigmenschliches, Glaube nur der Unmenschlichkeit nützen, Verstand sie aber endgültig aus der Welt schaffen könne»[152], entsprach. Das Pathos des negativen Vitalismus hat sich gewandelt zur immer bestimmter werdenden Negation, die im Pathos der Sachlichkeit, der behavioristi-

schen Reduktion die moralischen, kulturellen und ideologischen Fassaden des bürgerlich-christlichen Weltgebäudes niederreißen will.
Festzuhalten bleibt das Moment der Kontinuität in der Entwicklung dieses Autors, dessen Zugehörigkeit zur Moderne in der von den frühen Balladen her sich durchhaltenden Reflektiertheit seiner Produktion bezeugt ist: die Formen und Inhalte, der Umfang und die Qualität solcher Reflektiertheit wandeln sich im Zuge ihrer historischen Entwicklung und ihrer theoretischen Entfaltung. Es ist jedoch verfehlt, wie zahlreiche Deutungen das getan haben, einen Bruch zu konstruieren zwischen einem naiv-sinnlichen, anarchisch-vitalistischen und gleichsam naturwüchsig poetischen Frühwerk und einem durch die Rezeption des Marxismus zu poetischer Dürre und sprachlicher Kargheit erstarrten Spätwerk. Solche Deutung schlägt, was Brecht als charakteristische Erscheinung der bürgerlichen Gesellschaft erfuhr und festhielt: deren Anarchie, unversehens seinem eigenen Wesen zu, überdies hängt sie einem Begriff von Literatur nach, der die notwendige Reflektiertheit des Autors der Moderne leugnet oder sich blind dagegen macht. Geht man jedoch von dem im 1. Kapitel entfalteten und historisch-theoretisch begründeten Wandel im Selbstverständnis der Autoren aus, so kann Brechts Rezeption des historischen Materialismus nicht länger als ein Bruch erscheinen, sondern – bei grundsätzlicher Anerkennung der Reflexion als konstitutives Element seiner Poesie – als ein, freilich entscheidendes, Entwicklungsmoment im Prozeß seines Selbst- und Weltverständnisses: dessen expliziter Artikulation aber kann kein Autor der Moderne sich mehr entschlagen.
Tradition, wie der junge Brecht sie in abstrakter Negation verwarf und im poetischen Verfahren der Montage zerschlug, war von ihm schon begriffen als die der herrschenden bürgerlichen Klasse: nur war seine Rebellion noch nicht explizit theoretisch und politisch fundiert. Der junge Brecht war konfrontiert mit einer Kultur, die nahezu restlos in den Dienst von Staat und Gesellschaft genommen war und den Objekten ihrer Institutionen hinter der Maske eines geistigen Antlitzes ihr von Interesse geprägtes Gesicht verbarg. Solchem überwältigenden ‹Konformismus› widerstand er durch die grob-materialistische Provokation und Reduktion, durch Ironie, Parodie, Satire, die jene hehre Maske zerschlagen sollte, zugleich aber auch durch den Rückgriff auf vielfältige Formen einer Gegentradition, durch bewußte Hinwendung zu jenen Autoren, die selber radikal von bürgerlicher Kultur und Moral sich abgewandt hatten (wie Rimbaud) oder den Geist bürgerlich-imperialistischer Herrschaft in ihren Versen so unverstellt und hymnisch aussprechen (wie Kipling), daß deren Wesen sich in deren eigenen Formen in ironischer Persiflage entlarven ließ.
Der verborgene Zusammenhang solchen Traditionsverhältnisses, der es gerade nicht erlaubt, einen tiefgehenden ‹Bruch› im Werk Brechts zu

konstruieren, ist die sich durchhaltende ideologiekritische Intention, die im Wandel ihrer poetischen Inhalte und Formen, ihrer theoretischen und geschichtsphilosophischen Fundierungen nicht bloß ihren eigenen Gesetzen oder einer konstruierten psychologischen Entwicklung ihres Autors folgt, sondern der historisch-gesellschaftlichen Entwicklung selber. Es ist daher verfehlt, wie Mayer das tut, den jungen Brecht in «einige Affinität»[153] zu geschichtsphilosophischen Positionen Gottfried Benns zu bringen, um daran in unvermittelter Entgegensetzung ein durch die Rezeption Hegels bestimmtes Traditionsverhältnis anzuschließen, das von nun an dem Gang von dessen idealistisch-dialektischer Logik folgt: «Von allen Werken der Tradition muß also gleichzeitig das Dreifache geleistet werden: Konservierung, Annihilierung, Umgestaltung»[154], woraus als Grundformel sich ergibt: «Brechts Verhältnis zur Tradition ist gleichzeitig aufgehobene und gestiftete Tradition.»[155] Die Manifestationen und Entfaltungen von Brechts Traditionsverhältnis sind zu vielfältig und problematisch, als daß sie sich restlos und ohne Verzerrungen auf der Folie der Hegelschen Dialektik abbilden ließen; überdies hat Brechts Rezeption des historischen Materialismus ihre eigene Geschichte und ihre eigene Problematik, auch sie vollendet sich erst im historischen Prozeß und im Fortgang seiner poetischen Produktion.

Die noch abstrakt vorgetragene Ideologiekritik des Frühwerks gewinnt durch die allmähliche Rezeption der Marxschen Theorie erst Bestimmtheit und eine reflektiert-politische Dimension. Die Rezeption der materialistischen Geschichtsauffassung ist insofern im Frühwerk schon präfiguriert, als ihm die Auffassung der gesellschaftlichen Erscheinungen nach ihrer vergänglichen Seite hin zugrunde liegt, freilich eine abstrakt-biologistische, keine geschichtsphilosophische: ‹finstere Zeiten› hier wie dort, jedoch zunächst noch individuell, in historischer Ohnmacht erfahren, der Protest vorgetragen im ironisch gebrochenen emphatischen Gestus, der Individuum und bürgerliche Gesellschaft der Verwesung und dem Verfall anheimgibt. Damit freilich blieben die frühen Produktionen zum einen in den engen Rahmen von Säkularisation gebannt und zum andern an das derart abstrakt negierte Bürgerlich-Ideologische selber fixiert. Indem sie sich nämlich darin beschieden, den auf ihre auswendigen Funktionen von Herrschaftsbefestigung heruntergekommenen und ihrer verbindlichen Substanz beraubten Postulaten einer bürgerlichen, durch die instrumentalisierte Literatur der deutschen Klassik geweihten Kulturideologie und Tugendlehre wie der christlichen Ethik ironisch deren Leere zu demonstrieren und mit der beschwörenden Feier physischer Hinfälligkeit und einem in paradox vitalistischer Emphase verkündeten Nichts zu verwerfen, bleiben sie in der unbestimmten Negation an das derart Negierte selbst notwendig gebunden. Nur an diesem haben sie ihr Leben, und auch ihre poetische

Wirkung ist zu einem nicht geringen Teil in diesem nicht aufgehobenen Widerspruch begründet.
Doch artikuliert sich im negativen Vitalismus des Frühwerks nicht bloß ausswegloser Nihilismus, vielmehr leitet sich die eigenartige Emphase, mit der dieser sich vorträgt, her aus dem latenten Impuls der Rebellion gegen den übermächtig scheinenden Verblendungszusammenhang, des radikalen, noch die Selbstzerstörung goutierenden Verwerfens. Als eine wesentliche Ursache solchen scheinbaren Nihilismus – scheinbar deshalb, weil noch in die Destruktionen des jungen Brecht als deren Beweggrund notwendig die Vorstellung eines wie auch immer unbestimmten Anderen eingeht –, erscheint nach diesen Erörterungen die radikale Abwendung von und Gegnerschaft zur eigenen Klasse, ihren kulturellen Institutionen und ihren moralischen Instanzen und Normen. Ihr entsprach, nach dem Bruch mit den bestimmenden Sozialisationsagenturen der Kindheit und Jugend die angestrengte und intensive Suche nach einer anderen und neuen sozialen Identität, der gegenüber die Tröstungen und Kompensationen der Münchner und Berliner Bohème wenig vermochten. Die schon so früh und mit solcher Intensität, wenn auch halbbewußt auf Änderung des Bestehenden gerichteten Intentionen nicht allein Brechts, sondern auch des überwiegenden Teils seiner Generation mündeten häufig in Abstraktheit und Irrationalität, prädentierten Nihilismus und als dessen extreme Entsprechung den beschwörenden, moralisierenden Appell an ‹den› Menschen, weil ihnen ein kollektives historisches Subjekt, das ihre Hoffnungen hätte praktisch werden lassen können, nicht oder noch nicht in den Blick gekommen war. In diesem Mangel war auch das expressionistische Pathos des von allen gesellschaftlichen Deformationen befreiten ‹guten Menschen›, ja der Menschheit begründet, er schlägt selbst da noch durch, wo der Aufruf an ‹den› Arbeiter gerichtet ist: aus seiner gesellschaftlichen Not macht der expressionistische Autor die Tugend der Menschheit; einige Verse aus dem Gedicht *‹Arbeiter›* von Karl Otten mögen für viele stehen und zugleich die Intensität der Suche nach einer sozialen Identität bezeugen:

> Glaube an dein Herz, an deine Gefühle, an deine Güte,
>   an *die* Güte, an die Gerechtigkeit!
> Glaube, daß es einen Sinn hat zu glauben,
> Zu glauben an die Ewigkeit der Güte,
> An die Menschheit, deren Herz du bist.
> Nur die Güte wird siegen, die Liebe, Sanftmut
> Der starke unbeugsame Wille zur Wahrheit
> Der steifnackige Entschluß endlich zu sagen, was man fühlt
> Und daß nichts seliger beglückt als die Wahrheit
> Sei Menschenbruder! Sei Mensch! Sei Herz! Arbeiter![156]

Brecht hat solche Beschwörung nicht geteilt, dennoch ist ihre Abstraktheit dem Gestus des jungen Brecht in der Struktur verwandt: was sie aufeinander bezieht ist ihre Absolutheit, sei es die des Anspruchs, sei es die des Verwerfens. Freilich enthält das Frühwerk schon Ansätze zur bestimmten Negation: es umfaßt eine ausgeprägte Idealismus-Kritik, es rebelliert konkret gegen Formen bürgerlicher Ideologie, es erkennt parodistisch das leere Pathos des Expressionismus (‹*Baal*› als Gegenentwurf zu Hanns Johsts ‹*Der Einsame*›), doch die forcierte Konkretion, der outriert-vitale Materialismus, den es jenen entgegensetzt, bleibt gerade in seinen extremen Ausformungen selber abstrakt. Nur vereinzelt zeigt sich ein überwiegend moralisches, verbal politisch begründetes soziales Interesse. Aufschlußreich dafür sind einige der Augsburger Theaterkritiken, vor allem jene über naturalistische Stücke. Zweimal, am 1. und 25. Oktober 1920, schreibt Brecht über Gerhart Hauptmanns ‹*Rose Bernd*›; am 1. Oktober notiert er: «Nicht in dieser Handlung liegt Aktion, nicht darin, daß ein Mädchen ein Kind kriegt, alleingelassen wird, es erwürgt – sondern: wie dieser dumpfe, starke Mensch davon verwirrt wird, dies alles schluckt, dran kaputtgeht hinterm Strauch wie ein Stück Vieh und dabei bös wird und zu schreien anfängt, sich beschwert, Rebellion macht, kaputtgeht. Das ist unvergeßlich: es ist wahr»[157], und am 25. Oktober: ‹*Zur Einführung in die Vorstellung des Gewerkschaftsvereins*›, heißt es dann nach einer knappen Zusammenfassung des Themas: «Das ist ungefähr der Inhalt, er geht nicht über Bühnenkaiser, Prinzessinnen singen nicht darin, es kommt kein Lohengrin zu dieser Beschimpften, aber wir müssen hineingehen, es ist unsere Sache, die in dem Stück verhandelt wird, unser Elend, das gezeigt wird. Es ist ein revolutionäres Stück.»[158] An den beiden Passagen läßt sich ablesen, wie die Interpretation, zunächst noch – vitalistisch – ausgehend von der Demonstration eines elementaren, ins Animalische gewendeten Lebenswillens (ähnlich wie in dem Gedicht ‹*Von der Kindesmörderin Marie Farrar*›) in der Denunziation der bürgerlichen Kultur – kein Lohengrin kommt zu dieser Beschimpften – eine gesellschaftskritische Dimension gewinnt.

Gerade im methodischen Vorgehen, mit dem das Stück Hauptmanns vorgestellt wird, der Konfrontation seines sozialkritischen Gehalts mit den ihm gegenüber *unwahr* erscheinenden Manifestationen bürgerlicher Kultur, bereitet sich jene Position vor, die diese einmal aus der dialektisch-materialistischen Einsicht in ihren gesellschaftlichen Ursprung und ihre gesellschaftlichen Funktionen kritisieren wird. Noch deutlicher wird das an der Kritik einer ‹*Don Carlos*›-Aufführung vom 15. April 1920, auf die schon Hans Mayer und Reinhold Grimm hingewiesen haben. Brecht leitet seine Kritik mit der Bemerkung ein: «Ich habe den ‹*Don Carlos*›, weiß Gott, je und je geliebt. Aber in diesen Tagen lese ich in Sinclairs ‹*Sumpf*› die Geschichte eines Arbeiters, der in den

Schlachthöfen Chicagos zu Tod gehungert wird. Es handelt sich um einfachen Hunger, Kälte, Krankheit, die einen Mann unterkriegen, so sicher, als ob sie von Gott eingesetzt seien. Dieser Mann hat einmal eine kleine Vision von Freiheit, wird dann mit Gummiknüppeln niedergeschlagen. Seine Freiheit hat mit Carlos' Freiheit nicht das mindeste zu tun, ich weiß es: aber ich kann Carlos' Knechtschaft nicht mehr recht ernst nehmen.»[159] Reinhold Grimm hat zu Recht auf den entscheidenden Einfluß aufmerksam gemacht, den Upton Sinclairs Buch für Brechts Auffassung ‹vom Wesen und Wirken des Kapitalismus› gehabt habe. Seine Deutung: «Indem hier Brecht die Forderung nach dem Existenzminimum gegen das idealistische Freiheitspathos ausspielt, bekennt er sich erstmals, soweit ich sehe, zu jener materialistischen Grundauffassung, die für sein ganzes weiteres Werk bestimmend werden sollte»[160], greift jedoch zu kurz. Denn die ideologiekritische Einsicht in das Auseinanderfallen von idealistischem Pathos, konserviert und verdinglicht im bürgerlichen klassizistischen Kulturkanon der wilhelminischen Ära, hatte Brechts literarische Produktion von Anbeginn bestimmt – spätestens seitdem der Gymnasiast seine ersten patriotischen Schreibversuche überwunden hatte.

Nicht um das erstmalige Bekenntnis zu einer materialistischen Grundauffassung geht es darum in dieser Theaterkritik, sondern an ihr läßt sich die Wende von einem abstrakt-vitalistischen Materialismus, der primär als anti-idealistisch und anti-metaphysisch sich versteht, zu einem immer bestimmteren und inhaltlich spezifizierten, nämlich praktisch-gesellschaftskritisch bezogenen Materialismus ablesen. Die abstrakt anti-idealistische Haltung erhält in dem Maße, in dem sie die bürgerliche Gesellschaft als kapitalistische begreift, inhaltliche Konkretion. So lassen sich aus der Rezeption des Romans von Sinclair, die unmittelbar bedeutsam geworden ist für das Stück ‹*Die heilige Johanna der Schlachthöfe*›, wesentliche Elemente der Kapitalismus-Kritik Brechts erklären, die über die poetische Bildwahl und Metaphorik hinaus für seine literarischen Versuche wirksam bleiben werden.

Jenen einfachen Hunger, jene Kälte und Krankheit, die Brecht – selber mit dem Pathos der kritischen, radikalen Negation – gegen das schon affirmativ und folgenlos gewordene Pathos des bürgerlich-idealistischen Dramas geltend macht, hatte schon der Autor des «Romans aus Chicagos Schlachthäusern» in ideologiekritischer Selbstreflexion gegen einen überkommenen Begriff von Dichtung thematisch legitimiert: «Ein bekannter Dichter singt:

> Inniger wird das Herz und edler die Haltung,
> Wenn unsre Jugend versengt das Feuer der Qualen ...

Doch meint der Dichter wohl nicht die Qualen der Bedürftigkeit und Armut, die so bitter und grausam sind, und dennoch so häßlich und würdelos – denen kein erhabenes Pathos Schönheit verleiht [...] Wie könnte auch ein Mensch hoffen, bei den Bewunderern der schönen Literatur Teilnahme zu erwecken, wenn er von den Leiden einer Familie berichtet, deren Heim von Ungeziefer überschwemmt ist, wenn er schildert, wieviel Mühe und Geld es sie gekostet hat, das Ungeziefer endlich los zu werden.»[161] Die Wirkung, die Sinclairs Roman auf Brechts Bild der bürgerlichen Gesellschaft ausgeübt hat, besteht neben der Konkretisierung anti-idealistischer Kritik, die mit den Grund legt für das spätere Konzept ideologiekritischer sozialer Kunst, in der immer deutlicheren Erkenntnis des Wesens der kapitalistischen Gesellschaft selber. Gerade für diese Einsicht aber bildet die Perspektive eines abstrakt-vitalistischen Materialismus, die Perspektive egoistischer Asozialität, mit der sie gewonnen wird, einen radikalen Ausgangspunkt. Denn aus einer solchen absolut illusionsfeindlichen und gegen alle Tröstungen immunisierten Perspektive muß das, was den Menschen in der kapitalistischen Gesellschaft angetan wird, unverstellt, in seiner ganzen Blöße hervortreten. Brechts früher, asozialer Vitalismus also schärft seinen Blick und seine Sensibilität für die Unterdrückung und die Verdinglichung, die an den Menschen im Namen des Sozialen, im Namen der Gesellschaft verübt wird.

Der Roman Sinclairs kommt dieser Perspektive des jungen Brecht insofern entgegen, als er die Auswirkungen der kapitalitischen Organisation gesellschaftlicher Arbeit an einem Individuum, dem polnischen Arbeiter Jurgis, einem Einwanderer, und seiner Familie demonstriert. Zudem hat er sicherlich eines der zentralen Themen Brechts: die Anonymität, die ‹Kälte› der großen Städte, wesentlich mitgeprägt. Sinclair, der eher einen christlich begründeten, ethischen Sozialismus vertrat, stellt den Kapitalismus unter zwei, freilich zentralen Aspekten dar – zum einen als den Mechanismus erbarmungsloser Konkurrenz, des Kampfes aller gegen alle: «Denn nun wußte er schon, das ganze Leben sei ein unerbittlicher Kampf des Menschen gegen den Menschen, der Teufel holt die Schwachen. Nirgends ist Güte, nirgends Rücksicht, und der Arme ist für den Reichen bloß Mittel zum Zweck, bloß Maschine. Feindliche Mächte umgeben uns mit gedruckten Lügen in allen Fenstern, auf allen Litfassäulen. Das große Unternehmen, die Fabrik, lügt, betrügt, es lügt und betrügt das ganze Land – alles, alles ist eine gigantische Lüge. Und wie ungerecht ist der Kampf; die einen haben alle Mittel, alle Waffen, die anderen nichts!»[162] Diese Welt, «in der außer der rohen Gewalt nichts zählt»[163], wird vom Protagonisten des Romans erfahren als permanenter und universaler Kriegszustand: «Er war nicht klug genug, um das soziale Übel bis an seine Wurzeln zu verfolgen, wußte nicht, daß es das ‹System› sei, das ihn zermalmte, daß die Unternehmer, seine Herren, die Gesetze des Landes geschaffen hatten und vom Sitz der Gerechtigkeit *ihren* rohen Willen herrschen ließen. Er wußte bloß, daß ihm Unrecht geschah, daß die Welt ihm ein Unrecht angetan hat, daß das Gesetz, die Gesellschaft, mit all ihren Verbündeten, ihm den Krieg erklärt haben.»[164]

Als kampfdurchtobte Anarchie, als Kampfstätte des Menschen gegen den Menschen, eines Kampfes, der, zwar verborgen unter der gesellschaftlichen und ideologischen Oberfläche, für die soziale Alltäglichkeit konstitutiv ist, so erscheint die bürgerliche Gesellschaft fortan, immer konkretere Gestalt annehmend, im Werk Brechts. Daß er sie als permanenten Kriegszustand durchschaut, eröffnet ihm die poetisch-politische Möglichkeit, ihre Alltäglichkeit verfremdend als die eigentlich historische Dimension darzustellen: die ‹Kriege› um die elementaren Subsistenzmittel, den Krieg der proletarischen Mutter um die Milch für ihre Kinder, der Arbeiterfamilie um eine Wohnung, immer wieder im sprachlichen Gestus der politischen Haupt- und Staatsaktionen beschreibend und so als Momente der konkreten Totalität der bürgerlichen Gesellschaft sichtbar machend. Die Rezeption des Romans von Sinclair legt so mit den Grund für die literarische Technik der Verfremdung.

Der zweite Aspekt, unter dem Sinclair das kapitalistische ‹System› darstellt – und er ergibt sich aus dem ersten –, ist die Zerstörung der personalen Identität der Individuen, ihre Verdinglichung und ihre Auflösung in den großstädtischen Massen: «Nun wußten sie es bereits: sie waren besiegt, hatten das Spiel verloren, würden fortgefegt werden. Und diese Niederlage war um nichts weniger tragisch, weil sie den Lohnfragen, der Krämerrechnung, dem Hauszins und nicht vornehmen Seelenschmerzen entsprang. Sie hatten von Freiheit geträumt, von einer Entwicklungsmöglichkeit, hatten ein anständiges, reines Leben erhofft, gewähnt, ihr Kind könnte stark und gesund aufwachsen. Und nun ist alles verloren, rettungslos verloren! Nach sechs Jahren Schuften werden sie das Haus abgezahlt haben – aber es ist nur allzu gewiß, daß keiner von ihnen dieses Leben sechs Jahre lang aushalten wird. Sie sind verloren, *versinken täglich tiefer*, für sie gibt es keine Rettung, keine Hoffnung, sie sind in der ungeheueren Stadt ebenso verlassen, als befänden sie sich auf offenem Meer, in einer Wüste, in einem Grab.»[165]

Das Bild des Versinkens als Metapher für die Zerstörung der Identität, für Ausbeutung und Unterdrückung, hat wesentliche Funktionen noch im marxistisch fundierten Werk Brechts der späten zwanziger Jahre. Direkt aufgenommen wird es in der ‹*Heiligen Johanna der Schlachthöfe*›, im Kampflied der «Schwarzen Strohhüte», in dem auch die Kriegs-Metaphorik verfremdend verwandt wird:

Obacht, gebt Obacht!
Dort ist ein Mann, der versinkt!
Dort ist ein Geschrei um Hilfe
Dort ist eine Frau, die winkt.
Haltet die Autos an, stoppt den Verkehr!
Ringsum versinken Menschen und keiner schaut her!
[...]
Ich hör euch sagen: Das wird niemals anders
Das Unrecht dieser Welt wird stets bestehn.
Wir aber sagen euch: Man muß marschieren
Und kümmern sich um nichts und helfen gehn
Und auffahren Tanks und Kanonen
Und Flugzeuge müssen her
Und Kriegsschiffe über das Meer
Um den Armen einen Teller Suppe zu erobern.[166]

Der Vorgang des ‹Versinkens› wird jedoch vom Marxisten Brecht in kritischer Wendung gegen Sinclair durchaus dialektisch aufgefaßt. Das Versinken, die Ausweglosigkeit enthält immer auch die Möglichkeit der revolutionären Erkenntnis ihrer gesellschaftlichen Voraussetzungen. So heißt es in dem Chor «Fatzer, komm» aus dem Fragment gebliebenen *‹Untergang des Egoisten Johann Fatzer›*:

Der Geschlagene entrinnt nicht
Der Weisheit
Halte dich fest und sinke! Fürchte dich! Sinke doch!
Auf
dem Grunde
Erwartet dich die Lehre.[167]

Walter Benjamin hat diese Verse einleuchtend kommentiert: «Der Mensch kann im Hoffnungslosen leben, wenn er weiß, wie er dahin gekommen ist, Dann kann er darin leben, weil sein hoffnungsloses Leben dann wichtig ist. Zugrunde gehen heißt hier immer: auf den Grund der Dinge gelangen.»[168] Die Wende in der literarischen Produktion Brechts vollzieht sich in dem Maße, in dem das Ungenügende bloß abstrakter Darstellung des bürgerlichen Lebens als exzentrischer Anarchie kritisch durchschaut wird und die egoistischen und asozialen Haltungen ex negativo zur Möglichkeit der revolutionären werden. Benjamin deutet die Intention Brechts nicht zu Unrecht als den Versuch, «den Revolutionär aus dem schlechten, selbstischen Typus ganz ohne Ethos von selber hervorgehen zu lassen»[169]. Dennoch ist gerade in der indirekten Nachwirkung des schlechten, selbstischen Typus, des Baal und des Fatzer, auf das marxistische Werk Brechts dessen unübersehbare ethische, am Verhalten orientierte Komponente begründet. Das wird auch an der Rezeption des Romans von Sinclair und seiner späten Verarbeitung in der ‹*Heiligen Johanna der Schlachthöfe*› deutlich – in beiden lautet die zentrale Frage, wie den ausgebeuteten und unterdrückten Menschen zu helfen sei[170], und in beiden ist die Antwort: durch die organisierte Selbsthilfe der unterdrückten Klasse. Gegenseitige Hilfe, Helfen überhaupt hat bei Brecht eine gesellschaftliche, praktisch-kritische Bedeutung: der Begriff verweist gerade nicht, wie die germanistische Brecht-Forschung immer wieder unterstellt hat, auf undurchschaute Abhängigkeit Brechts von christlicher Tradition[171], sondern meint in einem politischen Sinne praktische Solidarität als gesellschaftliches Verhalten. Kommunismus als die befreite Gesellschaft der assoziierten Produzenten ist daher für Brecht der historische Zustand gesellschaftlicher Lebenstätigkeit, in dem «der Mensch dem Menschen ein Helfer ist»[172]. Praktische Solidarität ist aber zugleich gegen die bürgerliche Gesellschaft gewandtes revolutionäres Verhalten, weil in ihr die Atomisierung, die in Konkurrenz begründete Vereinzelung der Menschen durch verändernde Praxis aufgehoben ist. Insofern geht aus dem selbstischen Typus des Asozialen, zwar nicht «ganz ohne Ethos», wie Benjamin schreibt, aber durch die Erkenntnis seiner gesellschaftlichen Zerstörbarkeit der revolutionäre Typus hervor.

Neben die Haltung gegenseitiger Hilfe, praktischer Solidarität, als dialektische Auflösungsform des asozialen, selbstischen Typus, tritt eine zweite Form seiner kritischen Aufhebung: seine hedonistisch-emanzipative Umfunktionierung. *Ein* Zeugnis dafür ist Brechts nur im Fragment realisierter Plan, ausgehend von dem Gedanken, daß die Gestalt des Baal zwar asozial sei, aber in einer selbst asozialen Gesellschaft, eine Oper über die «Reisen des Glücksgotts» zu schreiben. In ihr tritt nunmehr der selbstische und asoziale Typus als Prophet eines emanzipativen, gesellschaftskritischen Hedonismus, als Revolutionär hervor, der das ‹Glücksverlangen› der Menschen, gleichsam als materielle hedonistische Produktivkraft, zur Rebellion gegen jene ‹sozialen› Verhältnisse aufruft, die Glück nur als parasitäres ermöglichen, also im Grunde ‹asozial› sind.[173] Der marxistisch durchschaute asoziale Vitalismus des Frühwerks, der selber durchaus politisch die Anarchie der bürgerlichen Gesellschaft beim Namen nannte, erscheint so verwandelt ins elementare, materielle Glücksverlangen der unterdrückten Klassen, das nur in einer befreiten Gesellschaft als allgemeines, nicht länger schlecht selbstisches verwirklicht werden kann.

In dem Maße, in dem Brecht das kollektive historische Subjekt, an das sich die theoretisch begründete Hoffnung auf eine praktische Umwälzung der bestehenden Gesellschaftsordnung knüpfen konnte, im Proletariat zu entdecken begann, gewann sein Werk jene theoretische Dimension, in der der Funktionswandel der literarischen Tradition sich

zuallererst vollziehen konnte. Eine Bemerkung in einer wahrscheinlich fragmentarisch gebliebenen, zu Beginn des Svendborger Exils entstandenen theoretischen Arbeit Brechts bezeichnet diesen Sachverhalt ex negativo sehr genau: «[...] das bürgertum ist ein schlechter, ein gehemmter referent der dialektik. der bessere referent, durch seine lage, ist das proletariat. das bürgertum, die geschichte betrachtend, schreibt eine geschichte von wandlungen. aber dieser schreiber ist nicht in der lage, die prinzipien, die er in der vergangenheit feststellte, in der gegenwart, oder gar für die zukunft für wirksam zu erklären.»[174] Der «grobe», der «niedrige Materialismus»[175] des Frühwerks hat so den Boden gebildet, auf dem eine differenzierte gesellschaftliche Thematik und eine Geschichtsauffassung, die zur umfassenden Theorie der historischen Entwicklung sich ausweitete, erwachsen konnte. An die Stelle von emphatisch beschworener und doch zugleich auch mit dem Blick des Melancholikers gesehener Natur und Gesellschaft tritt nun Geschichte, die nicht länger das statische Objekt von Kontemplation, nicht länger leere Zeit, sondern die mit Jetztzeit geladene Vergangenheit bildet, die nicht abgeschlossen ist, sondern in den Horizont einer praktisch herzustellenden Zukunft als konkreter Utopie tritt.
Klaus-Detlef Müller hat versucht, das Geschichts- und Gesellschaftsbild des jungen Brecht zusammenfassend darzustellen: «Kampf ums Dasein ist Kampf um Daseinsgenuß. Der Mitmensch ist dabei Konkurrent und Opfer, bestenfalls Partner, aber niemals gelingt es, die Schranke des verabsolutierten Individuums zu überspringen. Der Naturzustand des Menschen ist Vereinzelung und Einsamkeit: der starke Mensch ist wesenhaft asozial. Erst der Asoziale ist frei und kann in dieser Freiheit seine Kreatürlichkeit voll ausleben: er kann sich seinen Trieben hingeben. Die Gesellschaft als Raum der Geschichte ist in diesem Denken nur Fessel und wird darum negiert. Der ewige Kreislauf der Natur schließt Geschichte aus, reine Natur ist Geschichtslosigkeit, ist Anarchie.»[176] K.-D. Müller unterläßt jedoch, indem er Brechts frühe Geschichtsauffassung auf ‹reine Natur› reduziert, den entscheidenden Hinweis darauf, daß in dem von ihm geschilderten Weltbild, wie ich oben zu zeigen versucht habe, sich auf eine vielfältig gebrochene und vermittelte Weise literarisch die Erfahrung der bürgerlich-kapitalistischen Gesellschaft als einer der Vereinzelung, der Atomisierung und der permanenten Konkurrenz, des homo homini lupus ausspricht: nicht zufällig hat der Marxismus Brechts eine ausgeprägte ethische, freilich gerade gegen die Sollensethik gerichtete Komponente, die auch sein Lehrer Korsch ausdrücklich als Moment des historischen Materialismus hervorhebt.[177] Auch hier, gerade aus der Darstellung Müllers, lassen sich so Zusammenhänge erkennen, die die thematische Asozialität und sogenannte Anarchie seines Frühwerks nicht für dessen gehaltliches Wesen allein, sondern auch für das der Gesellschaft nimmt, auf die es

sich bezieht. Vereinzelung, Kampf um Daseinsgenuß, der Mitmensch als Konkurrent und Opfer – all das wird gerade darum mit angeblich so zynischer, in Wahrheit aber prätendierter Kälte vorgetragen, weil eben jene historischen Gewalten, die die zwischenmenschlichen Beziehungen zu solchen des Marktes verzerrt haben, auch von einem Vereinzelten in historischer Ohnmacht erfahren werden und daher als übermächtige, als scheinbare Naturgewalten in Brechts literarische Produktion eingehen. Geschichte erscheint dem unglücklichen Bewußtsein des Melancholikers immer schon als dem Tod verfallene und auch der Gesang der Seeräuber, noch einmal «laut wie nie», ist doch auch deren letzter. Doch bleibt in solchem ‹Nihilismus› – und darum ist es eben keiner – die Erkenntnis des schlechten Lebens, der gesellschaftlichen Immanenz der ‹Hölle› aufbewahrt: die «Männer von Mahagonny», jene Gruppe von kleinbürgerlichen Exzentriks[178] spricht das aus, die Drohung Gottes mit der Hölle hat für sie allen Schrecken verloren:

> Rühre keiner den Fuß jetzt!
> Jedermann streikt! An den Haaren
> Kannst du uns nicht in die Hölle ziehen:
> *Weil wir immer in der Hölle waren.*[179]

Erst mit der Entdeckung des Proletariats als kollektives historisches Subjekt verliert die bürgerliche Gesellschaft für Brecht ihren endgültigen, statischen Charakter. Deren allegorische Konfiguration im Bild der ‹Hölle› bedeutete zugleich ihre Fixierung auf eine verabsolutierte Gegenwart, ihr Ende konnte vom jungen Brecht daher auch nur als absoluter Untergang, als Verwesung und Absterben vorgestellt werden: nichts, das noch über die Hölle hinausweisen könnte.

Will man die Marxismus-Rezeption Brechts nicht als einen Bruch in seiner Produktion begreifen, sondern sie in seinem Frühwerk angelegt und vorbereitet sehen, so ist gerade diese Erkenntnis der Männer von Mahagonny: die bürgerliche Gesellschaft als Hölle, als existente Anarchie, ein Zeugnis für diese Auffassung.

Vorbereitet wird die Marxismus-Rezeption Brechts ferner durch eine von Anbeginn vorhandene, sozialkritisch begründete, ideologie-kritische Intention, die, weil sie zumeist gegen die gerade im Deutschland der Weimarer Republik mächtigen ungleichzeitigen[180] Ideologien gerichtet war, selber anfällig war für die gleichzeitigen Ideologien der Neuen Sachlichkeit, des Amerikanismus, der Fetischisierung der Technik, schließlich des Behaviorismus. Der Marxismus als theoretischer Ausdruck gleichzeitiger Widersprüche und ihrer praktischen Austragung liegt für Brecht sicherlich zunächst mit in dieser Rezeptionslinie, bedeutet aber zugleich die Abkehr von bloßen scientistischen Modeströmungen einer diffus radikalen bürgerlichen Intelligenz und deren kritische Aufhebung. Brechts Interesse für den Behaviorismus und dessen partielle Rezeption bezeichnet den seitdem nicht nachlassenden Versuch einer wissenschaftlichen Fundierung seiner literarischen Produktion. Auch dieser ist zunächst Ausdruck einer theoretischen und praktischen Abgrenzung gegen die gerade in der zeitgenössischen Kunst und Kunsttheorie virulenten ungleichzeitigen Ideologien der Lebensphilosophie und in deren Gefolge eines subjektivistisch übersteigerten Psychologismus. In der Reaktion dagegen sind Brechts erste wissenschaftliche Fundierungsversuche bestimmt durch sehr stark ausgeprägte objektivistische Tendenzen: das gilt für die Übernahme des behavioristischen Reiz-Reaktion-Modells, das die Menschen zu leeren Blättern macht, auf die die gesellschaftliche Umwelt deren Lebensgeschichte schreibt, ebenso wie für die Anfänge der Marxismus-Rezeption. Dieser ist ihm zunächst und zuallererst wissenschaftlich erweisbare Wahrheit, objektives Erklärungsmodell ökonomischer Gesetzmäßigkeiten. Gleichwohl sind diese objektivistischen Tendenzen immer auch durchdrungen von praktisch-kritischen Interessen. So bringt die Behaviorismus-Rezeption den praktisch gerichteten Begriff des Verhaltens in Brechts ästhetische Theorie ein, der konstitutiv wird für das antimetaphysische Konzept einer gestischen Literatur, und so hat das ideologiekritische Interesse, das durch literarische Praxis unmittelbar herrschende Ideologie zertrümmern will, mit verhindert, daß Brechts marxistische Theoriebildung selber objektivistisch erstarrte und zu bloßer Weltanschauung verkommen konnte. Dieser Umstand ist um so bedeutsamer, als Brechts Marxismus-Rezeption gegen Ende der zwanziger Jahre in eine Zeit fällt, in der mit der sogenannten ‹Bolschewisierung› der kommunistischen Parteien, das heißt mit der zentralisierten Ausrichtung der Komintern auf die außenpolitischen Interessen der Sowjet-Union und der systematischen Unterdrückung der theoretischen und praktischen Selbständigkeit der kommunistischen Organisationen auch der Prozeß der Erstarrung und Deformation der marxistischen Theorie und Praxis zur ‹Weltanschauung› der marxistisch-leninistischen Partei[181] schon fast abgeschlossen ist.

4. Marxismus-Rezeption und theoretische Selbstreflexion literarischer Praxis 1: Theorie des Überbaus, materialistische Dialektik als ‹eingreifendes Denken›, Kunst als verändernde Praxis

Brecht hat die historische Situation der kommunistischen Bewegung, in der er sich dem Marxismus zuwandte, Jahre später, im ‹*Buch der Wendungen*›, treffend charakterisiert: «Unter der Führung Ni-ens wurde in Su die Industrie ohne Ausbeuter aufgebaut und der Ackerbau kollektiv betrieben und mit Maschinen versehen. Aber die Vereine außerhalb Sus verfielen. Nicht die Mitglieder wählten die Sekretäre, sondern die Sekretäre wählten die Mitglieder. Die Losungen wurden von Su verfügt und die Sekretäre von Su bezahlt. Wenn Fehler gemacht wurden, bestrafte man, die sie kritisiert hatten; aber die sie begangen hatten, blieben in ihren Ämtern. Sie waren bald nicht mehr die Besten, sondern nur mehr die Gefügigsten. Einige Gute blieben die ganze Zeit durch, weil sie, wären sie gegangen, nicht mehr mit den Mitgliedern hätten sprechen können, aber bleibend konnten sie ihnen nur sagen, was sie für falsch hielten. Dadurch verloren auch sie das Vertrauen der Mitglieder und zugleich ihr eigenes [...] Angesichts dieser Umstände verzweifelten die Besten. Me-ti beklagte den Verfall der *Großen Methode*.»[182]
Diese scharfsinnige Darstellung der ‹Bolschewisierung› der Komintern-Parteien weist, wenn auch aus der Retrospektive Brechts, bereits auf die wesentlichen theoretischen Interessen und praktischen Schwierigkeiten seiner Marxismus-Rezeption hin. Sie steht von Anfang an im Zeichen einer permanenten Auseinandersetzung mit der «verschlammung und metafysizierung» des «landläufigen marxismus», wie Brecht in einem Brief an Korsch formuliert[183] – sie vollzieht sich daher auch nicht so exemplarisch und mechanisch wie die vieler radikalisierter bürgerlicher Intellektueller, nämlich mit dem formellen Eintritt in die KPD und anschließender Integration in deren Parteiarbeit und Kulturpolitik.[184]
Brechts Lernprozeß in marxistischer Theorie und Praxis zeichnet sich demgegenüber gerade nicht durch die formelle Fixierung auf die ‹marxistisch-leninistische Partei› und deren kulturpolitische Linie aus, sondern durch selbstkritischen Zweifel und selbständige Lernfähigkeit und -bereitschaft, die er zeit seines Lebens behält. Deutlich wird das besonders an den zeitgenössischen Politikern, Theoretikern und Schriftstellern, die auf Brechts theoretische Selbstreflexion und literarische Praxis Einfluß gehabt haben und von ihm selber als seine «Lehrer» apostrophiert wurden: der Soziologe Fritz Sternberg, den er 1927 kennenlernt, Karl Korsch und der sowjetische Schriftsteller Sergej M. Tretjakov. F. Sternberg vermittelt ihm vor allem marxistisch fundierte soziologische Theoreme zur Kritik der bürgerlichen Ästhetik: diese Zusammenarbeit

schlägt sich nieder in einem im Mai 1927 im *Berliner Börsen-Courier* abgedruckten Briefwechsel zum Thema «Der Niedergang des Dramas», in dem Brecht die Liquidierung der «alten Ästhetik» postuliert.[185] Etwa zur gleichen Zeit lernt Brecht Karl Korsch kennen[186], der seit 1926, wegen seiner Opposition gegen die politische Linie der Komintern aus der KPD ausgeschlossen, als politischer Schriftsteller und marxistischer Gelehrter in Berlin lebte. K. Korsch hielt regelmäßig Vorträge und Vorlesungen über Geschichte und Theorie des Marxismus, zu deren ständigen Hörern neben Brecht auch Alfred Döblin und Franz Pfemfert, der Herausgeber der *Aktion*, gehörten.[187] Korschs Vorlesungen hatten, wie aus der Ankündigung der ersten Vorlesung der Reihe «Lebendiges und Totes im Marxismus» hervorgeht, vor allem ein zentrales Thema: die Wiederherstellung des Marxismus[188] – Rekonstruktion des Marxismus gegen alle Formen seiner Verdinglichung «in Orthodoxien, in Scholastizismus, Ontologisierung und Naturalisierung»[189], die im Zuge der «ideologischen Bolschewisierung» der europäischen kommunistischen Parteien auch deren Theoriebildung bestimmte. Die sowjetische Transformation der Marxschen Theorie in der Stalin-Ära, seit der Proklamation und praktischen Durchsetzung der Politik vom ‹Aufbau des Sozialismus in einem Land› bestand darin, «daß eine im Kern historische Theorie außergeschichtlicher Legitimationsgründe und der rituellen Neutralisierung ihres revolutionär-praktischen Gehalts» bedurfte, «um im Interesse ihrer historischen Wirksamkeit auf ein rückständiges Land und eine rückständige Bevölkerung anwendbar sein zu können»[190].
Diese Umformung manifestierte sich theoretisch auf drei Ebenen: 1. in der Restriktion des Begriffs der Produktion als einer emanzipatorischen Kategorie der Marxschen Theorie auf eine Ideologie bloß quantitativer Produktionssteigerung, 2. in der Ausbildung der Naturdialektik und in deren Folge des Systems einer materialistischen ‹Weltanschauung› und 3. der Fixierung der Widerspiegelungstheorie zur allgemeinen materialistischen Erkenntnistheorie und damit der Neutralisierung und schließlichen Eliminierung der kritischen und erkenntniskonstitutiven Bedeutung des Marxschen Begriffs der Praxis. Objektivistischer Systementwurf materialistischer Weltanschauung und revolutionäre Praxis der Subjekte hatten sich gegeneinander verselbständigt, Theorie und Praxis fielen auseinander.
Gegen diese Deformation des Marxismus richtet sich Korschs Rekonstruktion der Marxschen Theorie als Wiederherstellung ihrer kritischen, praktischen und aktivistischen Gehalte. Kritik, Praxis und Aktivität stehen gegen objektivistische Weltanschauung, Widerspiegelungstheorie und die mit ihr verbundene Rückbildung der Basis-Überbau-Dialektik in ein monokausales, quasi-ontologisches Reduktionsschema. Durch die Vermittlung Korschs steht auch Brechts marxistische

Theoriebildung im Zeichen dieser Wiederherstellung des kritischen Marxismus. Der Einfluß Korschs auf sein theoretisches Selbstverständnis und damit die theoretische Fundierung seiner literarischen Produktion ist vor allem in drei ihrer Bildungselemente wirksam geworden:
1. für Brechts Auffassung der materialistischen Dialektik von Basis und Überbau und damit seine Konzeption der literarischen Produktion als verändernder Praxis;
2. für seine Ablehnung des Marxismus als objektivistischer Weltanschauung und damit für seine revolutionstheoretischen Vorstellungen;
3. für seine Ablehnung der Widerspiegelungstheorie und seine Konzeption eines kritischen Marxismus als Fundierung einer kritisch-realistischen literarischen Praxis.
Dabei wird – wie ausdrücklich hervorgehoben werden soll – der Marx-Interpretation Korschs kein die Gesamtheit der Theoriebildung Brechts bestimmender Einfluß zugeschrieben. Die entscheidenden Anregungen aber, die die Zusammenarbeit und Freundschaft mit Korsch der Marxismus-Rezeption Brechts in den oben genannten Bereichen gegeben hat, scheinen mir allerdings so unübersehbar zu sein wie sie nachweisbar sind – und das auch gegen die sehr karg belegte Behauptung der Brecht-Forschung der DDR, die ‹Korsch-Legende› sei eine subtile Erfindung des Anti-Kommunismus.[191]

Dem politischen Schriftsteller, der seine literarische Produktion marxistisch zu fundieren sucht und sie daher, wie Brecht das mit seltener Intensität tat, einer permanenten Selbstreflexion aussetzt, muß die Frage nach der politischen, operativen Funktion seiner literarischen Praxis im Bezugsrahmen der von der Marxschen Theorie vorgegebenen Basis-Überbau-Dialektik zu einer für sein theoretisches Selbstverständnis zentralen werden. Dabei kann nicht von dem spezifischen historischen Stand der Entwicklung der marxistischen Theorie und Praxis abstrahiert werden, denn jeder neue Prozeß marxistischer Theoriebildung kann sich als ein lebendiger und fruchtbarer nur in der Auseinandersetzung mit den historisch vorgegebenen, bestimmten Gestalten der Theorie vollziehen. In dieser Auseinandersetzung ist der kritische Marxismus von Korsch für Brecht bedeutsam geworden.
Korschs Interpretation der Basis-Überbau-Dialektik muß zum einen vor dem Hintergrund seiner Kritik am Marxismus der II. Internationale, vor allem seiner – Brecht bekannten und von ihm geschätzten[192] – Kautsky-Kritik gesehen werden, zugleich aber auch, seit der Anti-Kritik zu *‹Marxismus und Philosophie›* (1931)[193] im Zusammenhang mit seiner Kritik an der von Lenin in *‹Materialismus und Empiriokritizismus›* eher unsystematisch formulierten Widerspiegelungstheorie, die erst von den Philosophen des Vor-Stalinismus zur verbindli-

chen Erkenntnistheorie leninistischer ‹Weltanschauung› hypostasiert wird.[194]

Karl Korschs Kritik am Marxismus der II. Internationale kann vor allem an Kautskys Buch ‹*Die materialistische Geschichtsauffassung*› die Trennung der Marxschen Theorie von der umwälzenden gesellschaftlichen Praxis nachweisen, die sich manifestiert als ein Auseinanderfallen von Theorie qua kontemplativem, wissenschaftlichem Systementwurf und Praxis qua reformistischer Tagespolitik, oder wie Korsch 1931 in den im Rahmen seiner Vorlesungszyklen entstandenen Thesen zur «Krise des Marxismus» zusammenfassend formuliert: «Die *materialistische Geschichtsauffassung* ist in der revolutionären Periode vor 1850 entstanden als ein unmittelbarer Bestandteil der *subjektiven Aktion* der revolutionären Klasse, die den falschen Schein und die vergängliche Erscheinung aller bestehenden gesellschaftlichen Verhältnisse fortwährend theoretisch kritisiert und praktisch umwälzt. Sie entwickelte sich in der Folgezeit immer mehr zu einer bloß abstrakten anschauenden Theorie über den durch äußere Gesetze bestimmten *objektiven Ablauf* der gesellschaftlichen Entwicklung.»[195]

Eine ihrer theoretischen Legitimationen glaubte die von Korsch so angegriffene alte ‹Marx-Orthodoxie› in den Altersbriefen von Engels über die Dialektik von Basis und Überbau gefunden zu haben. Sie wurden 1903 in den von Eduard Bernstein herausgegebenen ‹*Dokumenten des Sozialismus*› veröffentlicht, unter der bezeichnenden, nicht nur positivistisch klingenden Überschrift: «Die Briefe von Friedrich Engels über den Geltungsbereich der materialistischen Geschichtsauffassung»[196]. In diesen Briefen – an Conrad Schmidt vom 27. Oktober 1890, an J. Bloch vom 21. September 1890, an Heinz Starkenburg vom 25. Januar 1894 und an Franz Mehring vom 14. Juli 1893 – versucht Engels, ausgehend von dem selber schon kritikbedürftigen Eingeständnis, Marx und er hätten «zunächst das Hauptgewicht auf die Ableitung der politischen, rechtlichen und sonstigen ideologischen Vorstellungen und durch diese Vorstellungen vermittelter Handlungen aus den ökonomischen Grundtatsachen gelegt und legen müssen» und dabei «dann die formelle Seite über der inhaltlichen vernachlässigt: die Art und Weise, wie diese Vorstellungen etc. zustande kommen»[197], in immer neuen Wendungen und Metaphern das formelle Verhältnis von Basis und Überbau begrifflich zu klären. Die zentrale Kategorie, auf die er immer wieder rekurriert, ist die der ‹Wechselwirkung›; so polemisiert er in dem angeführten Brief an Franz Mehring gegen «die blödsinnige Vorstellung der Ideologen»: «[...] weil wir den verschiedenen ideologischen Sphären, die in der Geschichte eine Rolle spielen, eine selbständige historische Entwicklung absprechen, so sprächen wir ihnen auch jede historische Wirksamkeit ab. Es liegt hier ordinäre und undialektische Vorstellung von Ursache und Wirkung als starr einander entgegengesetzter Pole zu Grunde, das absolute Übersehen der Wechselwirkung; daß ein historisches Moment, sobald es einmal durch andere schließlich ökonomische Tatsachen in die Welt gesetzt ist, nun auch reagiert, auf seine Umgebung und selbst seine eigenen Ursachen zurückwirken kann, vergessen die Herren oft absichtlich.»[198] K. Korsch hat in der abstrakten Form, in der die Kategorie Wechselwirkung von Engels in die Diskussion eingeführt wurde, und in ihrer revisionistischen Interpretation als Lehre von der allseitigen Interdependenz gesellschaftlicher Faktoren die Hauptursachen für die Auflösung des kritischen materialistischen Prinzips der Marxschen Theorie, der materialistischen Dialektik und damit der Aufsprengung und objektivistischen Paralysierung einer revolutionären Vermittlung von Theorie und Praxis gesehen.

Deren Wiederherstellung ist das Zentrum seiner theoretischen Bemühungen. So konstatiert er in seinem Buch ‹*Karl Marx*› nicht nur die Auflösung der auf die Kritik der konkreten Totalität der bürgerlichen Gesellschaft zielenden materialistischen Wissenschaft in «eine Reihe von koordinierten soziologischen Einzelwissenschaften»[199], die Dissoziation des «materialistischen Gesamtsystems» in die gleichberechtigten Bestandteile der «materialistischen Politik, Rechtslehre, Kulturlehre usw.»[200], sondern dieser Sachverhalt bedeutet ihm zugleich den Verlust der materialistischen Dialektik und damit des kritischen und revolutionären Prinzips der Marxschen Theorie.

Karl Korsch macht gegen den Begriff ‹Wechselwirkung› zum einen die schon von Hegel artikulierte Kritik an dieser Kategorie geltend[201], zum andern – und diesen Einwand teilt er mit dem jungen Lukács – den Gesichtspunkt der konkreten Totalität, freilich ohne diesen Gesichtspunkt, wie Lukács das in ‹*Geschichte und Klassenbewußtsein*›, selber noch hegelianischen Positionen verhaftet, tut, zum zentralen seiner Argumentation zu machen. Wenn Lukács darauf insistiert, daß ‹Wechselwirkung› als dialektische Kategorie «über die wechselseitige Beeinflussung *sonst unveränderlicher Objekte* hinausgehen» muß und sie «gerade in ihrer Beziehung zum Ganzen»[202] darüber hinausgeht, so wird daran sein primär erkenntnis- und wissenschaftstheoretisches Interesse an der Konstitution der Erkenntnisobjekte in der kapitalistischen Gesellschaft deutlich. Indem Lukács *allein* an der Kategorie der Totalität das Vermögen festmacht, «die *Wirklichkeit als gesellschaftliches Geschehen* zu begreifen»[203], wird deren Herrschaft zum «Träger des revolutionären Prinzips in der Wissenschaft»[204]. Diese methodologische Interpretation des theoretischen Ansatzes von Marx hat jedoch zur Folge, daß mit der behaupteten Vorherrschaft des Gesichtspunkts der Totalität, begründet durch die kritische Aktivierung des Hegelschen Erbes, der zentrale Begriff der materialistischen Dialektik, den Marx in der ‹*Deutschen Ideologie*› kritisch gegen den philosophischen

Idealismus und den mechanischen Materialismus wendet: Praxis als gegenständliche Tätigkeit, aus dem kategorialen Rahmen von Lukács herausfällt.[205] Das aber hat Konsequenzen für seinen revolutionstheoretischen Ansatz insofern, als Lukács das erkenntnistheoretische Prinzip der Totalitätseinsicht mit dem proletarischen Klassenbewußtsein nur noch vermitteln kann durch die allen historischen, konkreten Bestimmungen enthobene Instanz der leninistischen Partei, die als Träger parteilicher Totalitätseinsicht wie proletarischen Klassenbewußtseins dem Proletariat auf jeder historischen Entwicklungsstufe die Erkenntnis der historisch-gesellschaftlichen Totalität ebenso wie das ihr adäquate Bewußtsein transzendental garantiert. In dieser Konsequenz ist zugleich eine objektivistische Restriktion der Theorie beschlossen, die deren kritischen und praktisch-aktivistischen Gehalt dem kontemplativen Nachvollzug der Notwendigkeit historischer Prozeßtotalität preisgibt. Diese schon beim frühen Lukács erkennbare Tendenz tritt nach seiner Rezeption der Widerspiegelungstheorie, zumal in den ästhetischen Schriften, gerade auch in seiner Brecht-Kritik ganz hervor. Karl Korsch führt zwar ebenfalls die Kategorie der Totalität ein, entgeht jedoch eher der Gefahr des Objektivismus, weil er Totalität nicht als das ausschließliche Fundierungsprinzip einer theoretischen Einsicht in das Ganze des historischen Prozesses versteht, sondern als die in praktischer Absicht festgehaltene Einheitlichkeit der marxistischen Theorie qua Theorie einer bestimmten ökonomischen Gesellschaftsformation, der bürgerlichen Gesellschaft. Totalität als Kategorie materialistischer Dialektik impliziert darum bei Korsch andere revolutionstheoretische Schlußfolgerungen, als Lukács sie entwickelt hat. Bleibt Totalitätseinsicht und proletarisches Interessenbewußtsein als empirisches Moment am Klassenbewußtsein bei ihm letztlich unvermittelt, da in der Partei bloß transzendental aufgehoben, so bleiben bei Korsch die materialistisch begriffenen empirischen Bewußtseinselemente insofern mit der Kategorie der Totalität vermittelt, als für ihn revolutionäre Praxis und deren theoretischer Ausdruck in der *zugleich* politischen und ökonomischen Aktion der revolutionären Klasse zusammenfallen.[206] Korsch wendet darum die Kategorie der Totalität nicht nur kritisch gegen die einzelwissenschaftliche Aufsplitterung des materialistischen Monismus, sondern zugleich auch revolutionstheoretisch gegen den Revisionismus: «An die Stelle des radikalen Angriffs auf das Ganze der gegenwärtigen kapitalistischen Produktionsweise und darauf beruhenden ökonomischen Gesellschaftsformation tritt eine theoretische Kritik an einzelnen Seiten des bestehenden kapitalistischen Systems, an der bürgerlichen Wirtschaftsordnung und dem bürgerlichen Staat, an dem bürgerlichen Erziehungswesen, der bürgerlichen Religion, Kunst, Wissenschaft und der sonstigen Kultur – eine Kritik, die nicht mehr notwendig ausmündet in revolutionäre Praxis, sondern ebensogut verlaufen

kann (und in ihrer wirklichen Entwicklung auch tatsächlich verlaufen ist) in allerhand Reformbestrebungen, die grundsätzlich den Boden der bürgerlichen Gesellschaft und ihres Staates nicht überschreiten.»[207]
Karl Korschs Festhalten am radikalen Angriff auf das Ganze der bürgerlichen Gesellschaft impliziert die Kritik an einer mechanistischen Deformation der Basis-Überbau-Dialektik, weil er, begründet durch den Praxis-Begriff von Marx, die objektivistische (bloß ökonomische) wie die subjektivistische (bloß politisch konspirative) Erstarrung revolutionärer Praxis dialektisch aufheben will. Das hat eine Erweiterung des revolutionstheoretischen Konzepts um kulturrevolutionäre Gehalte zur Folge, die schon in Korschs früher Schrift ‹*Marxismus und Philosophie*› sich manifestieren. Da die vorherrschende historische Gestalt marxistischer Theorie, an deren Kritik Korschs Marx-Interpretation sich bildet, der revisionistische Marxismus der II. Internationale, durchaus objektivistisch bestimmt war, legt Korsch den Hauptakzent seines theoretischen Ansatzes auf die Rekonstruktion des ‹subjektiven Faktors›, des aktivistisch-emanzipativen Elements in der marxistischen Theorie. Rekonstruktion des ‹subjektiven Faktors› heißt daher, gegen einen selbstgenügsamen, geschichtsmetaphysischen Fortschrittsglauben, der gerade in der deutschen Sozialdemokratie verbreitet war, und gegen eine in das scheinradikale Vokabular der Marx-Orthodoxie gekleidete reformistische Tagespolitik, die Einheit von revolutionärer Theorie und umwälzender Praxis wiederherzustellen. Dieser Versuch mußte sich zumal gegen jene retardierenden, zu Passivität, Anpassung und geschichtsmetaphysischer Selbstgewißheit neigenden Bewußtseinsformen richten, die die spezifischen Sozialisationsagenturen eines halbfeudalen Staates ohne bürgerliche Revolution und die reformistisch-bürokratischen Massenorganisationen in der deutschen Arbeiterklasse erzeugt hatten.
Karl Korsch hat auf Grund seiner Erfahrungen in der deutschen Revolution 1918/19 versucht, ein revolutionstheoretisches wie organisationsstrategisches Programm zu entwickeln, das einer solchen Aufgabe gerecht werden sollte. Mit dem Theorem der «geistigen Aktion»[208] hat er die Bedeutung revolutionärer Ideologiekritik als notwendigen Bestandteil gesellschaftlich umwälzender Praxis thematisiert und so, mindestens ansatzweise, ein kulturrevolutionäres Fundierungskonzept auch für eine verändernde literarische Praxis skizziert.
Karl Korsch sah die Ursache für das Versagen der deutschen Arbeiterbewegung in der November-Revolution im Zurückbleiben ihres subjektiven Bewußtseins hinter den Erfordernissen und Möglichkeiten der objektiven historisch-gesellschaftlichen Situation.[209] Er teilte diese Einschätzung der Relevanz des subjektiven Bewußtseins und damit der materiellen Macht und Wirklichkeit von Ideologien sowohl mit Rosa Luxemburg, die immer wieder die Spontaneität und selbständige

Aktionsfähigkeit der Massenbewegung hervorgehoben hat, als auch mit Karl Liebknecht, der im November 1916, zwei Jahre vor der Revolution, im Untersuchungsgefängnis schrieb: «Die Erziehung der Massen und jedes Einzelnen zur geistigen und moralischen Selbständigkeit, zur Autoritäts-Ungläubigkeit, zur entschlossenen Eigen-Initiative, zur freien Aktionsbereitschaft und -fähigkeit, bildet die einzige sichernde Grundlage für die Entwicklung einer ihren historischen Aufgaben gewachsenen Arbeiterbewegung überhaupt»[210] – solche «Initiative in den Massen zu fördern» sei «gerade in Deutschland, dem Land des passiven Massen-Kadavergehorsams, die dringendste Erziehungsaufgabe, die gelöst werden muß»[211]. Solche Ansätze hat Korsch aufgenommen und in ein auf die volle Wiederherstellung des Marxschen Praxis-Begriffs gegründetes revolutionstheoretisches Konzept integriert, als er 1923 die Konsequenzen seiner Revolutionserfahrung zieht: «So wenig durch die ökonomische Aktion der revolutionären Klasse die politische Aktion überflüssig gemacht wird, so wenig wird auch durch die ökonomische und politische Aktion zusammen die geistige Aktion überflüssig gemacht.»[212] Er fordert revolutionäre wissenschaftliche Kritik, agitatorische Arbeit, die geistige Aktion «gegen die Bewußtseinsformen der bisherigen bürgerlichen Gesellschaft»[213] als kohärente Elemente der *einen* revolutionären Praxis. Mit der «Proklamierung der völligen Zerschlagung und Aufhebung» der «geistigen Wirklichkeiten und ihrer materiellen Basis durch die zugleich materielle und geistige, praktische und theoretische Aktion der revolutionären Klasse»[214] hat Korsch aus der materialistischen Dialektik von Basis und Überbau eine revolutionstheoretische Fundierung für die Praxis einer sozialistischen Intelligenz hergeleitet, die ihre literarische Produktion mit der umwälzenden Praxis der Klassenbewegung im Angriff auf das Ganze, die konkrete Totalität der bürgerlichen Gesellschaft verbinden will.
In dieser Hinsicht, der theoretischen Begründung revolutionärer Überbauarbeit, haben Korschs Arbeiten einen nachhaltigen Einfluß auf die theoretische Selbstreflexion des marxistischen Schriftstellers Brecht gehabt. Seine revolutionstheoretische Interpretation der Basis-Überbau-Dialektik durch den Begriff der ‹geistigen Aktion›, die gerade von der manifesten Wirklichkeit der Ideologien ausgeht, hat ihre Entsprechung in Brechts Konzeption einer operativen Literatur als ideologiekritischer Praxis und in seiner Auffassung des dialektischen Denkens als eines ‹eingreifenden Denkens›.
Bertolt Brechts Reflexionen über das Verhältnis von Basis und Überbau und die Möglichkeit revolutionärer Überbauarbeit wenden sich im Anschluß an Korsch gegen die Fetischisierung der ökonomischen Basis zur alleinigen Wirklichkeit, der gegenüber die verschiedenen Formen des Überbaus, von den politischen bis zu den künstlerischen, bloße Reflexe bilden, gleichsam Wirklichkeiten niederer Ordnung, deren

Existenz selber nur eine abgeleitete sein kann. Er durchschaut solche mechanistische, monokausale Zurechnung der gesellschaftlichen Erscheinungsformen als undialektisch. Zwar gibt es für ihn keinen Zweifel an der konstitutiven Funktion der ökonomischen Basis für die gesellschaftliche Totalität, aber er begreift zugleich den Satz von Marx über die bestimmende Rolle des gesellschaftlichen Seins fürs Bewußtsein – und durchaus im Sinne der Marxschen Theorie – als einen historisch-spezifisch gemeinten, das heißt kritisch gegen die Verfassung der kapitalistischen Gesellschaft und der ihr voraufgegangenen Gesellschaftsformationen gewandten. Brecht faßt also die ökonomischen Verhältnisse mit Marx selber auch als gesellschaftlich und historisch produzierte auf, nicht als quasi ontische, sich gleichbleibende Substanz, auf die alle anderen Erscheinungen der Wirklichkeit reduzierbar wären. Die mechanistische Verdinglichung der Basis-Überbau-Dialektik zu einem bloßen Zurechnungsschema versucht Brecht wie Korsch kritisch aufzulösen, indem er die Kategorie der gesellschaftlichen Praxis, die die der Produktion einschließt, in die marxistische Selbstreflexion seiner literarischen Tätigkeit einführt. Dabei geht er bewußt von jenem Praxis-Begriff aus, den Marx in den Thesen ad Feuerbach gegen dessen abstrakten, mechanischen Materialismus, der den «Gegenstand, die Wirklichkeit, Sinnlichkeit nur unter der Form des *Objekts* oder der *Anschauung* gefaßt»[215] habe, geltend gemacht hatte. Die materialistische Dialektik soll demzufolge die gegebene und sich entwickelnde gesellschaftliche Wirklichkeit als eine auch subjektiv durch «menschliche sinnliche Tätigkeit, Praxis» konstituierte und diese menschliche Tätigkeit selber als «gegenständliche Tätigkeit»[216], das heißt gesellschaftliche Praxis begreifen lehren. Gesellschaftliche Praxis, derart als Konstitutions-Kategorie verstanden, umfaßt «das aktive Verhalten des Menschen zur Natur, den unmittelbaren Produktionsprozeß seines Lebens, damit auch seiner gesellschaftlichen Lebensverhältnisse und der ihnen entquellenden geistigen Vorstellungen»[217], durch sie wird die gesellschaftliche Wirklichkeit in ihrer konkreten Totalität produziert und reproduziert. Die Rekonstruktion dieses Begriffs von Praxis erlaubt es Brecht, die literarische Tätigkeit nicht bloß als Ausdruck ökonomischer Verhältnisse, als ‹Widerspiegelung› der gesellschaftlichen Wirklichkeit aufzufassen, sondern als selber praktisches Bildungselement dieser Wirklichkeit, als Bestandteil der produktiven Tätigkeit des gesellschaftlichen Menschen.[218]. Von daher kann Brecht die Wirkungsmöglichkeiten literarischer Praxis innerhalb des funktionalen Zusammenhangs der durch gesellschaftliche Praxis konstituierten konkreten Totalität der bürgerlichen Gesellschaft bestimmen: die Gesellschaft ist «in ständiger Entwicklung begriffen, und zwar dadurch, daß sie Widersprüche produziert. Ist jede ihrer Konstituanten von allen andern Konstituanten abhängig, so hat auch jede eine Chance, alle

andern zu beeinflussen. Sie vergrößert ihre Chance, je nachdem sie die Gesamtsituation in Betracht zieht. Das vergessen oder vergrinsen die Zyniker.»[219] Da für Brecht die literarische Produktion als Element gesellschaftlicher Praxis zu diesen Konstituanten zählt, gehört verändernde Praxis, praktisches Eingreifen zum inhärenten Potential ihrer gesellschaftlichen Wirkungen. Der kritisch-realistische Schriftsteller, im Bewußtsein der Chance, macht dieses Potential zum manifesten Zentrum seiner politischen, pädagogischen und poetischen Bemühungen; er «listet der Natur ihre Listen ab mit Hilfe aller Hilfsmittel der Praxis und des Wissens und stellt ihre Gesetzlichkeiten dar in einer Weise, die in das Leben selber, das Leben des Klassenkampfs, der Produktion, der besonderen geistigen und körperlichen Bedürfnisse unserer Zeit eingreifen können, er begreift die Wirklichkeit, im ständigen Kampf gegen die Schematik, die Ideologie, das Vorurteil, in ihrer Vielfältigkeit, Abgestuftheit, Bewegung, Widersprüchlichkeit. Er begreift und handhabt die Kunst als menschliche Praxis, mit spezifischen Eigenarten, eigener Geschichte, aber doch Praxis unter anderer und verknüpft mit anderer Praxis.»[220]
Dieses Verständnis von gesellschaftlicher Praxis schließt den materiellen Lebensprozeß, Ökonomie als deren Grundstruktur, als «Anatomie der bürgerlichen Gesellschaft»[221] ein, aber es impliziert zugleich die Einsicht in die historische Spezifität der Dialektik von Basis und Überbau und die Kritik an deren orthodoxer Verkümmerung zum Reduktionsschema und zum monokausalen Determinismus.
Brecht hält ebenso wie sein Lehrer Korsch an der Spezifität aller Sätze der marxistischen Theorie fest[222] – historisch spezifisch ist demzufolge auch der Satz von der Bestimmtheit des Bewußtseins durch das gesellschaftliche Sein, ein Satz, über den er im ‹*Buch der Wendungen*› notiert, daß ihm bestimmt sei, «zwar nicht seinen Ruhm, aber seine Wichtigkeit einmal zu verlieren. Er wurde aufgestellt, damit gegen die herrschenden Gedanken der Zeit erinnert werden konnte, sie seien die Gedanken der Herrschenden. Das sollte ihren Wert begrenzen», gebe es jedoch keine Herrschenden mehr und werde dann «die Abhängigkeit von der Wirtschaft auf Erden nicht mehr so drückend von den meisten Menschen empfunden», dann könne auch der Satz von Karl Marx «niemanden mehr bedrücken»[223].
Neben die Akzentuierung der historischen Spezifität des Marxschen Satzes und seiner revolutionstheoretischen Bedeutung, daß erst im revolutionären Prozeß der gesellschaftlichen Emanzipation des Proletariats die Ökonomie der bewußten Lenkung durch die Menschen unterworfen werden kann, tritt die der relativen Autonomie des Überbaus, gerade auch des kulturellen Überbaus. So gesteht Brecht, im Gegensatz zu Engels (vgl. dessen Brief an Franz Mehring), der Kunst nicht nur eine eigene Geschichte zu (s. oben [Anm. 220]), sondern

begreift in den «Thesen zur Theorie des Überbaus» Kultur auch als selbst entwickelnden Faktor, vor allem als Prozeß.[224] Damit wird das schon von Marx konstatierte Auseinanderfallen des Fortschritts der materiellen Grundlage der Gesellschaft, der ökonomischen Basis und der ‹Fortschritte› der Poesie[225] auf radikale und unorthodoxe Weise auf den Begriff gebracht: Kunst ist zwar nicht aus sich selbst zu begründen, gehorcht aber gleichwohl eigenen historischen Entwicklungstendenzen. Somit ist ihr Verhältnis zur gesellschaftlichen Wirklichkeit nicht ein bloß reflektives, sondern ein operativ-funktionales, nicht allein ein bestimmtes, sondern zugleich ein sich selbst bestimmendes.[226] Überbau kann also – mit einem Begriff Ernst Blochs (s. Anm. 226) – verstanden werden als Funktions- (nicht Reflex-) Gruppe bestimmter wie selbst bestimmender Faktoren, die zur Funktionsgruppe Unterbau (materielle Produktivkräfte und Produktionsverhältnisse) in historisch spezifischer Weise, gleichwohl nicht a priori kongruent, sich verhält. Aus solchen theoretischen Überlegungen begründet Brecht «die revolutionäre Bedeutung der Überbauarbeit»[227]: wenn Kultur als «selbst entwickelnder Faktor», wenn Kunst als Praxis unter anderer Praxis und verknüpft mit anderer Praxis begriffen werden kann, dann kommt – begründet in der dialektischen Einsicht, daß gesellschaftliches Sein und Bewußtseinsformen konstitutive Elemente derselben gesellschaftlichen Wirklichkeit als konkreter Totalität sind – geistiger Tätigkeit eine selbständige Fähigkeit zu, Veränderungen nicht nur zu konzipieren, sondern auch zu initiieren, die über die ökonomische Bestimmtheit hinausweist. «Die Art, auf die Überbau entsteht, ist: Antizipation»[228] lautet eine der zentralen Thesen über die Theorie des Überbaus. Solche Antizipation ist nicht die bloß abstrakt-affirmative Utopie einer freischwebenden Intelligenz, sondern konkrete Utopie eines kritischen Marxismus, der, die gesellschaftlichen Widersprüche herauswickelnd, als «Kunst des praktischen Negierens [...] der Entwicklungsgesetze eingedenk, im Hinblick auf eine bestimmte Lösung kritisiert»[229]. Revolutionäre Überbauarbeit, wie Brecht sie konzipiert, ist selber dialektischen Wesens: sie entfaltet in der Kritik bürgerlicher Ideologie, der ‹geistigen Aktion› gegen die Bewußtseinsformen der bürgerlichen Gesellschaft die Kraft der bestimmten Negation – «durch die Säure der materialistischen Geschichtsauffassung werden die nackten Interessen der Bourgeoisie reingewaschen»[230] – indem sie gleichzeitig antizipatorisch die in den gesellschaftlichen Widersprüchen selber angelegte mögliche Lösung herausarbeitet. Ideologiekritik als bestimmte Negation und Antizipation sind in revolutionärer Überbauarbeit derart aufeinander verwiesen, daß deren kritische Evidenz und antizipatorische Kraft an ihrer Fähigkeit sich erweist, selber bis zur ökonomischen Grundstruktur der gesellschaftlichen Wirklichkeit, zur Organisation der gesellschaftlichen Arbeit vorzudringen. Revolutionäre Überbauarbeit ist darum notwendiger Bestandteil einer *sozialen* Revolution im Sinne der Marxschen Revolutionstheorie, einer Revolution, in der die Produktionsverhältnisse «ebenso wie der darüber errichtete ‹Überbau› von Rechtsverhältnissen, Staatsformen, gesellschaftlichen Bewußtseinsformen oder ‹Ideen› von den Menschen verändert werden»[231] müssen. Verbunden mit der «bis zu den Wurzeln der bestehenden Gesellschaftsordnung, bis zur materiellen Produktion hinabdringenden»[232], das heißt radikalen sozialen Revolution muß Brecht zufolge auch die auf Veränderung des Bestehenden gerichtete literarische Produktion ihre praktischen Möglichkeiten daran messen, «wie tief [...] in den Unterbau (Zustand der Gesellschaft) sie hinabkommen kann»[233]. Die Tiefe der Gedanken ist fortan «meßbar nur an der Tiefe der sozialen Schicht, an die sie noch rühren»[234].

Die dieser Intention genügende Denktechnik, die Brecht in seinen literarischen Techniken zu realisieren sucht, ist die materialistische Dialektik, das «eingreifende Denken», wie er formuliert. Dieses von Brecht häufig verwandte Synonym für dialektisches Denken entspricht nicht nur dem Marxschen Verständnis materialistischer Dialektik, als revolutionstheoretische Kategorie zur Fundierung verändernder literarischer Praxis bildet es zugleich das Pendant zu Korschs Theorem der ‹geistigen Aktion›.

Wie andere Kategorien der marxistischen Theoriebildung Brechts, so ist auch sein Begriff von Dialektik als eingreifendes Denken Resultat einer kritischen Abgrenzung gegen die zu seiner Zeit schon vorherrschende objektivistische und weltanschauliche Deformation der marxistischen Theorie. Wenn er sich explizit gegen die im Vor-Stalinismus eingeleitete, bei Engels und Lenin in Ansätzen bereits vorgebildete Hypostasierung der materialistischen Dialektik zum allgemeinen Entwicklungsgesetz von Natur und Geschichte wendet[235], so folgt er damit der Tradition des kritischen Marxismus nicht nur eines Korsch, sondern auch des jungen Lukács von ‹*Geschichte und Klassenbewußtsein*›. Ganz deutlich wird das an seiner Kritik der zuerst von Engels konzipierten Naturdialektik. In einem kurzen Aufsatz über Dialektik setzt sich Brecht mit dem nachteiligen Einfluß des zeit- und naturfetischistischen Fortschritt-Begriffs auf die materialistische Dialektik auseinander und vergleicht ironisch jene Dialektiker, für die Dialektik eine Eigenschaft der Natur ist, mit Handlesern, die, in Kenntnis gesetzt von allen Eigentümlichkeiten irdischer Erscheinungen, immer imstande seien, ihre Vorkehrungen zu treffen. Und er entwickelt dagegen seine Auffassung dialektischen Verhaltens: «In Wirklichkeit ist die Dialektik eine Denkmethode oder vielmehr eine zusammenhängende Folge intelligibler Methoden, welche es gestattet, gewisse starre Vorstellungen aufzulösen und gegen herrschende Ideologien die Praxis geltend zu machen. Man mag mit gewissem Erfolg in Form gewagter Deduktionen das Verhalten

der Natur als dialektisch beweisen können, aber viel leichter ist es, auf die schon erreichten handgreiflichen und unentbehrlichen Erfolge dialektischen Verhaltens, das heißt der Anwendung dialektischer Methoden in bezug auf gesellschaftliche Zustände und Vorkommnisse, also die Natur der Gesellschaft, und zwar unserer Gesellschaft, hinzuweisen.»[236]
Brecht insistiert also gegenüber einer Ausdehnung der Dialektik auf die Natur vor allem auf der dialektischen Einheit von Theorie und Praxis, auf der ideologiekritischen Funktion materialistischer Dialektik und der authentischen Marxschen Konzeption von Dialektik als einer, die auf Geschichte und Gesellschaft, Subjekt und Objekt sich bezieht. Darin ist Natur insofern schon einbezogen, als Geschichte und Gesellschaft wesentlich als das Produkt menschlicher Arbeit, das heißt aktiver Auseinandersetzung mit der Natur verstanden werden. Materialistische Dialektik begreift Brecht mit Marx nicht bloß als eine Methode, Geschichte zu erklären und zu verstehen, sondern als eine Methode der praktischen Veränderung, des Eingreifens in den historischen Prozeß, vermittelt durch die Einsicht in seine konstitutiven Widersprüche. In ihrer ‹rationellen Gestalt›, in ihrer materialistischen Konzeption bei Marx, wurde die Dialektik, wie Korsch mit Anspielung auf Francis Bacon schreibt, «zu einem Organon für die[se] einheitliche, praktisch und theoretisch kritische, umwälzende Tätigkeit, zu einer ‹ihrem Wesen nach kritischen und revolutionären Methode›»[237]. Korsch zitiert am Schluß dieser Interpretation das Nachwort von Marx zur zweiten deutschen Auflage des *‹Kapital›* von 1873. Dieses Nachwort ist abgedruckt im Anhang zu einem der frühen Werke Korschs: *‹Kernpunkte der materialistischen Geschichtsauffassung›*[238], das Brecht offensichtlich nicht nur gut gekannt hat, sondern das ihm auch für seine poetische Produktion unentbehrlich schien. Noch 1945 bittet er Korsch in einem Brief aus Santa Monica, ihm für die Arbeit an der Versifizierung des *‹Kommunistischen Manifests›* die ‹KERNPUNKTE› zu schicken.[239]
Marx schreibt, seine Differenz zum dialektischen Prinzip der Hegelschen Philosophie erklärend: «In ihrer mystifizierten Form ward die Dialektik deutsche Mode, weil sie das Bestehende zu verklären schien. In ihrer rationellen Gestalt ist sie dem Bürgertum und seinen doktrinären Wortführern ein Ärgernis und ein Greuel, weil sie in dem *positiven Verständnis* des Bestehenden zugleich auch das Verständnis seiner Negation, seines notwendigen Untergangs einschließt, jede gewordene Form im Flusse der Bewegung, also auch nach ihrer vorgänglichen Seite auffaßt, sich durch nichts imponieren läßt, ihrem Wesen nach kritisch und revolutionär ist.»[240]
Der durch Korsch vermittelte Rekurs Brechts auf den authentischen Marxschen Begriff von materialistischer Dialektik, sein Verständnis der Dialektik nicht als eines universalhistorischen Erklärungsprinzips,

sondern einer kritischen und revolutionären Methode manifestiert sich in seinen erkenntnistheoretischen Vorstellungen wie in seiner Geschichtsauffassung – beide sind von zentraler Bedeutung für die theoretische Selbstreflexion seiner literarischen Produktion.
Erkenntnistheoretisch folgt aus solchem Verständnis materialistischer Dialektik die Absage an bloß kontemplative und spekulative Theoriebildung und die Einsicht in den unauflöslichen Zusammenhang von theoretischer Kritik und praktischer Umwälzung. Materialistische Dialektik kann demzufolge von der spezifischen Wirklichkeit, auf die sie sich bezieht, nicht einfach abgelöst und in einem Kanon universell geltender Regelsätze fixiert werden, sondern als Kritik der Wirklichkeit muß sie sich zugleich von ihr auch kritisieren lassen. Praxis selber hat eine erkenntniskonstitutive Funktion, das kommt in Brechts – rhetorischer – Frage zum Ausdruck: «Sollten wir nicht einfach sagen, daß wir nichts erkennen können, was wir nicht verändern können, noch das, was uns nicht verändert?»[241] Verändernde Praxis selber kann nur dann Wahrheitskriterium von Erkenntnis sein, wenn die mit ihr vermittelte theoretische Kritik als dialektisches Denken zugleich in die Wirklichkeit eingreifendes ist, wenn ihr selber materielle Wirklichkeit zukommt. Wie für Korsch auch die theoretische Kritik einen unabdingbaren Bestandteil der konkreten, wirklichen Veränderung der konkreten, wirklichen Welt[242] bildet, so begreift auch Brecht ausdrücklich «das Denken als gesellschaftliches Verhalten»[243]. Dialektik als «eingreifendes Denken auf allen wissenschaftlichen, politischen und künstlerischen Gebieten»[244] ist darum nicht die zugleich nachvollziehende und zukunftsgewisse, systematisierende theoretische Widerspiegelung eines mit objektiver Notwendigkeit sich vollziehenden historischen Prozesses, sondern als Eingriff in gesellschaftliche Wirklichkeit ist sie selber offen gegenüber der Kritik durch veränderte historische Bedingungen und neue Erfahrungen.
Diese Struktur des dialektischen Denkens steht seiner Hypostasierung zur Weltanschauung entgegen. Als Materialismus, der die Wirklichkeit nur unter der Form des Objekts, der Anschauung faßt, hat Marx gerade die Theorie Ludwig Feuerbachs kritisiert. Dialektischer Materialismus als Weltanschauung verkommt tendenziell zu ideologischer Selbstgewißheit, dagegen hat Korsch als Kritiker der alten und neuen Marx-Orthodoxie festgehalten: «Der praktische Eingriff in die geschichtliche Bewegung ist der große Zweck, dem jeder Begriff, jede theoretische Formulierung des Marxismus dient.»[245]
Gegen die Rückbildung der marxistischen Theorie zur Weltanschauung, zum kontemplativen Systementwurf wendet sich auch Brecht: «Die marxistische Lehre stellt gewisse Methoden der Anschauung auf, Kriterien [...] Sie lehrt eingreifendes Denken gegenüber der Wirklichkeit, soweit sie dem gesellschaftlichen Eingriff unterliegt. Die Lehre

kritisiert die menschliche Praxis und läßt sich von ihr kritisieren. Die eigentlichen Weltanschauungen jedoch sind Weltbilder, vermeintliches Wissen, wie alles sich abspielt, meist gebildet nach einem Ideal der Harmonie.» Diese Differenzierung ist unmittelbar bedeutsam für die theatralische Praxis, wie Brecht den Philosophen im ‹*Messingkauf*› sogleich explizieren läßt: «Für euch ist der Unterschied, über den ihr euch anderweitig unterrichten könnt, wichtig, weil ihr eure Nachahmungen von Vorfällen beileibe nicht als Illustrationen zu etwaigen von den Marxisten aufgestellten Sätzen bilden sollt, deren es, wie ich erwähnt habe, viele gibt. Ihr müßt alles untersuchen und alles beweisen. Die Klärung eurer Vorfälle kann nur durch andere Vorfälle geschehen.»[246]
Brechts Kritik an einer zur Weltanschauung verkommenen materialistischen Dialektik manifestiert sich auch in seinem spezifischen Verständnis materialistischer Geschichtsauffassung. Seine Einwände richten sich vor allem gegen die im Zuge der Rückbildung marxistischer Theorie zur Weltanschauung einseitig akzentuierte Kategorie der objektiven Notwendigkeit des historischen Prozesses, oder der Typologie Helmut Fleischers gemäß formuliert (s. S. 8), gegen den einseitig nomologischen Ansatz, nach dem Geschichte vorab als gesetzmäßig ablaufender naturhistorischer Prozeß zu begreifen ist. Brecht hält dieser Auffassung kritisch entgegen: «Die ‹Notwendigkeit› des gegebenen geschichtlichen Prozesses ist eine Vorstellung, die von der Mutmaßung lebt, für jedes geschichtliche Ereignis müsse es zureichende Gründe geben, damit es zustande kommt. In Wirklichkeit gab es aber widersprechende Tendenzen, die streitbar entschieden wurden, das ist viel weniger.»[247] Die materialistisch-dialektische Einsicht, jedes Bestehende zugleich als seine Negation, jede gewordene Form als Moment des historischen Prozesses, nach ihrer vergänglichen Seite aufzufassen, hat ihre Wahrheit nur in der Vermittlung durch verändernde Praxis. «Gibt man aber den werdenden und vergehenden Dingen allzuviel Raum und Gewicht», löst man, anders gesagt, die dialektische Einheit von Theorie und Praxis nach der Seite der theoretischen Objektivierung eines gesetzmäßigen historischen Prozeßverlaufs auf, so folgert Brecht, «gewinnen sie rasch und unvermittelt große Selbständigkeit und den Anschein großer Unbeeinflußbarkeit, etwa als seien sie nicht aufzuhalten in ihrem Werden und Vergehen. In Wirklichkeit werden sie aber durch uns und vergehen auch durch uns oder solche wie wir oder andere, und der Satz, daß ein Ding vergeht oder wird, greift ein nur, wenn er bestritten wird. Jene vorzügliche Methode [die Dialektik] ist also jeweilig nur anzuwenden im Hinblick auf eine Tätigkeit, und zwar eine ganz bestimmte.»[248] Brechts materialistische Geschichtsauffassung geht aus von der konkreten historischen Praxis der Menschen, sie ist grundsätzlich aktivistisch und von daher eher pragmatologisch als nomologisch. Dieser aktivistische, auf Praxis und Praktikabilität gerich-

tete Grundzug seiner Geschichtsauffassung ist unmittelbar entgegengesetzt jedem geschlossenen Bild von Geschichte als geschichtsmetaphysisch wie objektivistisch garantierter Stufenfolge in der Realisierung eines immer schon gewußten Fortschritts. Darum ist wirklicher Fortschritt «nicht Fortgeschrittensein, sondern Fortschreiten»[249] und «der Begriff des richtigen Wegs [...] weniger gut als der des richtigen Gehens»[250].

Die weitgehend pragmatologisch konzipierte materialistische Geschichtsauffassung Brechts, seine Auffassung materialistischer Dialektik als ‹eingreifendes Denken› und seine entschiedene Akzentuierung praktischer Aktivität, der Selbsttätigkeit und des gesellschaftlichen Verhaltens haben konstitutive Bedeutung für seine ästhetische Theorie und Praxis. Denn der Schriftsteller, der durch seine literarische Produktion ‹eingreifendes› Wissen verbreiten will, um seine Praxis mit der umwälzenden Praxis der sozialen Revolution zu verbinden, muß die wirkliche, konkrete Welt seinem Publikum, einem bestimmten Publikum mit bestimmten Interessen, als veränderbare präsentieren. Wie aber die ‹Große Methode›, die materialistische Dialektik, beides ist, «eine praktische Lehre [...] der Bewerkstelligung der Veränderung und der Veränderung der Bewerkstelliger»[251], so muß auch die Kunst als ein Instrument des praktischen Eingriffs, das praktisches Eingreifen ermöglichen soll, sich verändern. Gegenüber einer im Prozeß der Veränderung begriffenen Wirklichkeit und zur Veränderung der Wirklichkeit selber kann die literarische Produktion nicht einfach nur den bürgerlichen gegen den sozialistischen Standpunkt austauschen, ihre Darstellungs*weise* aber «in toto unberührt» lassen.[252] Wie aber der materialistischen Dialektik zufolge die Wirklichkeit nur erkannt werden kann in dem Maße, in dem sie verändert, kritisiert, in die Krise gebracht wird, so kann auch die Kunst den Menschen die Welt nur als veränderbare in die Hände geben, wenn ihre Darstellungen der Welt selber kritische, in die Krise gebrachte, montierte sind. Ihre Veränderung kann darum nicht allein eine inhaltliche sein – ein neuer Inhalt in der alten Form –, sondern vor allem eine der Form, der Darstellungsart: «Die Methoden verbrauchen sich, die Reize versagen. Neue Probleme tauchen auf un[d] erfordern neue Mittel. Es verändert sich die Wirklichkeit; um sie dar[zu]stellen, muß die Darstellungsart sich ändern. Aus nichts wird nichts[, das] Neue kommt aus dem Alten, aber es ist deswegen doch neu.»[253] B[recht] begreift Form, Darstellungsart nicht länger im traditionalen Si[nne als] gattungsspezifische Signatur, sondern als Instrument, als tec[hnisches] Mittel, durch das die gestaltete Realität zugleich kritisiert und [...] schen Erkenntnis präsentiert wird. Die Darstellungsarten [...] so den Charakter *methodischer* Experimente und konvergi[eren ...] Experimenten der «Politiker, Wirtschaftler, Wissensch[after ...] technische und methodische Vermittler neuer Erkennt[nisse ...]

Inhalte bilden die formalen Neuerungen die Bedingungen der Möglichkeit eingreifenden Denkens und verändernder Praxis: «Ohne Neuerungen formaler Art einzuführen, kann die Dichtung die neuen Stoffe und neuen Blickpunkte nicht bei den neuen Publikumsschichten einführen.»[255] Diese antizipatorische Funktion der formalen Neuerungen fällt mit ihrer ideologiekritischen zusammen: sie legt den affirmativen gesellschaftlichen Bezug der bürgerlichen Kunstformen frei, das heißt auf die Thesen zur Theorie des Überbaus bezogen: literarische Praxis gelangt bis in den Unterbau hinab. So hat Brecht es an der Oper ‹*Mahagonny*› exemplifiziert: ‹*Mahagonny*› habe, trotz all seiner ‹kulinarischen› Elemente, doch schon «eine gesellschaftsändernde Funktion; es stellt eben das Kulinarische zur Diskussion, es greift die Gesellschaft an, die solche Opern benötigt [...] Und das haben mit ihrem Singen die Neuerungen getan. *Wirkliche* Neuerungen greifen die Basis an.»[256]

Der kulinarische Charakter der bürgerlichen Kunst, zumal der theatralischen, ist Brecht zufolge wesentlich begründet in ihren Formgestalten, in der monadologischen Geschlossenheit ihrer Gebilde und ihren Rezeptionsweisen, Einfühlung und Erlebnis, die durch die spontane Identifikation mit individuellen Lebensgeschichten das heterogen zusammengesetzte, verschiedene gesellschaftliche Interessen zeigende Publikum ins homogene, dem immer gleichen Humanum aufgeschlossene verwandeln sollen. Brechts literarische Produkte, die er in einem durchaus scientistischen Sinne als Versuche begreift, nämlich Versuche mit wechselnden literarischen Techniken das praktische Eingreifen in die Wirklichkeit zu erproben, können schon deshalb keine formal geschlossenen sein, weil er die gesellschaftliche Wirklichkeit, die sie kritisieren, selber dialektisch als ständig sich verändernde und veränderte, als prozessuale und unabgeschlossene auffaßt. Das hat Konsequenzen
…uch für die Wirkungsweise und -absicht seiner literarischen Produk-
… Entspricht dem bürgerlichen Kunstideal die kontemplative und
…che Rezeptionsweise, so zielt die als Praxis sich verstehende
…unstproduktion auf eine aktive, spekulativ-kritische und
…vkraft freisetzende. Brechts Konzeption der Überbau-
…ation muß darum von einer Situation ausgehen, «die
…r dadurch charakterisiert ist, daß unsere Stücke nicht
…en wir ruhig, unfertig sind, sondern weit mehr
… Vorstellungskomplexe, die die Voraussetzung für
… würden, noch durchaus unfertig sind und unfer-
… ganze Unterbau dieser Ideologien gewaltsam
…9 Aus der Einsicht in die notwendige Unfertig-
… Funktion operativer Literatur kritisiert
…äre› Theater, das ohne grundlegende Ver-
…t «lediglich eine aktive Atmosphäre schaf-

fen» will. Solches Theater – und in dieser Argumentation wird der antizipative Gehalt der Überbauarbeit im Sinne Brechts ganz deutlich – «ist angewiesen auf die pure Reproduktion schon vorhandener, also herrschender Typen, in unserem Sinn also bürgerlicher Typen, und muß *auf die politische Revolution warten, um die Vorbilder zu bekommen.* Es ist die letzte Form des bürgerlich-naturalistischen Theaters.»[258] Die emanzipative Theaterarbeit als revolutionäre Überbauarbeit «den Situationen und ihren Funktionen zugewandt»[259], nicht länger der Reproduktion individueller Lebensgeschichten, muß nicht erst auf die politische Revolution warten, weil sie als ein Element der vor sich gehenden Klassenkämpfe wirken und selber verändernd in die Wirklichkeit eingreifen will.

Die Frage jedoch, ob literarische Produktion der bestehenden Wirklichkeit voraus sein und gesellschaftliche Veränderungen antizipieren kann, liegt im Zentrum jener Schwierigkeiten, denen eine als Praxis verstandene und intendierte Literatur unweigerlich sich ausgesetzt sehen muß. Diese Schwierigkeiten haben ihren Grund ebenso in der konstitutiven ästhetischen Differenz des literarischen Produkts zur gesellschaftlichen Wirklichkeit überhaupt wie in der Struktur der Mittelbarkeit, des mimetischen *Nach*vollzugs, die dem traditionalen ‹Werk› eignet. Dieses Moment des Fertigen, der Abgeschlossenheit, die erloschene Intensität des Produktiv-Unmittelbaren meint Benjamin, wenn er vom Werk als der Totenmaske der Konzeption[260] und seiner auratischen Daseinsweise spricht. Dieses Moment der Mittelbarkeit im Werkcharakter ist insofern identisch mit dem, was als Kultisches, als Ritual im ‹Werk› noch überlebt, als die gesellschaftliche Wirklichkeit, die es nach eigenem Formgesetz sich aneignet, in ihm zugleich auch mimetisch gebannt ist wie in der fensterlosen Monade. Die traditionale Auffassung von Kunst, soweit sie am Werkcharakter und am Dogma der Anschauung festhält, steht darum einer auf verändernde Praxis gerichteten entgegen.

Bertolt Brecht versucht diese Widersprüche von zwei miteinander verbundenen Ansatzpunkten her aufzuheben: von der Veränderung der Darstellungsart und der Wirkungsabsicht. Beiden liegt die Fundierung der Kunst auf Politik zugrunde.

Wie Heine, als er die ästhetisch-theoretische Selbstreflexion seiner literarischen Produktion bis an die Grenze des Ästhetischen vorantrieb, ihre Fundierung auf politische Praxis zu gründen suchte, für die Möglichkeit solcher Kunst die Bedingung einer vollkommen neuen Technik erkannte, so macht auch für Brecht die «gesellschaftliche Umfunktionierung» der Kunst, das heißt ihre Fundierung auf Politik, «einen völligen Umbau der Technik nötig»[261]. In der theatralischen Kunst hat diese Einsicht die kritische Überwindung der Einfühlungstechnik zur Folge, an ihre Stelle tritt Montage und Verfremdungstechnik, die die dargestellten Vorgänge «in ihrer Erstaunlichkeit und Befremdlichkeit [...] übermitteln»[262] und dem kritischen Erkennen der Zuschauer öffnen sollen. Die Emanzipation der künstlerischen Mittel von ihren kultischen Funktionen soll die gesellschaftliche Emanzipation der Zuschauer initiieren helfen. Manifestiert sich das Überleben des kultischen Elements im traditionalen ‹Werk› in seiner Rezeptionsweise darin, die Distanz des Zuschauers und Lesers aufzuheben, im Kunst-‹Erlebnis› aufzulösen, so sollen die neuen Darstellungen des gesellschaftlichen Zusammenlebens der Menschen «dem Zuschauer eine kritische, eventuell widersprechende Haltung sowohl den dargestellten Vorgängen als auch der Darstellung gegenüber ermöglichen, ja organisieren»[263]. Auf diese Weise, so formuliert Brecht mit deutlicher Affinität zu der von Benjamin in seinem Aufsatz ‹*Das Kunstwerk im Zeitalter seiner technischen Reproduzierbarkeit*› entwickelten Theorie, liquidieren die theatralischen Künste «die Reste des Kultischen, die ihnen noch aus früheren Epochen anhaften, treten aber auch aus dem Stadium, in dem sie die Welt interpretieren halfen, in das Stadium, in dem sie sie verändern helfen»[264]. Liquidation des Kultischen und gesellschaftliche Umfunktionierung der Kunst in selber verändernde Praxis sind derart aufeinander verwiesen, daß erst in ihrer wechselseitigen Durchdringung, dialektisch gesprochen: im Ineinander-Umschlagen beider Operationen die Emanzipation der Kunst vom Ritual sich entfalten kann. Walter Benjamin hat diesen emanzipativen Zusammenhang von Politik und Kunst auf die Formel gebracht: «An die Stelle ihrer Fundierung aufs Ritual tritt ihre Fundierung auf eine andere Praxis: nämlich ihre Fundierung auf Politik.»[265] Die Fundierung der Kunst aufs Ritual macht Benjamin nicht allein an ihrem historischen Ursprung, den magischen ‹Kunst›-übungen primitiver Gesellschaften fest, sondern er versucht, ihren wechselnden historisch-gesellschaftlichen Erscheinungsformen nachzugehen. Da er von der Identität von auratischer Daseinsweise und Ritualfunktion ausgeht[266], erscheinen ihm noch die Konzeptionen des *l'art pour l'art* und die Ideen von einer ‹reinen› Kunst als säkularisiertes Ritual, als negative Theologie der Kunst. Solche Relikte des Kultischen, die in der bürgerlichen Gestalt von Kultur als einer scheinbar der gesellschaftlichen Zweck-Mittel-Welt enthobenen Sphäre noch wirksam sind, muß eine als verändernde Praxis sich begreifende und realisierende Kunst notwendig aufzuheben suchen, indem sie die Trennung von Kultur und Alltag angreift. Eine Voraussetzung dafür besteht darin, daß sie sich nicht nur *zu* den Produktionsverhältnissen verhält, sondern ihre Stellung *in* den Produktionsverhältnissen reflektiert[267], ihre eigene Praxis als spezifische Weise gesellschaftlicher Produktion, ihre Techniken als geistige Produktivkräfte versteht. Die Emanzipation der Kunst vom Ritual durch ihre Fundierung auf Politik impliziert für Brechts theatralische Praxis die Emanzipation des Zuschauers «vom

‹totalen› Kunsterlebnis»[268], die Ablösung des konsumierenden und genießenden durch das produktive, kritische und aktive Publikum.
In der entscheidenden Funktion, die dem neuen Zuschauer und Leser in der produktiven Entfaltung der neuen Kunst zukommt, manifestiert sich der unmittelbare Zusammenhang der Konzeption revolutionärer Überbauarbeit als Antizipation mit den revolutionstheoretischen Auffassungen Brechts. Jene soll sich verwirklichen in ihrem praktischen Beitrag zur gesellschaftlichen Emanzipation des Subjekts der sozialen Revolution, der proletarischen Klasse oder, mit Brecht allgemeiner formuliert, der Produzenten. Der revolutionstheoretischen Programmatik der gesellschaftlichen Emanzipation, der Selbstbestimmung der Produzenten liegt ein spezifischer Begriff von Produktion in der Marxschen Theorie zugrunde: Produktion als emanzipatorische Kategorie. Welche Bedeutung dieser Begriff von Produktion für die theoretische Selbstreflexion der literarischen Praxis von Brecht, insbesondere deren emanzipative revolutionstheoretische Zielsetzung hat, soll im folgenden Kapitel ausführlich dargestellt werden.

5. Marxismus-Rezeption und theoretische Selbstreflexion literarischer Praxis 2: Kritik des Objektivismus und Determinismus, revolutionstheoretische Konsequenzen, Produktion als emanzipative Kategorie, die historische Qualität der proletarischen Revolution und ihre Relevanz für die marxistische Fundierung der Literatur Brechts

Die Rekonstruktion des Produktionsbegriffs als einer emanzipativen Kategorie der Marxschen Theorie und Brechts revolutionstheoretische Auffassungen über die gesellschaftliche Emanzipation der Produzenten haben ihren Ursprung in seiner Kritik des Objektivismus der marxistischen Theoriebildung nach Marx. Da diese mit seiner Auffassung materialistischer Dialektik unmittelbar zusammenhängt, wurde im voraufgegangenen Kapitel bereits Bezug auf sie genommen; im folgenden sollen daher vor allem die revolutionstheoretischen Implikationen der Objektivismus-Kritik Brechts und deren Bedeutung für seine literarische Theorie und Praxis dargestellt werden.

5.1. Kritik des Objektivismus und Determinismus

Karl Korsch hat 1946 in einem Aufsatz mit dem Titel ‹*A Non-dogmatic Approach to Marxism*› – erschienen in der Zeitschrift *Politics*, New York[269] – über einige theoretische Übungen referiert, die er in den frühen dreißiger Jahren mit einer Gruppe von Mitarbeitern unternommen hatte. Zu dieser Gruppe, die sich im Anschluß an Korschs «Studienzirkel Kritischer Marxismus», einem Vorlesungszyklus über «Lebendiges und Totes im Marxismus» von November 1932 bis Februar 1933 regelmäßig in Brechts Wohnung zu einer Arbeitsgemeinschaft über materialistische Dialektik traf, gehörten neben Korsch Alfred Döblin, Bernard von Brentano, Zlatan Dudov, Paul Partos (ein Schüler und Freund Korschs, der später auf seiten der anarchosyndikalistischen Federación Anarquista Ibérica aktiv am spanischen Bürgerkrieg teilnahm[270]), Heinz Langerhans (als Mitglied der Gruppe «Kommunistische Politik» wegen «Disziplinbruchs und parteischädigenden Verhaltens» 1927 aus der KPD ausgeschlossen[271]), die langjährige Mitarbeiterin Brechts Elisabeth Hauptmann, Hanna Kosterlitz und Bertolt Brecht.[272] Der Arbeitskreis unternahm den Versuch, so Korsch, «das kritische, pragmatische und aktivistische Element, das trotz allem nie völlig aus der Gesellschaftstheorie von Marx entfernt wurde, und das in den kurzen Phasen seiner Vorherrschaft diese Theorie zur wirksamsten Waffe im

proletarischen Klassenkampf gemacht hat, wieder zur Geltung zu bringen»[273]. Diese Versuche, «die Marxsche Theorie zu entdogmatisieren und zu reaktivieren»[272] waren explizit gegen das «Wachstum der alten und neuen Marxorthodoxie [...] von Kautsky bis Stalin»[275] gerichtet. Dem Aufsatz Korschs waren vier von der Gruppe als Modelle verwandte Dokumente beigefügt: Korschs Thesen zum Vortrag *‹Hegel und die Revolution›* (19. November 1931), sechs Thesen Georges Sorels zur materialistischen Geschichtsauffassung von 1902, eine frühe Auseinandersetzung Lenins mit dem ‹Objektivismus› Struves von 1894 und Thesen Korschs über aktivistischen Materialismus, Klassencharakter und Parteilichkeit der Wissenschaft (Inhalt nach Marx und Lenin, Form nach Sorel).[276]
Bertolt Brecht nahm regelmäßig und aktiv an den Diskussionen teil, ebenso wie Korsch formulierte er Thesen zu den behandelten Fragenkomplexen. Einige dieser Thesen, die sich vor allem auf den Lenin-Text beziehen, sind erhalten: ein «Brechtisierung» überschriebener Text[277], drei Thesen zu *‹Objektivismus und Materialismus bei Lenin›*[278] und ein Text mit dem Titel *‹Welche Sätze der Dialektik praktiziert Lenin bei der Kritik des Objektivismus-Subjektivismus?›*[279], der sich in seinem zweiten Teil auf die erste und zweite von Korschs *‹Thesen über aktivistischen Materialismus, Klassencharakter und Parteilichkeit der Wissenschaft›* bezieht.
Bevor ich ausführlicher auf die Thesen Brechts eingehe, muß die spezifische theoretische Intention der Vorlesungen und Arbeitskreise Korschs kurz umrissen und der Stellenwert angegeben werden, den für ihn der Text Lenins in dieser Hinsicht hatte. Dazu können außer dem erwähnten Aufsatz noch die sieben Thesen zur *‹Krise des Marxismus›*, die im Rahmen der Vorlesungen entstanden sind[280], herangezogen werden und der 1934 geschriebene Aufsatz *‹Why I am a Marxist›*, der im Grunde eine konzentrierte Zusammenfassung der theoretischen Positionen Korschs in dieser Zeit enthält. Karl Korsch geht davon aus, daß die materialistische Geschichtsauffassung in der revolutionären Periode vor 1850 entstanden ist als unmittelbarer Bestandteil der «subjektiven Aktion» der revolutionären Klasse[281] – in ihr vollzieht Marx die entschiedenste Wendung gegen jede teleologische Geschichtsdeutung, vor allem in der Schrift *‹Die Heilige Familie›* und in der *‹Deutschen Ideologie›*. So kritisiert er in der *‹Heiligen Familie›* die objektivistischen geschichtsphilosophischen Entwürfe der Junghegelianer: «Die Geschichte tut nichts, sie ‹besitzt keinen ungeheuren Reichtum›, sie ‹kämpft keine Kämpfe›! Es ist vielmehr der Mensch, der wirkliche, lebendige Mensch, der das alles tut, besitzt und kämpft; es ist nicht etwa die ‹Geschichte›, die den Menschen zum Mittel braucht, um ihre – als ob sie eine aparte Person wäre – Zwecke durchzuarbeiten, sondern sie ist nichts als die Tätigkeit des seine Zwecke verfolgenden Menschen.»[282]

Für Marx ist es eine spekulative Verdrehung, wenn «die spätere Geschichte zum Zweck der früheren gemacht wird [...] wodurch dann die Geschichte ihre aparten Zwecke erhält»[283] und zum eigentlichen Subjekt hypostasiert wird. Dieser pragmatologische Ansatz in der materialistischen Geschichtsauffassung hat seinen Grund in der ursprünglichen Gestalt der Marxschen Theorie als allgemeinem Ausdruck einer vor sich gehenden sozialen Bewegung, einer revolutionären Aktion. Aus historisch-gesellschaftlichen Gründen tritt diese Qualität der marxistischen Theorie und mit ihr der pragmatologische Ansatz immer mehr zurück – Korsch hat diesen Vorgang in *‹Marxismus und Philosophie›* zu periodisieren versucht – zugunsten einer Theoriebildung, die «den durch äußere Gesetze bestimmten *objektiven Ablauf* der gesellschaftlichen Entwicklung»[284] zum zentralen Gegenstand hat. Im Verlauf dieses Prozesses wandelt sich der Marxismus vom «spezifischen Instrument geschichtlich gesellschaftlich praktischer Erkenntnis» zum «System allgemeiner natur- und sozialwissenschaftlicher Erkenntnis», darüber hinaus zur «allumfassenden philosophischen Weltanschauung»[285]. Auf die revolutionstheoretischen und -praktischen Konsequenzen dieser Entwicklung zumal im Revisionismus ist im vorigen Kapitel bereits hingewiesen worden. Karl Korsch sieht im revolutionären Syndikalismus und im Bolschewismus Lenins gegenläufige Tendenzen zu dieser Zerfallsgeschichte der marxistischen Theorie als Revolutionstheorie, weil beide «die subjektive Aktion der Arbeiterklasse selbst zum Hauptgegenstand der sozialistischen Theorie machen»[286]. Bei aller Ambivalenz in seiner Haltung gegenüber der Theorie und Politik Lenins, die man mit der zum ‹Leninismus› nicht gleichsetzen kann, hat er doch dessen Beitrag zur Wiederherstellung eines *revolutionären* Marxismus, eines Marxismus der subjektiven Aktion stets anerkannt.[287] Von daher dient Lenins Text von 1894 als ein Ausgangspunkt für Korschs Versuch, die marxistische Theorie zu entdogmatisieren und zu reaktivieren. Gleichwohl ist seine Wahl nicht ohne einen kritischen Hintergedanken, da sich, wie Korsch einführend sagt, «Lenin, der selbst ein materialistischer Kritiker des idealistischen ‹Subjektivismus› der Narodniki war, hier in einer Position befindet, in der er seine materialistische Kritik mit gleicher Leidenschaft auf den abstrakten und toten ‹Objektivismus› Struves ausdehnen muß»[288].

Lenin kritisiert Struve, weil dieser die Ansicht Mihajlovskijs, es gebe *keine* «unüberwindlichen geschichtlichen Tendenzen, die als solche einer zweckmäßigen Tätigkeit der Persönlichkeit und der gesellschaftlichen Gruppen einerseits als Ausgangspunkt und andererseits als zwangsläufige Grenze dienen müsse»[289], für falsch erklärt. Er greift die Position Struves als eine objektivistische an und versucht dann die allgemeinen Differenzen zwischen einem objektivistischen und einem marxistischen Ansatz in Geschichtsauffassung und Revolutionstheorie zu

entwickeln.
Seine Argumentation läßt sich dahingehend zusammenfassen, daß er die Behauptung von der Notwendigkeit einer gegebenen historischen Entwicklung als tendenziell apologetisch den historischen Tatsachen gegenüber denunziert. Der Materialist begnüge sich nicht mit dem Hinweis auf die Notwendigkeit des Prozesses, sondern kläre, welche sozialökonomische Formation diesem historischen Prozeß seinen Inhalt gebe und welche Klasse daher die Notwendigkeit festlege. Er werde daher nicht bei der Feststellung unüberwindlicher geschichtlicher Tendenzen stehenbleiben, «sondern auf das Vorhandensein bestimmter Klassen verweisen, die den Inhalt der gegebenen Verhältnisse bestimmen und die Möglichkeit eines Auswegs ausschließen, der nicht das *Handeln* der Produzenten selbst voraussetzt»[290]. In dieser theoretischen Haltung sei zugleich die Parteilichkeit des Materialismus beschlossen, die darin bestehe, «bei jeder Bewertung eines Ereignisses direkt und offen den Standpunkt einer bestimmten Gesellschaftsgruppe einzunehmen»[291]. Karl Korsch hat zweifellos recht, wenn er diesen Ausführungen Lenins die ursprüngliche Schärfe des kritischen Prinzips der Marxschen Theorie abspricht (s. Anm. 287). Dennoch hatten sie für die Arbeitsgemeinschaft offenbar schon die theoretische Qualität einer historischen Zeugenschaft von Lenin selbst gegen den zur objektivistischen Weltanschauung verkommenen Leninismus Stalinscher Prägung. Der erste, «Brechtisierung» überschriebene Text Brechts zu der durch die Ausführungen Lenins umrissenen Frage des Objektivismus, versucht diese in eine Reihe handlungsanweisender Sätze aufzulösen, sie in eine «Anleitung in der Bekämpfung des Redens von der Notwendigkeit»[292] umzuformulieren. Wo Lenin die Voraussetzung des Handelns der Produzenten selber in der Negation anführt, formuliert Brecht positiv und mit Bezug auf die Thesen Korschs: «Nicht zufrieden mit dem Feststellen der Tatsachen – zeigst du ihren Inhalt und zeigst, daß sie jede andere Möglichkeit eines Ausweges ausschließen als die Aktion der unterdrückten Klasse selbst.»[293] Die zweite der Thesen Korschs über aktivistischen Materialismus, Klassencharakter und Parteilichkeit der Wissenschaft lautet: «Man wirft viel Licht auf die Geschichte, wenn man gegenüber jeder behaupteten Notwendigkeit eines geschichtlichen Prozesses die Frage stellt: a) durch die Aktion welcher Klassen notwendig? b) welche Folgen ergeben sich aus dieser Notwendigkeit für die durch sie in ihrer Aktion gehemmten Klassen?»[294] Der historische Prozeß wird also ganz im Sinne des Marx der ‹*Heiligen Familie*› jedes objektivistischen Scheins einer «aparten Person» (s. S. 91) entkleidet und als das niemals feststehende, sondern selber im Flusse der Bewegung sich befindende Resultat des Handelns gesellschaftlicher Klassen und Gruppen begriffen, Notwendigkeit lediglich als durch solches Handeln bestimmte und also auch aufhebbare. Wie Marx in der ‹*Deutschen Ideologie*› die

Umwandlung der Geschichte in Weltgeschichte darstellt als «ganz materielle, empirisch nachweisbare Tat, eine Tat zu der jedes Individuum, wie es geht und steht, ißt, trinkt und sich kleidet, den Beweis liefert»[295], so geht Brecht in seinen Thesen zu ‹*Objektivismus und Materialismus bei Lenin*› insofern über Lenins Position doch hinaus, als er die Fragestellung auf das Individuum und dessen Handeln ausdehnt: «Wenn du die Notwendigkeit einer Reihe von Tatsachen feststellst, so vergiß nicht, daß du selbst auch eine dieser Tatsachen bist, und bestimme die Notwendigkeit möglichst genau, sie braucht nämlich, um eine Notwendigkeit zu sein, ganz bestimmtes Handeln.»[296]
Im Anschluß an die Thesen Korschs (s. S. 91 f) wendet Brecht diese dialektische Einsicht, daß Objektivität auch durch das erkennende und handelnde Subjekt selber konstituiert ist – sie ist vor allem für seine Kritik der Widerspiegelungstheorie von Bedeutung –, gegen die einseitige Auflösung der Dialektik von Subjekt und Objekt in einen bloßen Determinismus: «Wenn du von einem Prozeß sprichst, so nimm von vornherein an, daß du als ein handelnder Behandelter sprichst. Sprich im Hinblick auf das Handeln! Du bist immer Partei: Organisiere sprechend die Partei, zu der du gehörst! Wenn du davon sprichst, was einen Prozeß determiniert, so vergiß nicht dich selbst als einen der determinierenden Faktoren!»[297] In diesem Sinne hat er die Frage des Determinismus auch in späteren Jahren beantwortet – einen Beitrag von Otto Neurath über ‹*Soziologie im Physikalismus*› in der von Rudolf Carnap und Hans Reichenbach herausgegebenen philosophischen Zeitschrift *Erkenntnis* (Bd. X, H. 5/6, S. 393 f) versieht Brecht mit der Randbemerkung: «Wo bleibt Selbsteinschaltung unter die determinierenden Faktoren?» und: «Zweck der Voraussagen: Das Handeln» (S. 413 und 414).[298]
Bertolt Brechts Kritik des Objektivismus in der marxistischen Theorie und sein Festhalten an ihren kritisch-praktischen Inhalten haben ihren Grund in dem ihm und Korsch gleichermaßen verbindlichen Prinzip der «Unterordnung aller theoretischen Bekenntnisse unter den Zweck der revolutionären Praxis»[299]. Dieses Prinzip hat eine unmittelbare Bedeutung für die theoretische Selbstreflexion der literarischen Praxis Brechts sowohl nach der Seite ihrer historisch-gesellschaftlichen Voraussetzungen als auch nach der ihrer praktischen Wirkungsabsichten deshalb, weil ihm spezifische revolutionstheoretische Überzeugungen über den Charakter der ‹subjektiven Aktion› der unterdrückten Klasse, der proletarischen Revolution zugrunde liegen: kritische Aktivität, aufgeklärte Spontaneität und, mit einem Begriff von Marx, Selbsttätigkeit.

5.2. Revolutionstheoretische Konsequenzen der Objektivismus-Kritik – der Einfluß Rosa Luxemburgs: proletarische Revolution und Lust der Massen an öffentlichen Geschäften

Brechts Kritik des Objektivismus in der marxistischen Theorie hat Konsequenzen für seine revolutionstheoretischen Auffassungen. Die dialektische Einsicht in den konstitutiven Zusammenhang der objektiven Verhältnisse mit subjektiver Praxis und Erkenntnis läßt ihn zum einen auf die ursprüngliche revolutionstheoretische Programmatik von Karl Marx, zum andern auf jene Rosa Luxemburgs zurückgreifen; sein Interesse für Rätekonzeptionen geht eher auf die Vermittlung Korschs zurück.

Das programmatisch formulierte revolutionstheoretische Postulat von Karl Marx, die Veränderung der Verhältnisse müsse die Selbstveränderung der Veränderer, die Erziehung der Erzieher implizieren[300], weil nur so das Proletariat vom Objekt zum Subjekt der Geschichte werden könne, ist in den nach ihm entwickelten revolutionstheoretischen Konzeptionen entweder nicht wieder aufgenommen worden, oder wo sie praktisch wieder aufgegriffen wurde – in der russischen Revolution –, durch deren spezifischen historischen Bedingungen sowohl wie bewußte Politik verdrängt und allmählich legitimationswissenschaftlich umgedeutet worden. Im Zuge dieser Umdeutung wurde das von Marx durch den Prozeß einer permanenten revolutionären Praxis begründete und geforderte Zusammenfallen von Veränderung und Selbstveränderung getrennt und die darin beschlossene Vermittlung der Entfesselung der Produktivkräfte mit der selber freien, durch die Produzenten selbst verwalteten und bestimmten Produktion in einen geschichtsphilosophisch-weltanschaulichen Bedingungsrahmen aufgelöst. Eine unter dem Zwang der nachgeholten sozialistischen Akkumulation rein ökonomisch aufgefaßte, quantitative Produktionssteigerung sollte die Bedingungen einer selbstbestimmten Produktion und Verwaltung zuallererst schaffen. Die ursprünglich durch die spezifischen russischen Verhältnisse hervorgerufenen Bedingungen des sozialistischen Aufbaus: terroristische Industrialisierung unter staatssozialistisch zentralisierter Leitung, kapitalistische Fabrikdisziplin und -hierarchie als Vorbild für die Organisation gesellschaftlicher Arbeit und quantitative Produktionssteigerung als zentrales Ziel wurden allmählich legitimationswissenschaftlich zu allgemeinen Bedingungen des sozialistischen Aufbaus überhaupt hypostasiert.

Rosa Luxemburg hat die Ansätze zu dieser Entwicklung schon sehr früh gesehen und in ihrer Schrift über die russische Revolution als auch indirekt in ihrer Programmrede auf dem Gründungsparteitag der KPD mit prinzipieller Schärfe kritisiert: «Sozialistische Demokratie beginnt aber nicht erst im gelobten Lande, wenn der Unterbau der sozialisti-

schen Wirtschaft geschaffen ist, als fertiges Weihnachtsgeschenk für das brave Volk, das inzwischen treu die Handvoll sozialistischer Diktatoren unterstützt hat. Sozialistische Demokratie beginnt zugleich mit dem Abbau der Klassenherrschaft und dem Aufbau des Sozialismus.»[301] Die Diktatur des Proletariats könne darum nicht in der Abschaffung, sondern «in der Art der Verwendung der Demokratie»[301] bestehen – nur in der sozialistischen Demokratie der Klasse könne das Proletariat «Aktivität und Selbstverantwortung»[303] entfalten, die es zum historischen Subjekt befähigen. In Rosa Luxemburgs Konzeption sozialistischer Demokratie, deren Institutionen Räte in allen Bereichen des gesellschaftlichen Lebens sind, bilden diese zugleich die politische Form der befreiten Produktion; in dem von ihr verfaßten Programm des Spartakusbundes heißt es dazu: «Das Wesen der sozialistischen Gesellschaft besteht darin, daß die große arbeitende Masse aufhört, eine regierte Masse zu sein, vielmehr das ganze politische und wirtschaftliche Leben selbst lebt und in bewußter freier Selbstbestimmung lenkt.»[304] Öffentlichkeit und Selbstverwaltung haben daher eine qualitative Bedeutung für den Entwicklungs- und Lernprozeß des Proletariats vom politischen und gesellschaftlichen Objekt zur Selbstregierung der Produzenten – ein Prozeß, den Marx als den einer permanenten Revolution begriffen hat[305]: permanent auch in der Hinsicht der gesellschaftlichen Emanzipation der Produzenten.
In den politischen Schriften Brechts, in denen er unmittelbar revolutions- und organisationstheoretische Vorstellungen entwickelt, finden sich Einsichten, die denen Rosa Luxemburgs und den programmatischen Postulaten von Marx zumindest darin folgen, daß die proletarische Revolution ein Prozeß der Selbstbefreiung der unterdrückten Klasse ist. Seiner Kritik des Objektivismus in der marxistischen Theorie, der Akzentuierung ihrer aktivistischen Inhalte, der subjektiven Aktion der Produzenten entspricht revolutions-theoretisch und politisch das Interesse Brechts an den Räten sowohl als Kampforganen wie Organen der sozialistischen Demokratie, der Selbstbestimmung der Produzenten. Das läßt sich nicht nur an den marxistischen Studien ablesen, sondern begegnet immer wieder in seinen theoretischen Selbstreflexionen, zuletzt vor allem im ‹*Me-ti*›.
Revolutionstheoretisch und qualitativ verwendet Brecht den Begriff der Öffentlichkeit, wenn er schreibt: «Heute haben die wenigsten eine Ahnung davon, welch eine ungeheure Steigerung der Lust an öffentlichen Geschäften bei der Masse zu erfolgen hat, damit sie fähig werde, den Staat zu übernehmen.»[306] Solche Lust an öffentlichen Geschäften ist demnach keine, die nach der Eroberung der politischen Macht durch Dekrete eingeführt oder gar erst einer fernen Zukunft anheimgegeben werden soll, im Gegenteil: der emanzipative Gehalt der sozialen Revolution muß in den revolutionären Organisationsformen wie der revolu-

tionären Praxis selber bereits angelegt sein. Dieses Problem ist Gegenstand von zwei Texten, die Brecht explizit zur Organisationsfrage geschrieben hat. In den ‹*Voraussetzungen für die erfolgreiche Führung einer auf soziale Umgestaltung gerichteten Bewegung*› fordert er daher die «Aufgabe und Bekämpfung des Führergedankens innerhalb der Partei» sowie die «Aufgabe der scharfen Trennung zwischen Zentralismus und Einzelinitiative und der Betonung des ersteren»[307]. Er geht sogar soweit, die «Hervorhebung der ethischen Seite der Bewegung», die «Verwendung bürgerlicher Ethik und Aufbau proletarischer»[308] vorzuschlagen. Es wurde schon darauf hingewiesen (vgl. S. 65 f), daß Brecht mit der Hervorhebung der ethischen Seite der Bewegung in einem revolutionstheoretischen Sinn praktische Solidarität als antizipative Aufhebung des kapitalistischen Konkurrenzverhaltens meint. Den gleichen antizipatorischen Charakter hat seine Forderung nach der «Aufgabe allen Verlangens nach ‹Glauben› und Übergehen zum Beweisen»[309] – ein Postulat, das für seine literarische Theorie und Praxis gleichermaßen wirksam ist als die Absage an alle auf bloß autoritäre Verkündigung und Suggestion gegründeten Wirkungsabsichten.
In den Thesen ‹*Über ein Modell R als auslösendes Moment der proletarischen Diktatur*› versucht Brecht, ein revolutionäres Organisationskonzept zu skizzieren, das sowohl von menschewistischer ‹Demokratie› auf Grundlage einer der «Produktion entfernten staatlichen Einstellung» sich abgrenzt als auch von aller bolschewistischen Disziplin «auf Grund einer Einstellung, wonach ein staatliches Element (Staatsersatz) Maßnahmen trifft, zu produzieren»[310]. Diese zwiefache Abgrenzung läßt darauf schließen, daß die proletarische Diktatur, auf die Brechts Organisationskonzept zielt, nur in der direkten Demokratie der Produzenten selber bestehen kann: deren politische Formen sind die Räte. Gegenüber diesem Ziel der sozialen Revolution hat alles ‹Parteimäßige› an der Organisation lediglich eine instrumentelle Funktion – These 6 lautet darum: «Betonung der räteähnlichen Körperschaften als Zweck, des Parteimäßigen (R) als Mittel schon bei der und für die Organisation, ohne Starrheit.»[311]
Dieses organisationstheoretische Konzept Brechts, das zu dem Zeitpunkt seiner Abfassung in ähnlicher Form nur noch von längst aus der KPD ausgeschlossenen Gruppen der linkskommunistischen Opposition diskutiert und vertreten wurde, ist, soweit ich sehe, zwar kaum wieder direkt aufgegriffen und näher ausgeführt worden – gleichwohl liegt das Verhältnis von Partei und Räten, wie er es darin programmatisch umrissen hat, im wesentlichen seinem Verständnis der Übergangsgesellschaft als der einer permanenten Revolution im Marxschen Sinne zugrunde.
In einem Brief an Korsch vom Anfang November 1941 versucht er, die stalinistische Staatsverfassung der Sowjet-Union aus den spezifischen historischen Bedingungen der russischen Revolution, der Sozialisierung

der Wirtschaft, der Kollektivierung und Industrialisierung der Landwirtschaft und den Notwendigkeiten der Landesverteidigung zu erklären: «da zwingen vielleicht doch gewisse elementare historische aufgaben den verschiedenen klassen ähnliche methoden und institutionen auf?» Diese Erklärung befriedigt ihn jedoch offensichtlich nicht ganz, da sie sich bloß auf der Ebene der verifizierbaren historischen Tatsachen bewegt: «nun liegt mir ja ‹seit alters› die praktikabilität der analyse am herzen und die verifizierbarkeit genügt mir nicht recht.» Darum schlägt er Korsch in der Einsicht, daß die dialektische, widerspruchsgeladene Situation in der Sowjet-Union selber ein dialektisches Handeln erfordere, vor: «praktisch geredet: ich würde mir viel von einer historischen untersuchung des verhältnisses der räte zu den parteien, dieses ganzen komplizierten prozesses versprechen. die spezifischen gründe des unterliegens der räte, die historischen gründe, würden mich ungeheuer interessieren. das ist ungeheuer wichtig für uns, denken Sie nicht? ich wüßte außer Ihnen niemand, der das untersuchen kann.»[312] Die Praktikabilität einer solchen Analyse liegt für Brecht sicherlich zum einen in ihrer Verwertbarkeit für die eigene literarische Produktion – er fügt dem Vorschlag an Korsch in Klammern hinzu, ihm schwebe da ein Stück vor, er habe aber zu wenig Klarheit und Wissen –, zum andern aber erwartet er offensichtlich von ihr eine prinzipielle Klärung von Problemen der Übergangsgesellschaft, die eine praktische Relevanz für künftige politische Auseinandersetzungen haben könnte. Daß er einzig noch Korsch, obwohl er dessen Kritik an der Sowjet-Union in wesentlichen Punkten nicht teilt, eine solche Analyse zutraut, zeigt allerdings seine realistische Skepsis gegenüber dem Stalinismus und seiner Bereitschaft, eine Analyse über das Verhältnis von Parteien und Räten überhaupt noch zuzulassen.

5.3. Brechts Kritik des Stalinismus und sein Begriff von ‹Produktion›

Um Brechts Kritik am sowjetischen Marxismus von ihren grundlegenden theoretischen Voraussetzungen her zu verstehen, muß sein mit dem Interesse für Räte unmittelbar zusammenhängender und für seine ästhetische Theorie zentraler Begriff von ‹Produktion› rekonstruiert werden. Wenn die Räte, oder mit den oben zitierten Thesen Brechts zu sprechen, die ‹räteähnlichen Körperschaften› die notwendige institutionelle Bedingung der Möglichkeit eines sozialistischen Übergangs zur Selbstbestimmung der Produzenten sind, dann kann die soziale Revolution sich nicht in der Eroberung der politischen Macht erschöpfen. Sie muß zugleich die gesamte bisherige Produktionsweise umwälzen, das heißt sie muß die Befreiung der Produktion einschließen, wenn der emanzipative Anspruch der marxistischen Theorie realisiert werden soll. Daher schreibt Brecht, mit deutlicher Affinität zu den oben dargelegten Auffassungen Rosa Luxemburgs: «Das Proletariat kann den Staatsapparat nicht in die Hand nehmen, ohne die Produktion in seiner Weise in die Hand zu nehmen; dieser kann ohne jene und jene ohne diesen nicht umgebaut werden. Es ist ein Doppelakt der Befreiung.»[313] Die Funktion des Staates könne, nach diesem durch die Revolution eingeleiteten Akt der Befreiung, nur noch darin bestehen, der Produktion zu dienen und die Produktion zu ermöglichen[314], wodurch er zugleich die Bedingungen seiner eigenen Abschaffung hervorbringe. Deren Möglichkeit ist also nur gegeben durch eine Produktion, die das Proletariat in seiner Weise in die Hand genommen hat: «Im Sozialismus ist der Arbeiter der Leiter der Produktion und, was immer wieder gesagt werden muß, einer völlig anderen Produktion, das heißt nicht nur einer Produktion mit anderer Leitung.»[315]

In diesen theoretischen Ausführungen Brechts ist die ganze Ambivalenz und Unsicherheit seiner Einstellung zur stalinistischen Wirklichkeit im Kern bereits enthalten. Ist in den Thesen ‹*Über ein Modell R als auslösendes Moment der proletarischen Diktatur*› noch die Rede von der Ablehnung aller bolschewistischen Disziplin «auf Grund einer Einstellung, wonach ein staatliches Element (Staatsersatz) Maßnahmen trifft, zu produzieren», so wird jetzt, scheinbar konsequent, dem Staat die lediglich instrumentelle Funktion zugemessen, die Produktion zu ermöglichen, der Produktion zu dienen. Dieser theoretische Ansatz, auf die stalinistische Sowjet-Union angewandt, kann Brecht die Argumentation nahelegen, daß der stalinistische Staatsapparat und seine Bürokratie insofern noch im Interesse des Proletariats arbeiteten, als sie die Produktivkräfte entwickelten, Industrialisierung und Kollektivierung der Landwirtschaft vorantrieben – anders, mit den Worten Brechts in einem Brief an Korsch, gesagt, daß der stalinistische Staat «eben nicht nur ein arbeiterSTAAT, sondern auch ein ARBEITERstaat»[316] sei. Die ‹Selbstherrschaft› Stalins, sein Kaisertum, unter dem die Arbeiter die große Maschinerie aufbauten, habe ihren spezifischen historischen Grund in der Rückständigkeit der Sowjet-Union (vgl. wa, Bd. 12, S. 538 [s. Anm. 316]). Diese Argumentation kann jedoch von der Marxschen Revolutionstheorie her Stringenz nur unter mindestens zwei Bedingungen beanspruchen: zum einen, daß den Arbeitern die institutionellen Möglichkeiten, Leiter der Produktion, und zwar einer völlig veränderten Produktion, zu werden, gegeben sind, und zum andern, daß Staatsapparat und Bürokratie ihre Aufgaben im Bewußtsein ihrer bloß instrumentellen Funktion und im Hinblick auf ihre Abschaffung durch die Selbstregierung der Produzenten wahrnehmen. Haben Staatsapparat und Bürokratie sich jedoch verselbständigt, haben sie ein eigenes materielles und politisches Herrschaftsinteresse entwickelt und besteht die Befreiung der Produktion nur noch in quantitativer Produktionssteigerung unter anderer, staatlicher, Leitung, dann kann die Nützlichkeit und die praktische Arbeit eines solchen Staates für das Proletariat wenigstens zweifelhaft sein. Brecht erkennt und analysiert beide Tendenzen in der politischen Entwicklung der Sowjet-Union sehr genau und hat seine marxistische Kritik an ihnen immer wieder artikuliert. Er verfolgt ihren historischen Ursprung bis zur Politik Lenins und akzeptiert durchaus, bei allen Differenzen gerade in diesem Punkt, zumindest in der Frage der Staatsbürokratie die Kritik Korschs an dieser Politik. In dem Aphorismus ‹*Ansicht des Philosophen Ko über den Aufbau der Ordnung in Su*› stellt Brecht die Lenin-Kritik Korschs dar: «Mi-en-leh schuf für den Aufbau der Großen Ordnung einen mächtigen Staatsapparat, der in absehbarer Zeit unbedingt ein Hindernis für die Große Ordnung werden mußte. Der Ordner als Hindernis der Ordnung, das war Kos Sorge.» Und er fügt hinzu: «Tatsächlich funktionierte dieser Apparat immer sehr schlecht und faulte immerzu ab, einen durchdringenden Gestank verbreitend.» Zwar zeigten die von Ko selber vorgeschlagenen Prinzipien eine deutliche Schwäche, wo Mi-en-lehs Prinzipien ihre Stärken hätten, aber, so der Schluß des Aphorismus: « [...] er bezeichnete vorzüglich die Schwächen der Prinzipien des Mi-en-leh, den er im Gegensatz zu seinen Schülern immer mit der größten Achtung behandelte.»[317] Wird aber ausdrücklich die Möglichkeit eingeräumt, daß der Staatsapparat, die Bürokratie selber ein Hindernis der ‹Großen Ordnung›, des Sozialismus, werden kann, dann kann die praktische Antwort auf die revolutionstheoretische Frage nach dem Absterben des Staates nicht mehr ausschließlich darin gesehen werden, daß der Ausbau der Produktion dieses Absterben gleichsam nach sich ziehen werde. Diese Argumentation kann gerade wegen ihres scheinbar objektiv-materialistischen Ansatzes zur Legitimationsideologie einer herrschenden Bürokratie werden, deren eigenes materielles und politisches Interesse am Fortbestand ihrer Herrschaft mit dem revolutionstheoretischen Ziel der ‹Großen Ordnung›, der Selbstregierung der Produzenten[318], unvereinbar wird. Brecht hat diesen Prozeß an einem Beispiel dargestellt, in dem er die Funktion von gewissen Gedanken ordnender Art mit dem Verhalten von Beamten vergleicht: «Ursprünglich als Diener der Allgemeinheit aufgestellt, werden sie bald zu ihren Herren. Sie sollen die Produktion ermöglichen, aber sie verschlingen sie.»[319] Und ‹*Me-ti*› schildert den schlechten Beamten, den Ordner als Hindernis der Ordnung, so: «Er ist ausgeschickt, den Verkehr zu erleichtern, aber er steht dem Verkehr im Wege [...] Sein Ehrgeiz ist es, unentbehrlich zu sein [...] Selbst wenn es nichts mehr zum Verwalten gibt, geht der Verwalter nicht weg.»[320] Diese Sätze haben, da das ‹*Buch der Wendungen*› als Verhaltenslehre konzipiert ist, mittelbar einen appellativen Charakter. In den marxistischen Studien formuliert

Brecht diesen Appell ans Verhalten noch direkt: «Es ist Sache der Beamten, das Beamtentum abzubauen. Der beste Satz des besten Beamten lautet: Ich bin überflüssig geworden. Deshalb ist es Sache der Beamten, überall, wo eine Masse vor Aufgaben steht, in ihr Beamten zu erzeugen, welche die Aufgaben zu bewältigen helfen, aber am Ende von der bewältigten Aufgabe selber bewältigt werden können.» Er schlägt ein Lehrstück für Beamte vor, «in dem sie die Disziplinlosigkeit des ‹Publikums› unterstützen, Akten verbrennen und die Wahrheit anhören müssen»[321]. In solchen Appellen und Vorschlägen, die das subjektive Verhalten von Beamten einer Übergangsgesellschaft zum Gegenstand haben, manifestiert sich eine revolutionstheoretische und -praktische Aporie, die gerade am Beispiel der Entwicklung der russischen Revolution deutlich werden mußte. Denn da auf Grund der historisch-gesellschaftlichen Umstände, unter denen sie sich vollzog, als auch der politischen Entscheidungen über alternative Konzepte (vor allem auf dem X. Parteitag) schon sehr früh Institutionen eingeschränkt oder gar nicht erst entwickelt wurden, die eine Selbstverwaltung der Produzenten, Kontrolle von unten, Wählbarkeit und Absetzbarkeit von Beamten hätten ermöglichen können, waren damit wesentliche Voraussetzungen auch nur für eine kontrollierte Beschränkung des Staatsapparats auf instrumentelle Funktionen, vom Absterben des Staates ganz zu schweigen, gar nicht erst gegeben. Die Entscheidung darüber, ob an dem revolutionstheoretischen Ziel, das Beamtentum abzubauen, festgehalten wurde, lag somit bis zu einem gewissen Grade in der Tat bei den Beamten selber, also in ihrem subjektiven Selbstverständnis sowohl wie ihren objektiven gesellschaftlichen Interessen. Walter Benjamin hat in seinen Svendborger Notizen einen Dialog aufgezeichnet, in dem Brecht das Aporetische dieser historischen Situation gleichsam theatralisch demonstriert: «‹Der Staat soll verschwinden. Wer sagt das? Der Staat.› (Hier kann er nur die Sowjetunion meinen.) Brecht stellt sich, listig und verdrückt, vor den Sessel, in dem ich sitze, hin – er macht ‹der Staat› nach – und sagt, mit einem scheelen Seitenblick auf, vorgestellten, Mandanten: ‹Ich weiß, ich *soll* verschwinden.›»[322]

Brecht hat in dem Aphorismus *‹Die Verfassung des Ni-en›* eine Reihe von fehlenden institutionellen Voraussetzungen für den Aufbau des Sozialismus in der stalinistischen Sowjet-Union genannt: zwar seien einige Hauptelemente der ‹Großen Ordnung› angelegt und würden entwickelt, so die Abschaffung des Privateigentums an Produktionsmitteln und die Kollektivierung der Landwirtschaft, aber da das neue System von geringen Einheiten von Menschen erzwungen werde, gebe es überall Zwang «und keine richtige Volksherrschaft». Er fährt fort: «Die Meinungsfreiheit, Koalitionsunfreiheit, Lippendienerei, die Gewalttaten der Magistrate beweisen, daß noch lange nicht alle Grundelemente der Großen Ordnung verwirklicht sind und entwickelt werden.»[323] Liegt es jedoch im Interesse der herrschenden Staatsbürokratie, diese Grundelemente der ‹Großen Ordnung› gar nicht erst zu verwirklichen, dann hat das Rückwirkungen auch auf die bereits angelegten Grundelemente des sozialistischen Aufbaus, insbesondere auf die verstaatlichte Produktion. In dem Maße, in dem sie nicht von den Produzenten selber geleitet wird, sondern, mit Brecht zu reden, bloß Produktion unter anderer Leitung ist, verliert auch die planwirtschaftliche Produktion ihren politischen, konkreter, ihren sozialistischen Charakter: ihre quantitative Steigerung wird zum ökonomischen Selbstzweck, dem die politischen Zwecke und Zielvorstellungen untergeordnet werden. Nicht die Politik bestimmt die Ökonomie, sondern die Ökonomie bestimmt die Politik. Diese Entwicklungstendenz der Sowjet-Union hat Brecht bereits an der Planwirtschaft unter Stalin erkannt und kritisiert: «Daß er die Organisation der Planarbeit zu einer ökonomischen, statt zu einer politischen Sache machte, war ein Fehler.»[324] Durch ihn «wurde alle Weisheit auf den Aufbau verwiesen und aus der Politik verjagt»[325].

Alle Weisheit auf den Aufbau verweisen heißt aber nicht nur, sie aus der Politik verjagen, sondern auch aus der Produktion. Denn wenn die Organisation der gesellschaftlichen Arbeit, der Produktion, nicht selber durch die Grundelemente der ‹Großen Ordnung› bestimmt ist, dann verkommt die Befreiung der Produktion, auch die der größten Produktivkraft, der revolutionären Klasse, zu einem bloß formalen Akt, zur Produktion unter anderer Leitung. Da aber auch für Brecht das Ziel des sozialistischen Aufbaus darin besteht, daß die Produktion selber zur freien, völlig veränderten Entfaltung selbstbestimmter gesellschaftlicher Arbeit wird, so wird in seiner Kritik eine grundlegende theoretische Differenz zum sowjetischen Marxismus manifest, die sich an der Kategorie ‹Produktion› selber festmachen läßt. Sie kann ein Angriff Brechts gegen die stalinistische Kulturpolitik der DDR in den fünfziger Jahren verdeutlichen, die jedoch insofern über ihren Gegenstand hinausgeht, als sie diese Form der Kulturpolitik aus grundlegenden politischen und theoretischen Fehlentwicklungen des sozialistischen Aufbaus herleitet: «Die Arbeiter drängte man, die Produktion zu steigern, die Künstler, dies schmackhaft zu machen. Man gewährte den Künstlern einen hohen Lebensstandard und versprach ihn den Arbeitern. Die Produktion der Künstler wie die der Arbeiter hatte den Charakter eines Mittels zum Zweck und wurde in sich selbst nicht als erfreulich oder frei angesehen. Vom Standpunkt des Sozialismus aus müssen wir, meiner Meinung nach, diese Aufteilung, *Mittel* und *Zweck, Produzieren* und *Lebensstandard*, aufheben. Wir müssen das Produzieren zum eigentlichen Lebensinhalt machen und es so gestalten, es mit so viel Freiheit und Freiheiten ausstatten, daß es an sich verlockend ist.»[326]

Brecht kritisiert an der stalinistischen Theorie und Praxis des sozialistischen Aufbaus, daß die Entfesselung der Produktion in ihm restringiert ist auf bloß quantitative Produktionssteigerung und die technisch-industrielle Revolutionierung der Produktivkräfte. Er konstatiert als Folge dieser Restriktion fortbestehende Elemente von Entfremdung und entfremdeter Arbeit, die durch die Abschaffung des Privateigentums an Produktionsmitteln und deren Überführung in staatliches Eigentum allein durchaus nicht aufgehoben werden können. Zwar wird in dem Text an keiner Stelle explizit von Entfremdung gesprochen, die Kritik jedoch, daß die Produktion der Künstler wie der Arbeiter den Charakter eines Mittels zum Zweck habe und in sich selbst nicht als erfreulich und frei angesehen werde, entspricht zumindest einem Aspekt der Marxschen Analyse entfremdeter Arbeit.

5.4. Die historische Qualität der proletarischen Revolution als Aufhebung entfremdeter Arbeit – ihre Relevanz für die marxistische Fundierung der literarischen Praxis Brechts

Karl Marx hat das Wesen der entfremdeten, der abstrakten Arbeit in der kapitalistischen Gesellschaftsformation in der totalen Verkehrung der Zweck-Mittel-Relation gesehen: die entfremdete Arbeit ist darum abstrakte Arbeit, weil in ihr «das produktive Leben selbst», die «freie bewußte Tätigkeit» zum bloßen «Lebensmittel», zum Mittel der Reproduktion geworden ist[327], die freie Entfaltung in der produktiven Lebenstätigkeit durch die Allgemeinheit abstrakter Arbeit unterdrückt wird. Die Selbstverwirklichung, der Zweck des produktiven Lebens ist als Zweck von den assoziierten Produzenten nicht selbst gesetzt, sondern ist unter kapitalistischen Bedingungen bloße Selbstentäußerung, weil sie unter den gesellschaftlichen Zwang der Reproduktion der Arbeitskraft, der Selbsterhaltung durch wertsetzende Arbeit konkurrierend und atomisiert gehaltener Produzenten subsumiert ist. Aus dieser dialektischen, das heißt kritischen und revolutionären Analyse entfremdeter Arbeit leitet Marx die qualitative Bestimmung der kommunistischen Revolution her. In der ‹*Deutschen Ideologie*› unterscheidet er sie von allen bisherigen Revolutionen, weil in diesen «die Art der Tätigkeit stets unangetastet blieb und es sich nur um eine andre Distribution dieser Tätigkeit, um eine neue Verteilung der Arbeit an andre Personen handelte» – dagegen hat die kommunistische Revolution ihren historischen, emanzipativen Gehalt daran, daß sie «sich gegen die bisherige *Art* der Tätigkeit richtet, die *Arbeit* beseitigt und die Herrschaft aller Klassen mit den Klassen selbst aufhebt . . .»[328] Nur indem sie sich gegen die bisherige *Art* der Tätigkeit richtet, schafft die soziale Revolution der Marxschen Theorie zufolge die subjektiven und objektiven Bedingungen, unter denen die Arbeit «travail attractif, Selbstverwirklichung des

Individuums»[329], wirklich freie Arbeit werden kann.
Produktion als Prinzip von Geschichte wird von Marx vorab als emanzipatorische Kategorie begriffen, insofern erst Produktion, die materielle wie die geistige, ein aktivisches Verhältnis zur Natur und damit die Emanzipation der Menschen von der Natur auf dem Boden der Natur selber ermöglicht. Produktive Arbeit ist darum begrifflich nicht allein auf wertsetzende Arbeit beschränkt, sondern meint, wie Marx in einer Auseinandersetzung mit Adam Smith deutlich hervorhebt, «an sich Betätigung der Freiheit [...] als Selbstverwirklichung, Vergegenständlichung des Subjekts»[330]. Als solche jedoch ist Arbeit – und das ist der revolutionstheoretische Kern der Marxschen Kritik – in ihren vorgeschichtlichen Formen als Sklaven-, Fronde- und Lohnarbeit immer unterdrückt worden, weshalb sie stets als «repulsiv, stets als äußre Zwangsarbeit» erschienen ist «und ihr gegenüber die Nichtarbeit als ‹Freiheit und Glück›»[331]. Als so begriffene emanzipatorische Kategorie geht Produktion, Arbeit und Arbeitsteilung zugleich, in die revolutionstheoretisch konzipierte Dialektik von Produktivkräften und Produktionsverhältnissen qua Verkehrsformen ein. «Das Verhältnis der Produktionskräfte zur Verkehrsform», so Marx in der ‹*Deutschen Ideologie*›, «ist das Verhältnis der Verkehrsform zur Tätigkeit oder Betätigung der Individuen»[332]. Die Verkehrsformen sind die historisch-spezifischen oder, wie Marx sagt, bestimmten Bedingungen der Selbstbetätigung und der Bedürfnisbefriedigung der Individuen, und zwar sowohl als vorgegebene wie durch diese Selbstbetätigung produzierte. Sie werden zu ihrer Fessel, wenn sie den neuen, entwickelteren Produktivkräften «und damit der fortgeschrittenen Art der Selbstbetätigung der Individuen»[333] nicht mehr entsprechen. In der zusammenhängenden Reihe der historischen, *bestimmten* Verkehrsformen begreift Marx den Kommunismus als die erste, in der die assoziierten Produzenten dieses historische Zwangsverhältnis von Verkehrsformen und Produktion umkehren und zur bewußten «Produktion der Verkehrsform selbst»[334] übergehen. Damit schaffen sie *zugleich* – und das Insistieren auf dieser Gleichzeitigkeit ist revolutionstheoretisch entscheidend – «die wirkliche Basis zur Unmöglichmachung alles von den Individuen unabhängig Bestehenden, sofern dies Bestehende dennoch nichts als ein Produkt des bisherigen Verkehrs der Individuen selbst ist»[335]. Darum müssen die Produzenten mit ihren eigenen Existenzbedingungen, weil Warenproduktion und Verdinglichung die Totalität der Gesellschaftsformation konstituiert, auch die bisherige Form, in der die Individuen sich einen Gesamtausdruck gaben, den Staat, in der wirklichen Assoziation aufheben.
Die historisch spezifischen Bedingungen des sozialistischen Aufbaus in der Sowjet-Union, der Zwang einer nachgeholten Industrialisierung als sozialistischer Akkumulation, das Ausbleiben der Revolution im We-

sten und die Beschränkung des Sozialismus auf ein Land haben dazu geführt, daß der emanzipative Gehalt des Marxschen Produktions-Begriffs in Ansätzen schon bei Lenin, vollständig in den theoretischen Konzeptionen Stalins (der ‹Stil des Leninismus› besteht in der Vereinigung von russisch revolutionärem Elan und amerikanischer Sachlichkeit, 9. Lektion der Swerdlower Vorlesungen[336]) technokratisch und legitimationswissenschaftlich reduziert wurde auf technisch-industrielle Entfesselung der Produktivkräfte und quantitative Produktionssteigerung. Diese technokratische Vereinseitigung der Kategorie Produktion wurde in der Theorie des Stalinismus zur allgemeinen Gesetzlichkeit hypostasiert – damit aber waren zentrale Ansätze der Marxschen Revolutionstheorie preisgegeben bzw. in einer geschichtsphilosophischen Phasentheorie des Wegs zum Kommunismus objektivistisch aufgelöst: über dessen jeweiligen Stand befand das Interpretationsmonopol der autoritären Kaderpartei.
Entfesselung der Produktion durch die kommunistische Revolution bezeichnet Marx zufolge die historische Möglichkeit gesellschaftlich selbstbestimmter Produktion der Verkehrsform. Denn Marx hat die Verkehrsform der kapitalistischen Gesellschaft nicht nur darum als Fessel und Hindernis der Produktion kritisiert, weil sie einen durch private Aneignung gesellschaftlicher Arbeit und anarchische Produktionsweise konstituierten Krisenzusammenhang bildet, sondern ebenso, weil sie der gesellschaftlichen Emanzipation der Individuen zur freien und bewußten Selbstbetätigung, zur Entfaltung ihrer Fähigkeiten und Bedürfnisse entgegensteht. Produktion als auf die emanzipative Entwicklung der Bedürfnisse gerichtete und vernünftig spontane Lebenstätigkeit[337] ermöglichende ist deshalb revolutionstheoretisch und -praktisch unauflöslich mit aufgeklärter Spontaneität, Selbstbestimmung und Selbstverwaltung der Produzenten verbunden. Brechts literarische Theorie und Praxis ist eine der wenigen marxistisch fundierten, die an diesem emanzipativen Gehalt der Marxschen Theorie festgehalten und ihn zu realisieren versucht hat – das um so mehr, als sie selber die emanzipative Entfesselung von Produktion und Produktivität als Bedingung ihrer eigenen produktiven Entfaltung gerade in der Übergangsgesellschaft erkannt hat. So heißt es in seinem Aufsatz über ‹*Kulturpolitik und Akademie der Künste*› vom 13. August 1953: «Wenn es uns gelingt, nicht nur einige Produktionsziffern, sondern die allseitige Produktivität des ganzen Volkes zu steigern, wird die Kunst ganz neue Impulse gewinnen und verleihen.»[338] Die Kritik insistiert eindeutig auf der *allseitigen* Entfaltung der Produktivität als zentralem Inhalt der gesellschaftlichen Emanzipation der Produzenten in der sozialistischen Übergangsgesellschaft. Damit erinnert Brecht an ein wesentliches Element der Marxschen Theorie proletarischer Revolution, das in deren Begriff der Produktion schon enthalten ist. Insofern Produktion als

Prinzip von Geschichte Arbeit und Arbeitsteilung umfaßt, besteht die revolutionspraktisch neue Qualität der Entfesselung der Produktion durch die proletarische Revolution als einer, die auf die bisherige Art der Tätigkeit gerichtet ist, vor allem darin, die kapitalistische Arbeitsteilung und die durch sie mitverursachte Vereinseitigung und Verdinglichung der menschlichen Fähigkeiten und Bedürfnisse in der Entfaltung allseitiger Produktivität aufzuheben. Sie schafft damit zugleich die Bedingungen der Möglichkeit, daß die in der bürgerlichen Gesellschaft vom materiellen Lebensprozeß scheinbar abgelösten Bereiche der geistigen Produktion, Wissenschaft und Kultur, in die selbstbestimmte, bewußte gesellschaftliche Produktion der Verkehrsform durch die wirkliche Assoziation aller Produzenten zurückgenommen werden können. Die Verlaufsform dieser Zurücknahme, letztlich durch die Aufhebung der Trennung von Kopf- und Handarbeit, besteht Marx zufolge in einem permanent-revolutionären Prozeß von Veränderung und Selbstveränderung. Zur «massenhaften Erzeugung» des kommunistischen Bewußtseins wie zur Durchsetzung der Sache selbst ist, so Marx in der ‹*Deutschen Ideologie*›, «eine massenhafte Veränderung der Menschen nötig [...] die nur in einer praktischen Bewegung, einer Revolution vor sich gehen kann»[339]. Nur in einer Revolution kann die stürzende Klasse dahin kommen, «sich den ganzen alten Dreck vom Halse zu schaffen und zu einer neuen Begründung der Gesellschaft befähigt zu werden»[340]. Die proletarische Revolution hat ihre qualitative Differenz zur bürgerlichen darin, daß sie einen historischen Lernprozeß einleitet, in dem die Produzenten lernen, wirklich und mit Bewußtsein Geschichte zu machen. Waren die bürgerlichen Revolutionen wesentlich politische, ließen sie die zur zweiten Natur verdinglichten gesellschaftlichen Verhältnisse und deren falsche Bewußtseinsformen nicht nur unangetastet, sondern konstituierten sie zuallererst, so müssen proletarische Revolutionen gerade diese zweite Natur der gesellschaftlichen Verhältnisse und die ihr entsprechenden ideologischen Bewußtseinsformen destruieren.[341] Das heißt aber, daß in der revolutionären Praxis der Übergangsgesellschaft diese qualitative Differenz im Prozeß der Selbstbewußtwerdung der Produzenten als Entfaltung allseitiger Produktivität angelegt sein muß. Für eine marxistisch fundierte literarische Praxis, die in ihrem theoretischen Selbstverständnis an dieser Differenz festhält, muß sich daher die Frage stellen, welche qualitativen Veränderungen der Kunstproduktion ihrer intendierten unmittelbaren Teilhabe an einem Prozeß sozialer Revolution entsprechen können, der die gesellschaftliche Emanzipation der Produzenten zum selbstbewußten Subjekt der Geschichte zum historischen Inhalt hat.

Dieses Problem bildete den Kern der in den zwanziger und dreißiger Jahren um eine materialistische Literaturtheorie und die Formen ver-

ändernder literarischer Praxis geführten Debatten. In ihm waren grundlegende revolutionstheoretische und -praktische Differenzen ebenso beschlossen wie solche der Marxismus-Auffassung überhaupt: dieser politische Gehalt der literaturtheoretischen Auseinandersetzungen wurde durch das denunziatorische Vokabular der Fraktionszurechnungen (trotzkistisch, kleinbürgerlich, ultralinks usw.) eher verschleiert als offen artikuliert. Gleichwohl bestimmte er die Diskussionen über formale Neuerungen, die Form-Inhalt-Problematik überhaupt und letztlich um das ‹kulturelle Erbe›. Die Debatte wurde geführt innerhalb und außerhalb des BPRS (Bund Proletarisch-Revolutionärer Schriftsteller), vor allem zwischen Georg Lukács auf der einen, Ernst Ottwalt und – zu diesem Zeitpunkt (1931/32) eher indirekt beteiligt – Bertolt Brecht auf der anderen Seite[342]; sie wurde im Exil fortgeführt in der sogenannten ‹Expressionismus-Debatte›, die sich zur prinzipiellen Diskussion über den ‹Sozialistischen Realismus› ausweitete, wiederum mit der – diesmal direkten – Konfrontation zwischen Lukács und Brecht, und hatte ihr Nachspiel in der DDR bei den verschiedenen Kollisionen der literarischen Praxis Brechts mit der stalinistischen Kulturpolitik. Die Diskussionen wurden wesentlich bestimmt durch die gleichzeitigen Auseinandersetzungen zwischen den Fraktionen der sowjetischen Schriftsteller bzw. später durch die offiziell und autoritativ vertretenen Resolutionen des sowjetischen Schriftstellerverbandes – in dem hier behandelten Zusammenhang soll auf die für Brechts Selbstverständnis und literarische Praxis bedeutsam gewordenen Theoreme Tretjakovs näher eingegangen werden (vgl. S. 145f). Brechts Position in diesen Diskussionen ist von der Einsicht bestimmt, daß eine marxistisch fundierte Literatur, die an der von Marx programmatisch formulierten qualitativen Differenz von bürgerlicher, bloß politischer Revolution und proletarischer Revolution als historischem Prozeß der Selbstbewußtwerdung der Menschen festhält, auch ihre eigene Differenz zur bürgerlichen Kunst als qualitative begreifen muß. Dieser Erkenntnisprozeß ist gebunden an das kritische Durchschauen der gesellschaftlichen Funktion der traditionellen bürgerlichen Kunst, das heißt ihrer Stellung in den Produktionsverhältnissen oder – mit dem Terminus des jungen Marx – in den gesellschaftlichen Verkehrsformen. Wie die Marxsche Revolutionstheorie nicht etwa an die Stelle des bürgerlichen Staates einen sozialistischen Staat setzt (allenfalls als Übergangsform, die aber bereits Elemente der Selbstregierung der Produzenten verwirklicht), sondern noch jede Form des Staates insofern als Ausdruck fortbestehender Entfremdung begreift, als sie unabhängig von den Individuen Bestehendes repräsentiert, das gleichwohl Produkt des Verkehrs dieser Individuen ist – ebenso kann nicht bloß bürgerliche Kunst gegen sozialistische Kunst einfach ausgetauscht werden (vgl. S. 85f).
Die dialektische Kritik des revolutionären Marxismus richtet sich

gerade gegen jene Gehalte im überkommenen Begriff von Kunst, in denen dieser von den zur zweiten Natur gewordenen bürgerlichen gesellschaftlichen Verhältnissen sich durchdrungen zeigt: das Prinzip der Autonomie als negativ-theologische Gestalt der kultischen Funktion, die kontemplative Ferne vom materiellen Lebensprozeß, die Trennung von Alltäglichkeit und Kultur als undurchschautes Resultat kapitalistischer Arbeitsteilung, die monadologische Geschlossenheit des Werks und die individuell-kontemplative Rezeptionsweise. Eine durch solche kulturrevolutionäre Kritik konstituierte Literatur kann sich auf die Auswechslung des Inhalts nicht beschränken, ihre qualitative Selbstveränderung besteht wesentlich in der theoretisch reflektierten praktischen Revolutionierung ihrer formalen Mittel, weil Erkenntnisfunktion und neue Qualität einer dem emanzipativ-revolutionären Prozeß der Selbstbewußtwerdung der Produzenten adäquaten Rezeptionsweise gerade in ihnen sich konzentrieren. Die marxistisch fundierte literarische Praxis kann ihrem emanzipativen Anspruch nur dadurch gerecht werden, daß sie ihre formalen Mittel bewußt auf die Funktion kritischer Erkenntnis des fetischistischen Scheins der verdinglichten gesellschaftlichen Verhältnisse hin reflektiert und organisiert. Indem Form als spezifische Weise der Kunst, Welt anzueignen und zu präsentieren, ihr zum Organon praktischer Kritik wird, kann sie revolutionstheoretisch und -praktisch an gesellschaftlicher Veränderung mitwirken.

Die materialistisch-dialektische Literaturtheorie kritisiert Begriff und Formgestalt des traditionalen ‹Werks›, wie sie im Prinzip der Autonomie aufgefaßt sind, als Ausdruck seiner bedingten Integration in die «Welt der Pseudokonkretheit»[343], in den fetischistischen Schein der verdinglichten Verhältnisse selber.

Ein wesentliches Resultat der Marxschen Analyse entfremdeter Arbeit als Konstituens der Waren produzierenden Gesellschaft war die Einsicht, daß in ihr die Produkte der menschlichen Arbeit, der materiellen und geistigen Produktion der Menschen nicht mehr als die Resultate ihrer wirklichen Selbstbetätigung erscheinen, sondern sich gegen die Produzenten verselbständigen und den universellen Schein eines von ihnen unabhängigen autonomen Daseins annehmen. Die wirkliche Welt, die Marx zufolge in diesem Schein sich verbirgt und gleichwohl in ihm sich auch manifestiert, ist nicht, wie der objektivistisch und ontologisch reduzierte Sowjet-Marxismus annimmt, die Welt der objektiven, materiellen, wirklichen Verhältnisse in Relation zu ‹unwirklichen› Erscheinungen qua ideologischen Formen, sondern die Welt der menschlichen Praxis, die Welt, «in der die Dinge, Bedeutungen und Beziehungen als Produkte des gesellschaftlichen Menschen begriffen werden und der Mensch selbst als wirkliches Subjekt der gesellschaftlichen Welt hervortritt»[344]. Wenn darum das Autonomie-Prinzip tradi-

tionaler Kunst, das an Mimesis und geschlossener Formgestalt festgemacht ist, von dialektischer Kritik durchschaut wird als theoretischer Ausdruck ihrer Partizipation am ideologischen Verblendungszusammenhang warenproduzierender Gesellschaften, der die durch wirkliche Selbstbetätigung der Menschen konstituierte konkrete Vermittlung von Produktion und Konsumtion auseinanderreißt in den Schein autonomer Existenz der Produkte und entfremdeter Arbeit, dann realisiert die marxistisch fundierte Kunst solche dialektische Kritik, indem sie selber sich als gesellschaftliche Produktivkraft und verändernde Praxis begreift.
Diese Auffassung der literarischen Tätigkeit als Produktion impliziert auf der Ebene theoretischer Selbstreflexion eine Wendung gegen den ontologischen Materialismus in der Literaturtheorie, der die Kunstproduktion nicht als selber konstitutives Bildungselement der konkreten gesellschaftlichen Totalität, sondern als bloßen Ausdruck der gesellschaftlichen Wirklichkeit, der objektiven gesellschaftlichen Verhältnisse begreift. Dieses mechanische Erklärungsmodell, das die Beziehung der Kunst zur gesellschaftlichen Wirklichkeit als ein Verhältnis des Bedingten zum Bedingenden faßt, muß notwendig die traditionale Kunstauffassung restituieren. Denn es fixiert seinerseits die objektiven Verhältnisse gegenüber der subjektiven Praxis zur selber nicht mehr kritisch hinterfragbaren ontologischen Gegebenheit. Indem Kunst dann lediglich noch als eine spezifische Form der Widerspiegelung der derart fixierten objektiven Verhältnisse verstanden wird, kann mit dem nur formell ‹materialistisch› auf die Füße gestellten Zentralsatz der Hegelschen Ästhetik – die Kunst als sinnliches Scheinen der Idee – eine Gehaltsästhetik des ‹sozialistischen› Realismus begründet werden, die die Formgestalt des bürgerlich-realistischen Romans zur Norm erhebt, in die der neue sozialistische Inhalt nur noch eingebracht werden muß. Was die dialektische Kritik am traditionalen Kunstbegriff gerade denunziert, Mimesis und geschlossene Formgestalt, gelten nicht nur unvermindert fort, sondern erhalten überdies, sanktioniert durch die Kulturpolitik des Stalinismus, neue normative Kraft. Die Reduktion dialektisch-materialistischer Literaturtheorie und -praxis auf eine sozialistisch-realistische Gehaltsästhetik, gegründet auf die Kanonisierung der Formprinzipien von bürgerlicher Klassik und bürgerlichem Realismus, hat ihren theoretischen Grund in der Eliminierung der emanzipativen Gehalte des Produktions- und Praxis-Begriffs der Marxschen Theorie und damit in der Neutralisierung der qualitativen Differenz von bürgerlicher und proletarischer Revolution durch den Sowjet-Marxismus.
Dieser Prozeß der theoretischen Regression, der Transformation einer kritisch-revolutionären Theorie in Weltanschauung und Legitimationsideologie war in den materiellen Bedingungen des sozialistischen

Aufbaus in der Sowjet-Union angelegt, wurde jedoch gleichzeitig begründet durch die Hypostasierung spezifischer Elemente der Leninschen Theorie, insbesondere der Widerspiegelungstheorie. Brechts Kritik dieser Theorie und ihrer Implikationen soll im folgenden behandelt werden, die Bedeutung der emanzipativen Kategorie Produktion für die theoretische Selbstreflexion seiner literarischen Praxis ist Gegenstand eines eigenen Kapitels.

6. Marxismus-Rezeption und theoretische Selbstreflexion literarischer Praxis 3: Korschs Kritik der Widerspiegelungstheorie, die ideologische Funktion der Widerspiegelungstheorie in der nachrevolutionären Sowjet-Union und ihre Bedeutung für die Ästhetik des sozialistischen Realismus, Brechts Kritik des Widerspiegelungs-Postulats in der Legitimationsästhetik des Sowjet-Marxismus

Brecht versteht Produktion als praktische Emanzipation der Menschen von der Natur – Produktion aber ist eins mit Kritik, weil Emanzipation von der Natur im theoretisch-praktischen Zusammenhang der Marxschen Lehre nicht allein technische Naturbeherrschung meint, sondern die permanent-revolutionäre Überwindung der vorgeschichtlichen Naturbestimmtheit jener ökonomischen Gesellschaftsformationen, die der selbstbewußten Regelung des gesellschaftlichen Lebensprozesses durch die Produzenten selber voraufgehen. Produktion als kritische Emanzipation von der Natur ist darum progressive Kritik auch an der eigenen, historisch produzierten Natur der Menschen und an den zur zweiten Natur verfestigten gesellschaftlichen Verhältnissen: insofern ist Produktion der Marxschen Theorie zufolge das emanzipative Prinzip des historisch-gesellschaftlichen Entwicklungsprozesses. Diese Einsicht wendet Brecht geschichtsphilosophisch, wenn er im *‹Kleinen Organon für das Theater›* den kritisch-umfunktionierenden Gebrauch literarischer Traditionen begründet: «Alle Vormärsche nämlich, jede Emanzipation von der Natur in der Produktion, führend zu einer Umgestaltung der Gesellschaft, alle jene Versuche in neuer Richtung, welche die Menschheit unternommen hat, ihr Los zu bessern, verleihen uns, ob in den Literaturen als geglückt oder mißglückt geschildert, ein Gefühl des Triumphs und des Zutrauens und verschaffen uns Genuß an den Möglichkeiten des Wandels aller Dinge.»[345] Brechts ästhetische Theorie und Praxis ist auf die so verstandene Befreiung von Produktion und Produktivität hin konzipiert und organisiert. Produktivität qua kritische Haltung, zu der Brechts verändernde literarische Praxis die Menschen emanzipieren will, ist eine Form der Antizipation eines kollektiv erst herzustellenden richtigen Lebens: das ist ihr revolutionstheoretischer Sinn. Erst wenn die Produktion selber zur freien geworden ist und die Produktionsverhältnisse nicht länger quasi-natürliche Zwangs- und Gewaltverhältnisse sind, kann die Kunstproduktion mit der neuen, ungehinderten Produktivität der Menschen sich verbinden: «In dem Zeitalter, das kommt, wird die Kunst die Unterhaltung aus der neuen Produktivität schöpfen, welche unsern Unterhalt so sehr verbes-

sern kann und welche selber, wenn einmal ungehindert, die größte aller Vergnügungen sein könnte.»[346]
Bertolt Brechts literarische Praxis ist so begründet in der revolutionstheoretischen Einsicht, daß verändernde praktisch-kritische Tätigkeit bereits die Elemente dessen enthalten muß, was sie zuallererst verwirklichen will. Solche Antizipation aber ist, wie Brecht im ‹*Kleinen Organon*› ausführt, der Methode der materialistischen Dialektik als einer kritischen und revolutionären selber inhärent: «Es ist eine Lust unseres Zeitalters, das so viele und mannigfache Veränderungen der Natur bewerkstelligt, alles so zu begreifen, daß wir eingreifen können. Da ist viel im Menschen, sagen wir, da kann viel aus ihm gemacht werden. Wie er ist, muß er nicht bleiben; nicht nur, wie er ist, darf er betrachtet werden, sondern auch, wie er sein könnte.»[347]
Diese Konzeption literarischer Praxis, die «die Kritik, das heißt die große Methode der Produktivität, zur Lust»[348] machen will, steht im Gegensatz zur Widerspiegelungs-Ästhetik des ontologischen Materialismus. Wie die Auffassung materialistischer Dialektik, so teilt Brecht auch die Kritik der Widerspiegelungstheorie mit Karl Korsch.

6.1. Karl Korschs Kritik der Widerspiegelungstheorie

Die Theorie der Widerspiegelung wurde erst von den Philosophen des Vor-Stalinismus und des Stalinismus zum systematischen Bestandteil und erkenntnistheoretischen Fundament der ‹marxistisch-leninistischen Weltanschauung› erhoben. Sie wurde – unsystematisch, fragmentarisch und ohne expliziten theoretischen Anspruch – zuerst von Lenin in seiner 1908 verfaßten Schrift ‹*Materialismus und Empiriokritizismus*› formuliert und bedeutete, wie Korsch nach der sehr späten deutschen Publikation (1927) sogleich erkannte, eine theoretische Regression hinter die Marxsche Konzeption materialistischer Dialektik. Deren Vermittlung von gesellschaftlichem Sein und Bewußtsein durch die erkenntniskonstitutive Kategorie der Praxis und der Produktion als Prinzip von Geschichte wird von Lenin wiederum aufgebrochen und auf einen erkenntnistheoretischen Abbildrealismus reduziert, der von der starren und mechanischen Gegenüberstellung von Subjekt (Bewußtsein) und Objekt (Sein) ausgeht. Dabei beschränkt sich Lenin nicht darauf, gegen idealistische Formen der Verbindung von Sein und Bewußtsein das unaufhebbare Moment des Nicht-Identischen im Erkenntnisprozeß, die Einsicht, daß das erkannte Objekt im erkennenden Subjekt nicht aufgeht, hervorzuheben, sondern er versucht, die Leugnung der konstitutiven Funktion des Subjekts für die Erkenntnis als zentrale und gesicherte Wahrheit *des* Marxismus auszugeben: «Das gesellschaftliche Bewußtsein *widerspiegelt* das gesellschaftliche Sein –

darin besteht die Lehre von Marx [...] Das Bewußtsein *widerspiegelt* überhaupt das Sein – das ist eine allgemeine These des *gesamten* Materialismus.»[349] Indem Lenin so den dialektischen Materialismus begreift als eine bloße Anwendungsform und Spezifikation des allgemeinen, mechanischen Materialismus, auf dessen Kritik Marx in der ‹*Deutschen Ideologie*› seine ganze theoretische Energie gewandt hatte, fällt dessen auch erkenntnistheoretisch relevanter Begriff der Praxis, in dem der subjektive Anteil an Objektivität reflektiert ist, aus seinem Konzept des Materialismus heraus. Lenin expliziert die oben zitierte Feststellung so: «Der Materialismus überhaupt anerkennt das objektiv reale Sein (die Materie), das unabhängig ist von dem Bewußtsein, der Empfindung, der Erfahrung usw. der Menschheit. Der historische Materialismus anerkennt das gesellschaftliche Sein als unabhängig vom gesellschaftlichen Bewußtsein der Menschheit. Das Bewußtsein ist hier wie dort nur das Abbild des Seins, bestenfalls sein annähernd getreues (adäquates, ideal-exaktes) Abbild.»[350] Auf diese Weise wird, wie global und vage auch immer, ein naturwissenschaftliches Erkenntnismodell als einzig mögliches unterstellt: in einem unendlichen Prozeß der Annäherung an die Wahrheit kann sich das erkennende Bewußtsein einer angenommenen Gesetzmäßigkeit und objektiven Logik der von den Menschen selber produzierten historisch-gesellschaftlichen Entwicklung lediglich im theoretischen Nachvollzug anzupassen versuchen: «Aus der Tatsache, daß ihr lebt und wirtschaftet, Kinder gebärt und Produkte erzeugt, sie austauscht, entsteht eine objektiv notwendige Kette von Ereignissen, eine Entwicklungskette, die von eurem *gesellschaftlichen* Bewußtsein unabhängig ist, die von diesem niemals restlos erfaßt wird. Die höchste Aufgabe der Menschheit ist es, diese objektive Logik der wirtschaftlichen Evolution (der Evolution des gesellschaftlichen Seins) in den allgemeinen Grundzügen zu erfassen, um derselben ihr gesellschaftliches Bewußtsein und das der fortgeschrittenen Klassen aller kapitalistischen Länder so deutlich, so klar, so kritisch als möglich anzupassen.»[351] An dieser Argumentation Lenins wird ganz deutlich, daß er die von Marx historisch-spezifisch an den warenproduzierenden Gesellschaften analysierte Entfremdung der Menschen von ihren eigenen Hervorbringungen und ihre Selbstentfremdung zur ontologischen Befindlichkeit der objektiven Realität selber erklärt. Damit ist der emanzipative Anspruch der Marxschen Revolutionstheorie, der die historische Möglichkeit der gesellschaftlichen Emanzipation der Menschen zur selbstbewußten Regelung des gesellschaftlichen Lebensprozesses festhält, von vornherein preisgegeben. Diese Preisgabe wiederum hat Konsequenzen für den Ideologie-Begriff Lenins. Denn wenn die historische Möglichkeit der theoretischen und praktischen Emanzipation der Menschen von dem gesellschaftlich erzeugten Verblendungszusammenhang a priori geleugnet wird, dann verliert der Marxsche Ideologie-Begriff als ein praktisch-kritisches Instrument der Entlarvung von gesellschaftlich falschem Bewußtsein seinen revolutionären Sinn und alles Denken ist grundsätzlich ideologisch. Es kann sich dann nur noch darum handeln, die bürgerliche Ideologie gegen die proletarische als ‹ideal-exaktere› Abbildung der objektiven Logik der Geschichte auszutauschen: Lenin spricht deshalb auch folgerichtig von proletarischer bzw. marxistischer Ideologie, die über die bürgerliche den Sieg davontragen werde. Praxis ist für Lenin – im Gegensatz zu Marx – nicht mehr darum eine erkenntnistheoretische Kategorie, weil «dasselbe Subjekt, das die reale Synthesis des vorgegebenen Naturmaterials besorgt, die organisierte gesellschaftliche Arbeit» auch «die Funktion der subjektiven Synthesis der Begriffe übernimmt»[352] – Praxis bezeichnet bei Lenin dem naturwissenschaftlichen Erkenntnismodell gemäß jene Dimension menschlicher Tätigkeit, in der die Kongruenz zwischen subjektiver Vorstellung und objektiver Gesetzmäßigkeit des vom Bewußtsein unabhängigen historisch-gesellschaftlichen Entwicklungsprozesses verifiziert werden kann: «Für den Materialisten beweist der ‹Erfolg› der menschlichen Praxis die Übereinstimmung unserer Vorstellungen mit der objektiven Natur der von uns wahrgenommenen Dinge.»[353]

Diese mechanische und quasi-positivistische Reduktion der materialistisch-dialektischen Methode auf systematische Weltanschauung und Abbildrealismus stand im diametralen Gegensatz zu der von Korsch 1923 in *‹Marxismus und Philosophie›* geleisteten Rekonstruktion des dialektischen Materialismus als kritisch-revolutionärer Theorie einer vorsichgehenden Klassenbewegung. Der Gegensatz wurde politisch manifest in einem historischen Augenblick, wo Materialismus-Auffassung und Widerspiegelungstheorie des Autors von *‹Materialismus und Empiriokritizismus›* – aus Gründen, die noch zu erörtern sein werden – von den Philosophen des Vor-Stalinismus bereits als systematischer Bestandteil in die materialistische Weltanschauung eingefügt worden waren. Karl Korschs Buch wurde in zahlreichen Kritiken als idealistische Abweichung angegriffen – er hat darauf in einer Antikritik, die er der 2. Auflage von *‹Marxismus und Philosophie›* (1930) voranstellte, geantwortet. Da diese Schrift bereits jene Kritik am Leninschen Materialismus implizit artikuliert, die Korsch in der Antikritik bestätigt und expliziert, kann in der Darstellung auf sie Bezug genommen werden.

Karl Korschs Kritik umfaßt die folgenden Einwände gegen den Versuch, Materialismus als Weltanschauung systematisch zu begründen und die Widerspiegelungstheorie als deren gesichertes gnoseologisches Fundament einzuführen:

1. Korsch versteht die Materialismus-Konzeption Lenins, wie sie in *‹Materialismus und Empiriokritizismus›* vorliegt, als eine theoretische Regression, durch die «die gesamte Diskussion zwischen Materialismus

und Idealismus auf eine schon durch die idealistische deutsche Philosophie von Kant bis Hegel überwunden gewesene frühere geschichtliche Entwicklungsstufe zurückgeworfen»[354] wird. Gegen Lenins neuerliche starre Entgegensetzung von gesellschaftlichem Sein und Bewußtsein insistiert Korsch auf der authentischen Gestalt der materialistischen Dialektik, wie sie von Marx und Engels in der Kritik am abstrakten, naturalistischen Materialismus Feuerbachs entwickelt wurde. In *‹Marxismus und Philosophie›* bezeichnet er den historischen und dialektischen Materialismus als einen «die Totalität des geschichtlich-gesellschaftlichen Lebens theoretisch begreifende[n] und praktisch umwälzende[n] Materialismus»[355]. Die gesellschaftlichen Bewußtseinsformen sind daher ein gleichermaßen materieller – Korsch expliziert: «ein theoretisch-materialistisch in seiner Wirklichkeit zu begreifender und praktisch-materialistisch in seiner Wirklichkeit umzuwälzender»[356] – Bestandteil der als konkrete Totalität konstituierten historisch-gesellschaftlichen Wirklichkeit. Dialektisch sind gesellschaftliches Sein und Bewußtsein immer nur als durch diese Totalität vermittelte zu denken: daran hält Korsch gerade gegen das mechanische Verfahren des erkenntnistheoretischen Abbildrealismus fest: «Auch die ökonomischen Vorstellungen stehen zur Wirklichkeit der materiellen Produktionsverhältnisse der bürgerlichen Gesellschaft nur scheinbar im Verhältnis des Bildes zu dem abgebildeten Gegenstand, in Wirklichkeit aber in dem Verhältnis, in welchem ein besonderer, eigentümlich bestimmter Teil eines Ganzen zu den anderen Teilen dieses Ganzen steht.»[357]

2. Der naive Abbildrealismus muß die Vermittlung von gesellschaftlichem Sein und Bewußtsein, Objekt und Subjekt seiner inneren Logik gemäß wieder auflösen und deren Momente mechanisch gegeneinander verselbständigen, indem er Dialektik als objektives Bewegungsgesetz eines ontologisch gefaßten Seins unterstellt, das unabhängig vom Bewußtsein sich entfaltet. Korsch wendet daher in der Antikritik von 1930 seine in *‹Marxismus und Philosophie›* entwickelten theoretischen Einsichten explizit gegen Lenin und die Philosophen des Vor-Stalinismus: «Indem Lenin und die Seinen die Dialektik einseitig in das Objekt, die Natur und die Geschichte verlegen, und die Erkenntnis als eine bloße passive Widerspiegelung und Abbildung dieses objektiven Seins in dem subjektiven Bewußtsein bezeichnen, zerstören sie tatsächlich jedes dialektische Verhältnis zwischen dem Sein und dem Bewußtsein, und in einer notwendigen Konsequenz hiervon dann auch das dialektische Verhältnis zwischen der Theorie und der Praxis.»[358]

3. Durch eine solche Restitution eines mechanischen Dualismus von Sein und Bewußtsein wird die dialektische Vermittlung von Theorie und Praxis reduziert auf eine abstrakte Bedingungskonstellation, in der eine reine Theorie die Wahrheiten entdeckt und eine reine Praxis diese

auf die Wirklichkeit anwendet.[359] Die «großartige dialektisch-materialistische Einheit der Marxschen ‹umwälzenden Praxis›»[360], konstatiert Korsch bereits 1930, ist damit endgültig aufgegeben. Stalin schließlich hat den der Widerspiegelungstheorie immanenten Objektivismus vollends fixiert und auf diese Weise den emanzipativen Gehalt der materialistischen Dialektik: die Möglichkeit nämlich, daß die unterdrückte Klasse den objektiven Verblendungszusammenhang aufhebt und mit Willen und Bewußtsein Geschichte macht, eliminiert: «Der Marxismus faßt die Gesetze der Wissenschaft – ganz gleich, ob es sich um Gesetze der Naturwissenschaft oder um Gesetze der politischen Ökonomie handelt, als die Widerspiegelung objektiver, unabhängig vom Willen der Menschen vor sich gehender Prozesse. Die Menschen können diese Gesetze entdecken, sie erkennen, sie erforschen, sie in ihrem Handeln berücksichtigen, sie im Interesse der Gesellschaft ausnutzen, aber sie können diese Gesetze nicht verändern oder aufheben.»[361] Die innere Widersprüchlichkeit dieser Ausführungen macht deutlich, daß der Objektivismus der Widerspiegelungstheorie seinen diametralen Gegensatz, einen extremen Voluntarismus, bereits enthält. Denn Geschichte und Gesellschaft eine naturwissenschaftlich gefaßte objektive Gesetzmäßigkeit zuzuschreiben setzt voraus, daß ihr vorab ein intelligibler Sinnbezug unterstellt wurde, der seinen Ursprung wiederum nur in einer innerweltlichen Instanz haben kann, die zuallererst über die korrekte Kongruenz von objektivem Sein und Abbild befindet. Diese Instanz bildet unterm Stalinismus die autoritäre Kaderpartei, letztlich der Wille ihres Generalsekretärs – so erscheint die Widerspiegelungstheorie als Legitimationsbasis des extremsten Dezisionismus und «jener eigentümlich zwischen revolutionärem Fortschritt und finsterster Reaktion oszillierenden ideologischen Diktatur»[362] in der stalinistischen Sowjet-Union als auch den ‹bolschewisierten› kommunistischen Parteien.

4. Korschs Kritik der Widerspiegelungstheorie richtet sich auch gegen den durch sie begründeten, generalisierten und seiner kritischen Substanz beraubten Ideologie-Begriff des ‹Marxismus-Leninismus›. Er insistiert auf dessen authentischer Bedeutung in der marxistischen Theorie: «Terminologisch ist vor allem festzustellen, daß es Marx und Engels nie eingefallen ist, das gesellschaftliche Bewußtsein, den geistigen Lebensprozeß, schlechthin als eine Ideologie zu bezeichnen. Ideologie heißt nur das verkehrte Bewußtsein, speziell dasjenige, das eine Teilerscheinung des gesellschaftlichen Lebens für ein selbständiges Wesen versieht, z. B. jene juristischen und politischen Vorstellungen, welche das Recht und den Staat als selbständige Mächte über der Gesellschaft betrachten.»[363] Nur dieser Begriff von Ideologie als verkehrtem Bewußtsein ermöglicht es, kritisch die Widersprüche zwischen Bewußtseinsformen und Wirklichkeit einer ökonomischen Gesellschaftsformation auf ihre

praktische Veränderung hin zu analysieren. Solche Ideologiekritik erlaubt es überdies – und das ist ein zentrales Thema der theoretischen Arbeit Korschs –, die Methode der materialistischen Dialektik auf die historische Entwicklung des Marxismus selber anzuwenden.
K. Korschs Kritik der Widerspiegelungstheorie besteht im wesentlichen in der Rekonstruktion der praktisch-revolutionären Gestalt der Marxschen Theorie, kann jedoch die legitimationsideologischen Funktionen der Widerspiegelungstheorie nicht aus den spezifischen historisch-gesellschaftlichen Bedingungen der nachrevolutionären Sowjet-Union selber herleiten.

6.2. Die ideologischen Funktionen der Widerspiegelungstheorie in der nachrevolutionären Sowjet-Union und ihre Bedeutung für die Ästhetik des sozialistischen Realismus

Im Zuge der Ausbildung einer systemhaft geschlossenen marxistisch-leninistischen Weltanschauung durch die Philosophen des Vor-Stalinismus und Stalinismus wird die Widerspiegelungstheorie auch zur gnoseologischen Grundlage der Ästhetik des sozialistischen Realismus. Ihre politische Funktion kann aus dem gesamten gesellschaftlichen Funktionszusammenhang des Sowjet-Marxismus als einer Weltanschauung hergeleitet werden.
Oskar Negt hat in seiner Schrift zur Genese der stalinistischen Philosophie die Transformation des Marxismus zur ‹Legitimationswissenschaft› überzeugend aus dem Widerspruch zwischen den revolutionär-emanzipativen Intentionen der proletarischen Umwälzung und deren praktischer Nichteinlösbarkeit unter den spezifischen Bedingungen der Sowjet-Union begründet. Dieser Widerspruch hatte objektiv einen politischen Legitimationszwang zur Folge, der seinerseits die Tendenz hatte, «eine durch formallogische Konsistenz ausgezeichnete Ideologie oder ‹Weltanschauung› zu erzeugen»[364], die sich gegenüber dem aktuellen historischen Prozeß zunehmend verselbständigte und legitimationsideologisch instrumentalisiert werden konnte. Insofern ging in den Sowjet-Marxismus als Interpretationssystem «ein wesentliches Moment der klassischen Ideologien, nämlich ein gegenüber den denkenden und handelnden Subjekten verselbständigtes, gesellschaftlich notwendiges falsches Bewußtsein ein»[365]. Der Legitimationsschwund manifestierte sich vor allem im praktischen Rechtfertigungsgrund und Anspruch der russischen Revolution: die Marxsche Theorie der proletarischen Revolution als eine der gesellschaftlichen Emanzipation des Proletariats in den Prozeß ihrer Verwirklichung zu bringen. Diese Theorie aber, «die in ihrem substantiell kritischen Charakter als politische Ökonomie ebenso wie als materialistische Geschichtsauffassung

gerade an den industriell fortgeschrittensten, auf einer hohen organischen Zusammensetzung des Kapitals beruhenden Tauschgesellschaft entwickelt wurde», erhielt in der sowjetischen Wirklichkeit, so Negt, «die Stellung einer Legitimationswissenschaft [...] die eine sekundäre Form der ‹ursprünglichen Akkumulation› als eine *sozialistische*, d. h. Befreiung von Zwang und Herrschaft unmittelbar beinhaltende Industrialisierung zu rechtfertigen und den Betroffenen plausibel zu machen»[366] hatte.

Erst in diesem historischen Zusammenhang der Transformation einer emanzipativen Revolutionstheorie in eine Legitimationswissenschaft können die objektiven politisch-gesellschaftlichen Funktionen der Widerspiegelungstheorie als erkenntnistheoretischer Grundlage des Sowjet-Marxismus und einer durch sie begründeten Ästhetik und Kunstproduktion dargestellt werden.

O. Negt interpretiert die Funktion der Widerspiegelungstheorie unter den Bedingungen der Sowjet-Gesellschaft als eine doppelte: zum einen als den Versuch einer Einschränkung des Denkens «auf die Erkenntnis von ‹gesetzmäßigen› Zusammenhängen vergegenständlichter Arbeitsprozesse, auf technologisch und sozialtechnisch verwertbare Informationen»[367]. Der mechanische Abbildrealismus und Objektivismus soll garantieren, «daß jede mögliche Erfahrung der Widersprüche zwischen Wirklichkeit und Begriff einer revolutionären Gesellschaft von vornherein als Ausdruck inadäquater, verzerrter, auf das Subjekt zurückfallender Konstruktion verstanden wird»[368]. Darin aber ist eine spezifische politische Konsequenz beschlossen. Da der permanent-revolutionäre Prozeß, der Marxschen Theorie zufolge Voraussetzung und Verlaufsform der gesellschaftlichen Emanzipation des Proletariats, sistiert und auf den technisch-industriellen Ausbau des Produktionsapparats reduziert ist, gilt «jede abweichende Meinung, die Autonomie und Spontaneität des Gedankens, überhaupt alles das Gegebene transzendierende Denken»[369] nicht nur als politisch kriminell, sondern zudem als technische Sabotage.

Zum andern hat die Widerspiegelungstheorie die legitimations-ideologische Funktion, «die alltägliche Erfahrung der Selbstentfremdung des Menschen wie die unverfälschte Reproduktion der ‹Tatsachen› im wissenschaftlichen Bewußtsein wirksam zu verhindern, weil die Widersprüche der Gesellschaft im allgemeinen selbst auch in Oberflächenphänomenen zum Ausdruck kommen»[370]. Das geschieht durch die vorgängige Interpretation und Festlegung dessen, was für objektives Sein zu gelten hat.

Diese doppelte legitimationsideologische Funktion der Widerspiegelungstheorie schlägt sich auch in der durch sie begründeten Ästhetik des sozialistischen Realismus nieder. An der programmatischen Rede Ždanovs auf dem I. Unionskongreß der Sowjet-Schriftsteller 1934 läßt sich

das deutlich ablesen. Andrej A. Ždanov fordert vom sowjetischen Schriftsteller, er müsse «das Leben kennen, um es in den künstlerischen Werken wahrheitsgetreu darstellen zu können», aber er fügt sogleich eine weitere Bestimmung hinzu: «nicht scholastisch, nicht tot, nicht einfach als ‹objektive Wirklichkeit›, sondern als Wirklichkeit in ihrer revolutionären Entwicklung»[371]. Diese Denunziation einer Darstellung der objektiven, tatsächlichen, phänomenalen Wirklichkeit richtet sich wahrscheinlich gegen den verbreiteten Typus einer dokumentarischen Literatur – das bloße Dokument könnte immer noch das Bewußtsein der Widersprüche zwischen Begriff und Wirklichkeit der Sowjet-Gesellschaft vermitteln. Darum bedarf es einer eindeutigen Legitimationssicherung, die das Postulat einer Thematisierung der Wirklichkeit in ihrer revolutionären Entwicklung vorerst nur andeutet. Dessen inhaltliche Fixierung geschieht durch einen geschichtsmetaphysisch begründeten und verordneten, quasi-substantiellen Optimismus: «Unsere Literatur», dekretiert Ždanov, «ist erfüllt von Enthusiasmus und Heldentum [...] Sie ist optimistisch ihrem Wesen nach, weil sie die Literatur der aufsteigenden Klasse, des Proletariats, der einzigen fortschrittlichen und fortgeschrittenen Klasse ist. Unsere Sowjetliteratur ist stark, weil sie einer neuen Sache, der Sache des sozialistischen Aufbaus, dient.»[372]
Die ideologische Funktion solchen ‹Realismus› besteht darin, die fortbestehenden Gewaltverhältnisse einer nachgeholten ursprünglichen Akkumulation durch die Verklärung des Alltags zu legitimieren. Das thematische Dekret des ‹positiven Helden›, begründet durch ein quasinaturgesetzliches Abstieg-Aufstieg-Schema des historischen Prozesses, soll zugleich Bewußtsein und Verhalten der Menschen, oder um mit Stalin zu reden: ihre Seele «auf einen künftigen Zustand [...] richten, in dem der gegenwärtige verneint und als sinnvolle, alles Leid rechtfertigende Übergangsstufe aufgehoben ist»[373].
Durch den verordneten Optimismus, der gleichsam als Aura der historischen Entwicklung selber aufgefaßt werden soll, wird eine lebendige dialektische Beziehung zwischen gesellschaftlicher Wirklichkeit und künstlerischer Praxis von vornherein verhindert: Veränderungen der Wirklichkeit, neue Erfahrungen, Kritik bestehender gesellschaftlicher Widersprüche können in die vorab inhaltlich und formal festgelegte Legitimationskunst gar nicht mehr eingehen. Gleichzeitig wird der von den reflektierten linken Kunstproduzenten (Brecht, Eisler, Tretjakov u. a.; vgl. S. 133f) theoretisch und praktisch entfaltete Prozeß einer Emanzipation der Kunst von ihren kultischen Funktionen – Aufhebung des Widerspruchs zwischen Alltäglichkeit und Kultur, Theater als Medium kollektiver Selbstverständigung usw. – kulturpolitisch stillgestellt und die Kunst bewußt, unter Einsatz politischer Sanktionen, auf ihre rituellen Aufgaben verpflichtet. Dieses Vorgehen hatte seine po-

litischen Ursachen darin, daß den Möglichkeiten zur Intersubjektivität, zur kommunikativen und kritischen Selbstverständigung über politische Ziele, wie sie durch eine reale Räteverfassung gegeben und in einer revolutionären Situation notwendig waren, unterm Stalinismus die theoretischen und praktischen Voraussetzungen entzogen waren.

Die Bestimmung des sozialistischen Realismus als wahrheitsgetreuer Wiedergabe objektiver Wirklichkeit in ihrer revolutionären Entwicklung steht im unauflöslichen Zusammenhang mit der inhaltlichen Festlegung der Kunstproduktion: ihr ist die Formgestalt grundsätzlich untergeordnet. Die geschichtsmetaphysisch fixierte, substantiell fortschrittliche ‹objektive› Realität soll im Bewußtsein der Konsumenten lediglich verdoppelt werden – die formale Anstrengung der Kunst besteht so nur noch darin, einem selber schon festgelegten Typischen einen abbildrealistischen Rahmen zu verleihen. So heißt es etwa in der Entschließung des ZK der SED vom März 1951 zum Kampf gegen den Formalismus in Kunst und Literatur: «Eine Formgebung in der Kunst, die nicht vom Inhalt des Kunstwerkes bestimmt wird, führt in die Abstraktion. Eine Formgebung, die der objektiven Wirklichkeit widerspricht, kann die Erkenntnis der objektiven Wirklichkeit nicht vermitteln.»[374] Wie solche Tautologie zu verstehen ist, macht ein auf der Tagung angeführtes negatives Beispiel für Formalismus deutlich. Zu einem Wandbild des Malers Horst Strempel bemerkt der Referent, Hans Lauter: «Die dort dargestellten Menschen waren unförmig proportioniert und wirkten sogar abstoßend. Solche Menschen existieren in Wirklichkeit nicht, sondern nur in der Vorstellung des Künstlers. So sieht abstrakte Kunst aus.»[375] Die objektivistische Leugnung der konstitutiven Rolle des Subjekts für die Erkenntnis, die die Widerspiegelungstheorie auszeichnet, schlägt sich auf diese Weise auch in der aus ihr abgeleiteten Ästhetik des sozialistischen Realismus nieder. Der substantiell kritische Grundzug der materialistisch-dialektischen Erkenntnistheorie besteht gerade darin, daß sie die gesellschaftliche Erscheinungswelt nicht schon für die konkrete Wirklichkeit nimmt, sondern diese erst durch Abstraktion sich erschließt. Dem trägt die marxistisch fundierte Kunst zumal in ihrer Formgestalt Rechnung, die Brechts durch Verfremdung und Montage. Eine abbildrealistisch fundierte Kunst, in ihrer oben dargestellten Ausprägung, soll eine durch das politische Interpretationsmonopol der autoritären Kaderpartei inhaltlich fixierte Realität im Bewußtsein ihrer Konsumenten bloß reproduzieren und nicht länger die gesellschaftliche Wirklichkeit der kollektiven Selbstverständigung der Produzenten kritisch präsentieren. Von deren gesellschaftlicher Emanzipation zu selbstbewußten Subjekten ihrer eigenen Geschichte produziert die abbildrealistische Ästhetik des sozialistischen Realismus lediglich den ideologischen Schein: der ‹positive

Held› als synthetisches Surrogat real nicht eingelöster Befreiung. Darin erweist sie sich als Produkt eines zur Legitimationswissenschaft verdinglichten Marxismus: als Legitimationsästhetik.

6.3. Brechts Kritik des Widerspiegelungs-Postulats in der Legitimationsästhetik des sozialistischen Realismus

Die Stellung Brechts zur Widerspiegelungstheorie und dem mit ihr verbundenen Ideologie-Begriff ergibt sich im Grunde aus seiner bereits analysierten Auffassung der materialistischen Dialektik. Seine Kritik der Widerspiegelungstheorie in ihrer legitimationswissenschaftlichen Anwendung in Ästhetik und Kunstproduktion muß daher im generellen Zusammenhang seiner Marxismus-Rezeption gesehen werden. Auf die durch den erkenntnistheoretischen Abbildrealismus begründete, im Sowjet-Marxismus positiv verwandte Kategorie ‹Weltanschauung› soll dabei nur noch kurz eingegangen werden, da Brechts Kritik dieser Kategorie schon eingehend erörtert wurde (s. S. 83 f) – ausführlicher soll auf den Ideologie-Begriff Brechts eingegangen werden, da er sich grundsätzlich vom positiven Gebrauch dieses Begriffs durch den Sowjet-Marxismus unterscheidet.

1. Weltanschauung

An Korschs Kritik der Widerspiegelungstheorie konnte gezeigt werden, daß sie gegen die Rückbildung der Marxschen Theorie in eine umfassende, systematische Weltanschauung vor allem auf dem erkenntnistheoretischen Gehalt des Marxschen Praxis-Begriffs und dem praktisch-revolutionären Charakter der Theorie von Marx und Engels insistiert. Diese Kritik resümiert Korsch 1935 in dem Aufsatz ‹*Warum ich ein Marxist bin*›; seine zentralen Kategorien – Praxis, historisch-gesellschaftliche Spezifität und Kritik als Konstituentien marxistischer Theorie – bilden auch die Grundlage der Kritik Brechts an der stalinistischen Reduktion der revolutionären Theorie auf eine allgemeine philosophische Weltanschauung. Brechts Differenzierung zwischen Marxismus und Weltanschauung hat ihren Ursprung in der theoretischen Differenz zwischen der Marxismus-Konzeption der westeuropäischen philosophischen Linksopposition und dem Sowjet-Marxismus. Schon Lenins Interpretation des Marxismus als einer Weltanschauung nimmt diesem tendenziell den Charakter einer historisch-spezifischen Theorie, die selber einer in neuen Erfahrungen begründeten Veränderung zugänglich ist: «Die Lehre von Marx ist allmächtig, weil sie wahr ist. Sie ist in sich geschlossen und harmonisch, sie gibt den Menschen eine einheitliche Weltanschauung.»[376] Einer zur in sich geschlossenen und harmonischen Lehre umgedeuteten marxistischen Theorie aber wohnt der logische Zwang inne, eben um der Geschlossenheit und Harmonie willen die Wirklichkeit, den historischen Prozeß selber interpretativ unter sich zu subsumieren, nach ihrem Bild ins System einzubringen. Brecht hat diese Gefahr, historisch kontingente politische Entscheidungen, die praktische Flexibilität erfordern, dem Systemzwang einer geschlossenen Theorie anheimzugeben, gesehen. In einem Text zur marxistischen Analyse und politischen Einschätzung des Faschismus denunziert er jene Revolutionäre, «die sich als Baumeister des Kommunismus betrachteten, diesen als die unvermeidliche ‹nächste› gesellschaftliche Formation erwarteten und das Proletariat als die Leute ansahen, die ihn zu ‹verwirklichen› hatten» – die Folge solcher Geschichtsgewißheit, und damit kritisiert Brecht die noch 1933 vertretene politische Linie der KPD gegenüber dem Faschismus: «Sie sahen den Faschismus an, und siehe, er war noch nicht die nächste Formation. Sie mußte also noch kommen.»[377] Er stellt dieser zum geschlossenen System allgemeiner geschichtsphilosophischer Erkenntnis verdinglichten Form marxistischer Theorie eine sich selber vor allem als praktisch, spezifisch und instrumentell begreifende Form entgegen: «Diejenigen aber, die den Kommunismus lediglich als Lösung ganz bestimmter, benennbarer Schwierigkeiten vorschlugen, ihn gleichzeitig natürlich auch als Ausnutzung geschaffener ebenso bestimmter und benennbarer Möglichkeiten herbeizuführen gedachten, mußten sich die Frage vorlegen, ob sie nicht doch gewisse andere Auswege übersehen, andere Möglichkeiten außer acht gelassen hatten.»[378]

Spezifität statt Allgemeinheit, historische Möglichkeit statt geschichtsphilosophischer Gewißheit, Dialektik von Theorie und Praxis statt interpretativer Subsumtion der Wirklichkeit unter die Geschlossenheit eines weltanschaulichen Systems und seiner verdinglichten Kategorien: auf solche Alternativen zielt Brechts Kritik der Weltanschauung. Diese Interpretation läßt sich durch verschiedene andere Texte belegen. So konfrontiert er an einer Stelle den Begriff der Weltanschauung unmittelbar mit Dialektik qua eingreifendem Denken: «Die Weltanschauung. Der einzelne und die Welt. Er kann höchstens sich selber ändern.» Weltanschauung impliziert demnach den Rekurs auf subjektiven Idealismus, dagegen meint Dialektik: «Das eingreifende Denken. Die Dialektik als jene Einteilung, Anordnung, Betrachtungsweise der Welt, die durch Aufzeigung ihrer umwälzenden Widersprüche das Eingreifen ermöglicht.»[379]

Einen politischen Sinn kann Brecht Weltanschauungen nur zugestehen, wenn sie in ihrem Geltungsanspruch von vornherein praktisch-funktional begrenzt sind: «Weltanschauungen sind Arbeitshypothesen. Das Proletariat mag also, ohne besonderen Schaden zu nehmen, eine solche kreieren und benutzen, seine Arbeit ist wichtig. Diese Weltanschauung

mögen auch jene bürgerlichen Intellektuellen benutzen, die Arbeitshypothesen ähnlicher Art benötigen, aber schon bei diesen wird dies sehr gefährlich sein.»[380]
Die der Weltanschauung inhärente Gefahr besteht in ihrer Verselbständigung gegenüber der gesellschaftlichen Praxis, ihrer Ausweitung und Fixierung in ein System. Darum rät der Aphorismus ‹*Kein Weltbild machen*› im ‹*Buch der Wendungen*›: «Es ist besser, die Urteile an die Erfahrungen zu knüpfen, als an andere Urteile, wenn die Urteile den Zweck haben sollen, die Dinge zu beherrschen. Me-ti war gegen das Konstruieren zu vollständiger Weltbilder.»[381] Ist diese dialektische Vermittlung von Urteil und Erfahrung, Kritik der Theorie durch die Praxis und Kritik der Praxis durch die Theorie unterbrochen, verknüpfen sich die Urteile zu einem System feststehender Sätze gegenüber der Erfahrung, dann kann die Theorie selber den Charakter einer Ideologie annehmen. Es wäre also zu fragen, ob Brecht seine Kritik am Sowjet-Marxismus qua materialistischer Weltanschauung bis zum Ideologieverdacht verschärft hat. Das macht zunächst eine Analyse seines Begriffs von Ideologie nötig.

2. *Ideologie*

Wie Korsch hält auch Brecht an dem grundsätzlich kritischen Ideologie-Begriff der Marxschen Theorie fest: der positive Gebrauch des Begriffs ‹Ideologie› im Sinne von Weltanschauung, wie ihn der Sowjet-Marxismus kennt, findet sich im theoretischen Werk Brechts an keiner Stelle. Wie schon die Überlegungen zu seiner Interpretation der Basis-Überbau-Dialektik gezeigt haben, begreift Brecht diese nicht als ontologisches Abhängigkeitsverhältnis von Bewußtsein und materiellem Sein. Die materielle Basis ist ihm nicht das alleinige Subjekt, der Produzent eines immateriellen Überbaus. Diese naturalistische Version der Ideologienlehre, die auf den späten Engels, Kautsky und vor allem Lenin zurückgeht, konnte in dem Maße vorherrschend werden wie der dialektische Materialismus sich nicht mehr selbst in den objektiven Zusammenhang des gesellschaftlichen Lebensprozesses einbezog, sondern durch seine Hypostasierung zur Weltanschauung sich ihm gegenüber verselbständigte. Auf Grund dieser Transformation des dialektischen in einen ontologischen Materialismus beansprucht die marxistisch-leninistische ‹Ideologie› von vornherein logische und faktische Wahrheit, weil sie das dialektische Bewegungsgesetz in Natur und Geschichte richtig abbildet.
Brecht dagegen handhabt die Basis-Überbau-Dialektik und den marxistischen Ideologie-Begriff als spezifisches, methodisches Instrument historisch-gesellschaftlicher und praktischer Erkenntnis. Nicht alles gesellschaftliche Bewußtsein oder der gesamte geistige Lebensprozeß ist

schlechthin ideologisch, sondern Ideologie bezeichnet das gesellschaftlich falsche Bewußtsein: etwa die Hypostasierung von Teilerscheinungen des gesellschaftlichen Lebens zu selbständigen Wesenheiten. So kann der kulturellen Sphäre, den juristischen und politischen Vorstellungen eine eigenständige Logik supponiert werden: Ideologie erscheint dann als bewußte idealistische Verschleierung partikularer Herrschafts- und Klasseninteressen. Neben die bewußte Verhüllung gesellschaftlicher Interessengebundenheit tritt als andere Erscheinungsform von Ideologie die unbewußte, objektive Ausbildung eines gesellschaftlichen Verblendungszusammenhangs: das notwendig falsche Bewußtsein, wie Marx es am Beispiel der Religion als Surrogat vorenthaltener Selbstverwirklichung der Menschen analysiert hat.
Nicht nur seine Abstraktion von der konkreten Totalität des gesellschaftlichen Lebensprozesses, seine Unfähigkeit, sich selber als deren konstitutiven Bestandteil zu begreifen, machen den Ideologiecharakter eines bestimmten Denkens aus, sondern auch seine objektiven gesellschaftlichen Funktionen. Ideologie ist daher nicht bloß Lüge: sie ist zugleich wahrer, weil wirklicher und unwahrer, weil deren objektive Widersprüche verschleiernder Ausdruck bestimmter gesellschaftlicher Lebensverhältnisse. Als existente Unwahrheit, praktisch, also gesellschaftlich begründet, hat sie praktische Folgen und kann am Ende allein durch praktische Veränderung, durch kritische Destruktion aufgehoben werden. Als deren Instrument begreift Brecht seine literarische Praxis: sie ist wesentlich ideologiekritisch. Ideologie ist Marx zufolge eine radikal historische Kategorie, weil der Wahrheitsanspruch der marxistischen Theorie entgegen der oben zitierten Definition Lenins nicht auf Selbstbegründung beruhen, sondern nur im Zuge seiner praktischen Verwirklichung eingelöst werden kann. Ideologiekritik als eine Methode materialistischer Dialektik kann und muß darum auch auf die historischen Erscheinungsformen der marxistischen Theorie selber angewandt werden. Ihren historischen und praktischen Charakter hat vor allem Korsch gegen die Neutralisierung der Marxschen Ideologiekritik zur positiven Weltanschauung der marxistisch-leninistischen Partei geltend gemacht. Brecht, der in seiner Kritik an solcher Weltanschauung auf der gleichen theoretischen Ebene argumentiert, hat sie als ein Resultat der Verselbständigung von Theorie gegenüber dem realen Lebensprozeß durchschaut und bei ihrem marxistischen Namen genannt: Ideologie. In einem Brief aus Svendborg (1936/37) stellt Brecht Korsch eine Reihe von Fragen, die ihm «als besonders wichtig erscheinen». Deren erste lautet: «welche marxistischen leninistischen methoden und konstruktionen scheinen Ihnen ideologiecharakter angenommen zu haben; d h bei der lösung bestimmter fragen und auslösung bestimmter operationen hinderlich geworden zu sein und welche methoden und konstruktionen werden zu unrecht (zum schaden der

rev. bewegung) nicht praktiziert?»[382] Zwar existiert kein Antwortbrief Korschs, aber Brecht kannte ohnehin Korschs theoretische Erörterung dieser Fragen aus seinen Büchern und Aufsätzen. Bedeutsam freilich ist in diesem Zusammenhang, daß Brecht eindeutig den kritischen Ideologie-Begriff der Marxschen Theorie verwendet und ihn auf die aktuelle historische Situation des Marxismus und Leninismus selbst angewendet wissen will.

Walter Benjamin notiert am 26. Juli 1938 über seine Gespräche mit Brecht: «Brecht gestern abend: ‹Daran kann nicht mehr gezweifelt werden – die Bekämpfung der Ideologie ist zu einer neuen Ideologie geworden.›»[383]

Über diese denunziatorische Feststellung ist Brecht in der theoretischen Reflexion auf den ideologischen Charakter des Sowjet-Marxismus im wesentlichen nicht hinausgegangen. Ähnlich wie Korsch richtet er sein ganzes theoretisches Interesse auf die Rekonstruktion des praktisch-revolutionären Gehalts der Marxschen Theorie – die objektiven gesellschaftlichen Funktionen der ‹neuen Ideologie› hat er nicht näher analysiert. W. Benjamin schreibt im Juli 1938 über Brechts Stellung zur stalinistischen Kulturpolitik an Gretel Adorno, er erkenne «die theoretische Linie als katastrophal für alles das [...] wofür wir uns seit 20 Jahren einsetzen»[384]. In einer Tagebuchaufzeichnung vom Januar 1939 charakterisiert Brecht die politische Lage in der Sowjet-Union: «Literatur und Kunst scheinen beschissen, die politische Theorie auf dem Hund ... Für die Marxisten außerhalb ergibt sich ungefähr die Stellung wie die Marxens zur deutschen Sozialdemokratie. Positiv kritisch.»[385] Und zu Benjamin, den er bei der Lektüre des ‹*Kapital*› antrifft, bemerkt er (25. Juli 1938): «Ich finde das sehr gut, daß Sie jetzt Marx studieren – wo man immer weniger auf ihn stößt und besonders wenig bei unsern Leuten.»[386] Einzig in dem Aphorismus ‹*Ka-meh über die Verwirklichung der Großen Ordnung*› im ‹*Buch der Wendungen*› finden sich indirekte Andeutungen über die gesellschaftlichen Folgen der Rückbildung einer revolutionären Theorie in eine weltanschauliche Ideologie. Brecht, überzeugt, daß die, «welche die theoretischen Lehren von Marx sich zu eigen gemacht und in Behandlung genommen haben, immer eine pfäffische Kamarilla bilden werden»[387], kleidet hier die programmatischen revolutionstheoretischen Äuerungen von Marx über die Selbstregierung der Produzenten als wesentliche Voraussetzung einer sozialistischen Gesellschaft in eine Warnung Ka-mehs an die Arbeiter: «Kameh sagte den Arbeitern: Hütet euch vor den Leuten, die euch predigen, ihr müßtet die Große Ordnung verwirklichen. Das sind Pfaffen [...] In Wirklichkeit handelt es sich für euch doch darum, eure Angelegenheiten zu ordnen; das machend schafft ihr die Große Ordnung [...] Hütet euch, die Diener von Idealen zu werden; sonst werdet ihr schnell die Diener von Pfaffen sein.»[388] Aber auch das ist nicht

mehr als eine nachdrückliche Erinnerung an den emanzipativen Gehalt der Marxschen Theorie proletarischer Revolution: welche konkreten Auswirkungen das Ausbleiben seiner Verwirklichung hatte, wird durch eine bloße Analogie zum aufklärerischen Priestertrug-Theorem auch nicht annähernd erfaßt.
Den Zusammenhang zwischen dem von ihm durchaus erkannten Sachverhalt, daß in der Sowjet-Union längst nicht alle Elemente der ‹Großen Ordnung› verwirklicht waren und der Rückbildung der marxistischen Theorie in eine positive Ideologie, die diesen Sachverhalt legitimieren sollte, hat Brecht lediglich in der analytischen Dimension einer substantiellen Deformation der Marxschen Theorie reflektiert. Er sieht zwar, daß die Transformation der materialistischen Dialektik von einem Instrument praktischer Erkenntnis und Veränderung in positive Weltanschauung ihren Grund nur in deren ideologischer Funktionalisierung haben kann – aber deren Herleitung aus fortbestehenden Gewaltverhältnissen und gesellschaftlicher Herrschaft bleibt ausgespart. Da, wo Brecht unmittelbar mit dem Absolutheitsanspruch eines zur Legitimationswissenschaft reduzierten Marxismus konfrontiert wird, in seiner literarischen Theorie und Praxis, erkennt er konkret dessen restringierende Wirkung auf die Entfaltung der künstlerischen Produktivkräfte ebenso wie die gesellschaftlichen Funktionen einer derart auf bloß legitimierende Ideologieverbreitung eingeschränkten Kunstproduktion. Das hat seinen Grund vor allem darin, daß das Widerspiegelungs-Postulat gerade jenes konstitutive Element marxistischer Theorie tendenziell außer Kraft setzt und neutralisiert, das für die theoretische Fundierung der literarischen Praxis Brechts zentral ist: ihren substantiell kritischen Grundzug. Auf ihm insistiert er in seinen unmittelbaren Auseinandersetzungen mit dem Widerspiegelungs-Postulat der stalinistischen Legitimationsästhetik.

3. Kritik

In einer Anmerkung zum Programm der Sowjet-Schriftsteller ist Brecht direkt auf die Forderung nach der Widerspiegelung der Realität eingegangen: «Das kritische Element im Realismus darf nicht unterschlagen werden. Es ist entscheidend. Eine bloße Widerspiegelung der Realität läge, falls sie möglich wäre, nicht in unserem Sinne. Die Realität muß kritisiert werden, indem sie gestaltet wird, sie muß realistisch kritisiert werden. Im Moment des Kritischen liegt das Entscheidende für den Dialektiker, liegt die Tendenz. Und hier kann die Wissenschaft, und zwar die marxistische Wissenschaft, der Literatur beispringen.»[389] Brecht argumentiert gegen das Widerspiegelungs-Postulat, indem er dessen grundsätzliche Unvereinbarkeit mit dem substantiell kritischen Charakter der materialistischen Dialektik hervorhebt. Rücksichtslose Kritik alles Bestehenden als Konstituens der materialistisch-dialektischen Methode bezeichnet gerade deren qualitative Differenz zu Weltanschauung und geschichtsphilosophischem Systementwurf, die die Widerspiegelungstheorie impliziert. Denn während diese ihrer inneren Logik nach zum einen dem historischen Prozeß eine objektive Logik supponieren, zum anderen überhaupt einen stationären gesellschaftlichen Zustand voraussetzen muß, besteht dialektische Kritik gerade in der historischen Möglichkeit denkender und handelnder Subjekte, über Bestehendes kritisch und praktisch verändernd hinauszugehen. Diese Differenz hat Brecht in dem Vergleich zwischen richtigem Weg und richtigem Gehen festgehalten, dessen *tertium comparationis* eben das kritische Prinzip bildet: «Der Begriff des richtigen Wegs ist weniger gut als der des richtigen Gehens. Die großartigste Eigenschaft des Menschen ist die Kritik, sie hat die meisten Glücksgüter geschaffen, das Leben am besten verbessert.»[390] Von daher steht Kritik im unauflöslichen Zusammenhang mit Produktion und ist eigentlich deren methodisches Konstituens. Materialistische Dialektik als methodisches Instrument des kritischen Prinzips der marxistischen Theorie ist daher schon im Ansatz der Widerspiegelungstheorie und dem weltanschaulichen Systementwurf diametral entgegengesetzt, weil sie nicht von der Frage sich leiten läßt: warum ist Sein und nicht vielmehr nichts?, sondern von der Frage: warum ist gesellschaftliches Sein so und nicht vielmehr anders? Im Sinne dieser Frage verhält sich der materialistische Dialektiker gegenüber den Erscheinungen, Vorstellungen und Prozessen eben nicht anschauend oder abbildrealistisch: «Der Dialektiker arbeitet bei *allen* Erscheinungen und Prozessen das Widerspruchsvolle heraus, er denkt kritisch, das heißt, er bringt in seinem Denken die Erscheinungen in ihre Krise, um sie fassen zu können.»[391] Die Stelle des kategorischen Imperativs von René Descartes: *de omnibus dubitandum*, der schon das «Lieblingsmotto»[392] von Marx war, nimmt so in der materialistischen Dialektik die methodologische Grundannahme ein, daß warenproduzierende Gesellschaften, insbesondere kapitalistische Produktionsverhältnisse, einen ideologischen Verblendungszusammenhang erzeugen, der in den gesellschaftlichen Erscheinungen und Vorstellungen sich manifestiert.[393] Diese methodologische Grundannahme impliziert, daß die Erscheinungen und Vorstellungen nur in dem Maße erkannt werden können, als sie selber durch denkende und handelnde Subjekte theoretisch und praktisch verändert werden. Die konstitutive Rolle des gesellschaftlichen Subjekts in der Erkenntnis, die die Widerspiegelungstheorie gerade bestreitet, wird so von Marx zuallererst dialektisch-materialistisch begründet: darin liegt die Differenz seines Materialismus zum mechanischen und naturalistischen Materialismus und zugleich die Voraussetzung seiner emanzipativen revolutionstheoretischen Programmatik.

In diesem Sinne wendet sich Brecht gegen Widerspiegelungstheorie und ontologischen Materialismus als positive Weltanschauung. Er begreift sie gerade darum als Verfallsformen der marxistischen Theorie, weil sie deren kritischen und emanzipativen Gehalt preisgeben. In der Akzentuierung dieses Gehalts zeigt er sich wiederum beeinflußt durch Korschs Marxismus-Auffassung.

Karl Korsch hat in dem Essay ‹*Warum ich ein Marxist bin*› als «starke Seite» des Marxismus konstatiert: «Er ist nicht *positiv*, sondern *kritisch*»[394], und diesen Satz so expliziert: «Die marxistische Theorie ist weder positive materialistische Philosophie noch positive Wissenschaft. Sie ist vielmehr von Anfang bis zu Ende eine zunächst theoretische, in der Folge auch praktische *Kritik* der bestehenden Gesellschaftsordnung.»[395] An diesem kritischen Grundzug der Marxschen Theorie sucht auch Brecht festzuhalten; in einem Brief an Korsch vom Februar 1939 schildert er diesem seine Eindrücke von dem Buch ‹*Karl Marx*› und hebt besonders hervor, daß er Marx vor allem als Kritiker dargestellt habe: «seine kritik (ganz und gar abgeleitet aus der historischen epoche) behält so seinen methodischen wert. schliesslich ist der marxismus so unbekannt hauptsächlich durch die vielen schriften über ihn geworden. die entblössung seiner eminenten kritischen werte ist ungeheuer wichtig.»[396] In diesen Zusammenhang einer Rekonstruktion des kritischen Prinzips der Marxschen Theorie stellt Brecht seine eigene literarische Theorie und Praxis. Sein emphatischer Begriff von Kritik – und darum Brechts entschiedene Ablehnung des Widerspiegelungs-Postulats – ist nicht nur inhaltlich in die literarische Praxis eingegangen, sondern ist geradezu konstitutiv für ihre Formgestalt wie ihre Wirkungsabsicht: «Wir müssen nicht nur Spiegel sein, welche die Wahrheit außer uns reflektieren. Wenn wir den Gegenstand in uns aufgenommen haben, muß etwas von uns dazukommen, bevor er wieder aus uns herausgeht, nämlich Kritik, gute und schlechte, welche der Gegenstand vom Standpunkt der Gesellschaft aus erfahren muß.»[397] Fundierung der Kunst auf so verstandene Kritik qua produktive Haltung, sowohl in ihrer Selbstreflexion wie in ihren praktischen Intentionen, kann ihre Emanzipation von kultischen Funktionen ermöglichen: «Die Beschäftigung mit der Wirklichkeit setzt die Phantasie erst in den rechten genußvollen Gang. Heiterkeit und Ernst leben in der Kritik auf, die eine schöpferische ist. Im ganzen handelt es sich um eine Säkularisierung der alten kultischen Institution.»[398] Als substantiell kritische setzt Brechts literarische Praxis gerade jene emanzipative Autonomie und kritische Spontaneität des Gedankens, jene theoretische Fähigkeit, über das Gegebene hinaus Mögliches zu antizipieren und zwischen Begriff und Wirklichkeit eines bestehenden gesellschaftlichen Zustands analytisch zu differenzieren, voraus, die ihm die stalinistische Philosophie und die durch sie begründete Legitimationsästhetik kategorisch absprechen. Diese qualitative

Differenz zwischen den theoretischen und praktischen Positionen Brechts und der offiziellen Legitimationsästhetik geht zurück auf kontroverse Auffassungen der marxistischen Revolutionstheorie, deren emanzipativen Inhalte die legitimationsideologische Instrumentalisierung der Widerspiegelungstheorie eliminiert. Denn während die Marxsche materialistische Dialektik die gesellschaftlichen Widersprüche und Bewegungsgesetze analytisch zu fassen sucht als die historischen Bedingungen der Möglichkeit ihrer Aufhebung, damit die Menschen mit Willen und Bewußtsein ihre Geschichte machen können, werden sie im verweltanschaulichten, ontologischen Materialismus «zu bloßen Spezifikationen von Grundgesetzen der Naturdialektik. Sie erhalten den Geltungscharakter wirklicher Naturgesetze, die die Menschen abbilden, widerspiegeln, aber nicht durch Theorie und Praxis überwinden können.»[399]

Marx hat den Prozeß der Emanzipation der Menschen zum selbstbewußten gesellschaftlichen Subjekt ihrer eigenen Geschichte als konstitutiven Zusammenhang der Veränderung der Verhältnisse und der Selbstveränderung durch permanent revolutionäre Praxis begriffen. Weil Brecht an dieser revolutionstheoretischen Programmatik festhält, mißt er der «Kritik als Lebenshaltung»[400], als Voraussetzung von Produktivität und deren emanzipativer, nicht technokratisch und sozialtechnisch restringierter, Entfaltung eine entscheidende theoretische und praktische Bedeutung zu. Seine literarische Praxis setzt von daher eine kritische qua produktive Haltung nicht nur voraus, sondern will zugleich dazu beitragen, die Menschen zur Kritik als Lebenshaltung zu emanzipieren: «In Wirklichkeit ist die kritische Haltung die einzig produktive, menschenwürdige. Sie bedeutet Mitarbeit, Weitergehen, Leben. Wahrer Kunstgenuß ist ohne kritische Haltung nicht möglich.»[401]

Brechts revolutionstheoretisch begründete Erwartung, daß die sozialistischen Übergangsgesellschaften solcher produktiven Kritik und kritischen Produktivität breite Entfaltungsmöglichkeiten schaffen würden, ist auch im Bereich literarischer Produktion nur für einen kurzen Zeitraum eingelöst worden. Denn nicht nur fehlten ihrer radikalen Verwirklichung im Alltag spätestens seit Anfang der dreißiger Jahre die materialen Voraussetzungen breiter kommunikativer Selbstverständigung über politische Ziele und die Organisation gesellschaftlicher Produktion und Reproduktion – überdies schränkte die legitimationsideologische Indienstnahme der Literatur, begründet durch Widerspiegelungs-Postulat und Primat des Inhalts, die produktive Entfaltung künstlerischer Praxis entscheidend ein. Nach 1935 bekam, konzipiert vor allem von Lukács, eine hegelianisch-klassizistisch begründete Gehaltsästhetik normative Geltung; sie wurde durch die restaurative Fixierung des kulturellen Erbes als geschichtsphilosophisch verbindli-

chem Orientierungspunkt des sozialistischen Realismus zusätzlich legitimiert und sanktioniert.
Durch diese Entwicklung ward Brecht genötigt, seine Kunstproduktion, zumal deren operative Formprinzipien, die gerade als Instrumente der Befähigung zu kritischer Selbsttätigkeit konzipiert waren, gegen die offizielle Kulturpolitik und eine restaurative, nämlich auf die Wiederherstellung der kultischen Funktionen von Kunst gerichtete Legitimationsästhetik durchzusetzen. Dabei rekurriert er mit aufklärerischer Beharrlichkeit in immer neuen Wendungen ebenso auf den kritischen Grundzug der Marxschen Revolutionstheorie wie auf das emanzipative Vernunftinteresse der proletarischen Klasse selber – so besonders deutlich in den folgenden, gegen Lukács gerichteten Ausführungen: «In allen Redensarten, wie ‹schöpferischer Prozeß›, ‹Erlebnis›, künstlerischer ‹Ausdruck›, schwingt dieses Pfäffische mit, dieses noli me tangere, diese Abneigung gegen das Licht, besonders die ‹künstlichen› Scheinwerfer des kritischen und somit zur ‹Gestaltung› unfähigen Verstandes. Dabei braucht doch kaum hervorgehoben zu werden, daß für die aufsteigende Klasse die Vernunft etwas absolut Schöpferisches, Lebendiges, ja Lebenstrotzendes, die Kritik etwas ganz Elementares, unendlich Produktives, das Leben se ber ist. Von dieser Seite her also brauchen wir, unsere kritischen Versuche anstellend, nichts zu befürchten.»[402] Diese Identifikation der Kritik mit Produktivität, ja Produktion bestimmt Brechts Haltung zur offiziellen Kulturpolitik; so antwortet er auf eine Bemerkung Benjamins, mit Lukács, Gábor und Kurella sei eben kein Staat zu machen: «Oder *nur* ein Staat, aber kein Gemeinwesen. Es sind eben Feinde der Produktion. Die Produktion ist ihnen nicht geheuer. Man kann ihr nicht trauen. Sie ist das Unvorhersehbare. Man weiß nie, was bei ihr herauskommt. Und sie selber wollen nicht produzieren. Sie wollen den Apparatschik spielen und die Kontrolle der andern haben. Jede ihrer Kritiken enthält eine Drohung.»[403]
Die restriktiven Funktionen und administrativen Folgen, die das Programm des sozialistischen Realismus objektiv hatte: die Instrumentalisierung künstlerischer Praxis zur ideologischen Legitimation fortbestehender Herrschafts- und Gewaltverhältnisse, ihre durch einen verordneten Optimismus erzwungene Verpflichtung auf die geschichtsmetaphysische Verklärung des gesellschaftlichen Alltags, standen den literarischen Konzeptionen Brechts grundsätzlich entgegen. So wendet er gegen das Postulat nach dem ‹positiven Helden› ein: «Warum ist die negative Hauptperson so viel interessanter als der positive Held? Sie wird kritisch dargestellt.»[404]
Die durch die Widerspiegelungstheorie und Verweltanschaulichung des Marxismus bewirkte Restriktion des Denkens auf technologisch und sozialtechnisch verwertbare Informationen, gesichert durch das Interpretationsmonopol der zentralistischen Kaderpartei über alle «weltge-

schichtlich notwendigen und kontingenten Handlungen»[405], bestimmt unterm Stalinismus auch die offizielle Kulturpolitik. Sie wird zur Fessel der künstlerischen Produktivkräfte, weil sie deren Entfaltung nach Maßgabe des gleichen, nur ideologisch gewendeten, technologisch reduzierten Begriffs von Produktion normativ fixieren will, der die stalinistische Konzeption vom Aufbau des Sozialismus beherrscht. Brecht hat diesen theoretischen und praktischen Sachverhalt durchaus gesehen und den Charakter solcher Kulturpolitik und Legitimationsästhetik mit aller Schärfe bloßgelegt. Im August 1953 kritisiert er die Kulturpolitik der Akademie der Künste, er denunziert ihre «vulgärmarxistische Sprache», ihre «unmusischen, administrativen Maßnahmen»; er wendet sich gegen den verordneten Optimismus und warnt, «ein oberflächlicher Optimismus» könne die neue Gesellschaft in Gefahr bringen, «Schönfärberei und Beschönigung» seien nicht nur «die ärgsten Feinde der Schönheit, sondern auch der politischen Vernunft»[406]. In dem etwa zur gleichen Zeit entstandenen Text ‹*Was haben wir zu tun?*› weist er den Absolutheitsanspruch der kulturpolitischen Administration zurück: «Eine völlig, sogar in Stilfragen und Geschmacksfragen geführte Kunst kann nicht selbst führen. Die Kunst ist nicht dazu befähigt, die Kunstvorstellungen von Büros in Kunstwerke umzusetzen. *Nur Stiefel kann man nach Maß anfertigen.*»[407] Da die sozialistische Übergangsgesellschaft, Brechts revolutionstheoretischen Überzeugungen zufolge, die konkrete Dialektik von Individuum und Gesellschaft, von Selbstverwirklichung und gesamtgesellschaftlicher Zielsetzung nur in einem permanent-revolutionären Prozeß kollektiver Selbstverständigung und verändernder Praxis realisieren kann, kann sich die zentralistische Kaderpartei in ihr nicht auf Dauer als das autoritäre Subjekt des gesellschaftlichen und geistigen Lebensprozesses etablieren. ‹Kritik als Lebenshaltung› in einer wesentlich selbstkritischen sozialistischen Gesellschaft begreift Brecht so als die historische Bedingung der Möglichkeit einer literarischen Praxis, die in die kulturrevolutionäre Veränderung des gesellschaftlichen Alltags selber eingreifen kann. Innerhalb des ästhetischen Programms des ‹Sozialistischen Realismus›, das zum legitimationsideologischen Instrument des autoritären Voluntarismus einer herrschenden Bürokratie wurde, insistiert er daher auf einem kritischen Realismuskonzept: «Besonders rückständig ist es, den sozialistischen Realismus im Gegensatz zum kritischen Realismus zu bringen und ihn damit zu einem *unkritischen* Realismus zu stempeln.»[408]
Brechts Kritik der Widerspiegelungstheorie und ihrer Anwendung auf die Kunstproduktion hat ihren Ursprung nicht allein in seiner spezifischen Marxismus-Auffassung, sie ist auch ein Resultat seiner intensiven Auseinandersetzung mit Theorie und Praxis der sowjetischen literarischen Avantgarde, insbesondere des Schriftstellers Sergej M. Tretjakov. Tretjakov fragte schon 1923, ob Abbild und Widerspiegelung über-

haupt noch Aufgabe einer sich selbst als verändernde Praxis begreifenden Kunst sein könnte, ob nicht die Kunst der Revolution in einer Revolutionierung der Kunst sich realisieren müßte, die ihre überkommenen Funktionen und Formen grundlegend verändert: «Werden die Aufgaben der Revolution im Bereich der Kunst durch *Abbildung* und *Widerspiegelung* ausgeschöpft, oder aber stellen sich der Kunst *organisatorische* und *konstruktive* Aufgaben, die mit den hergebrachten Formen nicht zu erfüllen sind? Welche Veränderungen diktiert die Revolution hinsichtlich der Prinzipien von ‹Inhalt und Form›? In welchem Maß ist die Kunst unserer Revolution gleichzeitig auch eine revolutionäre Kunst, das heißt eine Kunst, die ihre Methoden und Verfahrensweisen bei der Erfüllung neuer Aufgaben immer wieder auf neue Weise umgestaltet?»[409]

Die Bedeutung der Arbeiten Tretjakovs für die theoretische Selbstreflexion und die literarische Praxis Brechts soll im folgenden dargestellt werden.

7. Tretjakov und Brecht – die Kunst in der Revolution und die Revolution in der Kunst: der Autor als Produzent, Material und Bestimmung, Kulturrevolution und gesellschaftlicher Alltag, revolutionärer Inhalt und revolutionäre Form, operative Literatur und Widerspiegelungs-Postulat

Die Restriktion der emanzipativen Entfaltung von Produktivität auf quantitative Produktionssteigerung, die nachgeholte Akkumulation unter dem Kommando einer Staatsbürokratie ging in der offiziellen Kulturpolitik der Sowjet-Union einher mit der allmählichen Einschränkung und Stillstellung der emanzipativen Experimente in den kulturellen Institutionen, von der Kindererziehung über die Schule bis zum Theater und den Künstlervereinigungen; dieser Prozeß war verbunden mit einer Restauration im Bereich der Kunsttheorie wie der künstlerischen Praxis, die schließlich in der normativen Funktionalisierung des ‹kulturellen Erbes› endete.[410] Vor allem jene Organisationen der Kunstproduzenten, die am emanzipativen Konzept von Produktion wie der qualitativen Differenz von bürgerlicher und proletarischer Revolution festhielten und die Entfaltung ihrer eigenen Produktivität mit dem Selbstbewußtwerdungsprozeß der sich befreienden Produzenten theoretisch und praktisch verbinden wollten: die ‹Proletarische Kulturbewegung› (Proletkult), deren bedeutendster Theoretiker Aleksandr A. Bogdanov war, und die Gruppe LEF (Linke Front der Künste), zu der unter anderen Vladimir V. Majakovskij, Boris J. Arvatov, Ossip M. Brik und Sergej M. Tretjakov gehörten, waren permanent in heftige Auseinandersetzungen mit den retardierenden und restaurativen Tendenzen der Kulturpolitik verwickelt. Diese drängten darauf, daß die Kunst ausschließich *zu* den Produktionsverhältnissen sich verhalten sollte, objektive Prozesse ‹widerspiegeln› und in der unkritischen Feier des ‹positiven Helden› die Entfaltung der technisch-industriellen Produktivkräfte optimistisch verklärend – nicht länger sollte die Kunst als selber sich entfaltende Produktivkraft kritisch, praktisch und verändernd *in* den Produktionsverhältnissen, im gesellschaftlichen Alltag wirken können, eine «unermüdliche und fröhliche subversive Gruppe»[411].

Der Versuch, die historische Entfaltung der Richtungskämpfe innerhalb der sowjetischen literarischen Intelligenz der zwanziger und dreißiger Jahre nachzuzeichnen, würde den Rahmen dieser Arbeit sprengen – es sollen im folgenden lediglich die zentralen Gegensätze angedeutet werden, immer bezogen auf Tretjakov, dessen Arbeiten für Brechts ästhetische Theoriebildung und Praxis bedeutsam geworden sind.[412]

Die linken Künstlervereinigungen und -gruppen, entstanden in der ‹heroischen Periode› der russischen Revolution (1917–21), waren in Theorie und Praxis bestimmt von dem revolutionären Bewußtsein einer radikalen Umwälzung aller sozialen Lebensverhältnisse, einer Entfesselung nicht nur ihrer eigenen Produktivität, sondern zugleich der aller Produzenten: über einen kurzen Zeitraum war diese Verbindung Wirklichkeit geworden. Majakovskijs Verse

> Genug des lauen Gewinsels,
> Werft ab die rostigen Ketten.
> Die Straßen sind unsere Pinsel,
> Die Plätze unsere Paletten[413]

waren das Motto all jener Vorstöße der Kunst ins Leben, bei denen – in den Produktionsfesten und -demonstrationen der Arbeiter[414], im proletarischen Kindertheater und den Arbeitertheatergruppen der ‹lebenden Zeitungen› – artistische Produktivität mit der Freisetzung kreativer Phantasie der Produzenten in der Revolutionierung des Alltags zusammenwirkten. All diesen kulturrevolutionären Experimenten lag die nicht nur theoretisch gewußte, sondern praktisch und aktiv erfahrene Überzeugung zugrunde, daß die proletarische Revolution, wie Tretjakov es formulierte, nicht nur «die Erneuerung der ökonomischen Grundlage», sondern «auch eine Erneuerung der Art und Weise zu fühlen und das Leben zu bewältigen»[415] durchzusetzen hatte. Für den revolutionären Schriftsteller, der in diesem Bewußtsein seine literarische Tätigkeit praktisch in den Prozeß der sozialen Revolution einbringen wollte, lag darin die Aufgabe, seinerseits die «Revolution in der Kunst», «das Suchen nach neuen Verfahren und Zugängen»[416] zu entfalten. An dieser Explikation der «Revolution in der Kunst», wie Tretjakov sie vornimmt, ist bedeutsam, daß die Suche nach neuen Verfahren, die Revolutionierung der formalen Mittel, unmittelbar verbunden ist mit jener nach neuen Zugängen, neuen Rezeptions- und Wirkungsweisen. S. Tretjakov begann seinen literarischen Werdegang als Vertreter des Futurismus und versuchte dessen anti-traditionalistische, provokative Formensprache für eine revolutionäre Kunst umzufunktionieren. Revolution in der Kunst als Suche nach neuen Verfahren und Zugängen implizierte so den bewußten Bruch mit den überlieferten Kunstformen und deren durch die klassisch-idealistische Ästhetik festgelegtem Selbstverständnis, das durch die breite Hegel-Rezeption der akademischen Intelligenz im 19. Jahrhundert auch in Rußland bestimmend war. Dieser Bruch wurde von Tretjakov nach drei Seiten hin vollzogen: im Hinblick auf das Selbstverständnis des Künstlers, die Form-Inhalt-Problematik in Verbindung mit der Rezeptionsweise und die Stellung künstlerischer Tätigkeit im gesellschaftlichen Lebensprozeß.

7.1. Der Autor als Produzent

Sergej M. Tretjakov will den Künstler vom fetischistischen Schein autonomen Schöpfertums befreien – «die Entindividualisierung und Entprofessionalisierung des Schriftstellers»[417] soll der neuen und anderen Bestimmung des Künstlers den Weg bereiten, seine Erfindungskraft in alle Produktionsprozesse einzubringen: «Meisterhaft ein nützliches und zweckmäßiges Ding zu machen – das ist die Bestimmung des Künstlers, der eben damit aus der Kaste der ‹Schöpfer› herausfällt und in eine entsprechende Produktionsgemeinschaft einbezogen wird.»[418] An die Stelle des scheinbar ‹autonomen› Dichters, der den Schein künstlerischer Freiheit undurchschauter gesellschaftlicher Arbeitsteilung dankt, tritt der bewußte Kunstproduzent, oder mit einem Begriff Benjamins, der selbst seinen Ursprung in dessen Analyse von Theorie und Praxis Tretjakovs hat, der Autor als Produzent. Die neue Bestimmung des Künstlers begründet Tretjakov revolutionstheoretisch mit der historisch neuen Qualität der proletarischen Revolution, die eine Gesellschaft zu verwirklichen versucht, in der «der wirkliche Reichtum [...] die entwickelte Produktivkraft aller Individuen»[419] ist. In diesem Versuch ist darum die qualitative Möglichkeit der Kunst angelegt, ihre Produktivität in die universelle Produktivität der bewußten Tätigkeit der assoziierten Individuen einzugliedern. Kunst als Produktion wird so integriert in die revolutionäre «Konzentration aller Formen der Energie (also auch der künstlerisch organisierenden) in einer Stoßrichtung»: in die «zur höchsten Organisationsform des menschlichen Gemeinschaftslebens hin – zur Kommune»[420]. Damit geht der Versuch einer radikalen Umwälzung des Begriffs von Kunst selber einher: an die Stelle ihrer scheinautonomen Selbstbegründung als ‹eigener Welt› in einer dem materiellen Lebensprozeß enthobenen Sphäre soll ihr bewußtes, selber als Produktion verstandenes Eintreten in den revolutionären Prozeß der vernünftig-produktiven Selbstbewußtwerdung der unterdrückten Klasse gesetzt werden. Die Selbsterkenntnis der Kunst als Produktion, ihre Möglichkeit, den eigenen Fetischcharakter selbstbegründeter Autonomie abzustreifen, ist an revolutionstheoretische und -praktische Voraussetzungen gebunden, weil erst die Destruktion der Pseudokonkretheit durch materialistisch-dialektische Ideologiekritik wie praktische Veränderung die fetischisierten Gebilde der dinglichen und ideellen Welt aufzulösen und die konkrete Wirklichkeit zu erkennen vermag. Diese wirkliche Welt ist der Marxschen Theorie zufolge nicht die Welt fixer objektiver Verhältnisse, historischer Bedingungen und Umstände, auf die Kunst kausal-mechanisch zu reduzieren wäre, sondern die Welt der menschlichen Praxis, «in der die Dinge, Bedeutungen und Beziehungen als Produkte des gesellschaftlichen Menschen begriffen werden und der Mensch selbst als wirkliches Subjekt der gesellschaftlichen Welt hervortritt»[421]. Selbsterkenntnis der Kunst als Produktion, die selber an der bewußten Bildung der gesellschaftlichen Wirklichkeit teilhat, ist daher notwendig durch die Destruktion des Verblendungszusammenhangs der alten Gesellschaft konstituiert. Die Theorie der ‹Produktionskunst›, wie sie in Ansätzen von der sowjetischen Avantgarde entwickelt und praktiziert wurde, hat versucht, Kunst nach Maßgabe solcher Selbsterkenntnis zu verändern, ja als Kunst überhaupt aufzuheben. Sie wurde konzipiert von Vertretern der LEF, vor allem von Boris J. Arvatov[422], und war zumal an den bildenden Künsten orientiert, repräsentiert durch den Konstruktivismus, der seine Aufgabe in der meisterhaften Herstellung nützlicher Dinge durch kompositionelle und utilitär begründete Anordnung von Materialien sah. S. Tretjakov hat versucht, diese Theorie auch für die Literatur fruchtbar zu machen: der revolutionäre Abschied vom Künstler als einem Illusionisten und Hofnarren der Gesellschaft soll zugleich «das ästhetische Phantom durch das Machen nützlicher und vom Proletariat ernsthaft gebrauchter Dinge» ersetzen.[423] Sein Angriff richtet sich daher konsequent gegen das fiktive Wesen der alten Kunst: «Der Leser lebt mit fiktiven Menschen auf fiktiven Wegen und vollführt fiktive Handlungen und Vergehen, um danach aufs neue zu einem sprachlosen und bewegungsgehemmten Atom einer anarchisch unorganisierten Gesellschaft zu werden. Und wenn er in seinem Alltagsleben ein Wort wirklich braucht, dann findet er es nicht.»[424] Die neue Kunst soll derart den Gebrauch ihrer Sprache in die konkrete Wirklichkeit selbst transponieren und dem praktischen Leben Schönheit verleihen: «Nicht die Erzählung über Menschen, sondern lebendige Worte in der lebendigen Kommunikation der Menschen – das ist der neue Anwendungsbereich der Sprachkunst.»[425] Das aber bedeutet: «Kunst für alle – nicht als Konsumprodukt, sondern als produktive Fähigkeit.»[426] Dieser Entwurf ist in wenig mehr begründet als einer revolutionstheoretischen Überzeugung, zu der freilich die sowjetische Wirklichkeit sich nicht drängen konnte, an der aber ‹Proletkult› und ‹Linke Front der Künste› gleichwohl konsequent festgehalten haben: der historischen Möglichkeit, den emanzipativen Gehalt der proletarischen Revolution zu realisieren, die Produktion in die an sich freie, bewußte Selbstbetätigung der Individuen zu transformieren, in der die künstlerische Tätigkeit aufgehoben wäre. So schreibt Tretjakov, der Sieg der organisierenden Kräfte der Revolution werde die Menschheit in ein «harmonisches Produktionskollektiv» verwandeln, «in dem Arbeit nicht Zwang sein wird, wie im kapitalistischen System, sondern eine Sache, zu der es einen hinzieht, und wo die Kunst nicht um der Erholung willen ihre Zauberwirkung ausübt, sondern jedem Wort, jeder Bewegung, jedem Ding, das von Menschen gemacht wird, Schönheit verleiht, zu einer freudigen Anspannung wird, die alle Produktionsprozesse durchdringt, auch um den Preis des Untergangs solcher Spezialprodukte der heutigen Kunst wie Gedicht, Bild, Roman, Sonate usw.»[427] Solche Programmatik ist aktueller literarischer Praxis keineswegs auf eine utopische Weise bloß äußerlich, sie hat eine konstitutive Bedeutung für die revolutionäre Kunstproduktion in der Übergangsgesellschaft und ebenso in der kapitalistischen Gesellschaft. Denn die als Produktion und gesellschaftliche Praxis sich begreifende Kunst antizipiert immer auch ein Moment künftiger Befreiung von Produktivität. Darum erwächst für Tretjakov aus der historisch neuen Qualität der proletarischen Revolution als radikaler Umwälzung der bisherigen Art der Tätigkeit «unmittelbar [...] die Aufgabe, eine neue Ästhetik zu entwickeln, eine den Anforderungen der Wirklichkeit entsprechende Kunstbetrachtung»[428].

7.2. Material, Konstruktion, Bestimmung

Die zentrale Intention dieser neuen Ästhetik liegt in dem Versuch, die überkommenen Auffassungen des Verhältnisses von Form und Inhalt kritisch aufzulösen in eine von der Frage nach der Funktion der Kunstgebilde ausgehende «Lehre über die Arten der Verarbeitung des Materials zu einem nützlichen Ding, über die Bestimmung dieses Dings und die Art und Weise seiner Aneignung»[429]. An die Stelle der alten Formel Form–Inhalt setzt Tretjakov den aus einem bewußt kalkulierten Funktionszusammenhang hergeleiteten Komplex «Material – Bestimmung – Form – Gegenstand»[430]. Wenn er so Form definiert als «die Aufgabe, die in dem widerstrebenden Material realisiert wird», und Inhalt als «die sozial nützliche Wirkung, die der Gegenstand hervorbringt, wenn er vom Kollektiv konsumiert wird»[431], dann ist damit eine qualitative Veränderung des Form-Begriffs intendiert, die auf die Überwindung des kontemplativen Kunstideals – das Kunstwerk als ‹eigene Welt› – zielt. Diese Veränderung erschöpft sich nicht darin, in den Formbegriff ein bloß utilitaristisch begründetes Element bewußter Konstruktion einzuführen – die Aufhebung des überkommenen Formbegriffs, der seine historische Spezifität in der Selbstgenügsamkeit und Selbstbegründung des Kunstwerks hatte, ist zugleich ein emanzipativer Prozeß. Im kategorialen Rahmen der neuen Ästhetik Tretjakovs soll Form, vormals Form ihres Inhalts, ganz aufgehen in ihrer Bestimmung, das heißt in ihrer sozialen Funktion. Die Kunstproduktion kann demnach an der revolutionären Befreiung der Produktion durch die Produzenten selber teilhaben durch die Revolutionierung ihrer eigenen Produktivkräfte, ihrer formalen Mittel und ihrer Techniken – gleichzeitig aber durch die Impulse, die ihr der revolutionäre Prozeß der Selbstbewußtwerdung der Produzenten verleiht. Auf diese Weise sind Entfaltung der dynamischen Möglichkeiten der Kunst als sozialer Kraft, die Revolutionierung ihrer Techniken und der Prozeß revolutionärer Veränderung der Wirklichkeit als Befreiung zu selbstbewußt organisierter Produktion und universeller Produktivität wechselseitig aufeinander verwiesen. Neuerungen, Experimente, die neuen Verfahren der Kunst, die die neuen Zugänge zu einer ständig veränderten Wirklichkeit eröffnen sollen, haben eine praktische Funktion in einem Prozeß permanenter sozialer Revolution, dessen Inhalt die gesellschaftliche Emanzipation der Produzenten im Zusammenhang von Veränderung und Selbstveränderung bildet.

7.3. Kulturrevolution und gesellschaftlicher Alltag

Die soziale Funktion der neuen Kunst begründet Tretjakov aus einem radikalen kulturrevolutionären Konzept, das gegen alle ökonomischen und politischen Reduktionen der marxistischen Theorie sozialer Revolution den Gedanken festhält und zu realisieren sucht, daß die Revolution nicht nur den Staat und die objektiven Verhältnisse verändert: die Revolution verändert das Leben. Veränderung des Lebens aber meint konkret die Veränderung des gesellschaftlichen Alltags, des alltäglichen Zusammenlebens der Menschen. Eine der Antworten auf die Frage, ob die Revolution diesen Bereich, in dem die verdinglichten Lebensverhältnisse der alten Gesellschaft am hartnäckigsten den Schein der Natürlichkeit sich erhalten, durchdringen und auch in ihm der bewußten, phantasievollen und kreativen Selbstorganisation der Individuen Bahn brechen kann, soll Tretjakov zufolge von der neuen Kunst gegeben werden können.

Im Gegensatz zu Brecht, dessen Theorie der Verfremdung die zweite Natur der alltäglichen Gegenwart, der ‹Jetztzeit› durchbrechen will, indem sie ihre Historizität und damit ihre Veränderbarkeit erkennbar macht, geht Tretjakov eher von einer sozialpsychologisch reflektierten ästhetisch-politischen Strategie aus. «Alltag», definiert er, «nennen wir das System von Gefühlen und Handlungen, die sich auf Grund einer bestimmten sozio-ökonomischen Basis durch ihre Wiederholung automatisiert haben, die zur Gewohnheit geworden sind und äußerste Zählebigkeit besitzen»[432]. Dieser subjektiven Komponente in der Erscheinung des gesellschaftlichen Alltags entspricht eine objektive, «die verfestigte Ordnung und die Eigenart der Dinge, mit denen sich der Mensch umgibt, auf die er, unabhängig von ihrem Nutzen, den Fetischismus seiner Sympathien und Erinnerungen überträgt und zu deren Sklaven er schließlich buchstäblich wird»[433]. Diesen subjektiven wie objektiven «Formen des sozio-psychologischen Beharrungsvermögens»[434], diesem verinnerlichten Alltag, den nicht einmal die Revolution fühlbar zerschlagen habe, soll die neue Kunst als ein kalkuliert eingesetztes «Mittel emotional-organisierender Wirkung auf die Psyche in Verbindung mit den Aufgaben des Klassenkampfes»[435] destruktiv begegnen; der Kunstproduzent, postuliert Tretjakov, muß «zu einem Ingenieur der Psyche werden, einem Psycho-Konstrukteur»[436]. Wird an dieser Aufgabenstellung, so formuliert, eine erhebliche Differenz zu den entwickelten Theoremen Brechts sofort deutlich, so tritt gleichwohl in den programmatischen revolutionstheoretischen Vorstellungen, aus denen Tretjakov sie herleitet, die Affinität wieder hervor. Denn obwohl das scientistische Aufbau-Pathos der sowjetischen Intelligenz, das schon früh zur unkritischen Feier instrumenteller Vernunft und technologischer Sachlichkeit tendierte[437], auch in die Arbeiten Tretjakovs eingegangen ist, so ist dieses doch weitgehend vermittelt zumindest mit dem emanzipativen Anspruch der proletarischen Revolution als einer Revolution in Permanenz. So setzt er den alltäglichen Formen des sozio-psychologischen Beharrungsvermögens «das Dasein als dialektisch empfundene Wirklichkeit, die sich in einem Prozeß ununterbrochenen Werdens befindet», entgegen und begreift diese Wirklichkeit als «den keinen Moment zu vergessende[n] Weg zur Kommune»[438]. Dieses Konzept einer permanenten Kulturrevolution, in deren Verlauf die Kunstproduktion in der Veränderung der alltäglichen Lebenspraxis aufgehen soll, impliziert ein verändertes progressives Produktionsbewußtsein, das erst im Kollektiv als praktischer, organisatorischer Voraussetzung für die Entwicklung der wirklichen Assoziation der Produzenten sich entfalten kann. Das revolutionstheoretische Programm: «Geschaffen werden muß der energische, kreative, solidarische, disziplinierte arbeitende Mensch, der das Gebot der schöpferischen Klasse empfindet und seine gesamte Produktion ohne Zögern dem kollektiven Gebrauch zur Verfügung stellt»[439], hat eine unmittelbare Bedeutung auch für den Kunstproduzenten, indem er aus der gleichen Haltung den Kampf gegen den «Mythos des Namens»[440] und das Privateigentum an seiner Produktion führt. In Tretjakovs Satz über den neuen Schriftsteller: «Es ist nicht wichtig, wenn sein Name vergessen wird – wichtig ist, daß seine Erfindungen in den Kreislauf des Lebens eintreten und dort neue Verbesserungen und neue Methoden hervorbringen»[441] manifestiert sich die gleiche revolutionäre Haltung wie in Brechts Gedicht ‹*Ich benötige keinen Grabstein*› – ein Selbstbewußtsein, das erst darum zum wirklichen Bewußtsein seiner selbst werden kann, weil es an der Umwälzung der gesellschaftlichen Grundlagen alles schlechten selbstischen Verhaltens mitwirkt:

> Ich benötige keinen Grabstein, aber
> Wenn ihr einen für mich benötigt
> Wünschte ich, es stünde darauf:

Er hat Vorschläge gemacht. Wir
Haben sie angenommen.
Durch eine solche Inschrift wären
Wir alle geehrt.[442]

Der Kampf gegen den verinnerlichten Alltag, gegen seine vielfältigen Formen der Beharrung, wie ihn die Kulturrevolution in Permanenz zu führen hat, fordert vom revolutionären Schriftsteller, in seiner unmittelbaren literarischen Praxis, in seiner Formensprache jenes kritische Potential freizusetzen, das die Vertrautheit und scheinbare Bekanntheit der Erscheinungen des gesellschaftlichen Alltags destruieren kann.

Sergej Tretjakov bestimmt solche emanzipative Verwendung und Steigerung der formalen Möglichkeiten im Rahmen seiner ästhetisch-politischen Strategie als ein Minimalprogramm des Futurismus. Solange sein Maximalprogramm, das «Aufgehen der Kunst im Leben», die «bewußte Umgestaltung der Sprache entsprechend den neuen Formen der Lebensweise, der Kampf um das emotionale Training der Psyche der Produzenten-Konsumenten»[443] noch nicht realisierbar sei, müsse die sprachliche Meisterschaft in den Dienst der praktischen Tagesaufgaben gestellt werden. Diese manifestiert sich in dem artistisch-politischen Experiment, die emanzipativen Gehalte einer provokativen Formensprache, neuer Verfahren und Inhalte zu aktivieren und ihre kritische Brisanz im Bewußtsein der Konsumenten wirken zu lassen: «Jedes, auch das ästethisch konstruierte Werk, muß im Bewußtsein des Konsumenten ein Maximum an Konterbande auf seinem Rücken tragen, in Form von neuen Verfahren der Bearbeitung des Sprachmaterials, in Form von Agitationsfermenten, in Form von neuen kämpferischen Sympathien und Freuden, die dem alten, geifernden und vom Leben wegführenden oder dem Leben auf dem Bauche nachkriechenden Geschmack feindlich sind. Man muß innerhalb der Kunst mit eben ihren Mitteln für ihren Untergang kämpfen, dafür, daß der Vers, dessen Bestimmung es zu sein schien, ‹leicht und sanft abzuführen›, im Magen des Verbrauchers seine Sprengwirkung tut.»[444]

Tretjakov mißt also den formalen, technischen Neuerungen, den Veränderungen der Schreibweise eine zentrale Bedeutung zu für die Entfaltung emanzipativer, bewußtseinsverändernder Wirkungen durch literarische Praxis. Diese Position war in den theoretischen Auseinandersetzungen innerhalb der sowjetischen Avantgarde von Anbeginn umstritten.

7.4. Revolutionärer Inhalt oder revolutionäre Form?

Die Frage ‹revolutionärer Inhalt oder revolutionäre Form›, die im Zentrum dieser Debatten stand, wurde spätestens im Jahre 1927, Trotzki zufolge das Jahr des Thermidors der russischen Revolution, «zugunsten einzig und allein des revolutionären Inhalts entschieden»[445]. Walter Benjamin, der diesen Sachverhalt konstatierte, nahm zugleich einen objektiven Grund für diese Entscheidung an: den Mangel an «eigentümlicher revolutionärer Formgestaltung»[446]. Der Grund war jedoch nicht allein ästhetischer, wie dieses – im übrigen sehr anfechtbare – Urteil nahelegte, sondern zugleich theoretischer und politischer Natur. Denn an die Stelle der ungehemmten Entfaltung der künstlerischen Tätigkeit war, wie Trotzki drei Jahre nach seiner Niederlage zum Selbstmord von Vladimir V. Majakovskij schrieb, «einfach ein System des bürokratischen Kommandos über die Kunst – und ihrer Verwüstung»[447] getreten – ein Kommandosystem, das mit Hilfe eines ökonomisch verkürzten Zurechnungsschemas und der kanonisierten Erkenntnistheorie der Widerspiegelung nahezu alle formalen Neuerungen umstandslos der ‹bürgerlichen Dekadenz› zuschlug. Die Entscheidung für den absoluten Primat des revolutionären Inhalts war der erste Schritt auf diesem Wege, der als nächsten die kontrollierte Festlegung des Inhalts nach sich zog und schließlich in der normativen Restitution des ‹kulturellen Erbes› und klassisch-bürgerlicher Kunstauffassungen endete.

Die historisch-gesellschaftliche Herausbildung einer Staatsbürokratie, die in immer stärkerem Maße allein die Produktion kontrollierte und anleitete, hatte den konstitutiven Zusammenhang von proletarischer Revolution und befreiter Produktion als Selbstbestimmung der Produzenten gesprengt. Die Herrschaftsformen der Diktatur des Proletariats wurden schon früh in solche einer Diktatur übers Proletariat transformiert, näherten sich formell jenen der Diktatur der bürgerlichen Klasse an oder fielen sogar noch auf den Stand vorbürgerlichen Selbstherrschertums zurück. Diese Demontage all jener Institutionen, in denen das Proletariat seine gesellschaftliche Emanzipation zum realen und bewußten Subjekt von Geschichte entfalten sollte, hatte zur Folge, daß es wiederum zum Objekt überwiegend von ihm selbst nicht kontrollier- und abrufbarer Herrschaft wurde. Je tiefer und umfassender dieser Prozeß die gesellschaftliche Wirklichkeit durchdrang, um so mehr wuchs das objektive Bedürfnis der herrschenden Staatsbürokratie, ihre Herrschaft als den von den Produzenten selber gewollten und erreichten objektiven Fortschritt ihrer eigenen gesellschaftlichen Emanzipation ideologisch zu rechtfertigen. In der Ausbildung dieser Ideologie wurde auch der Kunst ihre bestimmte Funktion zugewiesen: ‹objektive›, das hieß unkritische und allemal positive ‹Widerspiegelung› des sozialistischen Aufbaus als ‹revolutionärer Inhalt› und in der Form Reaktivierung all jener Elemente (Suggestion, Einfühlung, positiver Held, überkommene Romanformen), die von Tretjakov und Brecht gleichermaßen als Verfahrensweisen der ‹Massenhypnose› denunziert wurden. Mit dem Primat des revolutionären Stoffs im Sinne objektiver Widerspiegelung ging die Festlegung der Form einher – der Formenkanon des klassischen Erbes wurde zur Norm auch der aktuellen Formensprache erhoben.

Die politischen und literarischen Fronten, die sich im Verlauf dieses Restaurations-Prozesses bildeten, können exemplarisch verdeutlicht werden an einer kulturpolitischen Debatte über eben die Problematik von revolutionärem Inhalt und revolutionärer Form, an der Benjamin im Juni 1930 in Berlin teilgenommen und deren Verlauf er in der *Literarischen Welt* nachgezeichnet hat.[448] Der Referent, Ossip M. Brik aus Moskau, gehörte ebenso wie Tretjakov zu der damals schon zu einer kleinen Minderheit gewordenen Gruppe Novy LEF. Er trat in seinem Vortrag für eine dokumentarische Propagandaliteratur ein, einen minuziösen Realismus, und wandte sich zugleich gegen jene Romanschriftsteller, die die Objektivität zum Grundsatz ihrer Epik machten. «Sachliche Objektivität und poetischen Individualismus», berichtet Benjamin, «erklärte er für Komplemente, für verschiedene Seiten ein und derselben literarischen Haltung, der bürgerlichen.»[449] Brik führte als ein Beispiel für die Inkompatibilität überkommener Formen des bürgerlichen Romans mit der revolutionären Wirklichkeit Fedor V. Gladkovs *‹Zement›* an, um den Widersinn aufzuzeigen, der darin läge, daß das Regime die Familie für belanglos erklärte, seine Erzähler aber ihre Geschichten aus dem Leben der Sowjet-Union in die alte Form des Familienromans kleideten. Benjamin, der bedauert, daß Brik sich hier nicht weiter vorwagte, greift an dieser Stelle selber in die Debatte ein; er geht von der Frage nach der wahren Wirkung aus, «um sich durchaus von bloß suggestiver oder demagogischer Wirkung auf Massen unbefriedigt zu erklären» und der Propagandaliteratur, im Sinne Brechts, «Wert nur als didaktischer zuzusprechen»[450].

Er expliziert diesen Einwand so: «Wir sind bereit, die Individualität des Dichters, den Ewigkeitsanspruch der Werke, die Objektivität der Schilderung preiszugeben. Nicht aber, um eine primitive Suggestiv- und Schlagwörterliteratur dafür einzutauschen, sondern um für ein autoritäres Schrifttum den Weg freizumachen. Wir wollen beim Lesen die genießende Haltung durch eine lernende, einübende ersetzt wissen, nicht aber durch hirnlose Reaktionen.»[451] Weiter aber wagte auch Benjamin sich nicht vor, obwohl er im Anschluß an diese Ausführungen konsequent auf die Formprobleme einer derart anti-suggestiven, didaktischen Literatur hätte eingehen müssen. Dann ergriff «als Anwalt des Staates, als Vertreter einer offiziösen und orthodoxen Richtung», Béla Illés das Wort; seine Argumentation, die in der Tat die zu diesem Zeitpunkt und auch noch darüber hinaus herrschende kulturpolitische Richtung repräsentierte, soll darum hier, in der Wiedergabe Benjamins, vollständig zitiert werden: «Wer seid ihr? Eine sture, winzige Minderheit, ein nichtssagendes Grüppchen. Ihr wollt hier Lärm machen. Ihr erinnert euch nicht der Verfügung des Z.K. (Zentral-Komitees) eben die Klassiker – Puschkin, Dostojewsky, Tolstoi – zu studieren, die ihr hier angreift? Ihr sagt: Nicht dies sind die Vorfahren der proletarischen Literatur. Unsere Vorfahren, sagt ihr, sind unbekannt, aber darum sind sie nicht weniger groß. Der Begriff einer russischen Literatur selber, sagt ihr, sei reaktionär. Die Autoren des internationalen Proletariats seien unsere Ahnen? Von wem aber sollen unsere jungen Autoren lernen? Was sollen unsere Arbeitermassen lesen, wenn sie die Zeitung beiseite gelegt haben? Wie wollt ihr den Einzelnen für die Sache gewinnen und festhalten, wenn ihr ihm die Möglichkeit nehmt, am Helden sich zu begeistern, ihm nachzueifern? Ihr macht gegen den Roman eure Vorbehalte. Seine Objektivität stört euch, sagt ihr. Ist vielleicht – hier wirft der Redner das Lasso seiner Argumentation zum entscheidenden Fang aus – die objektive Wirklichkeit des Sowjetstaates etwas, was man verbergen muß, was der Propaganda schädlich sein könnte? Ist nicht die objektive Schilderung unseres Lebens das allerbeste Propagandamittel?»[452] Tretjakovs Artikel ‹*Wir schlagen Alarm!*› von 1927 kann wie eine direkte Replik auf diese in jeder Hinsicht exemplarischen Ausführungen gelesen werden – in ihm entlarvt er das Theorem von der Notwendigkeit objektiver Widerspiegelung des sozialistischen Aufbaus in der Literatur als einen bloßen Vorwand für den ästhetischen Konservatismus der Bürokratenseelen. Er erkennt, daß der dekretierte Primat des revolutionären Inhalts die regressive Tendenz zur alten Form, zur Schablone und damit zur Entqualifizierung der Form impliziert. «Der Kampf um die Form», schreibt er, «wird auf einen Kampf um Stilcharakteristika reduziert. Neue Erfindungen im Bereich der Form sind nicht mehr *neue Werkzeuge des kulturellen Fortschritts*, sondern nur ein neues Ornament, ein neues Mittel der Dekoration, eine neue Vergrößerung des Sortiments an ästhetischen Stickereien und Narrenschellen für das Publikum. Natürlich bieten diejenigen, die diese Schellen herstellen, sie verpackt in die überzeugendsten Argumente vom ‹sozialen Aufbau›, dem ‹sozialen Nutzen› der Widerspiegelung des revolutionären Aufbaus an.»[453] Diese Entqualifizierung neuer Formen, die mit dem Schlachtruf «Nieder mit dem Erfindungsgeist, nieder mit dem Experiment!»[454] betrieben wurde, hat zur Folge, daß alle emanzipativen Gehalte aus der Kunstproduktion eliminiert werden und der Kunst die praktische Möglichkeit, an der Gestaltung der neuen Wirklichkeit aktiv und operativ teilzuhaben, genommen wird. An deren Stelle tritt ihre Verpflichtung auf überkommene ideologische und, in buchstäblichem Sinne, kultische Funktionen: evidenter als die politischen Proklamationen des Stalinismus zeigt darum die Regression in der Kunst dessen wahren Charakter fortbestehender unkontrollierter Herrschaft von Menschen über Menschen, die gerade darum eines konsistenten ideologischen Verblendungszusammenhangs bedarf. Denn in der Rückkehr zur ‹Vorkriegsnorm› in der Ästhetik, das hat Tretjakov mit aller Schärfe und Konsequenz analysiert, ist zugleich die Rückkehr zur sozialen Funktion der ästhetischen Vorkriegsnormen beschlossen, der sozialen Funktion nämlich, «das Bewußtsein und die Emotion des Konsumenten von den dringenden Aufgaben der Wirklichkeit abzulenken» (und nicht auf sie hinzulenken, muß man ergänzen). Die «Vorkriegsnorm in der Form», konstatiert er, «hat die Vorkriegsnorm in der Ideologie nach sich gezogen»: die «tägliche legale Desertion ins Reich der Traumschablone»[455]. Wenn aber das Postulat solcher Desertion indirekt zum programmatischen Bestandteil offizieller Kulturpolitik wird, dann muß auch die politische Tendenz, deren Resultat sie ist und die derart ‹objektiv› widergespiegelt werden soll, entscheidend sich gewandelt haben, von einer, die die emanzipative Entfaltung der Produktion, die Selbstbestimmung der Produzenten ermöglichen wollte, zu einer, die die alten Formen der Kunst legitimationsästhetisch den neuen Schablonen eines sozialistisch genannten Scheinrealismus assimiliert, um deren verdinglichte, auswendige Funktionen ideologisch auszubeuten: die der Suggestion, der demagogischen Wirkung, der Massenhypnose.

Sergej Tretjakov dagegen insistiert auf dem unauflöslichen Zusammenhang von politischer Tendenz und ästhetischer Qualität. Gerade weil die proletarische Revolution qualitativ von allen voraufgegangenen Revolutionen sich unterscheiden soll, muß auch die Kunst der proletarischen Revolution diese neue Qualität zumal in ihrer Formgestalt realisieren; denn in ihren neuen Formen sind die neuen Sehweisen, die neuen Erkenntnisse intensiv enthalten, die im Prozeß der gesellschaftlichen Emanzipation der unterdrückten Klasse ihre extensiven Wirkungen entfalten sollen. So kritisiert Tretjakov, daß der stark herausgestrichene ‹Primat des Inhalts› sich in der Sache als Verzicht auf formales Neuerertum, ja als bewußte Herabsetzung der Form auswirkte: «Das ‹Wie› wurde in den Wind geblasen. Aber gerade das Umstandswort ‹wie› hat sein Hauptwort ‹Qualität›, und gerade der Kampf um das ‹Wie›, die ‹Qualität›, ist der Kampf um die Form.»[456]

Die Gefahren, die er schon 1927 erkannte und als solche denunzierte, waren im Grunde bereits eine präzise Charakterisierung dessen, was seit 1934 als ‹Sozialistischer Realismus› zur ästhetischen Norm deklariert ward: «Nivellierung – Niedergang der Form – Vorkriegsschablonen – Kunst als Narkotikum.»[457] Solche Tendenzen konfrontiert er mit einem genauen Gegenprogramm für die ‹Linke Front der Künste›, das in seiner Grundsätzlichkeit über den konkreten Anlaß hinausweist und die Position jener Kunsttheoretiker und -produzenten umreißt, die – wie auch Benjamin und Brecht – gegen eine restaurative stalinistische Legitimationsästhetik an Theorie und Praxis einer qualitativen Veränderung von Kunst festzuhalten suchen. Gegen Nivellierung setzt Tretjakov «eine kämpferische, im Sinne der Klasse aktive Kunst», gegen den Niedergang der Form «die Kultur der Form», gegen Vorkriegsschablonen «Neuerertum, gemäß den Aufgaben unseres Aufbaus» und gegen die Kunst als Narkotikum «die Kunst als Lebensgestaltung, die Kunst als Aktivierung, die Kunst als Agitation»[458].

7.5. Tretjakov und Brecht

Diese letzten Programmpunkte Tretjakovs deuten bereits auf eine prinzipielle Übereinstimmung mit den Auffassungen Brechts über die verändernde, praktische Funktion von Kunst. Diese geht – jedenfalls teilweise – ganz offensichtlich auf eine zumindest sehr ähnliche Konzeption revolutionärer Überbauarbeit und damit eine – in diesem Punkt – verwandte Interpretation marxistischer Theorie zurück. So schreibt Tretjakov – mit verblüffender Nähe zu Korschs Theorem der ‹geistigen Aktion› –, es müsse «ein genauso intensiver ‹Kampf ums Bewußtsein› geführt werden wie in der Politik und Ökonomie ‹ums Sein›» und wendet sich in diesem Zusammenhang ausdrücklich gegen eine objektivistische und deterministische Verkürzung der marxistischen Theorie: «Wir gehören nicht zu jenen den Marxismus ‹vereinfachenden› Fatalisten, die behaupten, daß das Bewußtsein mit der Veränderung der Produktionsformen schon ‹von selbst› kommt. Nein, jedes die revolutionären Aufgaben klärende Wissen und jedes die revolutionäre Tätigkeit verstärkende Fühlen rechnen wir zu den wenn auch abgeleiteten, so doch aktiven Faktoren, die den Menschen umgestalten und unser Fortschreiten auf dem Weg zur Schaffung der ‹Weltkommune der Produzenten› beschleunigen.»[459] Neben dieser gemeinsamen revolutionstheoretischen Einsicht in die Notwendigkeit einer radikalen Umwälzung der Bewußtseinsformen teilt Brecht weitgehend Tretjakovs Auffassung der Kunst als Produktion wie deren ästhetisch-politischen Implikationen. Brechts Affinität zu Theorie und Praxis des sowjetischen Futuristen wird ganz deutlich in der entschiedenen Abgrenzung beider Schriftsteller gegen einige Dekrete der offiziellen Kulturpolitik, zumal den ‹Primat des Inhalts› und der normativen Inauguration eines restaurativen Traditionsverhältnisses.

Der Versuch, solche Gemeinsamkeiten und auch Differenzen darzustellen, muß auf die Ebene einer theoretischen Rekonstruktion beschränkt bleiben – ohne die Kenntnis der Tagebücher Brechts und seines Briefwechsels vor allem mit Walter Benjamin, der für sein Verhältnis zu Tretjakov eine bedeutsame Mittler- und Interpretenfunktion gehabt hat, können die wechselseitigen Rezeptionsvorgänge nicht präzise und detailliert nachgezeichnet werden. Zudem vollziehen sich die theoretischen Rezeptionen Brechts meist auf dialektische Weise, im Sinne einer Aufhebung und Fortentwicklung, so daß theoretische Ansätze Tretjakovs von Brecht wie auch von Benjamin zuallererst kategorial entfaltet werden – das gilt vor allem für die Kategorie der literarischen ‹Technik› (vgl. S. 159f). Die theoretisch-praktischen Affinitäten von Brecht und Tretjakov liegen in den folgenden revolutionstheoretischen wie ästhetischen Annahmen und Ausgangspunkten:

1. Die noch futuristisch geprägte und von Tretjakov revolutionär gewendete Programmatik: die Kunst ins Leben bis zur völligen Auflösung in ihm, gilt zumindest in der Tendenz auch für das marxistisch geführte Werk Brechts. Wie Tretjakov hat Brecht die verändernden Wirkungsmöglichkeiten seiner literarischen Versuche revolutionstheoretisch aus dem emanzipativen Zusammenhang von Veränderung und Selbstveränderung, der die proletarische Revolution konstituiert, hergeleitet[460]; wie Tretjakov wendet er sich gegen den schlechten Schein der Autonomie von Kunst, gegen ihre Abtrennung vom gesellschaftlichen Lebensprozeß, um – ganz im Sinne der Marxschen Theorie – die künstlerische Tätigkeit in der produktiven Lebenstätigkeit der Menschen zu begründen: «Man darf nicht außer acht lassen, daß über die Kunst hauptsächlich solche schreiben, die daraus ihr besonderes Gebiet gemacht haben. Sie betonen die Besonderheit dieses Gebiets und trennen es von jedem andern. Man kann eher dafür Anhänger gewinnen, daß die Kunst menschlich und der Mensch ein Künstler sein soll, als dafür, daß die Kunst menschlich und der Mensch ein Künstler ist. Er ist übrigens bei weitem nicht der einzige Künstler unter den Tieren, aber einer der größten.»[461]
Bertolt Brechts Ablehnung des überkommenen, ideologisch gewordenen Begriffs von autonomer Kunst hat so ihren Grund in seiner Auffassung der Kunst als einer spezifischen Weise gesellschaftlicher Produktion. Er begreift das Autonomie-Postulat vor allem als einen Versuch, die Kunst aus dem gesellschaftlichen Arbeits- und Lebenszusammenhang herauszulösen und zum besonderen Gebiet zu erklären. Gleichwohl bewegt sich seine Kritik am überkommenen Autonomie-Begriff im Rahmen bestimmter Negation. Denn auch die auf Politik fundierte Kunst beansprucht durchaus Eigenständigkeit – freilich die funktionale Eigenständigkeit einer operativen Literatur in revolutionärer Absicht. Den durch ästhetische Selbstbegründung konstituierten Autonomie-Begriff hebt Brecht auf in dem Postulat der kritischen Souveränität

von Kunst gegenüber der Realität. Dem geht die dialektische Einsicht in die Ambivalenz des Begriffs von künstlerischer Autonomie vorauf. Dieser ist wesentlich ein Resultat der Aufklärung und konvergiert von daher mit Kritik. Dem Versuch autonomer Selbstbegründung von Kunst, der programmatischen ästhetischen Subjektivität als einem Inhalt des emanzipatorischen Vernunftinteresses der aufgeklärten bürgerlichen Revolution war ein Doppeltes inhärent: die behauptete ästhetische Souveränität in der Weise der Weltaneignung und -vermittlung und zugleich die undurchschaute Teilhabe am gesellschaftlich erzeugten ideologischen Verblendungszusammenhang. Brecht knüpft kritisch an diesem historischen Stand der Emanzipation der Kunst vom Ritual an, indem er den antizipatorischen Gehalt des bürgerlichen Autonomie-Begriffs einlöst in der Konzeption einer über sich selber aufgeklärten Kunst, die ihre Souveränität in der selbstreflektierten, praktischen Teilhabe an der gesellschaftlichen Umwälzung realisiert. Die Souveränität der Kunst gegenüber der Realität hat ihre gesellschaftliche Wahrheit darum erst an ihrer wahrgenommenen Funktion, die gesellschaftliche Emanzipation der neuen Zuschauer und Leser zu vernünftig spontaner Lebenstätigkeit und aufgeklärter Selbstbestimmung verwirklichen zu helfen – in den Worten Brechts: «Ein Werk, das der Realität gegenüber keine Souveränität zeigt und dem Publikum der Realität gegenüber keine Souveränität verleiht, ist kein Kunstwerk.»[462]

Die Souveränität der Kunst gegenüber der Realität verwirklicht sich in dem Maße, in dem die Kunst ihre verändernden Funktionen in einem kommunikativen Prozeß wechselseitiger Kritik und Selbstverständigung mit dem Publikum wahrnehmen kann, dessen gemeinsamer Gegenstand die als veränderbar erkannte und in praktischer Veränderung begriffene soziale Realität ist. Diese soziale Realität bestimmt Brecht wie Tretjakov als Alltag, als die Welt der Alltäglichkeit und der Pseudokonkretheit. Beide sehen die Aufgabe einer revolutionären Kunst in der Destruktion solcher Pseudokonkretheit, der vertrauten und bekannten, aber nicht erkannten Alltäglichkeit. S. Tretjakovs Auffassung der Formen des Alltags als Residuen der Beharrung und der verinnerlichten Gewohnheiten ist eher sozialpsychologisch begründet, und seine futuristische poetische Strategie operiert mit dem Chok, der aus den neuen, provokativen Formen springt und in der Psyche des Konsumenten seine Sprengwirkung tut; Brecht dagegen operiert mit dem Chok der Verfremdung, der seine Funktion nicht in sich selbst trägt, sondern von dem das kritische Durchschauen der als Alltäglichkeit verinnerlichten zweiten Natur der gesellschaftlichen Verhältnisse seinen Ausgang nehmen soll. In Brechts kulturrevolutionärer Konzeption der Destruktion von Alltäglichkeit durch operative Verfremdung ist materialistische Dialektik als zugleich kritische und revolutionäre praktisch geworden. Alltäglichkeit bezeichnet die phänomenale Welt der gesellschaftlichen Erscheinungsformen. In ihnen verbirgt sich das zur zweiten Natur gewordene Wesen der kapitalistischen Produktionsweise: die permanente Abstraktion von den besonderen Gebrauchswerten und Bedürfnissen und das für sie konstitutive Gewaltverhältnis entfremdeter Arbeit und entfremdeten Lebens, das Selbstverwirklichung und autonome, kollektive Lebenstätigkeit verunmöglicht.

Die literarische Technik der Verfremdung versucht diese Entfremdung erkennbar zu machen, ihr Ziel ist eine neue Haltung der Zuschauer und Leser zur Wirklichkeit, die kritisch-revolutionäre. Diese Intention impliziert den kulturrevolutionären Bruch mit der klassisch-bürgerlichen Ästhetik.

Denn die bürgerliche, ‹autonome› Kunst versucht, die Welt der Alltäglichkeit mit den Mitteln artistischer Repräsentation zu transzendieren, ihr ideologischer Legitimationsgrund ist die Trennung von Alltag und Erhebung. Durch die Verwendung des Helden und der Identifikation mit den durch ihn vertretenen sozio-kulturellen Normen, durch die geschlossene Handlung und die formelle Einheit ihrer Gebilde bestätigt und verklärt sie gerade einen zentralen ideologischen Aspekt der alltaglichen Lebenspraxis: den falschen Schein bewußter und aktiver Selbstbestimmung der Menschen in ihrem gesellschaftlichen Lebenszusammenhang. Brechts Technik der Verfremdung dagegen versucht, die Trennung von Alltag und Erhebung zu überwinden – sie bricht in die Welt der Alltäglichkeit selber ein auf deren eigener Ebene, der Ebene der Massen sowohl wie der der alltäglichen Handlungen, Ereignisse und Gesten.[463] Sie legt deren konstitutiven Widersprüche frei und zerreißt ihre ideologische Hülle, den Schein der Vertrautheit, die Aura der Pseudokonkretheit. Die Technik der Verfremdung stellt jene Distanz her, die die vertrauten, alltäglichen Vorgänge und gesellschaftlichen Mechanismen als fremde hervortreten läßt – und zwar erscheint diese Fremdheit auf vielfältige Weise: in bezug auf die Zuschauer und Leser, in den Erscheinungen und Vorgängen und in bezug auf sie selbst. Diese Fremdheit erhält die Wahrheit der Alltäglichkeit, nämlich die Wahrheit ihrer Entfremdung.

Indem derart die literarische Technik die Pseudokonkretheit der entfremdeten alltäglichen Welt zerstört, wird die Wirklichkeit nicht länger bloß *repräsentiert* oder gar widergespiegelt, sondern kritisch *präsentiert*, der kritischen Erkenntnis, dem ‹eingreifenden Denken› des neuen Publikums zugänglich gemacht.

Dieses Verfahren ist insofern ‹destruktiv›, weil durch das Formprinzip der Verfremdung die alltägliche Vertrautheit der gesellschaftlichen Erscheinungswelt destruiert wird und ihre Partikel, den kritisch-revolutionären Einsichten materialistischer Dialektik folgend, einander neu zugeordnet, *montiert* werden. Die Technik der Verfremdung steht insofern noch in der Tradition einer der ersten bewußten Formen künstlerischer Destruktion der Alltäglichkeit, der dadaistischen Montage. War diese als Stilprinzip am Ende des Ersten Weltkriegs in der kaum theoretisch reflektierten Einsicht begründet, die Wirklichkeit der bürgerlichen Gesellschaft habe nun aufgehört, sich bewältigen zu lassen und darum bleibe der Kunst «nichts weiter übrig, als sie vor allem einmal ungeordnet, selber anarchisch, wenn es sein muß, zu Worte kommen zu lassen»[464], so geben John Heartfield, dessen Anfänge unmittelbar in der DADA-Bewegung lagen, und Brecht dem Stilprinzip der Montage eine politische Fundierung, indem sie es nicht mehr bloß anarchisch einsetzen, sondern in eine ästhetisch-politische Strategie einbeziehen. Das Stilprinzip der Verfremdung, der kritischen Montage wird so das praktische artistische Instrument der theoretischen Einsicht in das Wesen der gesellschaftlichen Erscheinungswelt, es ist das Organon der ideologiekritischen Intentionen. Seine formalen Elemente – Distanz, Unterbrechung, Umfunktionierung – sind bestimmt vom gleichen Abstraktionsvermögen, dessen materialistische Kritik bedarf, um die gesellschaftliche Wirklichkeit theoretisch zu durchdringen. Denn «Abstraktionen in der Wirklichkeit geltend machen, heißt Wirklichkeit zerstören»[465] – die künstlerische Destruktion der Pseudokonkretheit durch Montage und Verfremdung macht in der Tat Abstraktionen geltend in der präsentierten Wirklichkeit, jedoch nicht, um bei der Zerstörung stehenzubleiben, sondern um vom Abstrakten zum wirklich Konkreten zu gelangen: der Welt der menschlichen Praxis, in der die mystifizierten Bedeutungen und Beziehungen der Alltäglichkeit begriffen werden als Produkte des gesellschaftlichen Menschen und seiner verändernden Praxis.

Um die präsentierte Welt der verändernden, praktisch-kritischen Tätigkeit des neuen Publikums zugänglich zu machen, arbeitet die Verfremdungskunst Brechts permanent daraufhin, die durch Entfremdung konstituierte Antinomie von Alltäglichkeit und Geschichte aufzuheben. Denn die Mystifikation der Alltäglichkeit, ihre Verdinglichung zur zweiten Natur, zu einer phänomenalen Schicht der Wirklichkeit tritt in der radikalen Trennung der Alltäglichkeit von Veränderbarkeit und Geschichtlichkeit deutlich hervor – diese Trennung führt gleichzeitig zur «Mystifizierung der Geschichte [...] die als Kaiser auf dem Pferde erscheint» und zur «Entleerung der Alltäglichkeit, zur Banalität und zur ‹Religion des Alltagslebens›»[466]. Die Mystifikation ist also eine wechselseitige: «Die Alltäglichkeit, die von der Geschichte abgetrennt ist, entleert sich bis zur absurden Unveränderlichkeit, und die Geschichte, die von der Alltäglichkeit losgelöst ist, verwandelt sich in einen absurd ohnmächtigen Koloß, der als Katastrophe in die Alltäglichkeit einbricht, sie aber nicht verändern, ihre Banalität nicht beseitigen, sie nicht mit Inhalt füllen kann.»[467] Brecht reflektiert dieses Verhältnis von Alltäglichkeit und Geschichte im Rahmen ästhetisch-politischer Strategie als Dialektik von Jetztzeit (eine zentrale Kategorie der Geschichtsphilosophie Benjamins) und Historie. Ausgehend von der materialistisch-dialektischen Einsicht, daß alle menschliche Tätigkeit und alles menschliche Geschehen geschichtlich ist, weil Produktion das Prinzip von Geschichte ist, versucht er die Fetischisierung von Alltäglichkeit und Geschichte mittels einer literarischen Technik aufzubrechen, die die Jetztzeit als Historie und die Historie als Jetztzeit zu begreifen lehrt. Indem Verfremdung das alltägliche Ereignis zu einem besonderen macht, nimmt sie dem Zuschauer und Leser die Möglichkeit, aus der Jetztzeit, der Alltäglichkeit, in die Historie zu flüchten, denn «die Jetztzeit wird zur Historie»[468]. Die Technik der Historisierung hat darum innerhalb der Verfremdung eine zentrale Funktion: sie bildet das Instrument, das der Kunst ermöglicht, gegenüber «den Ereignissen und Verhaltungsweisen der Jetztzeit»[469] die gleiche Haltung einzunehmen und zu vermitteln, die die historische Wissenschaft zu den ‹geschichtlichen› Ereignissen einzunehmen lehrt: die der Distanz. Brechts künstlerische Destruktion der Alltäglichkeit konvergiert so in ihrer methodischen Fundierung mit wissenschaftlichen Verfahrensweisen – methodischem Zweifel und Experiment – überhaupt: «Vorgänge und Personen des Alltages, der unmittelbaren Umgebung, haben für uns etwas Natürliches, weil Gewohntes. Ihre Verfremdung dient dazu, sie uns auffällig zu machen. Die Technik des Irritiertseins gegenüber landläufigen ‹selbstverständlichen›, niemals angezweifelten Vorgängen ist von der Wissenschaft sorgfältig aufgebaut worden, und es besteht kein Grund, warum die Kunst diese so unendlich nützliche Haltung nicht übernehmen sollte. Es ist eine Haltung, die sich für die Wissenschaft aus dem Wachstum der menschlichen Produktivkraft ergab, und sie ergibt sich für die Kunst aus eben demselben Grund.»[470] Das historische Modell dieser wissenschaftlichen Haltung deutet Brecht im letzten Satz an: die induktive Naturwissenschaftstheorie Bacons – ihre Bedeutung für Brechts theoretische Fundierung literarischer Praxis soll weiter unten eingehend diskutiert werden.

Wesentlich für den hier erörterten Zusammenhang ist der Sachverhalt, daß Brechts Versuch, die literarische Technik der Montage im Sinne wissenschaftlich-kritischer, distanzierter Haltung gegenüber der Pseudokonkretheit kapitalistischer Lebenswelten zu funktionalisieren, eine Differenzierung im Begriff der Verfremdung begründet, mit der Brecht gegen verwandte Verfahren der künstlerischen Destruktion der Pseudokonkretheit sich abgrenzt. Seine ästhetische Theorie der Verfremdung kann verstanden werden als die Lehre von den artistischen Bedingungen der Möglichkeit einer kritischen, verändernden Haltung. Erst an der realisierten kritischen und produktiven Haltung des Zuschauers und Lesers hat das Stilprinzip der Verfremdung seine Wahrheit: in

deren kritischer Produktivität kehrt die durch Montage in ihre abstrakten Mechanismen und Widersprüche bloßgelegte phänomenale Welt des verdinglichten Alltags aus der Verfremdung zurück und wird konkretem, eingreifendem Denken zuallererst zugänglich. Brechts Kritik am Dadaismus und Surrealismus läuft nicht auf den platten Subjektivismus- oder gar Dekadenz-Vorwurf hinaus, sondern geht dialektisch auf die immanenten gesellschaftlichen Voraussetzungen dieser Kunstrichtungen ein. Dadaismus und Surrealismus, notiert er, benutzten «Verfremdungseffekte extremster Art. Ihre Gegenstände kehren aus der Verfremdung nicht wieder zurück.»[471] Dieses Verharren in der Verfremdung, das Sich-Einrichten im Chok deutet er als eine Reaktion «auf die untotale Funktionslosigkeit der Menschen und Dinge in unserm Zeitalter», als Ausdruck einer schweren Funktionsstörung und zugleich als Klage darüber, daß «alles Mittel und nichts Zweck sei»[472] – die Konsequenz dieser Reaktion auf die kapitalistische Gegenwart ist eine Funktionsstörung der Kunst selber, «weil auch die Funktion dieser Kunst unterbunden ist in gesellschaftlicher Hinsicht, so daß hier einfach auch die Kunst nicht mehr funktioniert»[473].
Bertolt Brechts Technik der Verfremdung benutzt dagegen das Stilprinzip der Montage als Form gewordene quasi scientifische Versuchsanordnung in kritischer und praktischer Absicht. Montage, verstanden als destruierende literarische Praxis gegenüber der Welt der Pseudokonkretheit und des verdinglichten Alltags, ist darum bei ihm ins Formprinzip eingegangene materialistische Dialektik, weil sie die Wirklichkeit, die sie präsentiert, erkennen hilft, indem sie sie verändert.
Das Verfahren solcher Veränderung reflektiert Brecht jedoch nicht allein im kategorialen Rahmen materialistischer Dialektik, sondern zugleich in den Kategorien der Philosophie der Aufklärung und ihrer wissenschaftsgeschichtlichen Vorläufer, zumal Bacons. Er versucht das emanzipative Vernunftinteresse der Aufklärung und ihrer produktionsorientiert-kritischen naturwissenschaftlichen Frühformen in seine dialektische Theorie verändernder literarischer Techniken zu integrieren. In der dialektischen Vermittlung von Theorie und Praxis gesellschaftlicher Umwälzung wird das emanzipative Vernunftinteresse der Aufklärung über seinen bloßen, durch die bürgerliche Wirklichkeit blamierten, Anspruch real hinausgetrieben, weil erst im revolutionären Selbstbewußtsein der für ihre Selbstregierung kämpfenden letzten unterdrückten Klasse das *sapere aude* zur wirklich befreienden, materiellen Kraft werden kann. Der ‹kritische Marxismus› der ästhetischen Theorie Brechts versucht beide Momente in der Wirkungsabsicht literarischer Praxis zu verbinden: das Ziel, «das Abstrahierungsvermögen der Leser anzuregen, das so wichtig ist für die Durchdringung gesellschaftlicher Prozesse»[474], also die kritisch-intellektuelle Emanzipation von gesellschaftlich erzeugter Unmündigkeit und falschem Bewußtsein

– und das kulturrevolutionäre Ziel einer Veränderung des Alltags – in der die künstlerische Destruktion der wechselseitigen Mystifikation von Alltäglichkeit und Geschichte praktisch werden soll – in revolutionärer Selbsttätigkeit und der Selbstverwaltung des gesellschaftlichen Lebensprozesses.
Die Bedingung der Möglichkeit solcher Kunstproduktion, die in der kritischen Durchdringung der Alltäglichkeit und ihrer praktischen Veränderung sich realisieren soll, ist die ungehinderte Entfaltung wie experimentelle Erprobung ihrer neuen Gehalte und Verfahrensweisen in der konkreten, organisierten Teilnahme an gesellschaftlicher verändernder Praxis.

2. Von daher insistiert Brecht wie Tretjakov auf der revolutionstheoretisch begründeten Notwendigkeit des künstlerischen ‹Neuerertums›. Brechts theoretische Selbstreflexion dieses Postulats ist bereits ausführlich dargestellt worden – im Vergleich mit Tretjakov müssen jedoch zwei Gesichtspunkte besonders hervorgehoben werden: zum einen das spezifische Verhältnis zur literarischen Tradition, das aus dieser Betonung des ‹Neuerertums› sich herleitet und mit dem Begriff des ‹Antitraditionalismus› nur oberflächlich und ungenau gekennzeichnet wäre (Tretjakovs spezifischer ‹Antitraditionalismus› und seine Nähe zum Traditionsverhältnis Brechts soll im Kapitel «Marxismus und Kulturerbe» [S. 172f] im Zusammenhang mit den Konzeptionen Ernst Blochs und Walter Benjamins erörtert werden), zum andern die politischen Implikationen derart revolutionstheoretisch begründeter künstlerischer Neuerungen. Es ist kein Zufall, daß Brechts theoretische Begründung künstlerischer Neuerungen, also gerade auch formaler Neuerungen, am eindringlichsten in jenen Schriften vorgetragen wird, die in der Auseinandersetzung mit Lukács und später der Kulturpolitik der DDR entstanden sind.
Während für Tretjakov die Verbindung von künstlerischen mit gesellschaftlichen Experimenten, die operative Verschmelzung der veränderten Kunst mit der revolutionären Veränderung des gesellschaftlichen Alltags nicht nur revolutionstheoretisches Postulat blieb, sondern über einen längeren Zeitraum praktische Möglichkeit war[475], blieben Brecht solche Wirkungsmöglichkeiten bis auf die kurze Zeitspanne von 1929 bis 1932, als er in der unmittelbaren Verbindung mit politischer Praxis sein Modell der Lehrstücke erproben konnte[476], historisch versagt. Sie blieben ihm auch nach 1945 auf Grund der offiziellen stalinistischen Kulturpolitik weitgehend verschlossen, nicht zuletzt sicherlich deshalb, weil ‹der Akzent› nicht nur der Lehrstück-Theorie, sondern der ästhetischen Theorie Brechts überhaupt «auf der Selbsttätigkeit des Subjekts»[477] liegt. Vielleicht, daß die Inszenierung von Erwin Strittmatters ‹*Katzgraben*›, bei der Bauern unmittelbar in die Diskus-

sion und Erarbeitung des Stücks miteinbezogen wurden, den ursprünglichen Konzeptionen Brechts noch einmal nahekam, aber schon nach der Eröffnung des Berliner Ensembles am 8. November 1949 äußerte Brecht die Ansicht, die Aufführung (von *‹Herr Puntila und sein Knecht Matti›*) habe nur so viel episches Theater geboten, «als heute akzeptiert (und geboten) werden kann», und er fragte sich: «Aber wann wird es das echte radikale epische Theater geben?»[478] Ebenso manifestiert sich in der Inschrift für das Hochhaus an der Weberwiese (1952)[479] als später Realisierung des schon 1935 gemachten Vorschlags, «die Architektur mit der Lyrik zu verbinden»[480], eher die erneute Trennung der Kunst von der Veränderung des Alltags als ihr konkretes Aufgehen in der kulturrevolutionären Praxis der Massen. Denn als historisches Vorbild einer Verbindung von Lyrik und Architektur führt Brecht die «eigentümliche Literarisierung des Straßenbildes»[481] in den russischen Revolutionen von 1905 und 1917 an; die sich die Herrschaft erobernde Klasse habe mit breitem Pinsel ihre Meinungen und Losungen auf die eroberten Gebäude geschrieben, ebenso rühmt er den «einzigartigen Formensinn» der Arbeitermassen in ihren Emblemen, die kreative Gestaltung der Demonstrationen und beklagt, daß die qualifizierte Lyrik der Sowjet-Union mit dieser Entwicklung der Massenkunst nicht Schritt gehalten habe: die neu entstehenden Baulichkeiten zeigten keine Beschriftung.[482] Brecht macht dann eine Reihe von Vorschlägen, die aber alle, statt an der Selbsttätigkeit und der aufgeklärten Spontaneität der beschriebenen Massenkunst anzuknüpfen, lediglich im Rekurs auf die inhaltlich neue und andere Auffüllung ältester Traditionen (vor allem der Antike) sich erschöpfen. Denn die revolutionäre Klasse zumal von 1917 konnte durchaus, auch in der Zusammenarbeit mit den Kunstproduzenten, ihre spontane produktive Phantasie in der Literarisierung des Straßenbildes, der Gestaltung von Demonstrationen und der Veränderung des Alltags überhaupt entfalten, 1935 waren diese Möglichkeiten weitgehend eingeschränkt – das Ergebnis einer regressiven politischen Entwicklung, angesichts derer Brechts Vorschlag zu diesem Zeitpunkt:

> Daß ihr zum ersten Male für euch selber bautet
> Vermerkt's auf dem euch überlebenden Gestein![483]

ein Selbstbewußtsein und ein progressives Produktionsbewußtsein suggerierte, dem die politischen und gesellschaftlichen Grundlagen längst entzogen waren. Das galt auch und erst recht für die Inschrift des Hochhauses an der Weberwiese von 1952:

> Als wir aber dann beschlossen,
> Endlich unsrer eignen Kraft zu traun ...[484]

zumal in diesem Fall nicht einmal die historischen revolutionären Voraussetzungen gegeben waren.
Dieses Beispiel kann eine Aporie verdeutlichen, der sich Brecht durchaus bewußt war: sie hat ihren Ursprung im revolutionstheoretischen Begründungszusammenhang seiner literarischen Theorie und Praxis. Aus ihr lassen sich auch die Schwierigkeiten Brechts, die Notwendigkeit künstlerischer Neuerungen gegenüber der offiziellen Kulturpolitik zu begründen und durchzusetzen, erklären.
Wie Tretjakov seine Experimente und Neuerungen einzig in ihrem theoretischen und praktischen Zusammenhang mit jenen der sozialen Revolution begründet und zu realisieren sucht[485], so hat auch Brecht die gesellschaftlich-politischen Bedingungen der Möglichkeit zur künstlerisch wie politisch radikalen Realisierung seiner Intentionen an einer vor sich gehenden sozialrevolutionären Bewegung festgemacht. 1936 notiert er: «Nur an wenig Orten und nicht für lange Zeit waren bisher die Umstände einem episch lehrhaften Theater günstig [...] Es setzt außer einem bestimmten technischen Standard eine mächtige Bewegung im sozialen Leben voraus, die ein Interesse an der freien Erörterung der Lebensfragen zum Zwecke ihrer Lösung hat und dieses Interesse gegen alle gegensätzlichen Tendenzen verteidigen kann.»[486] Dieser theoretische und praktische Prozeß der Vermittlung von produktiven Neuerungen in der künstlerischen Tätigkeit mit der revolutionären Selbstbefreiung der Produzenten bleibt für Brecht selbst in der DDR noch unterbrochen oder mindestens dauerhaft blockiert. Die historische und politische Ursache, auf die diese Lage der revolutionären künstlerischen Intelligenz auch in der DDR letztlich zurückging, wurde von ihren Vertretern, auch von Brecht, mit einem Bild bezeichnet, das seit Marx, Engels und Heine für die Situation der revolutionären Intelligenz in der deutschen Gesellschaft überhaupt zu einem Synonym geworden war: dem der ‹deutschen Misere›. Diese Metapher umschrieb das Ausbleiben einer radikalen politischen und sozialen deutschen Revolution. Brecht hat diese historische und politische Situation gerade in ihrer Fortgeltung für die DDR, zumindest für deren Entstehungsbedingungen, relativ illusionsfrei erkannt und die kaum überwindbaren Schwierigkeiten einer revolutionären literarischen Theorie und Praxis aus ihr hergeleitet: «Es ist ein großes Unglück unserer Geschichte, daß wir den Aufbau des Neuen leisten müssen, ohne die Niederreißung des Alten geleistet zu haben. Das haben, indem sie den Faschismus besiegten, die Sowjetrussen für uns getan. Wahrscheinlich deshalb sehen wir jetzt den Aufbau so undialektisch an. Und daß wir ihn so ansehen, hat wieder den Nachteil, daß wir dem täglichen Kampf gegen das Alte, den wir doch zu leisten haben, keinen genügenden Ausdruck verleihen. Wir suchen ständig das ‹Harmonische›, das ‹An-und-für-sich-Schöne› zu gestalten, anstatt realistisch den Kampf für die Harmonie und die Schön-

heit.»[487] Die letzten Sätze, direkt gegen die offizielle Kunsttheorie von Lukács gerichtet, erhellen die Differenz zwischen der zu diesem Zeitpunkt herrschenden stalinistischen Legitimationsästhetik und den ästhetisch-politischen Intentionen Brechts. An die Stelle operativ-kommunikativer Integration der Kunstproduktion in die kulturrevolutionäre Veränderung des Alltags tritt ein entleerter, an klassisch-bürgerlicher Ästhetik orientierter Kunstbegriff, der die neuen ‹sozialistischen› Inhalte, mühsam und dürftig genug, geschichtsphilosophisch als allemal gelungene Einlösung des vom klassischen Erbe nur gewollten Humanums legitimieren soll. Die Kanonisierung einer auf ihre auswendigen Funktionen heruntergebrachten bürgerlichen Ästhetik soll derart mitwirken an der Verbreitung falschen Bewußtseins, das Selbstverwirklichung der Menschen, das praktisch-real Harmonische, da vorspiegelt, wo die materiellen und politischen Grundlagen der ‹menschlichen Emanzipation› von den Produzenten selber zuallererst konkret angeeignet werden müssen. Mit einem Bild Brechts, das die Differenzen beziehungsreich und präzise zusammenfaßt, kann man formulieren, daß die Kunst der stalinistischen Legitimationsästhetik – bestenfalls – zurückfällt auf eine Stufe, wo die Zuschauer «nur hören, wie man den gefesselten Prometheus befreit» – Brechts Kunstproduktion sieht ihre Intentionen erst darin realisiert, daß die Zuschauer «auch sich in der Lust schulen, ihn zu befreien. Alle die Lüste und Späße der Erfinder und Entdecker, die Triumphgefühle der Befreier müssen von unserem Theater gelehrt werden.»[488] Die produktiven Neuerungen solcher Kunst können nur in ihrer Teilhabe an revolutionärer gesellschaftlicher Emanzipation sich entfalten. Sie werden eingeschränkt und administrativ unterdrückt, wo eine gesellschaftliche Umwälzung nicht im Gefolge einer Revolution, sondern im Gefolge von Verordnungen kommt. Genau so aber charakterisiert Brecht die historische Situation der DDR und damit die Bedingungen seiner eigenen Arbeit: «Der reinigende Prozeß einer Revolution war Deutschland nicht beschieden worden. Die große Umwälzung, die sonst im Gefolge der Revolution kommt, kam ohne sie.» Das aber habe zur Folge gehabt, daß die alten Denk- und Verhaltensweisen des Kaiserreichs, der Weimarer Republik und vor allem des Faschismus noch fortbestünden, deren Destruktion sei die Aufgabe seiner Kunst: «Sie muß alte Gefühle und alte Gedanken bekämpfen, enthüllen, außer Kurs setzen und neue Gedanken und Gefühle aufspüren und fördern.»[489] Dazu bedarf es gerade der neuen Kunstmittel.

Die Notwendigkeit von Neuerungen in der Kunstproduktion versucht Brecht zudem, wie vor ihm auch Tretjakov, objektiv durch ihre unmittelbare Teilhabe an der vor sich gehenden Umwälzung selber zu begründen: «Was für immense Neuerungen gehen gerade jetzt um uns her vor sich [...] wie sollen die Künstler mit den alten Kunstmitteln

Abbilder von all dem herstellen?»[490] Die neuen Inhalte selber also fordern die neuen Formen: «Das Leben, das sich allenthalben bei uns [in der DDR], wo die Grundlagen der Gesellschaft umgewälzt werden, in neuen Formen abspielt, kann durch eine Literatur in der alten Form nicht gestaltet oder beeinflußt werden.»[491] Das unabweisbare Bedürfnis der Neuerungen, des Experiments entsteht für die Kunst Brechts demnach nicht nur aus einem bloßen Engagement in bezug auf die Veränderung der Gesellschaft (im Sinne des Herstellens bloßer Abbilder), sondern gerade aus dem Anspruch, selber als umwälzende Praxis sich zu begreifen und zu realisieren. Das Theater, heißt es so in den Bemerkungen zu Carl Orffs ‹*Antigone*›, kann «an den Umwandlungsprozessen» nicht «führend teilnehmen, wenn die Theaterleute nicht ebenso experimentieren (neue Wege ausprobieren) wie die Politiker, Wirtschaftler, Wissenschaftler»[492].

In dieser Argumentation tritt, gerade im Vergleich mit Tretjakov, die Aporie, in der Brechts literarische Theorie und Praxis sich in der DDR befand, ganz deutlich hervor. Er muß Experiment und formale Neuerungen gegen die nicht nur gleich gebliebene, sondern noch regressiver gewordene Kulturpolitik durchsetzen, mit der sich schon Tretjakov konfrontiert sah. Aber während Tretjakov sich zumindest über einen längeren Zeitraum mit einer wirklichen sozialen Revolution und deren gesellschaftlich-emanzipativen Ansätzen verbunden wußte, sind für Brecht in der DDR diese Voraussetzungen kaum gegeben. Die ‹neuen Formen› des gesellschaftlichen Lebens, auf die er sich beruft, sind eher beschworene und wirklich nur Formen, denen ein neuer gesellschaftlicher Inhalt, vertreten durch das Selbstbewußtsein der sich befreienden Produzenten fehlt.[493] Selbst der Kampf einer neuen Kunst gegen die ‹alten Gedanken› und die ‹alten Gefühle› ist wirksam und dauerhaft gestört durch eine Kulturpolitik, die die dazu erforderlichen neuen Kunstmittel als ‹formalistisch› denunziert und es vorzieht, sowohl die ältesten Gefühle als auch wahrhaft ‹alte› Gedanken legitimationsideologisch für ihre Zwecke zu mobilisieren. Als ein Beispiel für viele sei hier aus der Entschließung des ZK der SED auf der Tagung vom 15. bis 17. März 1951 zitiert: «Das wichtigste Merkmal des Formalismus besteht in dem Bestreben, unter dem Vorwand oder auch der irrigen Absicht, etwas ‹vollkommen Neues› zu entwickeln, den völligen Bruch mit dem klassischen Kulturerbe zu vollziehen. Das führt zur *Entwurzelung* der nationalen Kultur, zur Zerstörung des Nationalbewußtseins, fördert den Kosmopolitismus und bedeutet damit eine direkte Unterstützung der Kriegspolitik des amerikanischen Imperialismus.»[494]

Gerade an der Funktion, die Brechts ästhetische Theorie und Praxis dem Zuschauer und Leser zuweist, wird deren tiefgreifende, letztlich in einer divergierenden Konzeption der marxistischen Theorie begründete Differenz zur stalinistischen Legitimationsästhetik und Kulturpolitik deutlich. Denn die Einführung formaler Neuerungen, die Erprobung neuer literarischer Techniken hat bei Brecht einen funktionalen Bezug in der Emanzipation der Zuschauer und Leser zu kritischem Urteil und aufgeklärter Selbsttätigkeit. Die neuen literarischen Techniken können zuallererst die neuen Stoffe, vor allem aber die ‹neuen Blickpunkte› einführen helfen. Diese Wirkungsabsicht, die Menschen zum eigenständigen Urteil, zu selbstbewußter, kritischer und praktischer Aktivität zu befähigen, sie aus bloßen Konsumenten von Kunst in Produzenten zu verwandeln, ist also ein Konstituens der Formgestalt selber. Der im Stilprinzip der Montage angelegte offene Schluß etwa bildet so die Voraussetzung für die Entfaltung eingreifenden Denkens und praktischer Kritik. In ihnen realisiert sich die Kunstproduktion durch ihre Transformation in die kritische Produktivität der Zuschauer und Leser.

Diese selber auf einen kritischen Marxismus fundierte künstlerische Praxis ist mit der auf marxistisch-leninistische ‹Weltanschauung› und ihre ‹Gnoseologie›, die Widerspiegelungstheorie, gegründeten stalinistischen Legitimationsästhetik und Kulturpolitik im Grunde unvereinbar.

Die Auseinandersetzung über die Oper *‹Das Verhör des Lukullus›*, deren offener Schluß das Urteil über den Feldherrn Lukullus der kritischen Einsicht der Zuschauer selber überließ, machte das ganz deutlich: sie mußte zur *‹Verurteilung des Lukullus›* abgeändert werden, das Urteil selber schon von der Bühne herab verkündet werden. Im Verlauf dieser Debatte präzisiert Brecht seine Konzeption: «Überhaupt wird ja der Kunstgenuß (und der Genuß, den die Kunst an Erkenntnissen und Impulsen verschafft) dadurch gesteigert, daß das Publikum selber zum geistigen Produzieren, Entdecken, Erfahren gebraucht wird.»[495] Den unmittelbaren Zusammenhang solcher operativen, experimentierenden literarischen Praxis mit Brechts Kritik am objektivistischen, zum ontologischen Materialismus verkommenen Marxismus zeigt eine Anmerkung zur *‹Mutter›*: «Die determinierenden Faktoren, wie soziales Milieu, spezielle Ereignisse und so weiter sind also als veränderliche darzustellen. Eine gewisse Austauschbarkeit der Vorkommnisse und Umstände muß dem Zuschauer das Montieren, Experimentieren und Abstrahieren gestatten und zur Aufgabe machen.»[496]

3. In der Kritik an einer auf die bloße Widerspiegelung objektiver Wirklichkeit restringierten Literatur stimmt Brecht mit Tretjakov weitgehend überein. Doch während Tretjakov, und mit ihm die Gruppe LEF, zumal Arvatov, vor allem von einer kulturrevolutionären Konzeption der Veränderung des Alltags her das Widerspiegelungs-Postulat ablehnt, weil die Kunst überhaupt von der Funktion, «das Leben zu dekorieren oder abzubilden», befreit und instand gesetzt werden soll, «es zu

gestalten»[497], so ist Brechts Position eher erkenntnistheoretisch und ideologiekritisch, das heißt stärker an Aufklärung und emanzipativem Vernunftinteresse orientiert. Die Aufgabe der operativen Kunst, die Tretjakov bestimmt als «Teilnahme am Leben des Stoffes selbst»[498], durch die die Kunst lernt, nicht nur «das Leben zu konterfeien, sondern auch das Leben zu verändern»[499], wird von Brecht, wenn man von der Lehrstück-Theorie und -Praxis einmal absieht, so gewendet, daß die verfremdete Vermittlung geschlossener Fabeln und Parabeln bzw. die verfremdete Abbildung historisch-gesellschaftlicher Ereignisse in den Mittelpunkt seiner literarischen Praxis tritt. Das operative Element, die Aufhebung bloßer Abbildung durch Teilnahme am Leben des Stoffs ist bei ihm daher weitgehend zurückgenommen in die formale Destruktion der mimetischen Funktion, in die literarische Technik.
Gemessen am Operativismus markiert Brechts Theorie und Praxis des V-Effekts eine historische Stufe in der Emanzipation der Kunst vom Ritual, die mit Arvatov zu kennzeichnen wäre durch die «Offenlegung der Verfahren der künstlerischen Meisterschaft, die Liquidierung seiner fetischistischen ‹Geheimnisse›, die Weitergabe der Verfahren vom Kunstproduzenten zum Konsumenten» – diese Bestimmungen zusammen bilden, so Arvatov, «die Grundbedingung dafür, daß die jahrhundertealte Kluft zwischen Kunst und Praxis»[500] aufgehoben werden kann. Solche Möglichkeiten literarischer Praxis, bei Brecht festgemacht an ihrer Fundierung auf kritisch-revolutionäre Dialektik, sieht er durch den von ihm als objektivistisch kritisierten ontologischen Materialismus marxistisch-leninistischer Weltanschauung paralysiert. Dessen, vor allem mittels seiner Erkenntnistheorie auf die ästhetische Theorie und Praxis ausgeübte Wirkung besteht, wie schon Tretjakov und Arvatov erkannten, zum einen in der über den Primat des revolutionären Inhalts durchgesetzten Restauration bürgerlicher Kunstauffassung, die der Retardation und Stillstellung des revolutionären Prozesses selbst entspricht, und zum andern, von Brecht denunziert, in der Neutralisierung der kritischen, produktiven und emanzipativen Gehalte literarischer Praxis in einem Objektivismus der Kunst selber: «Objektivistische Darstellungen lassen das subjektive Moment, den auf die ständig produktive Änderung der gegebenen Zustände und Verhältnisse gerichteten Willen des Darstellenden außer acht und geben Abbildungen, welche der Änderung und Entwicklung keine Impulse verleihen.»[501] Der funktionale Zusammenhang von Darstellungsweise bzw. literarischer Technik und Produktivität bzw. Produktion soll im folgenden diskutiert werden.

8. Zur Dialektik von literarischer Technik und sozialer Funktion – die Stellung der Kunstproduktion im gesellschaftlichen Widerspruch von Produktivkräften und Produktionsverhältnissen als Problem der theoretischen Selbstreflexion marxistisch fundierter künstlerischer Praxis

Wie im vorigen Kapitel gezeigt wurde, hatte Tretjakovs Kampf gegen den Primat des revolutionären Inhalts qua objektiver Widerspiegelung des sozialistischen Aufbaus unter anderem seinen Grund in dem Versuch, die Form–Inhalt-Dissoziation aufzuheben im praktischen Wirkungszusammenhang von Material, Konstruktion und Bestimmung – eine Transformation, die im Hinblick auf die erklärte Integration der Kunstproduktion in die gesellschaftliche Emanzipation der Produzenten konzipiert wurde.

Bertolt Brecht hat, zeitweise in der theoretischen Diskussion mit Walter Benjamin, diesen Ansatz Sergej Tretjakovs fortgeführt und den Zusammenhang von Material, Konstruktion und Bestimmung als dialektische Beziehung von literarischer ‹Technik› und sozialer Funktion reflektiert. Mit der Kategorie ‹literarische Technik› versucht er, einem Problem Rechnung zu tragen, vor das eine marxistisch fundierte Kunst sich theoretisch und praktisch unausweichlich gestellt sieht: die Erkenntnis- und Aneignungsweisen der Kunst vor denen kritischer wissenschaftlicher Methodik nicht nur zu legitimieren, sondern diese in eine produktive, praktische Kommunikation mit den Verfahrensweisen einer operativen Literatur zu bringen. Das Selbstverständnis der Kunst als einer mit wissenschaftlichen vergleichbaren, eigenen Techniken operierenden Form geistiger Produktion bezeichnet einen entscheidenden Schritt auf dem Wege ihrer Emanzipation vom profanisierten Schönheitsdienst. Literarische Technik, verstanden als das Medium ihrer Konvergenz mit wissenschaftlicher Methodik qua «Denktechnik»[502], erlaubt zugleich, die Kunstmittel selber als ‹Produktivkräfte› zu begreifen und an deren Stellung zu den anderen, materiellen wie geistigen Produktivkräften ihren objektiven technischen Standard zu bestimmen.

In der Einsicht, daß der Dichter der Moderne vergeblich nach den einfachen menschlichen Vorgängen fahnden werde, erklärt Brecht seine Belehrung durch die Wissenschaften für unabdingbar. Er bestimmt das Verhältnis von Kunst und Wissenschaft nicht als eines bloß äußerlicher Vermittlung und einseitiger inhaltlicher Rezeption, sondern zielt auf die Verwissenschaftlichung der Kunstmittel selber: «Und langsam beginnt auch seine Kunst selber eine Wissenschaft, zumindest eine Technik zu entwickeln, und zwar eine Technik, die sich zu der früherer

Generationen nicht viel anders verhält als die Chemie zur Alchimie.»[503] Erst eine auf dem Weg von der Alchimie zur Chemie befindliche Kunst hat die Möglichkeit, sich von ihrem ‹parasitären Dasein am Ritual› zu emanzipieren, die Isolation ihrer Techniken von anderen Techniken zu durchbrechen und in praktisch-politische Kommunikation mit diesen zu treten. Die Auffassung der Kunst als einer Technik impliziert so die kritische Wendung gegen den überkommenen Kunstbegriff, der der Kunst einen eigenen, eng umgrenzten, zumeist ontologisch definierten Bezirk zuweist. Brecht dagegen schlägt vor: «Es wäre viel nützlicher, den Begriff ‹Kunst› nicht zu eng zu fassen. Man sollte zu seiner Definierung ruhig solche Künste wie die Kunst des Operierens, des Dozierens, des Maschinenbaus und des Fliegens heranziehen.»[504] Dieser Vorschlag ist zugleich gegen die durch einen ontologischen Materialismus begründete ästhetische Theorie gerichtet, weil er das durch die Widerspiegelung gänzlich mechanisierte und um seine dialektische Konstitution gebrachte Basis-Überbau-Modell konkret zu überwinden sucht. Denn während die Widerspiegelungsästhetik des sozialistischen Realismus die Kunst inhaltlich und formal auf ein bloßes Abbildverhältnis *zur* gesellschaftlichen Wirklichkeit, *zu* den Produktionsverhältnissen festlegen will und damit der schlechten, schablonenhaften Restitution der bürgerlichen Kunst- und Kulturauffassung den Weg bereitet, gehen Brecht und Benjamin in ihren theoretischen Entwürfen von der Frage aus, wie die Literatur *in* den Produktionsverhältnissen ihrer Zeit steht.[505] Diese Frage geht von einer Voraussetzung aus, die auf Grund der den Kategorien Basis und Überbau immanenten Metaphorik leicht verdrängt und durch deren undialektische Reduktion auf eine Realität-Abbild-Konstellation gänzlich unterschlagen werden konnte: der Einsicht nämlich, daß dem Denken und der künstlerischen Tätigkeit gegenständliche Wirklichkeit zukommt, indem sie konstitutive Elemente von Produktion sind – verstanden als aktivische Auseinandersetzung der Menschen mit der Natur und Form ihrer Selbstverwirklichung. Wenn Brecht daher in den ‹*Thesen zur Theorie des Überbaus*› zur Produktivkraft Technik auch die ‹Denktechnik› rechnet, so gilt ihm die literarische Technik als eine ihrer Formen gleichfalls für eine Produktivkraft. Der Begriff ‹Technik› bildet daher für die materialistische Literaturtheorie den dialektischen Ansatzpunkt, von dem aus Brecht und Benjamin im Anschluß an Tretjakov den ideologischen Schein autonomer Existenz der Kunst als historische Erscheinungsweise ihrer Trennung vom materiellen Lebensprozeß kritisieren in der praktischen Absicht, diese Trennung durch die Zurücknahme der Kunst zunächst in einen praktischen Zusammenhang von technischen Möglichkeiten und gesellschaftlichen Funktionen aufzuheben. Tretjakovs Versuch, die Form–Inhalt-Beziehung durch die Konzeption einer operativen Kunst zu überwinden, die mit den Kategorien Material und Bestimmung arbeitet, wird implizit von Benjamin fortgeführt, wenn er den Begriff der Technik als ein Mittel sowohl zur Überwindung des unfruchtbaren Gegensatzes von Form und Inhalt als auch zur Bestimmung des richtigen Verhältnisses von politischer Tendenz und artistischer Qualität beschreibt.[506] Benjamin und mit ihm auch Brecht versuchen, Tretjakovs Formel Material–Bestimmung–Gegenstand in den allgemeinen materialistisch-dialektischen Ansatz einer Literaturtheorie zu transponieren, der das Verhältnis von literarischer Technik und ihrer gesellschaftlichen Funktion zum zentralen Gegenstand hat. Exemplifiziert wird dieser Ansatz von Benjamin an Tretjakov als einer Verkörperung des operierenden Schriftstellers und am epischen Theater Brechts, das Benjamin zufolge dem allgemeinen technischen Standard des Zeitalters, den Möglichkeiten von Presse, Rundfunk und Film, mit dem Stilprinzip der Montage, das heißt der kalkulierten Unterbrechung der Abläufe, Rechnung trägt. Dieses Verhältnis von technischen Produktivkräften und ihrer gesellschaftlichen Wirkungen zur Entwicklung künstlerischer Techniken ist für Benjamin strukturiert durch eine zeitliche Aufeinanderfolge, die freilich nicht deterministisch festgelegt ist. Vielmehr enthalten die technischen Revolutionen einen historischen Anspruch, dem eine in verändernder revolutionärer Praxis als ihrer Tendenz begründete, fortschreitende literarische Technik entsprechen kann, aber nicht mit Notwendigkeit entspricht. Wenn Benjamin daher konstatiert: «Die wichtigen, elementaren Fortschritte der Kunst sind weder neuer Inhalt noch neue Form – die Revolution der Technik geht beiden voran»[507], so bezeichnet er die technische Revolution als ein historisch-gesellschaftliches Problem, vor das jede gleichzeitige Kunst in ihrem Inhalt wie ihrer Form unausweichlich sich gestellt sieht. Dessen Lösung aber durch eine adäquate literarische Technik ist von ihrer politischen Tendenz nicht zu trennen, sondern kann überhaupt erst jene Qualität ausmachen, die aus der Konvergenz von politisch und artistisch-technisch progressiver Tendenz resultiert. In diesem Sinne beschreibt Benjamin das epische Theater Brechts als das «am gegenwärtigen Entwicklungsstande von Film und Rundfunk gemessen [...] zeitgemäße»[508], weil es, die Auseinandersetzung mit diesen Medien suchend, bereit ist, von ihnen zu lernen, ihre technischen Möglichkeiten zu verwenden und zugleich umzufunktionieren. Das Prinzip der Montage, aus den Verfahrensweisen von Film und Rundfunk gewonnen, sprengt das Theater der Illusion, indem es «die Elemente des Wirklichen im Sinne einer Versuchsanordnung» behandelt und durch die Unterbrechung der Abläufe die kritische Entdeckung der Zustände einleitet.[509] Die Umfunktionierung der gegebenen Technik der Montage besteht so darin, daß die Unterbrechung im epischen Theater nicht im Reiz sich erschöpft, sondern die Funktion erhält, eine neue, mitwirkende, denkende und produktive Haltung des Zuschauers zu organisieren.

Die Differenz aber zwischen Brechts und Benjamins Begriff der literarischen Technik wird deutlich an dem Gebrauch, den Benjamin von den Kategorien des ‹Fortschritts› und des ‹Zeitgemäßen› in seiner theoretischen Skizze macht. Indem er die Qualität des Zeitgemäßen und der Fortschrittlichkeit, so zumindest in dem Aufsatz ‹*Der Autor als Produzent*›, nur jenen künstlerischen Techniken attestiert, die auf der Höhe des allgemeinen technischen Standards der materiellen Produktivkräfte sich bewegen, wird das Verhältnis der künstlerischen Technik zum historischen Stand der Produktivkräfte technologisch verkürzt.[510] In die Vorstellung eines objektiven technischen Standards der modernen Publikationsformen und Medien wie der ihnen entsprechenden veränderten Rezeptionsweisen, der Benjamin zufolge das Ende der Kunst einleitet, ist, zumal was die literarische Technik angeht, ein zentrales Konstituens von vornherein nicht einbezogen: der historische Stand in der Entwicklung der künstlerischen Technik selber. Dieser Mangel hat seinen Grund in dem technizistisch verengten Begriff der Produktivkraft, auf den Benjamin, um materialistische Orthodoxie bemüht, seinen theoretischen Entwurf gründet. Brechts Auffassung literarischer Technik ist weiter und vielfältiger, weil er den objektiven technischen Standard nicht ausschließlich an den technologischen Gegebenheiten (Reproduzierbarkeit im weitesten Sinne als materielle ästhetische Produktionsbedingung) festmacht, sondern ihn als ein Moment innerhalb der konkreten Totalität einer ökonomischen Gesellschaftsformation begreift, in deren Produktion und Reproduktion die literarische Tätigkeit funktional einbezogen ist.
Während Benjamin an bildender Kunst, Film, Fotografie (sowjetischer Revolutionsfilm, John Heartfield) und Musik (Hanns Eisler) den vermittelten Zusammenhang des objektiven Standards der technisch-materiellen Produktivkräfte mit den künstlerischen Techniken einsichtig machen kann, zeigt sich die Begrenztheit seines Begriffs von Produktivkraft, wenn er Brechts Technik der Verfremdung Zeitgemäßheit nur darum zuspricht, weil das ihr zugrunde liegende Stilprinzip der Montage auf der Ebene eines objektiven technischen Standards den Verfahrensweisen von Rundfunk und Film adäquat sei. Die technische Fortgeschrittenheit des epischen Theaters erscheint so als bloßes Derivat eines technologischen Standards, dessen objektive Fortschrittlichkeit einzig dadurch begründet wird, daß der Produktivkraft Technik und der größten Produktivkraft, dem revolutionären Proletariat, die Tendenz gemeinsam ist, die kapitalistischen Produktionsverhältnisse zu sprengen.[511] Diese Gemeinsamkeit erweist sich in der Konstruktion Benjamins als bloß abstrakte, da die konkrete dialektische Vermittlung beider Momente in ihr nicht durchgeführt ist. Um stringent zu sein, müßte die Theorie voraussetzen können, daß der Entfaltung technisch-industrieller Produktivkräfte per se ein historisch-emanzipativer Gehalt in-

newohnt, der vom Proletariat lediglich noch zu realisieren wäre – dem entspräche auf der Ebene der ästhetischen Theorie die Überzeugung, daß die technischen Revolutionen in der Kunstentwicklung die in der Kunst latent enthaltene politische Tendenz gleichsam von selbst freisetzten, mit den Worten Benjamins: «In jeder neuen technischen Revolution wird die Tendenz aus einem sehr verborgenen Element der Kunst wie von selber zum manifesten.»[512] Benjamin expliziert dieses Theorem am Film, insbesondere am sowjetischen Revolutionsfilm: mit dem Film entstehe eine neue Region des Bewußtseins, er erobere dem Bewußtsein die Räume des handelnden Kollektivs, des Proletariats, das zugleich im Film als einer fortgeschrittenen Form künstlerischer Technik das ihm adäquate Medium seiner kollektiven Rezeptionsweise und seiner möglichen Selbstverständigung erkenne. Der Film, der eine Tendenz zur Basis genommen hat (wie der russische Revolutionsfilm, aber auch der amerikanische Groteskfilm der zwanziger Jahre), kann Benjamin zufolge das fortgeschrittenste gesellschaftliche Bewußtsein mit einer der fortgeschrittensten künstlerischen Techniken, dem Prinzip der Montage, vermitteln.[513] Benjamin beschreibt daher das epische Theater Brechts als fortgeschrittene künstlerische Technik, weil es sowohl dem Stand der technologischen Entwicklung in den Massenmedien entspricht, das heißt weil es die durch die voraufgegangene technische Revolution gestellten, inhaltlichen und formalen Probleme durch die Verbindung von Tendenz und Montage zu lösen sich anschickt, als auch den Möglichkeiten neuer, technologisch bedingter kollektiver Rezeptionsweisen zu entsprechen sucht.

Dieser Bestimmung des objektiven technischen Standards als einem historischen Stand-Index für die Kunstentwicklung, dem das epische Theater genüge, liegt eine mechanische Auffassung der Vermittlung von Technik und Kunstproduktion zugrunde, weil in sie der jeweils vorgegebene, historisch bestimmte Entwicklungsstand[514] der literarischen Technik selber nicht aufgenommen ist. An diesen Entwicklungsstand aber knüpft Brecht bewußt an, wenn er seine literarische Technik der Verfremdung als kritische Weiterführung bestehender Techniken der Verfremdung, der Montageformen des Dadaismus und Surrealismus begreift und auch von daher ihren fortgeschrittenen technischen Standard herleitet. In den «Hanns Eisler» überschriebenen Notizen für einen Beitrag zum Thema Volkstümlichkeit schildert Brecht die Schwierigkeiten jener fünf Künstler, «welche, die Partei des im Weltkrieg mißbrauchten und in der Republik nicht entschädigten Volkes nehmend, am bekanntesten geworden sind»[515]; die Schwierigkeiten, vor die diese fünf – der Dichter (Brecht), der Zeichner (Grosz), der Fotograf (Heartfield), der Theaterleiter (Piscator) und der Musiker (Eisler) – sich gestellt sahen, bestanden darin, das ästhetisch fortgeschrittenste mit dem sozial fortgeschrittensten Bewußtsein zu vermitteln. Sie «waren alle im Besitz einer hochentwickelten Technik *und die Entwicklungslinie der Künste lief ununterbrochen zu ihren Werken*, selbst derjenige unter ihnen, dessen Kunst die jüngste war, der Plakatist, führte die Tradition auf seinem Gebiet fort. *Und doch* wirken ihre Arbeiten wie Beweise des Aufatmens und des sich kriegerisch Regens des gequälten und für einige Zeit von einigen der vielen Fesseln befreiten Volkes.»[516] Am glücklichsten aber gelang jene Vermittlung dem Musiker Hanns Eisler, einem Schüler Arnold Schönbergs, «eines Meisters, der die Musik so mathematisiert hatte, daß seine Arbeiten nur noch wenigen Fachleuten zugänglich waren. Aber der Schüler wandte sich an die großen Massen. Nur ein paar Virtuosen vermochten die Stücke des Schönberg zu spielen, Millionen reproduzierten diejenigen des Eisler.»[517]

Bertolt Brecht ordnet also nicht wie der ontologische Materialismus der ästhetischen Widerspiegelungstheorie die künstlerischen Techniken naiv-abbildrealistisch dem Auf- oder Abstieg gesellschaftlicher Klassen zu, wobei die Kunstmittel von Joyce bis Schönberg umstandslos der Dekadenz zugerechnet werden, sondern er geht aus von einer relativen Eigenständigkeit der Entwicklung künstlerischer Techniken. Die ‹Entwicklungslinie der Künste›, ein Begriff, der Eislers Auffassung vom ‹historisch bestimmten Materialstand› entspricht, fällt nicht bruchlos, in abstrakter Identität, mit der Entwicklungslinie der ökonomischen Gesellschaftsformationen und deren Bewußtseinsformen zusammen. Da Brecht die künstlerische Tätigkeit, auch die literarische Praxis, als eine spezifische Weise der Produktion, der menschlichen Selbstbetätigung begreift, so gilt ihm auch für die Kunstproduktion, was Marx zufolge Produktion als Prinzip von Geschichte überhaupt ausmacht: die Möglichkeit ihrer Entfaltung in einer emanzipativen Dialektik von produktiver Selbstbetätigung und bestimmten Verkehrsformen, von Produktivkräften und Produktionsverhältnissen. Das wird deutlich in einer Anmerkung zur Expressionismus-Debatte: «Heute noch sehen viele das Niedersäbeln des Expressionismus in Bausch und Bogen mit Unwillen, weil sie fürchten, daß da Befreiungsakte an und für sich niedergedrückt werden sollen, ein Sichbefreien von hemmenden Vorschriften, alten Regeln, *die zu Fesseln geworden sind*, daß da ein Festhalten an Beschreibungsarten versucht werden soll, die für Gutsbesitzer paßten, nachdem man die Gutsbesitzer selbst beseitigt hat.»[518] In ähnlicher Weise interpretiert Eisler die Entwicklungslinie zur modernen Musik, etwa Schönbergs, nicht als dekadenten Bruch mit dem Erbe, sondern als «Auflösung der vorgegebenen, konventionellen musikalischen Sprache»[519], als «Befreiung von Klischee und Floskel, als Umstrukturierung des musikalischen Sprachgefüges in Richtung auf den rationellen Einsatz der aus konstruktiver Notwendigkeit entwickelten Mittel»[520]. Diesen Prozeß bringt er auf den Begriff der «Eigenbewegung der musikalisch-technischen Produktivkräfte»[521], eine Eigenbewegung, die im Avancement des Materials wie der Verfahrensweisen (Techniken) sich niederschlägt. Der Begriff der künstlerischen Technik, begründet in der Auffassung der künstlerischen Tätigkeit als einer Form von Produktion, bietet so den Ansatzpunkt, die mechanistisch auf einen bloßen Abbildrealismus reduzierte Basis-Überbau-Dialektik für eine dialektisch-materialistische Kunsttheorie zu rekonstruieren und zu differenzieren. Denn während die ästhetische Widerspiegelungstheorie das künstlerische Produkt lediglich unter dem einen zentralen Aspekt zu betrachten erlaubt: wie es als spezifische, durch die Klassenlage bedingte Bewußtseinsform zum vorab geschichtsphilosophisch fixierten Stand der historisch-gesellschaftlichen Entwicklung sich verhält, so fragt die dialektische Kunsttheorie von Benjamin, Eisler und Brecht nach der Stellung der Kunstproduktion innerhalb des durch den Widerspruch von Produktivkräften und Produktionsverhältnissen konstituierten gesellschaftlichen Gesamtzusammenhangs. Das Verhältnis der ‹Eigenbewegung› der künstlerischen Produktivkräfte zur konkreten gesellschaftlichen Totalität ist in diesem Ansatz insofern abstrakt schon impliziert, als die Kunst qua spezifischer Weise menschlicher Selbstbetätigung (d. h. Produktion) dem Komplex der Produktivkräfte selber zugerechnet wird.

Um diese so vorerst nur abstrakt umrissenen Zusammenhänge zu konkretisieren und zu differenzieren, muß die ursprüngliche Fragestellung im Anschluß an eine Formulierung Brechts präzisiert werden: in welcher Weise und in welchem Umfang sind in künstlerischer Arbeit Produktivkräfte repräsentiert[522], welche Stellung nimmt die Kunstproduktion innerhalb des Ensembles der gesellschaftlichen Produktivkräfte ein?

Die Antworten Brechts auf diese Frage sollen im folgenden zusammenfassend dargestellt werden. Eine solche Zusammenfassung hat notwendig den Charakter einer Konstruktion, in die, soweit möglich und erforderlich, auch Ansätze Benjamins und Eislers einbezogen werden sollen, da sie gleichfalls von der Konzeption künstlerischer Praxis als einer spezifischen Form von Produktion ausgehen. Zudem stand Brecht in dem Zeitraum, in dem er das Konzept literarischer Technik entwickelt, mit beiden in einem intensiven Diskussionsprozeß.

8.1. Konstitutiver Zusammenhang der Kunstproduktion mit den gesellschaftlichen Produktivkräften

Dieser Zusammenhang soll an einem konkreten Beispiel verdeutlicht werden: auf welche Weise ist die avancierte literarische Technik der Verfremdung, wie Brecht sie nicht nur im epischen Theater praktiziert,

durch die gesellschaftlichen Produktivkräfte vermittelt?
Diese Fragestellung erfordert vorab eine Klärung des Produktionsbegriffs innerhalb der marxistischen Theoriebildung Brechts selber. Brecht begreift Produktion, wie ich bereits gezeigt habe, als emanzipative Kategorie: Produktion als aktivische Auseinandersetzung der Menschen mit der Natur, auch mit ihrer eigenen Natur, ist zugleich die praktisch werdende Kritik der Menschen an der Natur. Entfaltung der Produktivkräfte ermöglicht demnach die durch theoretische und praktische Kritik fortschreitende Emanzipation der Menschen von der Natur auf dem Boden der Natur selber. (In diesem Sinne bezeichnet Brecht etwa die Regulierung eines Stromverlaufs als kritische Haltung gegenüber der Natur.[523]) Der emanzipative Zusammenhang von Produktion und Kritik ist konstitutiv für den marxistischen Begriff der gesellschaftlichen Produktivkraft: er umfaßt gleichermaßen, doch vielfältig und komplex ineinander vermittelt, materielle und geistige Produktion, natürliche Elemente ebenso wie Instrumente, Techniken, wissenschaftliche Erkenntnisse, die spezifischen Organisationsformen der Arbeit und schließlich auch die künstlerischen Techniken.
Auf das konkrete Beispiel des Stilprinzips der Verfremdung bei Brecht bezogen kann auf die Frage nach der Konstitution dieser literarischen Technik durch den Stand der gesellschaftlichen Produktivkräfte eine vorläufige Antwort gegeben werden. In die Entwicklung der literarischen Technik der Verfremdung sind als konstitutive Elemente und produktive Impulse, in unterschiedlicher Intensität und Präsenz, die folgenden gesellschaftlichen Produktivkräfte eingegangen:
1. Die reproduktiven Techniken des Rundfunks und des Films, insbesondere die Verfahrensweisen von Simultaneität und Montage.
2. Die ‹Denktechniken› von Philosophie, Wissenschaft und revolutionärer Gesellschaftstheorie, wobei Brecht allerdings – und das wird von zentraler Bedeutung sein für sein Verhältnis zur Tradition überhaupt – den aktuellen, jeweils letzten historischen Stand dieser ‹Techniken› nicht normativ hypostasiert. Zwar übernimmt auch er – als Erbschaft Hegels und Heines gewissermaßen – das Postulat unbedingter Gegenwärtigkeit im Verhältnis von Wissenschaft und Kunst: «Kunstwerke haben das Recht, intelligenter zu sein als die wissenschaftliche Psychologie ihrer Zeit, aber nicht das Recht, dümmer zu sein»[524], doch dieser Imperativ ist zugleich begründet in der dialektischen Einsicht, daß die Technik selber Produkt einer historisch-gesellschaftlichen Entwicklung ist: sie bildet «eine Ansammlung von Kenntnissen und Praktiken vieler Jahrhunderte, das heißt, vieles aus früherer Technik ist noch lebendig in der unsrigen, sie ist eine Fortführung, wenn auch keine geradlinige, wenn auch keine bloße Addition»[525].
So ist im Stilprinzip der Verfremdung nicht allein die Denktechnik der dialektischen Methode von Marx repräsentiert, sondern ebenso, wie

modifiziert und aufbereitet auch immer, das induktive Verfahren, das die praktische Philosophie Francis Bacons für die Naturwissenschaften entwickelt hatte, und das emanzipative Vernunftinteresse der radikalen bürgerlichen Aufklärung, zumal in seiner Artikulation durch Denis Diderot.
3. Der aktuelle Entwicklungsstand der literarischen Techniken und zugleich deren theoretische Begründung durch die Kunstproduzenten selber, darüber hinaus vorgegebene allgemeine ästhetische Theorien. So erscheinen Brecht bestimmte Formprinzipien der Literatur seiner Zeit «als wertvolle hochentwickelte technische Elemente»[526], die dem objektiven technischen Standard in der Kunstproduktion entsprechen und als artistische Produktivkräfte in ihrer sozialen Formbestimmtheit nicht gänzlich aufgehen. Denn wenn Produktion emanzipativ begriffen wird als praktisch-kritische Tätigkeit, dann ist auch der künstlerischen Produktivkraft das geschichtsbildende Potential inhärent, das Marx zufolge aller gesellschaftlichen Produktivkraft eignet: die auf bestimmte Negation bestehender Verhältnisse und Verkehrsformen gegründete Fähigkeit zu ihrer kritischen Überschreitung. Darum kann Brecht nicht nur die zeitgenössischen literarischen Techniken produktiv verwenden, sondern zugleich kann die historische Möglichkeit der Moderne, die ubiquitäre Verfügung über das ‹imaginäre Museum› an Formen und Stilelementen, für seine literarische Praxis selber zur Produktivkraft werden.

8.2. Konstitutiver Zusammenhang der Kunstproduktion mit den Produktionsverhältnissen

An diesem Punkt der Reflexion über die Stellung der Kunst in den gesellschaftlichen Produktivkräften stellt sich zwangsläufig die Frage, auf welche Weise die Produktionsverhältnisse, die Klassenteilung, die Formen der Arbeitsteilung, zumal die Trennung von Kopf- und Handarbeit, und schließlich die unmittelbaren Produktionsbedingungen der Kunstproduzenten selber in der künstlerischen Praxis wirksam werden.
Die Annahme, die Kunstproduktion selber habe die Eigenschaften gesellschaftlicher Produktivkräfte, zumal jene, die vorgegebenen Formen ihrer Realisierung zu sprengen, schließt die Ablehnung der ‹gnoseologischen› Grundannahme der Widerspiegelungsästhetik ein, Kunst sei lediglich Widerspiegelung der gegebenen konkreten Totalität einer ökonomischen Gesellschaftsformation; sie hebt dagegen entschieden die relative Autonomie und die Eigenbewegung der Kunstmittel hervor. Diese Relativität aber gilt es näher zu bestimmen, da dieser Begriff eher eine Aporie manifest als einen Ausweg sichtbar macht. Denn die

Wendung von der relativen Autonomie der sogenannten Überbaufaktoren begibt sich im Grunde der theoretischen Möglichkeiten materialistischer Dialektik im Marxschen Verständnis. Wenn diese die historisch-gesellschaftliche Wirklichkeit prozessual als dialektische Einheit von Produktion und Reproduktion des gesellschaftlichen Lebensprozesses begreift, so ist auch künstlerische Praxis als eine spezifische Weise von Produktion in diese Dialektik von Subjekt und Objekt einbezogen. Wie «das konkrete Subjekt die gesellschaftliche Wirklichkeit produziert und reproduziert und in ihr selbst historisch produziert und reproduziert wird»[527], so ist auch das Kunstprodukt Ausdruck sowohl wie konstitutives Bildungselement der gesellschaftlichen Wirklichkeit. An der Frage, wie das bestimmende Produktionsverhältnis in die Kunstwerke eingeht, muß darum vorab kenntlich gemacht werden, daß ihr eine begriffliche Operation zugrunde liegt, die zur Konstruktion eines Erklärungsmodells aus der konkreten dialektischen Vermittlung von Subjekt und Objekt das objektive Moment einseitig herauslösen muß. In Wirklichkeit geht das jeweilige Produktionsverhältnis seinerseits bestimmend in die gesellschaftlichen Produktivkräfte ein, da diese selber historisch produziert sind.

Wenn daher die Stellung der Kunstproduktion in den Produktionsverhältnissen verdeutlicht werden kann an ihrer gesellschaftlichen Funktion und den spezifischen Formen ihrer Aneignung durch gesellschaftliche Klassen, deren Institutionen und Ideologien, dann muß sogleich hinzugefügt werden, daß auch von den gesellschaftlichen Funktionen selber produktive Impulse ausgehen können und nicht allein restriktive. Die oben begründete Abstraktion vom historischen Prozeß vorausgesetzt können Produktionsbedingungen, gesellschaftliche Funktion und ideologische Aneignungsweise als konstitutive Momente des Produktionsverhältnisses der Kunstproduktion in der bürgerlichen Gesellschaft beschrieben werden. Deren grundlegendes Produktionsverhältnis manifestiert sich in der Warenform aller gesellschaftlichen Beziehungen: wie jede Objektstruktur in der kapitalistischen Gesellschaft ist auch die des Kunstprodukts durch sie konstituiert. Dieser Sachverhalt nötigt die Kunstproduzenten zur permanenten Reflexion auf ihre Produktionsbedingungen: sie wird unausweichlich zur politischen Selbstreflexion da, wo die Kunstproduktion zu ihrer Realisierung technischer Mittel bedarf, die der unmittelbaren Kontrolle der herrschenden Klasse unterliegen oder sich in ihrem direkten Besitz befinden (Rundfunk, Film, Theater). Brecht hat diesen Lernprozeß in seiner Schrift über den «Dreigroschenprozeß» – ein soziologisches Experiment – dargestellt.[528]

Im Warencharakter der Kunst ist eine doppelte politisch-gesellschaftliche Tendenz angelegt: die Gefahr ihrer Integration in die Mechanismen der Kulturindustrie, des Verramschtwerdens als ‹Kulturgut› und ihre Entfremdung vom gesellschaftlichen Lebensprozeß. Denn die Gesetze des Marktes setzen in der Kunstproduktion die Trennung von Autor und Adressaten durch; das Resultat ist eine wechselseitige Entfremdung, die legitimationsideologisch durch das Theorem vom allgemein-menschlichen Wesen der Kunst verschleiert wird. Brecht hat das in den ‹*Fünf Schwierigkeiten beim Schreiben der Wahrheit*› analysiert: «Durch die jahrhundertelangen Gepflogenheiten des Handelns mit Geschriebenem auf dem Markt der Meinungen und Schilderungen, dadurch, daß dem Schreibenden die Sorge um das Geschriebene abgenommen wurde, bekam der Schreibende den Eindruck, sein Kunde oder Besteller, der Mittelsmann, gebe das Geschriebene an alle weiter. Er dachte: Ich spreche, und die hören wollen, hören mich. In Wirklichkeit sprach er; und die zahlen konnten, hörten ihn [...] ich will hier nur hervorheben, daß aus dem ‹jemandem schreiben› ein ‹schreiben› geworden ist.»[529]

Diese Trennung des Autors vom Adressaten, der Kunstproduzenten von der Verwertung ihrer Produkte hat ihren Grund zugleich in der Warenproduktion konstituierten gesellschaftlichen Klassenstruktur und ihren spezifischen Formen von Arbeitsteilung, zumal der Scheidung von Kopf- und Handarbeit. Beide wirken begrenzend und bestimmend auf die gesellschaftlichen Funktionen der Kunstproduktion in der bürgerlichen Gesellschaft ein. Die allgemeinste, historisch und sozial am tiefsten verankerte Restriktion der möglichen gesellschaftlichen Funktionen der Kunstproduktion besteht so in der Trennung des «Alltags von der Erhebung»[530], der Alltäglichkeit von der Sphäre der Kultur: deren Aufhebung ist die zentrale Intention der verändernden künstlerischen Praxis Brechts, Eislers und Tretjakovs.

In der Trennung von alltäglichem Leben und Kultur manifestiert sich derart die Entfremdung der Kunstproduzenten von ihren eigenen Hervorbringungen. Entstehungsprozeß und Bedingungskonstellationen solcher Selbstentfremdung sind auch festgemacht an der Wirkungs- und Rezeptionsgeschichte der Werke, das heißt an den spezifischen Formen der Aneignung der Kunstproduktion durch die Gesellschaft. Denn nicht nur gehen die Produktionsverhältnisse als historische und gesellschaftliche Bestimmungen unmittelbar in die Kunstproduktion ein, sie machen sich zugleich geltend in deren Wirkungsmöglichkeiten.

Als objektivierte Praxis, die in vielen Bedeutungen wirkt, kann auch das Kunstprodukt den herrschenden Bewußtseinsformen subsumiert werden, und sei es durch seine Verdrängung aus den herrschenden Gedanken. Seine Wirkungsgeschichte, verstanden als seine Entfaltung in Geschichte und Gesellschaft, läßt das Werk selber nicht unverändert. Die gesellschaftlichen Interessen, die sich seiner bemächtigen, deformieren es zugleich auch, indem sie Partikulares an ihm verselbständigen und sich legitimationsideologisch dienstbar zu machen suchen. Die

Rezeption der deutschen Literatur der Aufklärung und der Klassik durch die bürgerliche Bildung und Philologie des 19. und beginnenden 20. Jahrhunderts kann exemplarisch für einen solchen Vorgang stehen. Die ideologische Aneignung der Kunstproduktion durch herrschende gesellschaftliche Interessen ist auf vielfältige Weise, in unterschiedlicher Intensität und institutioneller Präsenz wirksam. Sie kann sich manifestieren in der Festlegung von Inhalten und Deutungen, in der Selektion der tradierten Gehalte und Formen wie in der sozio-kulturellen Normierung bestimmter Formensprachen.

Die fortschreitende Entwicklung der kapitalistischen Vergesellschaftung unterwirft in immer stärkerem Maße auch die Kunstproduktion ihren Verwertungsbedingungen; damit tritt ihr Produktionsverhältnis in seiner unverhüllten Gestalt, als Anforderung des Marktes, als Warenform immer deutlicher hervor. Dieser historische Prozeß zeitigt eine spezifische Veränderung in den restriktiven Bedingungen der künstlerischen Produktivkraft. Während formalen Experimenten und Neuerungen immer weniger mit ästhetisch-ideologischen Restriktionen begegnet wird, ja diese tendenziell den Innovationszwängen des Marktes gehorchen, richten sich die repressiven Sanktionen einerseits verstärkt gegen jene Inhalte, die den Markt selber, den Bereich der politischen Ökonomie kritisch und revolutionär thematisieren, und andererseits gegen die produktive Verbindung verändernder künstlerischer Praxis mit den reproduktiven Massenmedien. Tritt hier das Produktionsverhältnis unmittelbar restriktiv der Kunstproduktion gegenüber, so sind gleichwohl, zumal in Deutschland, ungleichzeitige Ideologien und ästhetische Theoreme noch lebendig, die mittelbar die Entwicklung der künstlerischen Produktivkräfte durch normierte Traditionen, Klassizismus und akademische Spätontologien von ‹Mitte› und ‹heiler Welt› zu hemmen suchen. Gegen sie müssen die avancierten künstlerischen Techniken zuallererst durchgesetzt und behauptet werden.

Die Entfaltung der künstlerischen Produktivität, die Eroberung neuer Inhalte wie die Erprobung neuer Techniken kann von daher eins werden mit praktischer Kritik, die mit den ideologischen Produktionsverhältnissen tendenziell auch die materiellen, historisch-gesellschaftlichen anzugreifen vermag.

Weil solche indirekte, latente Kritik an den bestehenden Verhältnissen und herrschenden Ideologien ein Bildungselement der Kunst der Moderne ist, hat Brecht ihre Techniken, Experimente und formalen Neuerungen immer als entwickelte Produktivkräfte begriffen – entwickelt freilich unter bürgerlicher Dominanz, aber diese auch bereits in Frage stellend. Wie die historisch-emanzipative Dynamik der Produktion nicht gänzlich in den bestehenden Produktionsverhältnissen aufgeht, sondern über diese immer schon hinausweist, so sind für Brecht Schreibweisen, literarische Techniken qua Produktivkräfte nicht sub-

stantiell eins mit den Bewußtseinsformen gesellschaftlicher Klassen. Diese im Begriff des allgemeinen technischen Standards eines Zeitalters und des historischen Materialstands angelegte Differenzierung gegenüber den Positionen des ontologischen Materialismus expliziert Brecht geschichtsphilosophisch, wenn er über die von der bürgerlichen Klasse beherrschte Kultur schreibt: «[...] man hat hier vor sich die letzte Etappe, die unter der bürgerlichen Herrschaft und Kontrolle erreicht wurde aber doch auch die letzte Etappe darstellt, die die Menschheit überhaupt erreicht hat.»[531]
Dieser historisch-materialistische Ansatz impliziert die revolutionstheoretische Konsequenz, daß die Befreiung und Entfesselung der Produktivkräfte durch die soziale Revolution an deren historisch fortgeschrittenstem Stand anzuknüpfen versucht. Diese Konsequenz gilt gleichermaßen für eine marxistisch fundierte Kunst in verändernder Absicht, «denn zum Aufbau des Sozialismus gehört unzweifelhaft der Ausbau der Künste, die Entfaltung der künstlerischen Produktion auf breitester Skala»[532].
Die revolutionäre Aufhebung der auch sie restringierenden Produktionsverhältnisse soll es der Kunstproduktion vor allem ermöglichen, ihre Trennung vom gesellschaftlichen Lebensprozeß zu durchbrechen und ihre praktischen Experimente, Techniken und Neuerungen mit dem Prozeß der gesellschaftlichen Veränderungen, Experimente und Neuerungen zu verbinden.
Die zentrale Erfahrung, die Brecht in seinen Auseinandersetzungen mit stalinistischer Legitimationsästhetik und Kulturpolitik machen muß, besteht darin, daß in den sozialistischen Übergangsgesellschaften neue Produktionsverhältnisse sich herausbilden, die nicht mehr unmittelbar an Besitzverhältnisse gebunden sind, gleichwohl in bürokratischer Verfügungsgewalt, administrativem Herrschaftsinteresse und legitimationswissenschaftlicher Funktionalisierung der revolutionären Theorie sich manifestieren. Deren restriktive Kraft wird wirksam vor allem im Bereich der geistigen Produktion, zumal der Kunstproduktion.
Die emanzipativen Kategorien Produktion und Technik, begründet in seiner spezifischen Konzeption der materialistischen Dialektik, bestimmen auch Brechts Auseinandersetzung mit der restaurativen Festlegung der literarischen Tradition durch die kulturpolitische Legitimationsstrategie des Revisionismus. Die Dialektik von literarischer Technik und sozialer Funktion, die Reflexion auf die Stellung der Künste im widerspruchsvollen gesellschaftlichen Zusammenhang von Produktivkräften und Produktionsverhältnissen kennzeichnen eine produktive Haltung zur literarischen Tradition wie zur zeitgenössischen Literatur, die einer mechanistischen Zurechnung von Klassenlage und widerspiegelndem Werk ebenso entgegensteht wie der normativen Festsetzung eines klassischen Kulturerbes als aktuell verbindlicher Kunstgestalt.

9. Marxismus und Kulturerbe – legitimationsideologische Festlegungen des Erbes und ihre Kritiker: Sergej Tretjakov, Walter Benjamin, Ernst Bloch, Hanns Eisler

Brechts spezifische Rezeption der materialistischen Geschichtsauffassung, seine Theorie verändernder literarischer Praxis und seine Auffassung der Kunst als Produktion sind grundlegend für den Wandel in seinem Verhältnis zur literarischen Tradition. Auch für dieses gilt wie schon für Brechts Verständnis marxistischer Theorie, daß es erst vor dem Hintergrund bereits fixierter offizieller Positionen in seiner theoretischen Spezifität sich erschließt.
Es soll daher im folgenden kurz auf die Festlegung des ‹kulturellen Erbes› durch die Kulturpolitik und die Legitimationsästhetik des sozialistischen Realismus eingegangen werden, um dann die ihr entgegengesetzten und in der direkten Auseinandersetzung mit ihr entwickelten Theoreme von Sergej Tretjakov, Walter Benjamin und Ernst Bloch darzustellen, die entweder für Brechts Verhältnis zur literarischen Tradition unmittelbar bedeutsam geworden sind (Tretjakov, Benjamin) oder zu dessen Verständnis beitragen können, weil sie teilweise selber aus der Rezeption der Versuche Brechts entwickelt wurden (Bloch).

9.1. Offizielle Positionen

Das Verhältnis der offiziellen Kulturpolitik der Sowjet-Union und der westeuropäischen kommunistischen Parteien zur bürgerlichen Kultur und zum kulturellen Erbe überhaupt, wie es Ende der zwanziger und zu Beginn der dreißiger Jahre in den programmatischen Entwürfen ihrer Schriftstellervereinigungen und den verbindlichen Ausführungen einzelner Theoretiker artikuliert wurde, war von vornherein belastet durch die spezifische Situation des Sozialismus in der UdSSR nach dem Ausbleiben einer proletarischen Revolution im Westen. Die emanzipativen Gehalte der marxistischen Revolutionstheorie, auf die ihrem Anspruch nach die russische Revolution sich berief, konnten auch im Bereich der Kulturrevolution als einem wesentlichen Prozeßmoment im konkreten historischen Zusammenhang der Veränderung der Verhältnisse und der Selbstveränderung der Produzenten weder sofort noch auf absehbare Zeit eingelöst werden. Die praktischen Erfordernisse einer nachgeholten, ‹sozialistischen› Form der ursprünglichen Akkumulation machten zuallererst den Anschluß an den allgemeinen Standard kapitalistischen Produktionswissens notwendig. Weit davon entfernt, die kreative Veränderung des Alltags und seiner Institutionen durch gesellschaftliche Selbstverwaltung, die Überwindung der Tren-

nung von Kopf- und Handarbeit einzuleiten, mußte Kulturrevolution im Verständnis Lenins in erster Linie heißen, «von der halbasiatischen Kulturlosigkeit»[533], zumal vom Analphabetismus loszukommen. Die frühen Versuche, eine ‹proletarische Kultur› zu initiieren, in denen das avancierte künstlerische und theoretische Bewußtsein eines Teils der sowjetischen Intelligenz mit dem avancierten politischen Bewußtsein der proletarischen Revolution sich zu verbinden suchte, wurden von Lenin vorwiegend von realpolitischen und realistischen Gesichtspunkten her, von Trotzki vor allem aus grundsätzlichen theoretischen Erwägungen bekämpft. Trotzki, an Marx revolutionstheoretischer Bestimmung der Diktatur des Proletariats als einer durch Revolution in Permanenz konstituierten Übergangsperiode festhaltend, wandte sich insbesondere gegen den Begriff ‹*proletarische*› Kultur: «Es ist grundfalsch, der bürgerlichen Kultur und der bürgerlichen Kunst die proletarische Kultur und die proletarische Kunst gegenüberzustellen. Diese letztgenannte wird es überhaupt nicht geben, da das proletarische Regime provisorisch, vorübergehend ist. Der historische Sinn und die moralische Größe der proletarischen Revolution bestehen darin, daß sie den Grundstein für eine klassenlose, erstmals wahrhaft menschliche Kultur legt.»[534] Von daher forderte er, als historische Voraussetzung solcher Kultur, allen künstlerischen Gruppierungen und Strömungen, die sich auf den Boden der Revolution gestellt hätten, «auf dem Gebiete der künstlerischen Selbstbestimmung völlige Freiheit zu geben»[535].
Lenin zog dagegen aus seiner an praktischen Notwendigkeiten orientierten Ablehnung des ‹Proletkult› Konsequenzen, die solche künstlerische Selbstbestimmung revolutionärer Kunstrichtungen tendenziell einschränkten: «Für den Anfang sollte uns eine wirkliche bürgerliche Kultur genügen, für den Anfang sollte es uns genügen, wenn wir ohne die besonders ausgeprägten Typen verbürgerlichter Kultur auskommen, d. h. der Beamten- oder der Leibeigenschaftskultur usw.»[536] Diese Tendenz trat in seinen Versuchen hervor, solche aus einer spezifischen historischen Situation entspringenden und in ihrem Wahrheitsgehalt auf unmittelbare Erfordernisse und politische Funktionen gegründeten Auffassungen als dem Gehalt der marxistischen Theorie überhaupt entsprechende zu legitimieren: «Der Marxismus hat seine weltgeschichtliche Bedeutung als Ideologie des revolutionären Proletariats dadurch erlangt, daß er die wertvollsten Errungenschaften des bürgerlichen Zeitalters keineswegs ablehnte, sondern sich umgekehrt alles, was in der mehr als zweitausendjährigen Entwicklung des menschlichen Denkens und der menschlichen Kultur wertvoll war, aneignete und es verarbeitete.»[537] Was den praktischen Notwendigkeiten der russischen Revolution entsprach, ward so legitimationswissenschaftlich als Wesen der marxistischen Theorie selber ausgegeben: weil die russische Revolution ihren Anspruch, proletarische Revolution im marxistischen Sinne zu

sein, erst durch den Anschluß an den historischen Stand der bürgerlich-kapitalistischen Zivilisation einlösen konnte, wurde der marxistischen Theorie überhaupt unterstellt, sie habe alles Wertvolle der zweitausendjährigen menschlichen Kultur sich angeeignet und verarbeitet. Die Folge solcher legitimationswissenschaftlichen Instrumentalisierung der Marxschen Theorie war deren Transformation in eine positive Weltanschauung – ihr substantiell kritischer Charakter als spezifisches Instrument gesellschaftlicher und praktischer Erkenntnis wurde durch ihre weltanschauliche Universalisierung neutralisiert: «Alles, was von der menschlichen Gesellschaft geschaffen worden war, hat Marx kritisch verarbeitet und nicht einen Punkt unbeachtet gelassen. Alles, was das menschliche Denken hervorgebracht hatte, hat er umgearbeitet, der Kritik unterworfen, an der Arbeiterbewegung überprüft und dann jene Schlußfolgerungen gezogen, die die in den bürgerlichen Rahmen eingezwängten oder an bürgerliche Vorurteile gefesselten Menschen nicht zu ziehen vermochten.»[538] Von dieser systematischen Interpretation der marxistischen Theorie her bestimmte Lenin ‹proletarische Kultur› nicht als Erscheinungsform einer historischen Übergangsperiode, die die Trennung der Kultur vom gesellschaftlichen Lebensprozeß überhaupt aufheben sollte, sondern als «gesetzmäßige Weiterentwicklung jener Summe von Kenntnissen [...] die sich die Menschheit unter dem Joch der kapitalistischen Gesellschaft, der Gutsbesitzergesellschaft, der Beamtengesellschaft erarbeitet hat»[539].

Der supponierte universelle Anspruch positiver Weltanschauung und der systematische, quasi-naturwissenschaftliche Gebrauch der Kategorie ‹Gesetz› und ‹Gesetzmäßigkeit›, die Lenins marxistische Argumentation gegen den ‹Proletkult› auszeichneten, prädestinierten sie, im Gegensatz zu den Konzeptionen Trotzkis, im besonderen Maße zur ideologischen Legitimation der Festlegung des ‹kulturellen Erbes› durch den sozialistischen Realismus zu Beginn der dreißiger Jahre.

Die gesellschaftliche und politische Ursache dieser Festlegung war die Durchsetzung und Konsolidierung der Konzeption Stalins vom Aufbau des Sozialismus in einem Land, die faktische Zurücknahme der internationalen, weltrevolutionären Intentionen und in deren Folge die allmähliche Transformation der kommunistischen Parteien in außenpolitische Interessenvertretungen der Sowjet-Union. Im Zuge dieses Kurswechsels innerhalb der internationalen kommunistischen Bewegung wurden auch im Bereich der Kulturpolitik jene radikalen Fraktionen, die eine Revolutionierung der Kunst anstrebten, überall zurückgedrängt und ihre Theoreme wie ihre künstlerische Praxis als subjektivistisch, formalistisch und trotzkistisch gebrandmarkt. Der Legitimationszwang, unter den das politische Denken des Stalinismus geriet, brachte vielfältige Formen seiner Verdinglichung hervor, die alle ihren historischen Sinn in «der rituellen Neutralisierung» des «revolutionär prakti-

schen Gehalts»[540] der Marxschen Theorie hatten. Dieser wurde zugunsten der einseitigen Hypostasierung vor allem der objektivistischen Momente der materialistischen Geschichtsauffassung, einer behaupteten gesetzmäßigen Kontinuität des welt- und naturgeschichtlichen Prozesses weltanschaulich verdrängt. Die Rückbildung der marxistischen Theorie in eine quasi-ontologische universalhistorische Seinslehre bildete die ideologische Grundlage für die Festlegung des ‹kulturellen Erbes› in der Kulturpolitik. Die Rückbildung des internationalistisch revolutionären Selbstverständnisses der Sowjet-Union in einen revisionistischen Sozialpatriotismus war deren politische Ursache. Das Rituelle in der Neutralisierung des emanzipativen, revolutionären und praktischen Gehalts der Marxschen Theorie trat deutlich in der Verwendung des Begriffs ‹Kritik› hervor. So wurde in allen programmatischen Äußerungen zur Literaturpolitik seit 1930 verbal die ‹kritische› Aneignung des Erbes beschworen, gleichzeitig aber wurden die praktischen Versuche einer radikalen Kritik der bürgerlichen Ästhetik, einer Aufhebung ihrer Konzeption des ‹Kunstwerks› (Ernst Ottwalt, Bertolt Brecht, Sergej Tretjakov) zurückgewiesen und im Namen der kanonisierten Äußerungen Lenins zum ‹Proletkult› angegriffen.
In dem programmatischen Aufsatz Johannes R. Bechers, *‹Unsere Wendung›*, vom Oktober 1931 wurde das ‹große bolschewistische Kunstwerk›, das es zu schaffen gelte, gegen die operative, literarische und politische Praxis Tretjakovs ins Feld geführt und sein Gedanke eines Aufgehens künstlerischer Praxis in der Veränderung des Alltags als überspanntes Avantgardistentum abgekanzelt: «Hierher gehört der Unfug vom ‹Ende der Literatur› oder die Auffassung von der Rolle des Schriftstellers als eines Spezialisten, eines Literaturingenieurs, der aus dem Atelier heraus montiert und für den die revolutionäre Bewegung ein Übungsgelände abgibt.»[541] Becher fügte seinem Verdikt in einer Anmerkung hinzu, ähnlichen Unfug habe vor einiger Zeit in Berlin der russische Schriftsteller Tretjakov «hauptsächlich bei linksbürgerlichen Schriftstellern» vertreten und dabei den Anschein erweckt, es handle sich um eine offizielle sowjetrussische Literaturauffassung, was nicht der Fall sei.[542] Mit den ‹linksbürgerlichen› Autoren waren Brecht, Benjamin und Ottwalt gemeint; dem Eindruck einer Identität der Positionen Tretjakovs mit den offiziellen konnte Becher mit dem Hinweis auf das Plenum des sowjetischen Schriftstellerverbandes und dessen Beschlüsse über die große bolschewistische Kunst entgegentreten. Der normativen Durchsetzung gerade dieses Konzepts des großen bolschewistischen Kunstwerks und damit einer bestimmten Schreibweise diente die Auseinandersetzung um das ‹kulturelle Erbe›. Seine kulturpolitische Festlegung war so das Resultat der geschichtsphilosophischen Legitimation einer bereits vollzogenen Restitution traditionaler Ästhetik, die sich von der bürgerlichen lediglich durch den verordneten sozia-

listischen Inhalt unterschied. Becher deutete in den Schlußpassagen seines Aufsatzes, wenn auch vage, diesen funktionalen, legitimationsideologischen Zusammenhang zwischen der verbindlichen Festlegung einer Traditionslinie und der normativen Verbindlichkeit einer Schreibweise bereits an: «Wir sind die Vorkämpfer der großen bolschewistischen Kunst. Wir sind auf dem Gebiet der Literatur die Erben alles dessen, was mächtig und erschütternd in den Literaturen aller Zeiten war.»[543] Diese Traditionslinie blieb in den Programmentwürfen des Bundes Proletarisch-Revolutionärer Schriftsteller (BPRS) zunächst noch ebenso unbestimmt. So war in dem Anfang 1932 entstandenen Entwurf bereits ein ganzer Abschnitt dem «großen proletarischen Kunstwerk» gewidmet, in dem vor allem implizit gegen den ‹technischen› Kunstbegriff Brechts und einiger seiner Mitarbeiter polemisiert wurde. Ihm wurde eine offensichtlich an Hegel orientierte Konzeption allseitiger und tiefer ‹Gestaltung› des proletarischen Alltags entgegengestellt, die die in diesem Alltagsleben wirksamen «großen treibenden Kräfte der gesellschaftlichen Entwicklung sichtbar und sinnfällig»[544] machen sollte. Die konkrete Frage nach dem jedoch, was von den Klassikern der Literatur gelernt werden könnte, wurde noch relativ differenziert beantwortet. Der Programmentwurf verwies auf die besondere historische Stellung der deutschen Literatur, die im Gegensatz zur englischen, französischen und russischen Literatur keine große realistische Tradition aufzuweisen habe; das ‹Was und Wie› des Lernens von den Klassikern sollte erst durch die konkrete marxistische literarische Praxis erschlossen werden.[545] Gleichwohl war die Fixierung der literarischen Tradition auf eine ganz bestimmte, genau umgrenzte Linie des ‹kulturellen Erbes› in dem Begriff des großen proletarischen Kunstwerks bereits angelegt: das machte die Auseinandersetzung zwischen Lukács und Ottwalt in der *Linkskurve* deutlich.[546]

Helga Gallas hat nachgewiesen, daß es Lukács in seiner Kontroverse mit Ottwalt und – indirekt – Brecht nicht um die Frage ging: Verzicht auf das Erbe oder Anknüpfen an das Erbe, sondern um die Frage, an *welches Erbe* anzuknüpfen sei.[547] Georg Lukács entwarf zwei Entwicklungslinien der bürgerlichen Literatur, deren erste die Phase des Aufstiegs der bürgerlichen Klasse umfasse und durch den gestaltenden Realismus solcher Autoren wie Fielding, Goethe, Diderot, Balzac und Tolstoj gekennzeichnet sei. Diese werde abgelöst durch eine zweite, ‹antigestalterische› Linie, in der die ideologische Abstiegsphase der Bourgeoisie in ihrer imperialistischen Epoche sich manifestiere: ihr eigne eine dekadente, subjektivistische und formalistische Tendenz, die von Zola über Sue, Hugo, Flaubert, den Expressionismus und die Neue Sachlichkeit bis zu Sinclair und Brecht sich durchhalte. Wenn Lukács daher die großen proletarischen Kunstwerke in Fortführung der Traditionslinie des gestalterischen Realismus dadurch konstituiert sah, daß sie «die grundlegenden Entwicklungstendenzen der ganzen Periode» zusammenfaßten und ihre «dauernden, bleibenden, wirklich typischen Züge»[548] gestaltend widerspiegelten, dann verkürzte sich für ihn die revolutionstheoretische Frage nach der Veränderung künstlerischer Tätigkeit in der sozialen Revolution und ihrer qualitativen Differenz zur bürgerlichen Kunstproduktion darauf, daß im fixierten Rahmen des gleichen gestalterischen Realismus der proletarische Schriftsteller kraft seiner Klassenlage die großen ‹treibenden› Kräfte der objektiven Wirklichkeit nicht länger nur naiv und instinktiv erfasse (wie Goethe und Balzac), sondern sie zum erstenmal bewußt erkenne und gestalte.[549] Der klassisch-bürgerliche Kunst- und Kulturbegriff, begründet durch Mimesis, Geschlossenheit der Werke, kultische Funktion und die Trennung von Alltag und Erhebung, blieb damit aber unvermindert in Geltung, nur dürftig legitimiert durch Lenins selber schon legitimationswissenschaftliche Instrumentalisierung des Marxismus zu einer universalistischen Weltanschauung, die die wertvollsten Errungenschaften des bürgerlichen Zeitalters sich kritisch angeeignet und gesetzmäßig weiterentwickelt habe.[550]

Die Problematik einer proletarischen Kulturrevolution, die durch die soziale Revolution eröffnete historische Möglichkeit, Kunst als eine Weise der Produktion mit der universellen Entfaltung der Produktivität und der Veränderung des Alltags zu verbinden, wurde von Lukács schon gar nicht mehr diskutiert. Ihm ging es statt dessen um die offizielle, administrative Festlegung der sozialistischen Literatur auf eine ganz bestimmte Schreibweise im Rahmen einer an Hegel orientierten klassizistischen Gehaltsästhetik, wobei seine Hegel-Interpretation die historisch progressiven Momente an dessen Ästhetik, die Reflexionen über das Ende der Kunst, gar nicht erst in Betracht zog, sondern gerade ihre affirmativ verwertbaren Gehalte hervorkehrte. Wenn aber Lukács zufolge die historische Größe, der historische Stand-Index einer erst noch zu schaffenden sozialistischen Literatur ihr dadurch zuwachsen sollte, daß sie an einer vergangenen Formgestalt bürgerlichen Schrifttums, dem gestalterischen Realismus, sich festmachte und in deren Rahmen lediglich einen anderen Gehalt realisierte, dann konnte solche sozialistische Literatur ihre historische Legitimität offenbar nicht in den von ihr erst in der Auseinandersetzung mit dem Alten entwickelten neuen Formen der Weltaneignung und -vermittlung gewinnen, sondern in der inhaltlich variierten Aneignung vergangener, gleichsam substantieller ästhetischer Anschauungsweisen. Lukács' Festlegung einer bestimmten Traditionslinie des ‹kulturellen Erbes›, die den geschichtsphilosophischen Legitimationsrahmen des sozialistischen Realismus bilden sollte, erwies sich als Produkt eines affirmativ-restaurativen Verhaltens zur Tradition, dem die vergangene Kultur der Aufstiegsperiode der bürgerlichen Klasse zum Objekt seiner Ansprüche, zum Arsenal und zur Rüst-

kammer ward (vgl. dazu auch S. 20f). Normativ gegen eine gerade in ersten Ansätzen sich artikulierende, marxistisch fundierte literarische Praxis gewandt, wurde sie in der Tat aller Produktion und aller Entfaltung von künstlerischer Produktivität feindlich. Die vorgeordnete, administrative Fixierung und Begrenzung formaler Möglichkeiten auf das «rückwärts Stiftende und Befestigende» (vgl. S. 28) des gestaltenden Realismus nahm der marxistisch fundierten literarischen Praxis gerade, was sie zu ihrer produktiven Entfaltung brauchte: die völlige Freiheit in der künstlerischen Selbstbestimmung auch im Verhältnis zur literarischen Tradition und die lebendige, produktive Beziehung auf eine ständig sich ändernde und veränderte gesellschaftliche Wirklichkeit. Durch die Zuordnung bestimmter formaler Mittel und literarischer Techniken (Montage, offene Formen) zur zweiten, negativen Traditionslinie der dekadenten Bourgeoisie in ihrer imperialistischen Epoche war zudem auch das ideologische Instrumentarium politischer Sanktionen und Denunziationen bereitgestellt.
In der Folgezeit, noch vor der offiziellen Inauguration der Volksfront-Politik durch den VII. Weltkongreß der Komintern, wurde das Dekadenztheorem unauflöslich mit der restaurativ-affirmativen Funktionalisierung des ‹kulturellen Erbes› verknüpft. So verkündete Ždanov in seiner Rede auf dem I. Unionskongreß der Sowjet-Schriftsteller (1934), die bürgerliche Literatur könne keine großen Werke mehr schaffen, «der Verfall und die Zersetzung der bürgerlichen Literatur», aus dem «Verfall und der Fäulnis des kapitalistischen Systems» herrührend, sei manifest geworden. Analytisch hergeleitet wurde diese Feststellung aus einem groben, reduktionistischen Zurechnungsschema von Klassenlage und Bewußtsein, das seinerseits in einer objektivistischen Geschichtsmetaphysik von Aufstieg und Abstieg, Blüte und Verfall der gesellschaftlichen Klassen begründet war: «Die Zeiten sind unwiederbringlich dahin, in denen die bürgerliche Literatur die Siege der bürgerlichen Ordnung über den Feudalismus widerspiegeln und die großen Werke der Blütezeit des Kapitalismus schaffen konnte. Heute vollzieht sich eine allgemeine Verflachung der Themen wie der Talente, der Autoren wie der Helden.»[551]
Aus diesem Grunde, so Ždanov, falle der aufsteigenden Klasse, dem Proletariat, das ‹kulturelle Erbe› – gleichsam durch den Automatismus der objektiven Dialektik der Geschichte – von selber zu: «Genossen, wie auch auf anderen Gebieten der materiellen und geistigen Kultur ist das Proletariat der alleinige Erbe des Besten, was die Schatzkammer der Weltliteratur enthält. Die Bourgeoisie ließ das literarische Erbe zerflattern; wir sind verpflichtet, es sorgfältig zu sammeln, zu studieren und nach kritischer Aneignung weiterzuentwickeln.»[552]
Die Beschwörung des kritischen Moments in der Aneignungsweise der Tradition blieb freilich verbal. Diese immer wieder geforderte Kritik am ‹kulturellen Erbe› wurde weder von Ždanov noch von seinesglei-

chen auch nur andeutungsweise konkretisiert, geschweige denn formell entwickelt. Sie war offensichtlich, gemäß der universalhistorisch-objektivistischen methodischen Prämisse, vom historischen Prozeß selber bereits vollzogen, indem er quasi-naturhistorisch auf die Blüte bürgerlicher Kunst Verfall, auf Aufstieg und Reife der bürgerlichen Klasse Abstieg und Fäulnis hatte folgen lassen.
Kritische Aneignung und Weiterentwicklung des Erbes sollte sich als verordneter Nachvollzug einer bereits offiziell interpretierten und fixierten Gesetzmäßigkeit des historisch-kulturellen Prozesses erweisen. Die von jedem Autor subjektiv zu leistende Auseinandersetzung mit vorgegebenen Konventionen und literarischen Traditionen wurde ihrer kritischen und produktiven Möglichkeiten beraubt durch die administrative Einfügung in einen objektiv-gesetzmäßigen Prozeß ständiger kultureller Höherentwicklung, an dessen Ende das Proletariat das gesamte Erbe sich angeeignet hat und zu überschauen vermag. So hatte Becher in seinem schon ganz im Zeichen der ‹Volksfront› stehenden Aufsatz *‹Das große Bündnis›* den Prozeß der Aneignung des Erbes in einer wahrhaft alpinistischen Metaphorik dithyrambisch beschworen: «Indem wir uns mühen, die Gegenwart zu meistern und in die Zukunft vorzudringen, müssen wir zugleich in den Zeiten zurückgehen, müssen anfangen, das Erbe der Vergangenheit an uns zu reißen, bis wir, höher steigend, auch die Gipfel jener Erbgebirge zu erblicken vermögen, die, bisher in Nebeln verhüllt, unsichtbar vor uns lagen. Wir wissen: dieses gewaltige Erbmassiv muß von uns bezwungen, diese Pamire des geistigen Erbes müssen von uns erobert werden.»[553]
Durch die Beschlüsse des VII. Weltkongresses der Kommunistischen Internationale von 1935 über den ideologischen Kampf gegen den Faschismus, durch die Festlegung der kommunistischen Parteien auf eine breite, antifaschistische Bündnispolitik mit Sozialdemokraten, den bürgerlichen Mittelschichten und vor allem auch der bürgerlichen Intelligenz bekam die Frage nach dem Verhältnis zum ‹kulturellen Erbe› eine unmittelbare legitimationsstrategische Bedeutung und politische Funktion.
Den Versuchen zumal des deutschen Faschismus, sich als Sachwalter und nationaler Vollender der klassischen bürgerlichen Kulturtradition zu präsentieren, wurde lediglich damit begegnet, diesen Anspruch zu bestreiten und den Gegenanspruch auf das nationale kulturelle Erbe zu erheben. ‹Kultur› erschien in dieser Strategie offensichtlich als ein gleichsam überhistorisches, sich ständig gleichbleibendes Phänomen mit wechselndem politischem Besitzer. So hieß es im Referat Georgi Mihajlov Dimitrovs auf dem VII. Weltkongreß: «Das revolutionäre Proletariat kämpft für die Rettung der Kultur des Volkes, für ihre Befreiung von den Fesseln des verwesenden Monopolkapitals, von dem barbarischen Faschismus, der sie vergewaltigt. *Nur* die proletarische

Revolution kann den Untergang der Kultur abwenden, kann sie zur höchsten Blüte bringen als wirkliche Volkskultur, *national der Form und sozialistisch dem Inhalt nach*, was vor unseren Augen unter der Führung *Stalins* in der Sowjetunion Wirklichkeit wird.»[554] In dieser Rede blieb die Bestimmung der nationalen Traditionen, an die die Kommunisten im Kampf gegen die Offensive des Faschismus anknüpfen sollten, zumindest zweideutig: zum einen war von den ‹revolutionären Traditionen› des Volkes die Rede, zum andern von allem, was in der historischen Vergangenheit der Nation ‹wertvoll› gewesen sei.[555] Sicher war allerdings, daß die Festlegung des ‹kulturellen Erbes› im Zuge der Volksfront-Strategie noch zusätzlich durch eine nationalistische Komponente verstärkt wurde.[556] Die von Dimitrov apostrophierten revolutionären Traditionen aber wurden aufgelöst in der programmatischen Alternative zwischen einer ohne dialektisch-materialistische Differenzierung und sehr allgemein als humanistisch bezeichneten ‹Kultur› und der faschistischen Barbarei, mit der die Volksfront die bürgerlichen Intellektuellen gewinnen wollte. Der von ihr 1935 in Paris initiierte internationale Schriftstellerkongreß hieß dann auch folgerichtig Kongreß zur Verteidigung der Kultur. Im Zuge seiner Vorbereitung hatte Becher die Auffassung von Kultur, die hier gemeint war, einigermaßen deutlich umrissen: «[...] künftig ist die Sache der klassischen deutschen Kultur, die Sache des klassischen Gedankens und der klassischen Dichtung, das edle Erbe der Jahrhunderte endgültig denen übergeben, die die Zukunft in ihren Händen tragen, den deutschen Arbeitern»; sie allein würden dieses Kulturerbe, «das sie lieben, zu erforschen, umzuarbeiten, kritisch zu durchleuchten, ihren neuen größeren Klassenzielen dienstbar zu machen wissen und es einbauen in das Gebäude jener zukünftigen Kultur des Sozialismus [...]»[557]

Auf dem Kongreß zur ‹Verteidigung der Kultur›, der in den nüchternen Worten Victor Serges dazu diente, «unter den französischen Intellektuellen eine stalinfreundliche Bewegung ins Leben zu rufen und ein paar berühmte Namen zu kaufen»[558], brachte der französische Schriftsteller Paul Vaillant-Couturier den Kampf gegen den Faschismus auf die Formel: «Im Streit zwischen der Barbarei und der Kultur stellt sich für die Kultur das Problem der Erringung der Mehrheit.»[559] Damit hatte er die strategische Grundlage der Kulturpolitik der Volksfront angesprochen: denn um jene Mehrheit zu erringen wurde die kritische, dialektisch-materialistische Differenzierung des Begriffs ‹Kultur› ebenso preisgegeben wie die des ‹kulturellen Erbes›.

Über die ästhetisch-politische Funktionalisierung des gesamten Komplexes der kulturellen Tradition gibt den deutlichsten Aufschluß der Bericht Bechers über eine Reise nach Prag, Zürich und Paris, die er im Oktober und November 1934 von Moskau aus unternahm, um «die Einheitsfrontpolitik der KPD auch im Bereich der deutschen Exilliteratur

durchzusetzen»[560]. J. R. Becher schildert in diesem Bericht, daß die Frage des Erbes in allen Gesprächen mit bürgerlichen Schriftstellern die entscheidende Rolle gespielt habe; die kulturpolitische Stellung der KPD zur Erbfrage sei «direkt als eine Offenbarung empfunden»[561] worden; Kurt Hiller, Heinrich Mann und Thomas Mann seien freudig überrascht gewesen von der neuen Wendung. Becher plädierte für eine Anwendung der Stalinschen Nationalitätenpolitik – nationale Form, sozialistischer Inhalt – auch auf das Gebiet der Literatur und setzte sich vor allem für eine Wiederherstellung ihrer ‹hohen Aufgaben›, der ‹Macht des Wortes› ein: auch dies habe auf die bürgerlichen Schriftsteller wie eine Offenbarung gewirkt und ihnen ihre defaitistischen Depressionen genommen. In diesem Zusammenhang griff er die avantgardistischen linken Autoren und deren Theorien global an, freilich ohne Namen zu nennen, und gab ihnen die Schuld daran, daß die Kommunisten in den Ruf der Literatur- und Kunstfeindlichkeit gekommen seien und sich der Schriftsteller eine depressive Stimmung bemächtigt habe: «Das Geschwätz von der Auflösung der Kunst, Ersatz der Kunst durch die Wissenschaft bis zur Neuen Sachlichkeit, zu falschen Reportagetheorien, die schematischen Ausspielungen der Publizistik gegenüber der Dichtung usw. usw. haben das ihrige dazu beigetragen – in Verbindung mit solchen Argumenten wie ‹Die Literatur im technischen Zeitalter (Radio etc.) hat keine Bedeutung mehr› –, daß sich der Schriftsteller eine depressive Stimmung bemächtigt hat [...]»[562]
Die legitimationsstrategische Festlegung des Erbes diente also zugleich der Abwehr bestimmter emanzipativer literarischer Techniken und ästhetisch-politischer Theoreme. Sie lenkte – das wird in dem Bericht Bechers manifest – die Diskussion über die Produktionsprobleme einer marxistisch fundierten künstlerischen Praxis der Moderne zurück in die konventionellen und ausgefahrenen Bahnen einer im Grunde klassizistisch-idealistischen Kunst- und Kulturauffassung, die als neutrale, allen historischen Bedingungen transzendental enthobene zur verbindlichen Norm hypostasiert wurde. Auf dieser Ebene bewegten sich die zugleich kunstgewerblichen und oberlehrerhaften Visionen eines Johannes R. Becher, die von theoretischer Reflexion nicht mehr getrübt waren – was, um nur ein Beispiel zu nennen, spätestens daran sichtbar wurde, daß der von Becher als ‹Geschwätz› bezeichnete Gedanke einer Auflösung der Kunst immerhin bereits gegen Ende des von ihm im altfränkischen Hymnus besungenen klassischen Idealismus von Hegel entfaltet worden war.
Das affirmativ-restaurative Traditionsverhältnis, wie es seit 1934/35 offizieller Bestandteil der revisionistischen Kulturpolitik geworden war, diente zugleich der normativen Festlegung des sozialistischen Realismus als eines Stilprinzips, das ‹gesetzmäßig› den ‹gestalterischen Realismus› der bürgerlichen Literatur der Aufstiegsperiode weiterentwik-

keln sollte. Das Ergebnis einer derart verordneten, administrierten und kontrollierten literarischen Praxis der bürgerlichen Form und des sozialistischen Inhalts war ein synthetisches Epigonentum, in dem weder marxistische Revolutionstheorie und -praxis noch die sich ändernde und veränderte Wirklichkeit selber zur Geltung gebracht werden konnten.

Wie die Festlegung der kulturellen Tradition in einem administrativ verordneten Stilprinzip aufging, demonstrierte auf exemplarische Weise Ždanov in einem Diskussionsbeitrag über Fragen der sowjetischen Musikkultur im Januar 1948, als er gegen Erscheinungen des ‹Neuerertums› in der Malerei und der Musik polemisierte und sich vor allem mit dem gegen die Erbverwalter erhobenen Vorwurf des Epigonentums auseinandersetzte: «Man schwätzt von Epigonentum und allen möglichen anderen derartigen Dingen und schreckt mit diesen Phrasen die Jugend, damit sie aufhört, bei den Klassikern zu lernen. Man setzt die Losung in Umlauf, daß die Klassiker übertroffen werden müßten. Das ist natürlich schön und gut. *Aber um die Klassiker zu überholen, muß man sie erst einmal einholen.* Sie aber schließen das Stadium des ‹Einholens› aus, als ob es eine schon durchlaufene Etappe wäre.»[563]

Diese Kulturpolitik, seit dem VII. Weltkongreß der Komintern festgelegt, wurde nach dem Zweiten Weltkrieg in den ‹Volksdemokratien› des sowjetischen Machtbereichs, die in ihrer staatlichen Verfassung gewissermaßen als Einlösung der Volksfrontpolitik erscheinen sollten, in ihren wesentlichen Grundzügen fortgesetzt, wobei die ‹nationalen› kulturellen Traditionen, zumal in der DDR, immer stärker akzentuiert wurden. Diese Entwicklung soll hier im einzelnen nicht weiter verfolgt werden; die zentralen Inhalte der offiziellen kulturpolitischen Position in der Frage des ‹kulturellen Erbes› waren, zusammengefaßt, die folgenden:

1. die Festlegung des ‹wertvollen› kulturellen Erbes durch ein objektivistisches geschichtsphilosophisches Schema, das Schreibweisen und künstlerische Techniken quasi-naturhistorisch den Aufstiegs- und Abstiegsphasen der bürgerlichen Klassen zuordnete;
2. die Instrumentalisierung des derart fixierten kulturellen Erbes zur normativen Festlegung eines Stilprinzips – des gestalterischen Realismus, das heißt des geschlossenen ‹Werks› im Sinne der objektiv-idealistischen Ästhetik – als des für den sozialistischen Realismus verbindlichen;
3. die durch ein neutralisiertes, allen historischen Bedingungen transzendental enthobenes Kultur-Konzept verordnete museal-historische Rezeptionsweise vergangener Kunst;
4. die ideologische und politische Denunziation der avantgardistischen Kunstrichtungen und der avancierten künstlerischen Techniken durch deren mechanische Zurechnung zur ideologischen Verfallsgeschichte

der bürgerlichen Klasse;
5. die ideologische und politische Restriktion einer in kritischer Reflexion, Konstruktion, Montage und auswählenden Umfunktionierung sich manifestierenden künstlerischen Selbstbestimmung im Verhältnis zur Tradition;
6. der damit verbundene Versuch, das selbstbestimmte, kritisch-selektive Verhältnis zur vorgegebenen Literatur und Kunst, zur tradierten wie zur zeitgenössischen, als wesentlichen historischen Fortschritt in der Emanzipation der Kunst vom Ritual zurückzunehmen und die Kunstproduzenten auf ein objektivistisch-geschichtsphilosophisch vorgegebenes Traditionsverhältnis als einer sekundären und synthetischen Erscheinungsform substantieller Weltanschauung zu verpflichten;
7. die Entleerung und Entqualifizierung des Postulats nach *kritischer* Aneignung des Erbes durch
a) die nicht mehr spezifizierte abstrakte Allgemeinheit des verwandten Begriffs von Tradition (‹alles, was wertvoll war›, ‹das edle Erbe der Jahrhunderte›, ‹die klassische deutsche Dichtung› usw.),
b) die Suggestion einer kulturhistorischen Kontinuität, derzufolge das Erbe, einer objektivistisch gefaßten, historischen Zwangsläufigkeit folgend, von seinen illegitimen Sachwaltern (dekadente Bourgeoisie der Abstiegsphase, Faschismus) von selbst seinen legitimen Sachwaltern zufällt oder von diesen einfach übernommen werden kann.
Darin aber war faktisch der Bruch mit der marxistischen Revolutionstheorie beschlossen, für die, zumindest seit Marx' Analyse der Pariser Commune von 1871, wenn auch nur programmatisch, die Einsicht konstitutiv war, daß auch die Institutionen des Überbaus von der proletarischen Revolution nicht einfach übernommen werden können, sondern radikal und praktisch umgewälzt werden müssen. Für die Sphäre der Kultur implizierte dies zum einen die radikale, materialistisch-dialektische Kritik aller voraufgegangenen Literatur und Kunst, zumal der bürgerlichen, insofern sie ihren gesellschaftlichen Ursprung in Warenproduktion, Teilung von Kopf- und Handarbeit und entfremdeter Arbeit hatte, und praktisch den kulturrevolutionären Versuch einer Rücknahme der Kultur in den gesellschaftlichen Lebensprozeß, zum andern in der künstlerischen Praxis das konkrete Austragen einer Dialektik von Kontinuität und Bruch, von Altem und Neuem, die grundsätzlich nicht am guten Alten, sondern am schlechten Neuen sich entfaltet, wie eine Maxime Brechts es fordert.

9.2. Sergej Tretjakov: Das Alte ist Dünger und nicht Speise

Im Kapitel über Brecht und Tretjakov habe ich zu zeigen versucht, daß dieser seine ästhetische Theorie und Praxis auf eine Konzeption von proletarischer Revolution gründete, die sowohl an ihren emanzipativen Intentionen wie ihrer qualitativen Differenz zur bürgerlichen Revolution festhielt. Beide Momente schlugen sich auch in Tretjakovs Verhältnis zur literarischen Tradition nieder: es soll im folgenden, soweit die wenigen mir vorliegenden Texte dies erlauben, kurz dargestellt werden, weil Tretjakov eine kritische Haltung zur Tradition demonstriert, die der Brechts verwandt ist und sie sicherlich beeinflußt hat.
Sergej Tretjakov hat schon sehr früh, den futuristischen Antitraditionalismus mit dem emanzipativen Pathos der revolutionären Umwälzung verbindend, die restaurativen Tendenzen sowohl einer Rückkehr zum traditionalen Kunst- und Kulturbegriff als auch einer normativen Instrumentalisierung des kulturellen Erbes erkannt; er sah zudem, daß beide Tendenzen in einem kausalen Zusammenhang miteinander standen. Vom radikalen, kulturrevolutionären Anspruch seiner Kunstproduktion her, all jenen ihre Stimme zu leihen und zur Artikulation zu verhelfen, «die es fühlen, aber nicht ausdrücken können, daß die Erneuerung der ökonomischen Grundlage auch eine Erneuerung der Art und Weise zu fühlen und das Leben zu bewältigen diktiert»[564], kritisiert er an der alten Kunst vor allem ihre gesellschaftlichen und sozialpsychologischen Funktionen, ihre konstitutive Ferne von Alltag, Produktion und sozialen Lebenswelten.[565] Die neue Kunst ist dagegen, wie er programmatisch formuliert, die «kreative Rebellion im Namen eines neuen Menschen, im Namen des Widerwillens gegen das Herumliegen auf der Herrencouch der alten Kunst»[566]. Aus der kulturrevolutionären Perspektive Tretjakovs kann literarische Tradition, das kulturelle Erbe überhaupt, niemals die normative Instanz bilden, vor der die aktuelle, auf praktische Veränderung gerichtete literarische Praxis sich zu legitimieren hätte. Das Alte kann ihm nur Gegenstand kritisch-selektiver Rezeption sein, und zwar nach Maßgabe der produktiven Impulse, die sie einer aktuellen literarischen Praxis zu geben vermag: «Im Verhältnis zur alten Zeit darf man nicht vergessen: *das Alte ist Dünger und nicht Speise*. Man kann es zum Düngen benützen, man kann und muß es studieren und verstehen, aber es nachempfinden, es in seine Psyche aufnehmen, darauf seine Sympathien und Antipathien aufbauen, bedeutet, daß man die menschliche Psyche verkrüppelt und bestenfalls aktiv arbeitende Menschen, die verpflichtet sind, ihre ganze Umwelt nur als Material für den Aufbau aufzufassen, in eklektische Ästheten verwandelt.»[567] Tretjakov sah, gerade wegen seiner kritischen Distanz zu vulgärmaterialistischen Zurechnungsschemata und mechanistischen Widerspiegelungstheoremen, die Gefahr einer Neutralisie-

rung und Enthistorisierung des Kunstbegriffs ebenso wie die in diesen Tendenzen begründete Hypostasierung und museale Fetischisierung der künstlerischen Traditionen: «Natürlich sind zum Studium des heutigen Kampfes um den ästhetischen Markt Exkursionen ins Gebiet der historischen Analogien nützlich. Aber wenn die Exkursion ins Museum dazu führt, daß man sich dieses Museum zum Wohnsitz nimmt, dann sollte man denen, die zu ähnlichen Experimenten raten, an Stelle eines Namensschildes an die Tür schlagen ‹Lebt in der Vergangenheit›. Sind diese Leute, die den Zusammenhang der sozio-ökonomischen Basis mit dem ästhetischen Überbau vergessen, etwa besser als die Vulgarisatoren, für die jedes Werk durch das politische und ökonomische System seiner Entstehungszeit festgelegt ist?»[568] Er warnt von daher vor der Gefahr, daß durch leichtfertiges Herausstellen des ‹Allgemeinmenschlichen der Kunst› an die Stelle kritischer, an aktuellen Produktionsproblemen und Intentionen orientierter Rezeption und Verwendung vergangener Kunst der unreflektierte Nachvollzug ihrer vergangenen, gleichwohl noch virulenten sozial-psychologischen Wirkungen treten und die Ehrerbietung fürs ‹Altgediente› und für ‹Leichen› eingebürgert werden könne. Diese ergieße sich über die Lebenden in Form von Jubiläumsgedenkfeiern und Geldspenden zum Nutzen ‹toter Löwen›, denen man mehr zugestehe als den ‹lebenden Hunden›, «die bei der historischen Jagd nach den feurigen Füchsen eines revolutionären Weltempfindens außer Atem geraten sind»[569].

1927, als die restaurativen Tendenzen in der Kulturpolitik sich durchzusetzen begannen, veröffentlicht Tretjakov in der Zeitschrift *Novyj LEF* einen Aufsatz mit dem ironischen Titel ‹*Der neue Lev Tolstoj*›, in dem er sich mit den zu diesem Zeitpunkt schon vielfach artikulierten Erwartungen eines neuen ‹roten Epos›, eines ‹roten Tolstoj› auseinandersetzt. Seine Argumentation gegen diese Erscheinungsform legitimations- und substanzbedürftiger Rückwendung zur literarischen Tradition ist darum aufschlußreich, weil sie im Kern auch die späteren Festlegungen des Erbes durch Lukács und andere trifft.[570] Tretjakov kritisiert die Erwartung eines künftigen ‹roten Tolstoj›, der das große Gemälde des revolutionären Epos entfalten und die philosophische Zusammenfassung der ganzen Epoche liefern werde, «als einen eingewurzelten Automatismus des Denkens» und «die Unfähigkeit, die gesuchte Erscheinung in ihrer dialektischen Wandlung zu erkennen»[571].

Was er so als Denkautomatismus denunziert, meint im Grunde – das macht die Explikation des Arguments deutlich – die Entqualifizierung der marxistischen Theorie der proletarischen Revolution, die gerade beansprucht, die historische Dimension bloß politischer Emanzipation zu überwinden – in den Worten Tretjakovs: «Der Denkautomatismus sagt: es gab einen bürgerlichen Staat – es entstand ein proletarischer

Staat, es gab eine bürgerliche Industrie – es entstand eine proletarische Industrie, es gab eine bürgerliche Kunst – es entstand oder es wird eine proletarische Kunst entstehen, es gab einen bürgerlichen Tolstoj, es wird einen proletarischen Tolstoj geben. Führt man jedoch diesen flotten Parallelismus bis zu solchen Absurditäten wie einer proletarischen Kirche oder einem proletarischen Zar, dann begreift man, daß Entsprechungen allein nicht genügen.»[572]

Die gleiche Haltung, ebenfalls auf der Ebene revolutionstheoretischer Reflexion, nimmt Brecht gegenüber dem sozialistischen Realismus ein, wenn er davor warnt, ihn als Kunstrichtung durch die Bestimmungen bürgerliche Form/sozialistischer Inhalt festzulegen. Tretjakov versucht in der dialektischen Explikation des Denkautomatismus-Vorwurfs, die historisch-gesellschaftliche und die politische Unmöglichkeit eines neuen, ‹roten› Tolstoj auf doppelte Weise plausibel zu machen. Zum einen analysiert er den historischen Ursprung und die gesellschaftliche Funktion jenes Typus des Schriftstellers, wie ihn Tolstoj repräsentierte. Er beschreibt seine Rolle als ‹Lehrer des Lebens›, als Richter der Gesellschaft über die Köpfe ihrer Helden, begründet in einem Polyhistorismus, der durch die erst schwache Spezialisierung in der Wissenschaft ermöglicht war – für all das werde in der Periode des revolutionären Aufbaus kein Platz mehr sein; der Mann der Wissenschaft, der Mann der Technik, der Ingenieur, der Organisator von Materie und Gesellschaft werde den Platz einnehmen, «wo noch vor kurzem das weise Haupt des letzten ‹Lehrers des Lebens› zu sehen war». Und Tretjakov fährt fort: «Es ist lächerlich, auf den ‹roten Tolstoj› in seiner Rolle als ‹Lehrer des Lebens› zu warten mit seiner langsamen tolstojschen Art des Herangehens, wo heute die sozialen Operationen von höchster Elastizität sind, und die Direktiven je nach der Situation des Tages wandelbar.»[573] Neben diesem zentralen Hinweis auf den unaufhebbaren Widerspruch zwischen der durch die Revolution tiefgehend veränderten Wirklichkeit, der veränderten Organisation des materiellen und geistigen Lebensprozesses und den spezifischen, einer vergangenen historischen Epoche entsprechenden gesellschaftlichen Funktionen der Kunst eines Tolstoj, auf den Widerspruch also zwischen überkommener Kunstgestalt und neuer gesellschaftlicher Bestimmung tritt ein anderer, darüber noch hinausgehender Einwand gegen die normative Projektion einer Gestalt der literarischen Tradition auf aktuelle literarische Praxis. Tretjakov unterbricht seinen Argumentationsgang durch ein mögliches Zugeständnis von seiten einer restaurativen Position: «Gut – sagt man mir – soll der ‹rote Tolstoj› also kein ‹Lehrer des Lebens› sein. Soll er eben nur die Direktiven des Politbüros gewissenhaft kopieren, aber eben jenes Epos, das Epos – das gewaltige ‹Gemälde› unserer Epoche, wird von ihm zweifellos in einem ‹monumentalen› Bild erfaßt werden?»[574] Diese Vorstellung, die der späteren offiziellen Definition des sozialistischen Realismus schon ziemlich nahe kommt, benutzt Tretjakov, um an ihr den historisch-gesellschaftlichen Charakter der künstlerischen Formensprache zu demonstrieren, der einer einfachen Übernahme oder geschichtsphilosophischen Projektion von Traditionen entgegensteht. Der in den künstlerischen Formen sedimentierte historisch-gesellschaftliche Funktionsgehalt bleibt in ihnen wirksam und wird durch ihren unmittelbaren aktuellen Gebrauch reaktiviert. Daher bezeichnet Tretjakov die Forderung nach einem monumentalen Epos des revolutionären Aufbaus nicht nur als den Wunsch nach einer historischen Unmöglichkeit, sondern auch als Ausdruck des künstlerischen Versagens vor den Anforderungen unbedingter Gegenwärtigkeit: «Jede Epoche hat ihre eigenen ästhetischen Formen, die sich aus der ökonomischen Natur der Epoche ergeben. Die monumentalen Formen sind typisch für den Feudalismus und stellen in unserer Zeit nur eine überflüssige Stilisierung dar, ein Zeichen der Unfähigkeit, sich in der Sprache des heutigen Tages auszudrücken.»[575] Auch dieses Postulat nach absoluter Gegenwärtigkeit, nach dem Einbekenntnis der Distanz zu aller vorgegebenen künstlerischen Tradition und der Analyse ihres gesellschaftlichen Funktionsgehalts teilt Brecht mit Tretjakov, freilich ohne ihm in der Radikalität der theoretisch-praktischen Konsequenz für die eigene Kunstproduktion zu folgen oder auch folgen zu können.

Denn das wirkliche Epos des revolutionären Alltags hat Tretjakov zufolge seine Form bereits gefunden: die Zeitung – und «die gesamte namenlose Masse der Zeitungsleute, vom Arbeiterkorrespondenten bis zum Hauptleitartikler», ist sein kollektiver Tolstoj.[576]

Die Zeitung bildet für den Operativismus *ein* Medium, durch das literarische Praxis in der Veränderung des Alltags aufgehen kann. Indem der Schriftsteller, der ‹Meister des Wortes›, in die Arbeit der Zeitung einbezogen und zur größtmöglichen Anpassung seiner Meisterschaft an deren Bedingungen und Aufgaben veranlaßt wird, indem die größte Aufmerksamkeit der Vervollkommnung der Zeitung gilt, kann sie selber zum Epos der revolutionären Gegenwart werden: «Was soll es, über einen Roman oder ein Buch, was soll es über *‹Krieg und Frieden›* zu reden, wenn man jeden Morgen, sobald man die Zeitung in die Hand nimmt, in der Tat eine neue Seite jenes so erstaunlichen Romans umblättert, der ‹Unser Heute› heißt. Die handelnden Personen dieses Romans, seine Autoren und seine Leser – sind wir selbst.»[577]

Mit dieser Konzeption hat Tretjakov, gemessen an der revolutionstheoretischen Programmatik von Karl Marx, die entschiedenste Haltung sowohl zum Problem der Tradition wie auch gegenüber dem überkommenen Begriff von Kunst eingenommen: sie repräsentiert die Antwort der proletarischen Kulturrevolution auf Hegels Frage nach dem Ende der Kunst und Heines Überlegungen zur Verschmelzung von Kunst und

Politik. Gleichwohl blieb diese Antwort weitgehend theoretisch, denn die materiellen gesellschaftlichen und politischen Voraussetzungen für ihre Realisierung – die Literarisierung des öffentlichen Lebens, die institutionellen Möglichkeiten kommunikativer Selbstverständigung über alle Fragen des Alltags – mußten zum einen überhaupt erst geschaffen werden und waren zum andern nur für einen relativ kurzen Zeitraum in der Periode des sozialistischen Aufbaus gegeben.
Zugleich markieren Theorie und Praxis Tretjakovs einen historischen Stand der Emanzipation der Kunst vom Ritual, den Benjamin in seinen späten Schriften als exemplarischen festgehalten hat.

9.3. Walter Benjamin: Die Geschichte gegen den Strich bürsten

In seinem Vortrag ‹*Der Autor als Produzent*› hat Benjamin Tretjakovs Überlegungen zur möglichen Funktion der Zeitung als kollektivem Epos des revolutionären Alltags aufgegriffen und in einen kategorialen Rahmen eingefügt, der bereits auf seine Analyse des ‹*Kunstwerks im Zeitalter seiner technischen Reproduzierbarkeit*› verweist. Nach Benjamin bedrohen die reproduktiven Techniken den empfindlichsten Kern der Kunstwerke: ihre Echtheit und ihre Einzigkeit. Indem er die ‹Echtheit› einer Sache bestimmt als den «Inbegriff alles vom Ursprung her an ihr Tradierbaren, von ihrer materiellen Dauer bis zu ihrer geschichtlichen Zeugenschaft»[578] und ‹Einzigkeit› des Kunstwerks als dessen Identität «mit seinem Eingebettetsein in den Zusammenhang der Tradition»[579], so zielt die Reproduktionstechnik, als deren machtvollstes Instrument der Film erkannt wird, auf «die Liquidierung des Traditionswertes am Kulturerbe»[580]. Insofern aber die Einbettung des Kunstwerks in den Traditionszusammenhang ihren geschichtlichen Ausdruck im Kult fand[581], schließt seine technische Reproduzierbarkeit zum erstenmal die historische Möglichkeit ein, die Kunst von ihren kultischen Funktionen zu emanzipieren. Diese Emanzipation vom Ritual fällt zusammen mit der Fundierung von Kunst auf Politik. So versucht Benjamin auf den theoretischen Begriff zu bringen, was in Tretjakovs programmatischer Skizze von 1927 bereits angelegt war. Denn Tretjakov hatte indirekt auf die kultischen Funktionen des alten Epos verwiesen, als er Tolstoj als ‹Lehrer des Lebens› und ‹Priester der Kunst› bezeichnete und die Diskrepanz dieses Typus zu den Anforderungen, den technischen, wissenschaftlichen und politischen Gegebenheiten der Gegenwart konstatierte – Benjamin expliziert daran, ausgehend von einem technischen Kunstbegriff, die Notwendigkeit, «alle Vorstellungen von Formen oder Gattungen der Dichtung an Hand von technischen Gegebenheiten unserer Lage um [zu] deuten [...] um zu jenen Ausdrucksformen zu kommen, die für die literarischen Energien der

Gegenwart den Ansatzpunkt darstellen»[582]. Am Beispiel der sowjetischen Presse demonstriert er den «gewaltigen Umschmelzungsprozeß literarischer Formen»[583], der nicht nur «über konventionelle Scheidungen zwischen den Gattungen, zwischen Schriftsteller und Dichter, zwischen Forscher und Popularisator» hinweggehe, sondern auch «die Scheidung zwischen Autor und Leser» einer Revision unterziehe.[584] Solche Möglichkeiten der Literarisierung aller Lebensverhältnisse sieht Benjamin freilich nur dort gegeben, wo die Zeitung ein taugliches Produktionsinstrument in den Händen der Schriftsteller darstellt: in der Sowjet-Union. Hier sind allerdings die gleichen Einschränkungen zu machen wie schon bei Tretjakov selber.

An Benjamins Explikation und Deutung der Theoreme Tretjakovs fällt auf, daß er dessen wahrscheinlich nicht bloß metaphorisch gemeinte Konsequenz, die Zeitung selber als ‹kollektives Epos› des revolutionären Alltags zu bestimmen, nicht mitvollzieht. Darin, so scheint mir, deutet sich bereits jene Aporie seiner Reproduktionstheorie an, daß nämlich zwischen der beschriebenen Liquidierung des Traditionswertes am Kulturerbe, zwischen dem Aurazerfall des traditionellen Werks und dem Charakter einer neuen, die reproduktiven Möglichkeiten ausnutzenden, auf Politik fundierten Kunst keine dialektische Vermittlung hergestellt ist.[585] Daran, daß der Zerfall der Aura, die Destruktion der kultischen Funktionen einzig dem Progreß reproduktiver Techniken sich verdanken soll, wird deutlich, daß aus den metaphysischen Implikationen des Aura-Begriffs eine technologische Reduktion des technischen Kunstbegriffs selber resultiert, die den Anteil von Selbstreflexion des Scheincharakters, von bewußter Kritik und Erkenntnis an der Destruktion der Aura kaum in Rechnung stellt. Gleichwohl kann der von Benjamin analysierte Zerfall der Aura den Ausgangspunkt für eine Konzeption literarischer Technik und eines objektiven technischen Standards in der Kunst bilden, die ein neues, dialektisches und historisch-materialistisches Verhältnis zum kulturellen Erbe und zur literarischen Tradition eröffnet.

Der Zusammenhang von technischem Kunstbegriff und dialektischer Auffassung der literarischen Tradition wird in den ästhetischen Theoremen Brechts entfaltet. Seinen geschichtsphilosophischen Rahmen entwickelt Benjamin in den ‹*Geschichtsphilosophischen Thesen*› von 1938, freilich ohne die in ihnen entfaltete Theorie über das kulturelle Erbe explizit auf jene Reproduktionstheorie zu beziehen. Diese ‹*Geschichtsphilosophischen Thesen*›, die Brecht gekannt hat[586], sind nicht allein als Auseinandersetzung Benjamins mit dem Faschismus oder als der Versuch einer Verbindung von historischem Materialismus und Theologie zu interpretieren, sie enthalten zugleich eine Kritik der Kulturpolitik der stalinisierten kommunistischen Parteien im Zeichen der Volksfront als auch der ihr zugrunde liegenden, am sozialdemokratischen Revisionismus anknüpfenden objektivistischen Deformation der materialistischen Geschichtsauffassung in ein universalhistorisches Schema, dem Fortschritt durch eine vorab festgelegte welthistorische Stufenfolge als objektiv garantiert gilt. Dieser Aspekt der ‹*Geschichtsphilosophischen Thesen*› soll im folgenden ausführlicher dargestellt werden, wobei vor allem Benjamins Begriff der ‹Jetztzeit›, seine indirekte Kritik der revisionistischen Kulturauffassung und seine Auseinandersetzung mit den objektivistischen Versionen des historischen Materialismus im Vordergrund stehen. Diese Ansätze einer geschichtsphilosophischen Reflexion des Verhaltens zu Geschichte und Kulturerbe sind für die Theoreme Brechts ebenso bedeutsam geworden wie sie sich zum Teil der Auseinandersetzung Benjamins mit seiner literarischen Theorie und Praxis verdanken.

‹Jetztzeit› – Geschichte als Gegenstand einer Konstruktion

Montage und kritisch-selektives wie aleatorisches Traditionsverhältnis im Frühwerk Brechts waren gebunden an eine bestimmte Erfahrung des historischen Augenblicks, an die Erfahrung der Gegenwart als einer ‹leeren Zeit›, der bürgerlichen Gesellschaft als einem ‹Hohlraum›: welchem Wandel unterliegt das Traditionsverhältnis, wenn die Gegenwart als Moment eines historischen, revolutionären Prozesses erfahren wird? Welche neuen Funktionen und Dimensionen erschließen sich damit der Tradition? Walter Benjamin sucht diese Erfahrung als eine revolutionäre in der Kategorie der ‹Jetztzeit›[587] festzuhalten; wer Geschichte und Gegenwart dergestalt aufeinander bezieht, der «erfaßt die Konstellation, in die seine eigene Epoche mit einer ganz bestimmten früheren getreten ist. Er begründet so einen Begriff der Gegenwart als der ‹Jetztzeit›, in welcher Splitter der messianischen eingesprengt sind.»[588] Benjamins Explikation macht deutlich, in welchem Ausmaß seine geschichtsphilosophische Position noch an theologischen Voraussetzungen festgemacht ist, die er mit denen des historischen Materialismus zu amalgamieren versucht. Versteht man jedoch die messianische Heilserwartung, in der Totalität des Geschichtsablaufs immer schon vorgegeben, lediglich als theologischen Ausdruck für den von den Menschen selber in verändernder kollektiver Praxis zuallererst herzustellenden Sinn von Geschichte, als konkrete Utopie, so enthalten Benjamins Reflexionen wesentliche Elemente einer Traditionsauffassung, die historisch-materialistisch gegen die des Historismus als auch des weltanschaulichen, ontologischen Materialismus gewendet werden kann. Erscheint die Gegenwart der Position des Historismus immer schon als abschließende, sammelnde, als Museum, das Vergangenes bloß akkumuliert und in einem restaurativen Bezirk von Kultur bewahrt, so ist sie ihrer revolutionären Erfahrung das Zentrum, in dem die historischen

Tendenzen und Inhalte zusammenschießen und verwandelt einer als konkreter Utopie begriffenen Dimension der Zukunft sich öffnen: «Vergangenes historisch artikulieren heißt nicht, es erkennen ‹wie es eigentlich gewesen ist›. Es heißt sich einer Erinnerung bemächtigen, wie sie im Augenblick einer Gefahr aufblitzt. Dem historischen Materialismus geht es darum, ein Bild der Vergangenheit festzuhalten, wie es sich im Augenblick der Gefahr dem historischen Subjekt unversehens einstellt. Die Gefahr droht sowohl dem Bestand der Tradition wie ihren Empfängern. Für beide ist sie ein und dieselbe: sich zum Werkzeug der herrschenden Klasse herzugeben. In jeder Epoche muß versucht werden, die Überlieferung von neuem dem Konformismus abzugewinnen, der im Begriff steht, sie zu überwältigen.»[589]
Marxistische Praxis ermöglicht und erfordert so «Geschichte als Gegenstand einer Konstruktion, in der die Inhalte der Vergangenheit nicht Faktum im leeren Kontinuum bleiben, sondern sich mit konkreter Gegenwart aufladen»[590]. Das ‹wahre Bild der Vergangenheit› ist kein ewiges – weder im Sinne des Historismus noch eines universalhistorischen Fortschrittsglaubens –, sondern ein unwiederbringliches, «das mit jeder Gegenwart zu verschwinden droht, die sich nicht als in ihm gemeint erkannte»[591]. Das Verhalten des historischen Materialisten zur Tradition ist darum nicht bestimmt durch die Einordnung seiner Erfahrung mit ihr in eine geschichtsmetaphysisch unterstellte gesetzmäßige Totalität des universalhistorischen Prozesses, sondern durch das Bewußtsein von der Konstellation, in die der historische Gegenstand zu seiner revolutionären Gegenwart getreten ist.[592] Diese aber erschließt sich nur einem geschichtsphilosophischen Verfahren, dem die Geschichte der «Gegenstand einer Konstruktion» geworden ist, «deren Ort nicht die homogene und leere Zeit, sondern die von ‹Jetztzeit› erfüllte bildet»[593].
Von daher kritisiert Benjamin in den ‹*Geschichtsphilosophischen Thesen*› den sozialdemokratischen Fortschrittsbegriff mit der praktisch-politischen Intention, durch dessen kritische Rekonstruktion hindurch zugleich die ideologischen Grundlagen der Volksfrontpolitik anzugreifen.[594] Der dogmatische Anspruch dieser Vorstellung von Fortschritt ist durch drei Grundannahmen konstituiert: die Unterstellung eines Fortschritts der Menschheit selbst, nicht nur ihrer Fertigkeiten und Kenntnisse; der Unabschließbarkeit des Fortschritts, einer unendlichen Perfektibilität der Menschheit entsprechend; der Unaufhaltsamkeit des Fortschritts als selbsttätig eine gerade oder spiralförmige Bahn durchlaufend.[595] Die diesen Bestimmungen gemeinsame und ihnen zugrunde liegende Geschichtsauffassung läuft auf die Vorstellung eines «eine homogene und leere Zeit durchlaufenden Fortgangs»[596] von Geschichte hinaus. Ihr stellt Benjamin eine historisch-materialistische Konzeption entgegen, die von der theoretischen und praktischen Not-

wendigkeit ausgeht, «das Kontinuum der Geschichte aufzusprengen»[597]. Der qualitative Gehalt der Marxschen Revolutionstheorie, die die Bedingungen der historischen Subjektwerdung des Proletariats formuliert, kommt so in Benjamins Verbindung von Theologie und historischem Materialismus indirekt wieder zu seinem Recht. Denn auch die Unterscheidung von Marx zwischen ‹Vorgeschichte› und der ganz mit Willen und Bewußtsein gemachten Geschichte impliziert die Aufsprengung von Geschichte als eines Kontinuums der Subsumtion der Menschen unter sachliche Gewaltverhältnisse, freilich nicht in einem messianischen Sinne der Vollendung eines als Totalität gedachten universalhistorischen Prozesses, sondern als permanent revolutionären Prozeß, in dem Veränderung der Verhältnisse und Selbstveränderung praktisch zusammenfallen. Gleichwohl hat Benjamin auf geschichtsphilosophischer und methodologischer Ebene Kategorien eines historisch-materialistischen Verhaltens zur Tradition und zum Kulturerbe entfaltet, die dem emanzipativen Gehalt der Marxschen Theorie Rechnung tragen und gerade deshalb den seit 1934/35 proklamierten offiziellen Positionen unmittelbar entgegenstanden. Seine Erkenntnis der ‹Jetztzeit›, der revolutionären Gegenwart als Ausgangspunkt, von dem her allein Geschichte als Gegenstand einer Konstruktion, begründet in der Erfahrung der kritischen Konstellation von Jetztzeit und Vergangenheit, sich erschließen kann, ermöglicht eine dialektische Theorie des Verhaltens zur Tradition, die nicht auf einen zur historischen Norm verdinglichten Begriff von Fortschritt sich zu gründen braucht. Die Instrumentalisierung der Kategorie ‹Fortschritt› im Sinne eines dogmatischen Anspruchs schlägt sich in den kulturpolitischen Theoremen der Volksfront und des sozialistischen Realismus überhaupt als dogmatischer Anspruch des kulturellen Erbes an die aktuelle künstlerische Praxis nieder: als Festlegung der Rezeptionsweise von Tradition, die die Möglichkeit einer kritischen Konstellation von aktueller Praxis und vergangenem Werk, das konstruktive Prinzip selber also gerade ausschließt und statt dessen im Namen der ‹Gesetzmäßigkeit› das Einholen der Klassiker dekretiert.

Walter Benjamins Kategorie der ‹Jetztzeit›, das Prinzip der Konstruktion im Verhalten zur Tradition wie seine Kritik der objektivistischen Fortschrittsgläubigkeit des Revisionismus, entwickelt in einem Zeitraum intensiver Kommunikation mit Brecht, sind in dessen theoretische Arbeiten ebenso eingegangen wie sie – zum Teil – an ihnen und seinen literarischen Versuchen gewonnen wurden.

Das gilt auch für Benjamins – wiederum indirekte – Kritik an der normativen und globalen Beanspruchung des kulturellen Erbes durch die kulturpolitische Einheitsfront und deren legitimationsstrategisches Kalkül. Die ‹feinen und spirituellen› Dinge, so Benjamin, sind «im Klassenkampf anders zugegen denn als die Vorstellung einer Beute, die an

den Sieger fällt»[598]. Die Kulturgüter, immer schon im Triumphzug der Herrschenden als Beute mitgeführt, «werden im historischen Materialisten mit einem distanzierten Betrachter zu rechnen haben»[599]. Für eine solche Haltung führt Benjamin zwei Gründe an: den historischen Ursprung aller Kultur in gesellschaftlichen Gewaltverhältnissen und den durch ihn bestimmten und verzerrten Prozeß der Überlieferung selber: «Denn was er an Kulturgütern überblickt, das ist ihm samt und sonders von einer Abkunft, die er nicht ohne Grauen bedenken kann. Es dankt sein Dasein nicht nur der Mühe der großen Genien, die es geschaffen haben, sondern auch der namenlosen Fron ihrer Zeitgenossen. Es ist niemals ein Dokument der Kultur, ohne zugleich ein solches der Barbarei zu sein. Und wie es selbst nicht frei ist von Barbarei, so ist es auch der Prozeß der Überlieferung nicht, in der es von dem einen an den andern gefallen ist. Der historische Materialist rückt daher nach Maßgabe des Möglichen von ihr ab. Er betrachtet es als seine Aufgabe, die Geschichte gegen den Strich zu bürsten.»[600] Die legitimationsstrategisch geprägte Alternative ‹Kultur oder Barbarei›, die die Volksfront als Bündnis- und Sammlungsparole gegen den Faschismus propagierte, wird so von Benjamin als eine bloß scheinhafte entlarvt und die Neutralisierung und Enthistorisierung des Kulturbegriffs historisch-materialistisch kritisiert. Implizit weist er die mechanistische Vorstellung zurück, daß das kulturelle Erbe vom Proletariat nurmehr übernommen und weiterentwickelt werden könne, denn der selber von Barbarei nicht freie Prozeß der Überlieferung geht mittelbar in die Gestalten tradierter Kultur ein. Die Geschichte gegen den Strich zu bürsten heißt darum für den historischen Materialisten, gegenüber aller vergangenen und gegenwärtigen Kultur eine dialektische, also kritische und revolutionäre Haltung einnehmen.
Walter Benjamin wendet diese Einsichten gegen jenen kulturpolitischen Antifaschismus und jene Theorie des Faschismus überhaupt, die diesen lediglich als ‹Ausnahmezustand› begriff: «Die Tradition der Unterdrückten belehrt uns darüber, daß der ‹Ausnahmezustand›, in dem wir leben, die Regel ist. Wir müssen zu einem Begriff der Geschichte kommen, der dem entspricht. Dann wird uns als unsere Aufgabe die Herbeiführung des *wirklichen* Ausnahmezustands vor Augen stehen; und dadurch wird unsere Position im Kampf gegen den Faschismus sich verbessern.»[601] Den wirklichen Ausnahmezustand herbeiführen heißt demnach, gesellschaftliche Herrschaft und Unterdrückung überhaupt, die Grundlagen aller bisherigen Kultur, zu thematisieren und anzugreifen: die gleiche Haltung zu der Scheinalternative Kultur oder Barbarei hat auch Brecht eingenommen. Mit ihr steht das konkrete Verhalten des politischen Künstlers zur Tradition im unauflöslichen Zusammenhang. In dem Aufsatz *‹Eduard Fuchs, der Sammler und der Historiker›*, der viele Gedanken der *‹Geschichtsphilosophi-*

schen Thesen› vorwegnimmt, hat Benjamin versucht, eine historisch-materialistische Theorie der Rezeption vergangener Kunst zu umreißen. Da der historische Materialist – methodisch – immer auch auf den gesellschaftlichen Ursprung des vergangenen Werks und dessen Veränderung durch die Wirkungsgeschichte selber reflektiert, muß er vorab «die Geschlossenheit der Gebiete und ihrer Gebilde» in Frage stellen.[602] Die vergangenen Werke «integrieren für den, der sich als historischer Dialektiker mit ihnen befaßt, ihre Vor- wie ihre Nachgeschichte – eine Nachgeschichte, kraft deren auch ihre Vorgeschichte als in ständigem Wandel begriffen erkennbar wird»[603]. Zu diesem historischen Wandel des Werks gehört, daß seine gesellschaftlichen Funktionen die Intentionen des Autors hinter sich zu lassen vermögen, daß seine aktuelle Rezeption und Deutung Bestandteil seiner späteren Wirkungen ist und so jede neue Erfahrung mit ihm zugleich eine mit der Geschichte wird, in der seine Überlieferung sich vollzog. All das veranlaßt den historischen Dialektiker, «die gelassene, kontemplative Haltung dem Gegenstand gegenüber aufzugeben, um der kritischen Konstellation sich bewußt zu werden, in der gerade dieses Fragment der Vergangenheit mit gerade dieser Gegenwart sich befindet»[604]. Die darin implizierte Kritik des Historismus kann zugleich gegen die Geschichtsauffassung des weltanschaulichen Materialismus gewendet werden, dem der historische Prozeß zu einer geschlossenen Totalität gesetzmäßiger Abläufe, gesetzmäßigen Auf- und Abstiegs gesellschaftlicher Klassen geworden ist, mit dem Fortschritt als historischer Norm. «Das epische Element der Geschichte», das der historische Materialist Benjamin zufolge gerade preisgeben muß[605], wird im Geschichtsbegriff des ontologischen Materialismus in einer restringierten Form wieder etabliert, deren Konstituentien die Kategorien Gesetz, Auf- und Abstieg sowie Totalität bilden. Die produktive Freisetzung aber jener gewaltigen Kräfte, «die im Es-war-einmal des Historismus gebunden liegen»[606], und erst durchs konstruktive Prinzip entbunden werden können, wird durch die dogmatische Festlegung des Erbes wie seiner Rezeptionsweise qua gesetzmäßiger Weiterentwicklung vorab verhindert und normativ eingeschränkt.

Die Absage an das Postulat ‹gesetzmäßiger Weiter- und Höherentwicklung› im Verhältnis zum Kulturerbe, die Preisgabe der kontemplativen Haltung gegenüber dem historischen Gegenstand zugunsten des Bewußtseins einer kritischen Konstellation von Jetztzeit und vergangenem Werk, das das Kontinuum der Überlieferung konstruktiv aufsprengt, haben unmittelbare Bedeutung für eine marxistisch fundierte literarische Praxis und deren Verhältnis zur literarischen Tradition. Brechts Techniken der Bearbeitung und der Umfunktionierung sind in dieser Hinsicht Versuche der künstlerischen Realisierung des von Benjamin beschriebenen konstruktiven Prinzips.

9.5. Ernst Bloch und Hanns Eisler: Die Kunst zu erben

Die Beziehungen zwischen spezifischen künstlerischen Techniken wie Montage, Verfremdung usw. als Instrumente des konstruktiven Prinzips und dem Kulturerbe hat Ernst Bloch historisch-materialistisch reflektiert. Er geht wie Benjamin davon aus, daß es dem marxistischen Verhältnis zur Tradition nicht darum gehen kann, sich im Vergangenen festzumachen und es um seiner selbst willen zu beschwören. Denn da es auf praktische Kritik gegründet ist, will es die vergangenen Werke nicht im Zustand einer in sich ruhenden kulturellen Monade belassen, sie nicht als geschlossene, fensterlose Kulturgebilde rezipieren, sondern sie als durch die Zeit, den historischen Prozeß zerstörte und aufgelöste verwenden und auf das sich ‹bearbeitend› konzentrieren, was nur als Partikulares an ihnen überleben konnte. Dem entspricht als poetisches Verfahren das der Montage: «Wenn die Aneignung des Kulturerbes immer kritisch zu sein hat, so enthält diese Aneignung, als besonders wichtiges Moment, die Selbstauflösung des zum musealen Objekt d'art Gemachten, aber auch der falschen Abgeschlossenheit, die das Kunstwerk an Ort und Stelle haben mochte und die sich in der musealen Kontemplation noch steigert. Das Inselhafte springt, eine Figurenfolge voll offener, versucherischer Symbolbildungen geht auf.»[607] Montage ist von daher «eine Form auch, sich der alten Kultur zu vergewissern: erblickt aus Fahrt und Betroffenheit, nicht mehr aus Bildung»[608]. So charakterisiert Bloch Brechts Verwendung der Montage als eine spezifische artistisch-politische Verhaltensweise zum Kulturerbe: «Die Montage des Bruchstücks aus dem alten Dasein ist hier das Experiment seiner Umfunktionierung in ein neues.»[609]

Montage als Formprinzip der kalkulierten Unterbrechung in verändernder Absicht hat ihren objektiven Grund in der Struktur der gesellschaftlichen Wirklichkeit selber. Darauf hat Bloch, wegen der in seinem Buch ‹*Erbschaft dieser Zeit*› entwickelten Theorien 1936 in der Zeitschrift *Internationale Literatur* von Hans Günther scharf angegriffen, gegen eine unterstellte Totalität des historischen Prozesses, gegen eine objektivistische Reduktion materialistischer Dialektik insistiert: «Die Wirklichkeit selbst aber ist Unterbrechung; sowohl gegen den lückenlosen Denkzusammenhang hundertprozentiger Theorie, wie vor allem auch ganz anderer Weise, in sich selbst, in ihrem vielstimmigen, vielräumigen, über und über von Widersprüchen durchspellten, dialektisch-materiellen Wesen.»[610] Dem geschichtsphilosophischen Ansatz des späten Benjamin in der Intention der kritischen Wendung gegen ‹materialistische›, universalhistorische Systementwürfe verwandt, folgert er:

«Die Welt ist nicht homogen, die Revolution vollzieht sich auch ideolo-

gisch in keinem schön gefugten, glatt homogenisierten Raum. Erst recht kann dieser Raum von der noch bestehenden bürgerlichen Welt und den mannigfachen Verschränkungen mit ihr nicht ohne weiteres luftleer, ‹methodisch rein› gemacht werden; erst recht ist das Dasein, wie auch Hegel bemerkt, keine Gewürzkrämerbude, worin alle Gegenstände an Ort und Stelle eingeräumt sind.»[611] E. Bloch stellt den systematisch-gesetzmäßigen Totalitätsentwürfen der revisionistischen Kultur- und Erbverwalter eine Interpretation der marxistischen Geschichtsauffassung entgegen, die ihren Ausgang nimmt von einem Brief des jungen Marx an Arnold Ruge. Darin heißt es: «Es wird sich dann zeigen, daß die Welt längst den Traum von einer Sache besitzt, von dem sie nur das Bewußtsein besitzen muß, um sie wirklich zu besitzen. Es wird sich zeigen, daß es sich nicht um einen großen Gedankenstrich zwischen Vergangenheit und Zukunft handelt, sondern um die *Vollziehung* der Gedanken der Vergangenheit. Es wird sich endlich zeigen, daß die Menschheit keine *neue* Arbeit beginnt, sondern mit Bewußtsein ihre alte Arbeit zu Stande bringt.»[612] E. Bloch hat diese Sätze im *‹Prinzip Hoffnung›* expliziert – seine Interpretation muß hier in so großer Ausführlichkeit zitiert werden, weil sie eine konzentrierte Darstellung all jener Elemente ist, die das marxistische Verhältnis zur Tradition, wie es für Brecht bedeutsam geworden ist, umfaßt; zugleich konkretisiert Bloch zur historisch-materialistischen Dialektik, was bei Benjamin von seinen theologischen Implikationen ganz noch nicht geschieden war: «Erst der Marxismus vor allem hat einen Begriff des Wissens in die Welt gebracht, der nicht mehr wesentlich auf Gewordenheit bezogen ist, sondern auf die Tendenz des Heraufkommenden; so bringt er erstmalig Zukunft in den theoretisch-praktischen Griff. Solche Tendenzkenntnis ist notwendig, um sogar noch das Nicht-Mehr-Bewußte und das Gewordene nach seiner möglichen Fortbedeutung, das heißt, Unabgegoltenheit, zu erinnern, zu interpretieren, aufzuschließen. Der Marxismus hat derart ebenso den rationellen Kern der Utopie herübergerettet und ins Konkrete gebracht wie den der noch idealistischen Tendenz-Dialektik [. . .] Das fortgeschrittene Bewußtsein arbeitet derart auch in der Erinnerung und Vergessenheit nicht als in einem abgesunkenen und so geschlossenen Raum, sondern in einem offenen, im Raum des Prozesses und seiner Front. Dieser Raum aber ist ausschließlich mit Dämmerung nach vorwärts erfüllt, auch noch in seinen *Exempeln aus fortbedeutender Vergangenheit*, er ist mit bewußtseinsfähiger, gewußtseinsfähiger Lebendigkeit eines Noch-Nicht-Seins gefüllt.»[613]
Solche Theorie, die am Alten ein Prozeßmoment des Neuen als praktisch zu realisierender konkreter Utopie erkennt, erfordert ein anderes Verhältnis zur literarischen Tradition. Sie erblickt in ihr nicht mehr bloß an ihren historischen Ort fixierte Ideologie, auch nicht mehr die zerstreuten Partikel einer geborstenen Vergangenheit als Material der

leeren, aleatorischen Montage, sondern die Manifestationen eines offenen historischen Prozesses, die Elemente einer im Marxschen Sinne begriffenen Vorgeschichte. Als solchen eignet ihnen die historische Möglichkeit des Exemplarischen. Was sie in Beziehung zueinander verhält ist nicht ein vorgegebenes, sich durchhaltendes Menschliches, das sich bloß je verschieden in die historischen Erscheinungen auslegt, sondern indem sie, was einmal auf der Höhe ihrer Zeit und deren Erkenntnismöglichkeiten war, in Form und Inhalt festgehalten haben, weisen sie zugleich über diese hinaus.

Ernst Bloch expliziert derart die Marxsche Einsicht, daß Ideologie nicht einfach Lüge ist, sondern als notwendig falsches Bewußtsein immer auch ein Moment der Wahrheit enthält. Zwar haben die Ideen noch immer vor dem Interesse sich blamiert, gleichwohl gehen sie nicht gänzlich in Ideologie auf. Der historische Überschuß an unabgegoltenem revolutionärem Potential, der in ihnen auch wiederum überlebt und die Vorstellung einer Gesellschaft ohne Zwang und Versagung einschließt, erhält sich noch in ihrer ideologischen Gestalt und erscheint als konkret-utopischer Gehalt der Vorgeschichte, als Prinzip Hoffnung. So entdeckt und analysiert Bloch im falschen Bewußtsein das Moment des wahren, in der ideologischen Hülle den Kern der utopischen Funktion: «Ohne utopische Funktion hätten es die Klassenideologien nur zur vergänglichen Täuschung gebracht, nicht zu den *Mustern* in Kunst, Wissenschaft, Philosophie. Und es ist eben dieser Überschuß, der das Substrat des Kulturerbes bildet und hält, als jener Morgen, der nicht nur in den Frühzeiten, sondern höher auch im vollen Tag einer Gesellschaft enthalten ist, ja streckenweise sogar im Zwielicht ihres Untergangs. Alle bisherige große Kultur ist Vor-Schein eines Gelungenen, sofern er immerhin in Bildern und Gedanken auf der fernsichtreichen Höhe der Zeit, also nicht nur in und für seine Zeit, aufgebaut werden konnte.»[614]

Dagegen muß freilich angeführt werden, daß Bloch das Veralten der Werke nicht in seine Reflexion einbezieht, zugleich offenbart sich in dem Begriff ‹Muster in Kunst, Wissenschaft, Philosophie› eine latent normative Auffassung der kulturellen Manifestationen – die utopische Funktion wächst den traditionellen Werken auch nicht aus sich selbst oder ihrem bloßen historischen Ort zu, sondern sie bildet sich zuallererst an der geschichtsphilosophischen Konstellation, dem theoretischen und praktischen Verhältnis, in die die Werke der Gegenwart zu ihnen treten. Walter Benjamins Theorem der ‹Jetztzeit›, der Geschichte als Gegenstand einer Konstruktion entgeht – bei aller Theologie – eher den Gefahren einer Geschichtsmetaphysik des Noch-nicht-Seins, denen die Geschichtsphilosophie Blochs durch die Unterstellung eines utopischen Kontinuums als quasi-ontologischem Substrat von Geschichte sich immer wieder aussetzt.

Dennoch ist diese Geschichtsphilosophie, weil sie den historischen Pro-

zeß in einer kritischen Konstellation von Vergangenem und Zukunft als grundsätzlich *offenen* reflektiert, gegen historische und weltanschauliche Versunkenheit ins Es-war-Einmal ebenso immun wie gegen geschlossenes Ausdeduzieren, unterstellte Totalität und schematische Fixierung des Geschichtsverlaufs.
Ernst Blochs kritischer Ideologie-Begriff, seine Interpretation der materialistischen Geschichtsauffassung als einer weniger auf Gewordenheit denn auf Zukunft und Tendenz bezogenen bilden die theoretische Grundlage seiner Absage an die vulgärmaterialistischen, reduktionistischen Zurechnungsmodelle von Basis und Überbau, Klassenlage und Kunstproduktion ebenso wie an die Versuche der Festlegung von Traditionslinien im Namen der ‹objektiven Wirklichkeit› und des sozialistischen Realismus. In den großen kunstpolitischen Debatten des Exils über die Frage des Kulturerbes hat er sich – zeitweise gemeinsam mit Hanns Eisler – vor allem an zwei theoretischen Komplexen kritisch engagiert: zum einen an dem epigonalen Klassizismus der offiziellen Positionen und seinen geschichtsphilosophischen Grundlagen, zum andern an dem Problem der theoretischen Interpretation und Rezeption zeitgenössischer Werke und künstlerischer Techniken, an dem Verhältnis also von künstlerischer Avantgarde und sozial fortgeschrittenem Bewußtsein.

Kritik an der Festlegung des Erbes

Schon im Übergangskapitel über die Ungleichzeitigkeit und ihre Dialektik in ‹*Erbschaft dieser Zeit*› vom Mai 1932 hat Bloch die materialistisch-dialektische Durchdringung der *konkreten* Totalität des historisch-gesellschaftlichen Prozesses charakterisiert als kritische und nicht kontemplative, also praktisch-einhakende[615] und sie gegen den Systementwurf der idealistischen Dialektik Hegels und deren Totalitätsbegriff abgegrenzt. Die Durchdringung kann «nur eine nicht-kontemplative sein, oder eine, die den Reichtum der Substanz nicht in vergoldeten Vergangenheiten, sondern im faktischen Erbe ihres Endes im Jetzt besitzt, kurz, die gerade aus dem *unvollständigen* Reichtum der Vergangenheit, wenn er auf der letzten Stufe erst recht nicht ‹aufgehoben› ist, *zusätzlich revolutionäre Gewalt* gewinnt. So erst nutzen unvergangene, weil nie ganz gewordene, daher bleibend subversive und utopische Inhalte in den Beziehungen der Menschen zu Menschen und zur Natur.»[616]
Um diese Differenzierung zwischen vergoldeten Vergangenheiten und bleibend subversiven Inhalten, zwischen Totalität als System, als Derivat des Mythos und der kritischen, nicht-kontemplativen Totalitäts-Auffassung mehrschichtiger Dialektik geht es Bloch in der Auseinandersetzung mit den offiziellen Positionen in der Kulturpolitik des Revi-

sionismus. Von diesem Ansatz her kritisiert er Lukács' Feier des unzerfallenen objektiven Realismus der Klassik als die «geradezu romantische Beschwörung geschlossener Zeiten»[617] und macht so in der Tat ernst «mit der Hegelschen Wahrheit der letzten Stufe»[618], dem Postulat unbedingter Gegenwärtigkeit. Lukács setze, so Bloch, überall eine geschlossen zusammenhängende Wirklichkeit voraus, eine, in der der subjektive Faktor des Idealismus keinen Platz habe, dafür aber die ununterbrochene Totalität der objektiv-idealistischen Dialektik. Dieser Realitätsbegriff trage selber noch klassisch-systemhafte Züge – an ihm gemessen müßten die modernen literarischen Techniken, Zerbrechung, Interpolation, Montage, in der Tat als ein leeres Spiel erscheinen: «Weil Lukács einen objektivistisch-geschlossenen Realitätsbegriff hat, darum wendet er sich, bei Gelegenheit des Expressionismus, gegen jeden künstlerischen Versuch, ein Weltbild zu zerfällen (auch wenn das Weltbild das des Kapitalismus ist). Darum sieht er in einer Kunst, die *reale* Zersetzungen des Oberflächenzusammenhangs entwertet und Neues in den Hohlräumen zu entdecken versucht, selbst nur subjektivistische Zersetzung; darum setzt er das Experiment des Zerfällens mit dem Zustand des Verfalls gleich.»[619] (Brecht kritisiert das Dekadenz-Theorem von Lukács und anderen nahezu mit der gleichen Argumentation.) Lukács' objektivistisch-geschlossener Realitätsbegriff impliziert eine analoge Auffassung des historischen Prozesses als systemhaft-geschlossener, in einer vorab fixierten Stufenfolge sich entfaltender Totalität. Sie bildet die legitimationsideologische Basis für die Festlegung des Erbes, denn aus ihr wird die Lehre hergeleitet, daß nur die Periode des revolutionären Aufstiegs einer Klasse mit einer ‹schöpferischen Blütezeit› ihrer Kultur zusammenfalle und darum die sie ablösende Klasse nur in dieser Periode das ihr gemäße kulturelle Erbe zur gesetzmäßigen Weiterentwicklung vorfinde. Bloch stellt dieses Schema in den Bemerkungen zur Rezension von Hans Günther grundsätzlich in Frage: «Günther nämlich vertritt, wie zum Teil auch Lukács, die Theorie, daß lediglich die ‹bürgerlich-revolutionären Geisteserrungenschaften› ein ‹proletarisch brauchbares Erbe› darstellen. Aber ließe man selbst zu, daß das heutige Bürgertum, als gewiß nicht mehr revolutionäres, nichts als Gestank oder Gleichgültigkeit enthält, wie sieht es dann mit dem Erbe in der näheren, selbst ferneren Vergangenheit aus?»[620] Er führt eine Reihe von Beispielen an, von Johann Sebastian Bach bis zum Impressionismus und zur Malerei der Moderne, auf die solche Schematik sich nicht anwenden läßt, um zu folgern: «Mit der Lehre jedenfalls, daß nur der revolutionäre Anfang jeder Klasse schöpferisch gewesen sei, verstellt man sich – um einer Theorie willen, die keineswegs aus der materialistischen Geschichtsauffassung folgt – den größten Teil der wirklichen Kulturgeschichte. In jenem Gebiet der Ideologie, das nicht Verschleierung, sondern ‹Überschuß› enthält, geht es ganz besonders

kompliziert her, ganz besonders polyrhythmisch und reich an Zwischengliedern.»[621]
In dem 1938 gemeinsam mit Hanns Eisler geschriebenen Aufsatz ‹*Die Kunst zu erben*› hat Bloch die restriktiven Konsequenzen und die philiströse kunstphilosophische Haltung kenntlich gemacht, die aus der schematischen Gleichsetzung des Abstiegs der bürgerlichen Klasse mit künstlerischer Dekadenz sich ergaben – ein epigonaler Oberlehrer-Klassizismus, dem alle Kunst der Moderne vorab das Signum der Fäulnis trägt: «Diese Theoretiker lassen in der Gegenwart jedenfalls wenig zu, und in der Vergangenheit wählen sie, preisen sie das Klassische fast auf klassizistische Weise. Welche Unkenntnis der modernen Kunst spricht aus ihren Auslassungen; welche Voreingenommenheit, welche abstrakte Blindheit! Alles, was in unserer Zeit geschieht, ist hier Fäulnis schlechthin, summarisch, a priori, ohne Unterschied.»[622] Wenn Bloch auch konzediert, daß die großen Zeiten einer Kultur ‹weithin› mit dem Aufstieg oder der Blütezeit zusammenfielen, die sie trage – der Dreiklang Haydn, Mozart, Beethoven habe sich nicht wiederholt –, so lehnt er es doch zugleich ab, «diese Erkenntnis in abstracto zu totalisieren». Denn als logische Voraussetzung und Konsequenz solcher Abstraktion «wird die Wirklichkeit nach einer puren ‹Idee› des historischen Materialismus herauskonstruiert, und es entsteht, vor lauter Schematik bedenklicher, ja platter Idealismus. Es überrascht nicht, wenn die Wirklichkeit um solche Aprioritäten sich wenig kümmert und tödliche Ausnahmen bietet. Ich brauche hier nicht auf moderne Künstler vom Range Picassos, Strawinskis, Schönbergs, Eislers, Bartóks, Dos Passos', Brechts hinzuweisen.»[623]
Die immanente Tendenz einer objektivistisch-systemhaften Auffassung des historischen Prozesses besteht von vornherein darin, die Wirklichkeit unter sich zu subsumieren bzw. gegen sie sich zu immunisieren. So tritt die legitimationsideologische Funktion des von Lukács und anderen entwickelten und vertretenen Konzepts des sozialistischen Realismus daran deutlich hervor, daß die zeitgenössische künstlerische Praxis, orientiert am objektiven technischen Standard der Moderne, a priori einem geschichtsphilosophisch konstruierten Modus künstlerischer und historischer Defizienz zugleich zugeordnet wird. Da aus objektiven Gründen auf kein existentes ‹sozialistisch-realistisches› Werk verwiesen werden konnte, das das ‹klassische Erbe› in seinem Sinngehalt wie seiner Formgestalt aufgehoben hätte, erschien das derart vorgegebene kulturelle Erbe in der bloß abstrakten, programmatischen und normativen Anforderung an aktuelle Kunstproduktion. Künstlerische Praxis aber, die solcher Programmatik folgte, konnte nichts anderes produzieren als synthetische Gebilde, da ihre Wirklichkeitsaneignung wie -vermittlung bloß den vorab festgelegten Deutungen der ‹objektiven Wirklichkeit› gehorchte. Von daher hat Bloch in der

‹Expressionismus-Debatte› einer neuklassizistischen Emphase von revisionistischen Kulturbeamten jedes Recht abgesprochen, sich durch einen verjährten Kampf mit den entwerteten Manifestationen des Expressionismus interessant zu machen: «Was kein Vorläufer ist, kann deshalb – in seinem Ausdruckswillen und seiner Zwischenzeiten-Existenz – jungen Künstlern dennoch näherstehen als ein dreifach epigonaler Klassizismus, der sich auch noch ‹sozialistischer Realismus› nennt und so administriert wird. Erstickend wird das der Bild-, Bau-, Schreibkunst der Revolution aufgesetzt und ist kein griechisch Vasenbild dabei, sondern der spätere Becher als roter Wildenbruch und Zieglerisches als das Wahre, Gute, Schöne.»[624]

Kunst der Moderne: Dokument der ‹Fäulnis oder Manifestation einer Übergangszeit›

Ernst Blochs Kritik an der schematischen geschichtsphilosophischen Konstruktion und dem mechanistischen Zurechnungsmodell, die der offiziellen Kulturpolitik zugrunde lagen, impliziert eine entschiedene Ablehnung des Dekadenztheorems. Er versucht dagegen eine dialektische, immanent verfahrende Interpretation der modernen Kunst durchzusetzen. In seinem Beitrag zur Expressionismus-Debatte fragt er: «Gibt es zwischen Verfall und Aufgang keine dialektischen Beziehungen? Gehört selbst das Verworrene, Unreife und Unverständliche ohne weiteres, in allen Fällen, zur bürgerlichen Dekadenz? Kann es nicht auch – entgegen dieser simplistischen, sicher nicht revolutionären Meinung – zum Übergang aus der alten in die neue Welt gehören? Mindestens zum Ringen um diesen Übergang; wobei lediglich immanent-konkrete Kritik, aber keine aus allwissenden Vor-Urteilen weiterhelfen kann.»[625] Das Verfahren solcher immanent-konkreten Kritik, das Bloch nicht näher ausführt, hat Brecht in seiner Auseinandersetzung mit zeitgenössischen Verfremdungstechniken exemplarisch demonstriert.
E. Bloch hat die Forderung nach einer dialektischen Haltung gegenüber der Moderne in *‹Die Kunst zu erben›* mit seiner Theorie der utopischen Gehalte und Funktionen von Kunst und Wissenschaft erläutert: Dazu kommt, daß wir nicht nur in einer Fäulniszeit leben, sondern in einer dialektisch übergehenden, in einer Zeit und Gesellschaft, die von der künftigen schwanger ist. Infolgedessen enthalten die Leistungen der Picasso und Einstein auch ein Antizipierendes; sie sind von der Welt beschienen, die noch nicht da ist.»[626]
Ernst Blochs Insistieren auf der absoluten technischen Gegenwärtigkeit auch und gerade der sozialistischen Kunstproduktion entspringt aus der theoretischen Intention, die Möglichkeit einer kritischen und produktiven Konstellation von aktueller künstlerischer Praxis und Kulturerbe gegen administrative Restriktionen offen zu halten. Denn er erkennt

die epigonale Regression als unausweichliche Folge einer legitimationsideologisch begründeten Denunziation der Moderne. Die ungehinderte Rezeption gleichzeitiger Kunst der Moderne ist darum schon deshalb unverzichtbar, weil diese selber ein objektiv neues Verhältnis zur Tradition repräsentiert, das gerade an der Kritik des Epigonalen und der Konvention sich gebildet hat. So verteidigt Bloch den Expressionismus gegen die restaurativen, erbwalterischen Dekrete der roten Oberlehrer, weil die expressionistische Periode selber «den Schlendrian, die hergebrachten Assoziationen aus der Vergangenheit so gründlich zerrissen hat»[627]. Der Expressionismus hat so zuallererst neue, kritische Konstellationen von künstlerischer Gegenwart und Vergangenheit eröffnet: «Die Expressionisten aber haben frisches Wasser und Feuer gegraben, Quellen und wildes Licht, mindestens Willen zum Licht. Nicht dadurch allein, doch im Gefolge dieser Erneuerung wurde auch der Blick auf die künstlerische Vergangenheit erquickt, er leuchtet in neuer, damit *jetzthaft aufgesprengter*, gleichzeitiger Tiefe.»[628]
E. Bloch wendet so Benjamins geschichtsphilosophische These über die das Kontinuum der Geschichte aufsprengende Erfahrung der ‹Jetztzeit› in der Vergangenheit gegen die neuklassizistische Festlegung des Erbes wie seiner Rezeptionsweise: die Denunziation der künstlerischen Gegenwart zugunsten eines ‹bürgerlich-sozialdemokratischen Kulturparks›, zugunsten der ‹Musealwelt› des 19. Jahrhunderts habe ihre Ausläufer «bis in die contradictio in adjecto eines kleinbürgerlichen Kommunismus»[629].
Dialektische Kritik- und Rezeptionsfähigkeit gegenüber gleichzeitiger Kunst, die konkret-kritische Partizipation an ihrem technischen Standard und ein produktives Verhältnis zur künstlerischen Vergangenheit stehen in einem unauflöslichen Zusammenhang: «Deshalb plädiert auch der Kunstfreund dafür, daß die Gegenwart in allen ihren Übergangsgebilden kritisch zu achten und zu beachten sei. Ohne lebendige, dialektisch wache Zeitgenossenschaft erstarrt auch die kulturelle Vergangenheit; sie wird zu einem Stapelgut von Bildungsware, aus dem abstrakte Rezepte gezogen werden. Entscheidend bleibt die Wechselbeziehung: kritische Beachtung der Gegenwart, dadurch produktiv ermöglichter Erbantritt der Vergangenheit.»[630]

Avantgarde-Kunst und Volksfront

Wie an dem oben dargestellten Bericht Johannes R. Bechers gezeigt werden konnte, war der kulturpolitischen Strategie der Volksfront von vornherein – mit der Festlegung des Erbes wie des ‹sozialistischen Realismus› als eines nach dem Modell bürgerliche Form/sozialistischer Inhalt bestimmten Stilprinzips – die Tendenz einer Abgrenzung gegen die avantgardistische Kunst inhärent. Der Tatsache, daß diese seit je der

Verfolgung durch den Faschismus ausgesetzt war und die besondere Aufmerksamkeit einer im Namen der Kultur auftretenden ‹ideologischen› Bündnispolitik verdient hätte, wurde jedoch in den offiziellen programmatischen Stellungnahmen kaum je Rechnung getragen. Gänzlich absorbiert von den legitimationsstrategischen Bemühungen, das ‹edle Erbe der Jahrhunderte›, die klassische Kultur für die zukünftigen Verwaltungsansprüche des Proletariats zu reklamieren, wurde den Erbverwaltern das Verhältnis zur Kunst der Moderne zu einem von vornherein negativ akzentuierten, theoretisch und politisch nicht mehr ernsthaft reflektierten Problem. Die Auseinandersetzungen über die Anträge der Surrealisten auf dem I. Internationalen Kongreß zur Verteidigung der Kultur dokumentierten diese Haltung bereits hinlänglich.[631]

Ernst Bloch und Hanns Eisler haben das Verhältnis von Avantgarde-Kunst und Volksfront zum Gegenstand einer gemeinsamen Arbeit gemacht und sind dabei zu grundsätzlichen theoretischen Fragestellungen gelangt, die über den aktuellen Anlaß hinaus bedeutsam sind. Den Anlaß hatte Eisler bereits 1935 in einem Artikel über «das Verhalten der Arbeiter-Sänger und Musiker in Deutschland» beschrieben: «Der Kampf der Faschisten gegen die moderne Musik gibt uns die Möglichkeit, moderne Komponisten als Bundesgenossen zu gewinnen.»[632]

In einem in der Form eines Gesprächsprotokolls gehaltenen gemeinsamen Aufsatz haben Bloch und Eisler 1937 dieses Problem noch einmal aufgegriffen[633] und seine Erörterung auf das Verhältnis von avancierter Kunst und sozialer Bewegung überhaupt ausgedehnt. Den politischen Ausgangspunkt des Aufsatzes gibt Bloch an, wenn er die Situation der Avantgarde zwischen Faschismus und Volksfront charakterisiert. Ihre Lage sei äußerst schwierig: von den breiten Massen isoliert, sei sie vom Faschismus mit der Vernichtung bedroht. Andererseits befürchte sie von der einzigen Kraft, die imstande sei, Hitler zu schlagen, von der Volksfront, «Unverständnis und Senkung ihres Niveaus». Manche Kreise der fortschrittlichen Künstler glaubten «in der Volksfront Vertretern einer vulgären Kunstauffassung zu begegnen»[634]. Bloch führt diese Schwierigkeiten auf den doppelten Sinn des Begriffs ‹fortschrittliches Bewußtsein› zurück. Neben dessen marxistischer, historisch-gesellschaftlicher Bestimmung gebe es zugleich eine andere, die Kunstproduktion betreffende: «Andererseits gibt es ein fortgeschrittenstes Bewußtsein in der künstlerischen Produktion, das seit den letzten dreißig Jahren mit besonderer Betonung avantgardistisch genannt wird und an der Spitze der rein künstlerischen Entwicklung zu marschieren gedenkt.»[635]

Um diese Differenz dialektisch-materialistisch zu erklären und aufzulösen, führt Bloch – wie später Benjamin in der Kritik des revisionisti-

schen Kultur-Begriffs in den ‹*Geschichtsphilosophischen Thesen*› – einen Gesichtspunkt an, den die offizielle kulturpolitische Rhetorik der Volksfront verdrängt hat, der jedoch für den historischen Materialisten entscheidend ist: «Ferner bringt die Arbeitsteilung im entwickelten Kapitalismus es mit sich, daß diese beiden Avantgarden zwar getrennt marschieren, aber nicht notwendig vereint schlagen. Sie bewirkt, daß das menschliche Dasein in zwei so scharf getrennte Sphären wie die soziale Wirklichkeit und den ästhetischen Schein auseinanderfällt.»[636]
Indem so die kapitalistische Arbeitsteilung, die erweiterte Trennung von Kopf- und Handarbeit, entfremdete Arbeit als gesellschaftlicher Ursprung der Differenz zwischen avancierter Kunst und avanciertem sozialem Bewußtsein erkannt wird, erscheint ihre Aufhebung nur möglich in der Perspektive einer Kulturrevolution, die die «Trennung von Alltag und Erhebung» ebenso beseitigen muß wie die Unterschiede von Stadt und Land.[637]
Bloch und Eisler versuchen den Nachweis zu führen, daß das kulturrevolutionäre Prinzip, die Verbindung des sozial fortgeschrittensten Bewußtseins mit dem ästhetisch fortgeschrittensten, sich in aktueller künstlerischer Praxis in Ansätzen bereits realisieren läßt. Diese historische Möglichkeit eröffnet sich einer ‹neuen Avantgarde› in dem Versuch, die neuen Methoden, das neue künstlerische Material an den neuen Inhalten zu bewähren und für die sozialen Aufgaben nutzbar zu machen: «So finden wir in der Malerei, in der Musik, in der Literatur, im Theater, im Film eine wachsende Zahl von Bemühungen, mit den kühnsten Mitteln die Interessen der Massen zu vertreten und zu fördern.»[638] Diese Kunst der ‹wahren Avantgarde› zeige gerade, «daß sie sich nicht vom Alltag trennen will, sondern daß sie ihn enthält, begreift und verändert»[639]. Für sie steht künstlerisches Niveau, ästhetische Qualität nicht länger im unüberbrückbaren Gegensatz zur politischen Tendenz: «Die Erfahrung hat gezeigt: mit neuen künstlerischen Mitteln kommt man in einer so dringenden und zwingenden Weise an das soziale Bewußtsein der Massen heran, daß das Niveau nicht als ein Hindernis sondern als wirksamstes Moment des Kunstwerks empfunden wird.»[640] Aus dieser neuen Bestimmung der künstlerischen Avantgarde begründen Bloch und Eisler die Möglichkeit, ja die Notwendigkeit eines Bündnisses von avancierter Kunst und sozialer Bewegung gerade gegen den Faschismus, denn der Faschismus versuche die fortschrittlichen Künstler fast aus denselben Motiven zu vernichten wie die fortschrittlichen Elemente des Volkes: «Wenn die beiden Avantgarden sich immer gründlicher verstehen, wenn der Künstler aus dem notwendigen Experiment zum noch viel notwendigeren Gelingen, aus der einsamen Abstraktheit zur Fülle des Gegenstands vorstößt, der heute im sozialen Prozeß ist: unter diesen Voraussetzungen unterliegt das Gemeinsame, ja fast Identische beider Avantgarden auch theoretisch keinem Zweifel

und praktisch keiner Schwierigkeit. Es erfüllt sie das gleiche Ziel, das Ziel der menschlichen Befreiung und der Besiegung des alten Feinds.»[641]

Dieses ästhetisch-politische Programm ist in die offiziellen kulturpolitischen Verlautbarungen der Volksfront nicht eingegangen und auch in der Kulturpolitik der ‹Volksdemokratie› nach 1945 hatte es kaum eine Chance der Realisierung, eher im Gegenteil.[642] In ihm ist eine Alternative zu den offiziellen Positionen des ‹sozialistischen Realismus› festgehalten, in der kritischer Marxismus und ästhetische Reflexion eine kulturrevolutionäre Verbindung eingehen, die kaum an Aktualität und Sprengkraft verloren hat.

10. Marxistisch fundierte Kunstproduktion und literarische Tradition in der theoretischen Selbstreflexion Brechts: Bestimmte Negation als dialektische Haltung zur literarischen Tradition, literarische Tradition als Gebrauchswert, technischer Kunstbegriff und literarische Tradition, Kulturrevolution und Kulturerbe

Die spezifische Marxismus-Rezeption Brechts bestimmt seine theoretische Reflexion des Verhältnisses zur literarischen Tradition wie sein praktisches, produktives Interesse an der künstlerischen Vergangenheit. Seine in ihr begründete, an emanzipativem Vernunftinteresse und proletarischer Kulturrevolution, am praktisch-kritischen Subjekt-Verhalten orientierte literarische Theorie und Praxis mußte ihn in Opposition bringen zu einer der Tradition des objektiven Idealismus im systematischen Sinne verhafteten Theorie der Literaturgeschichte und des literarischen ‹Werks› als Widerspiegelung eines objektiv vernünftigen, Vernunft in welthistorischer Stufenfolge realisierenden Prozesses – in Opposition auch zu einer durch solche Theorie legitimierten Festlegung der literarischen Tradition.

Schon von seiner Kritik an der objektivistischen Verdinglichung der materialistischen Dialektik zu einer universalhistorischen Seinslehre her lag Brecht eine vor allem methodologisch reflektierte, an den aktuellen Intentionen und technischen Interessen des Kunstproduzenten orientierte Rezeption des literarischen Erbes nahe und damit jene Rezeptionsweise, die Benjamin als konstruktives Prinzip bezeichnet hat. Erst sie vermochte den Bannkreis einer im Frühwerk als ‹Hölle› begriffenen verabsolutierten Gegenwart zu sprengen, deren historische Herkunft und Zukunft im Verhältnis von Theorie und Praxis aufeinander zu beziehen: «Marxistische Praxis ermöglicht Geschichte als Gegenstand einer Konstruktion, in der die Inhalte der Vergangenheit nicht Faktum im leeren Kontinuum bleiben, sondern sich mit konkreter Gegenwart aufladen.»[643]

Bertolt Brecht verwendet ebenfalls die Kategorie der ‹Jetztzeit›, mit der Benjamin das Verhalten des historischen Materialisten zur Vergangenheit, insbesondere zur künstlerischen Vergangenheit, aufzuschlüsseln versuchte – aber er dialektisiert diese Kategorie gleichsam, indem er Benjamins Modell des konstruktiven Auffindens der Jetztzeit in der Historie umstülpt und seinerseits die Historisierung, die Sprengkraft der dialektischen Einsicht in die geschichtliche Bewegung gegen die verdinglichte, an den bloßen Erscheinungen haftende Erfahrung der alltäglichen Gegenwart kehrt. Die Entfaltung dieser Dialektik von Historie und Jetztzeit ist konstitutiv für das Verfahren der Verfrem-

dung: «Der Schauspieler muß die Vorgänge als historische Vorgänge spielen. Historische Vorgänge sind einmalige, vorübergehende, mit bestimmten Epochen verbundene Vorgänge. Das Verhalten der Personen in ihnen ist nicht ein schlechthin menschliches, unwandelbares, es hat bestimmte Besonderheiten, es hat durch den Gang der Geschichte überholtes und überholbares und ist der Kritik vom Standpunkt der jeweilig darauffolgenden Epoche aus unterworfen. Die ständige Entwicklung entfremdet uns das Verhalten der vor uns Geborenen. Der Schauspieler nun hat diesen Abstand zu den Ereignissen und Verhaltungsweisen, den der Historiker nimmt, zu den Ereignissen und Verhaltungsweisen der Jetztzeit zu nehmen. Er hat uns diese Vorgänge und Personen zu verfremden.»[644] Indem derart die Verfremdung das alltägliche Ereignis zum besonderen macht, flüchtet der Zuschauer nicht länger «aus der Jetztzeit in die Historie; die Jetztzeit wird zur Historie»[645].
Aus der so konzipierten Dialektik von Jetztzeit und Historie entwickelt Brecht eine Strategie der praktischen Rezeption des vergangenen Werks und seiner aktuellen Präsentation, die ihre politischen Möglichkeiten gerade im Festhalten an der Distanz sieht und die Hypostasierung eines sich in der Geschichte durchhaltenden Allgemein-Menschlichen als Verfahren der Einfühlung kritisiert: «Wir aber wollen ihre [der vergangenen Zeitalter] Unterschiedlichkeit belassen und ihre Vergänglichkeit im Auge behalten, so daß auch das unsere als vergänglich eingesehen werden kann.»[646] An solchen Passagen wird deutlich, daß Brecht sehr viel mehr als Benjamin dem vertraut, was dieser das epische Element der Geschichte nannte – ein Vertrauen, das von einer Tendenz zur Verselbständigung nicht frei ist. Gleichwohl läßt sich Brechts Haltung zur künstlerischen Vergangenheit nicht als historische charakterisieren, weil er sich ihrer kritischen Konstellation zur Gegenwart doch auch bewußt bleibt. Der historische Sinn, an den die Akzentuierung der Distanz, der Unterschiedlichkeit appelliert, ist immer auch «ein Sinn für Kritik»[647] – eine materialistisch-dialektische Kritik, die das zum musealen *objet d'art* gemachte vergangene Werk in die Komplexität, die Vielfalt, die Widersprüchlichkeit seiner konstitutiven Elemente und seiner Beziehungen zur gesellschaftlichen Wirklichkeit auflöst. Das konstruktive Prinzip, von dem Benjamin spricht, die Erfahrung der Geschichte als Gegenstand einer Konstruktion, realisiert Brecht in der künstlerischen Praxis, indem er das im Vergangenen verborgene ‹Lebendige› kritisch und dialektisch freizusetzen sucht. Insofern solches Beleben seinen Ausgang immer von der aktuellen Praxis, der gegenwärtigen Produktion nimmt, geht ihm das Bewußtsein der kritischen Konstellation von Jetztzeit und Vergangenem vorauf, nur seinen konstruktiven Experimenten erschließt sich – mit einem Bild Benjamins – das Aktuelle im Dickicht des Einst: «Auch sind wir Väter neuer, aber die Söhne alter Zeit und verstehen vieles weit zurück und

sind imstande, die Gefühle noch zu teilen, welche einmal überwältigend waren und groß erweckt wurden. Ist doch auch die Gesellschaft, in der wir leben, eine so sehr komplexe. Der Mensch ist, wie die Klassiker sagen, das Ensemble aller gesellschaftlichen Verhältnisse aller Zeiten. Jedoch ist auch viel Totes in diesen Werken, Schiefes und Leeres. Es kann in den Büchern stehenbleiben, da man nicht weiß, ob es nicht nur scheintot ist, und da es andere Erscheinungen dieser vergangenen Zeit erklären mag. Ich möchte euer Augenmerk beinahe mehr noch auf das mannigfache Lebendige lenken, das in diesen Werken enthalten ist an scheinbar toten Stellen. *Ein Winziges hinzugetan, und es lebt auf, gerade jetzt, gerade erst jetzt.*»[648] Das Hinzutun eines Winzigen – Bearbeitung und Umfunktionierung – ist freilich entscheidend; es steht für das Prinzip der Konstruktion im Verhalten zur künstlerischen Vergangenheit und zugleich für das Einhalten der kritischen Distanz zum Vergangenen, in der das Neue erst hervortreten kann. Solchem Verfahren liegt die Auffassung des historischen Prozesses als eines emanzipativen gesellschaftlichen Praxis- und Produktionszusammenhangs zugrunde, in dem die Produktion des Neuen und die kritisch-dialektische Reproduktion des Vergangenen derart ineinander vermittelt sind, daß das Neue in der Kritik des Alten sich bildet und von ihr nicht abgelöst werden kann: «Wir versuchen weniger, etwas ganz Anderes, zu dem es keinen Zugang gibt, durchzusetzen, als den nächsten Schritt zu tun, d. h. den Schluß aus dem Vorhandenen zu ziehen. Das Neue entsteht, indem das Alte umgewälzt, fortgeführt, entwickelt wird.»[649] Das Postulat, gegenüber anderen Epochen und Werken das Trennende nicht zu verwischen[650], Distanz und Vergänglichkeit hervorzuheben, geht unmittelbar aus dieser Geschichtsauffassung hervor. Denn an der Erfahrung der Vergänglichkeit, des Flusses und Wandels der Dinge, kann der Sinn für Kritik nur dann sich entfalten, wenn ihnen die historische *Möglichkeit* gesellschaftlicher Emanzipation der Menschen innewohnt und damit auch deren aktuelle Möglichkeit in sinnfällige, Erkenntnis stiftende und aktivierende Beziehung zu dieser Erfahrung gesetzt werden kann: «Alle Vormärsche nämlich, jede Emanzipation von der Natur in der Produktion, führend zu einer Umgestaltung der Gesellschaft, alle jene Versuche in neuer Richtung, welche die Menschheit unternommen hat, ihr Los zu bessern, verleihen uns, ob in den Literaturen als geglückt oder mißglückt geschildert, ein Gefühl des Triumphes und des Zutrauens und verschaffen uns Genuß an den *Möglichkeiten* des Wandels aller Dinge.»[651]

Diese Geschichtsauffassung steht einer objektivistischen Fixierung des historischen Prozesses im Sinne gesetzmäßig-evolutionärer Höherentwicklung mit festgelegtem Ziel und dem Fortschritt als historischer Norm entgegen. Die Kategorie ‹Möglichkeit› hat zentrale Bedeutung für Brechts an praktischer Emanzipation orientierter Auffassung des

Fortschritts, die darum mit Fortschrittsgläubigkeit wenig gemein hat. Die bisherige Geschichte ist zwar «die Voraussetzung für jenes Künftige, vor allem in dem Sinne, daß die früheren Generationen beträchtliche Materialien und Kenntnisse angehäuft haben, die den Nachfahren und schließlich den heutigen Erben zugefallen sind. Das alles haben sie jedoch für sich selbst geschaffen (und genossen), nicht als Beitrag zu einem großen Werk der ‹Geschichte›, das jetzt in unserem Zeitalter zum Abschluß zu bringen wäre.»[652] Diese Interpretation des Marxschen Verständnisses von Geschichte ist weitgehend auch für das Brechts gültig: aus ihm läßt sich keine Idee der Totalität des Geschichtsprozesses herleiten, die die historische Wirklichkeit zur Illustration vorher aufgestellter Sätze benutzt, ihm bleibt lediglich das solidarische Eingedenken der emanzipativen gesellschaftlichen Praxis der Menschen.

In diesen geschichtsphilosophischen Dimensionen reflektiert Brecht das theoretische und praktische Verhalten zur literarischen Tradition. Das vergangene Werk ist für ihn wesentlich konstituiert durch seine historische Zeugenschaft an der emanzipativen gesellschaftlichen Praxis der Menschheit. In einem Kommentar zu der bekannten Bemerkung von Marx über die Wirkung alter Kunstwerke im Vorwort zur ‹*Kritik der politischen Ökonomie*› schreibt er: «Seine Bemerkung, die Menschheit erinnere sich gerne ihrer Kindheit, scheint mir beiläufig. Eher schon kann man sich denken, daß sie gerne die Erinnerung an ihre Kämpfe und Siege pflegt und durchschauert wird, wenn sie sich der immer neuen Bemühungen, Erfindungen, Entdeckungen entsinnt. Denn die großen Kunstwerke entstehen in diesen Zeiten der Kämpfe. Und die Fortschritte sind Schritte weg von Fortschritten. Die Verluste, die sie die neuen Gewinne gekostet haben, gedenkt sie nie zu verschmerzen.»[653]

Das Gesicht so begriffener Tradition ist nicht eins von Zwang, kanonischem Anspruch und zur Ideologie erstarrter Lebendigkeit, sondern zeigt jene historische Größe, die «einen Standindex hat, kraft deren jede echte Erkenntnis von ihr zur geschichtsphilosophischen – nicht psychologischen – Selbsterkenntnis des Erkennenden wird»[654]. Unter dem derart geschichtsphilosophischen Blick aktueller poetischer Produktion kann das vergangene Werk gerade in seiner zerfallenen, durch den historischen Prozeß mannigfach veränderten Gestalt zum Leben eines Exempels der Zukunft in der Vergangenheit erwachen. In solche Geschichtsphilosophie geht darum immer auch ein Erkenntnisinteresse ein, das selber sowohl in den theoretischen und praktischen Intentionen des Autors gründet als auch durch dessen Zugehörigkeit zu einer bestimmten historisch-gesellschaftlichen Epoche und deren Kultur wie durch den eigenen Erfahrungshorizont vermittelt ist.

Die Funktion eines Zitats beschränkt sich so nicht aufs bloß Exemplarische oder darauf, mit der Anciennität des Zitierten noch einmal restaurativ dessen Aura ins gegenwärtige Werk hinüberzuretten, sondern eben die *bestimmte* Anciennität des formal und thematisch Zitierten birgt für Brecht ein kritisches, historisch vorwärtsweisendes Moment im Sinne eines geschichtsphilosophisch begründeten Interesses an den emanzipativen Möglichkeiten des gesellschaftlichen Menschen: «Das marxistisch geführte Werk kritisiert die *Ideologie* der undurchschauten *Notwendigkeit*, indem es sie durchschaut und *vernichtet*, aber die Utopien der undurchschauten *Freiheit*, indem es sie durchschaut und *erfüllt.*»[655] Formale und thematische Anciennität wird also nicht um ihrer selbst willen ins aktuelle Werk hineingenommen. Wo – wie im Werk Brechts – ein geschichtsphilosophisches Erkenntnisinteresse an ihr vorwaltet, da artikuliert sich das reflektierte Verhältnis zur literarischen Tradition auf vielfältige Weise: es betreibt die radikale Kritik der vergangenen Werke, indem es deren Anspruch, Gehalte und Formen, auf eine historisch-gesellschaftliche Wirklichkeit bezieht, die in ihrer wesentlichen Struktur als bürgerlicher Gesellschaft sich bis in seine Gegenwart durchgehalten hat (Brechts Verhältnis zu Literatur und Philosophie des klassischen deutschen Idealismus); es eröffnet sich – geschichtsphilosophisch – die Perspektive einer Gegentradition, der, um ganz allgemein gehalten deren gemeinsamen Bestimmungsgrund zu umreißen, die Denunziation der Herrschaft von Menschen über Menschen thematisch geworden ist, und bezieht deren Werke als Zeugnisse einer revolutionären ‹Vorgeschichte› auf die emanzipativen, praktisch zu realisierenden Möglichkeiten der Gegenwart. (Brechts Verhältnis zur Aufklärung, zur chinesischen Tradition, zu historischen «Lehrergestalten»[656] wie Galilei, Bacon, Laotse, Sokrates und anderen wie zur lateinischen Tradition.) An die Stelle des kontemplativen bürgerlichen Traditionsverhältnisses tritt so ein aktiv marxistisches, das in den großen literarischen und philosophischen Produktionen der Aufklärung, ja noch in den sozialkritischen Werken der frühen chinesischen Autoren die Zeugnisse seiner eigenen «Vorgeschichte»[657] erblickt.

Der Zeugnischarakter kann jedoch erst manifest werden, wenn die Werke ihrem konformen Interpretations- und Traditionszusammenhang entrissen und in den Kontext neuer Inhalte und Formen gestellt werden: dieses Verfahren zuallererst macht sie in anderer Sprache reden und gewinnt ihnen Aspekte und Gehalte ab, die bisher an ihnen nicht zutage getreten waren.

Die poetische Technik der Montage, die auch das konstruktive Prinzip im Verhalten zur literarischen Tradition repräsentiert und die materialistische Dialektik von Marx verbinden sich und begründen einen Funktionswandel der literarischen Tradition, der seit Ende der zwanziger Jahre für das Werk Brechts strukturbestimmend wird. Dabei setzt sich der scientifische Impetus Brechts, der in der Rezeption des Behaviorismus schon früh sich manifestiert hatte, in seiner Hinwendung zum Marxismus fort und bleibt auch für sein Verhältnis zur Tradition wirksam.

Solches scientifische Bewußtsein geht in zunehmendem Maße in die Theorie und Praxis seiner Produktion ein, in der poetischen Technik der Montage als reflektierter und kritischer Kunstform findet es die ihm adäquate formale Realisierung.

10.1. ‹Materialwert› und literarische Tradition

Wie sehr Brecht sein Verhältnis zur Tradition, besonders zur klassischen, in dieser Zeit (Mitte bis Ende der zwanziger Jahre) an scientifisch-technischen Kategorien festmacht, zeigt der zentrale Begriff des ‹Materialwerts›. Hatte sich ein aleatorisches Traditionsverhältnis im Frühwerk noch vortheoretisch artikuliert wie etwa in einer Notiz vom 31. August 1920: «Ich lese P. Wieglers *‹Figuren›*, ein ausgezeichnetes Buch mit Schattierungen und viel Stoff. Ich *fische* Wörter und Farben *heraus*, sie schwimmen in Schwärmen darin herum»[658], so formulierte Brecht 1929 in einem Gespräch mit Herbert Ihering sein Verhältnis zu den Klassikern so: « [...] sie wurden durch Ehrerbietung ramponiert und durch Weihrauch geschwärzt. Es wäre ihnen besser bekommen, wenn man ihnen gegenüber eine freiere Haltung eingenommen hätte, wie die Wissenschaft sie zu den Entdeckungen, auch zu großen, eingenommen hat, die sie doch immerfort korrigierte oder sogar wieder verwarf, nicht aus Oppositionslust, sondern der Notwendigkeit entsprechend [...] Der Besitzfimmel hinderte den Vorstoß zum *Materialwert* der Klassiker, der doch dazu hätte dienen können, die Klassiker noch einmal nutzbar zu machen, der aber immer verhindert wurde, weil man fürchtete, daß durch ihn die Klassiker vernichtet werden sollten.»[659] Dieser Versuch, das Verhältnis zur literarischen Traditon auf eines von ‹Wissenschaftlichkeit› zu beschränken, nimmt ihm die ‹Zufälligkeit› und den bloß negatorischen Affekt, die im Frühwerk weitgehend überwiegen; Montage als poetisches Verfahren tritt nun ins theoretische Bewußtsein, und sie wird zugleich bestimmend für das Verhältnis zur literarischen Tradition: dieses wird vom Verfahren der literarischen Produktion her gesehen und nach dessen Bedürfnissen und Kriterien definiert; was an den Klassikern interessiert ist deren ‹Materialwert›, nämlich der Wert, den sie als Material-Arsenal von Formen, Inhalten und Schreibweisen für die poetische Produktion haben – damit wird jedoch die klassische Tradition gleichsam vor sich selber geschützt, vor ihrer Erstarrung und ideologischen Indienstnahme durch die bürgerliche Gesellschaft. Nicht um die Zerstörung und Verwerfung der Klassik als mit bloßer Lüge gleichgesetzter Ideologie geht es Brecht, sondern er registriert zunächst, daß diese eben durch ihre Verdinglichung im Kulturkanon des Bildungsbürgertums und seiner Sozialisationsagenturen (Familie, Schule, Kirche) beschädigt wurden – «durch

Ehrerbietung ramponiert und durch Weihrauch geschwärzt». Dieser Sachverhalt ist konstitutiv für Brechts theoretische Reflexion auf die literarische Tradition, zumal die des Bürgertums, und die einzige Haltung, die sie vor sich selber retten kann, ist die kritische, die der eingestandenen historischen Distanz und die scientifische, die sich ‹frei› zu ihrem Gegenstand verhält. Zu solcher Freiheit gehört, eben jene Distanz einzubekennen und als entscheidenden Ansatz in die Reflexion hineinzunehmen: sie ist die Bedingung der Möglichkeit, den überlieferten Interpretations- und Wirkungszusammenhang der Werke in seiner Konformität zu durchbrechen und mit einer gerade gegen diese und gegen die ihr zugrunde liegenden gesellschaftlichen Widersprüche entwickelten Geschichtsphilosophie nach dem historischen Ort und dem emanzipativen Gehalt der literarischen Tradition zu fragen. Diese Fragestellung begründet, indem sie den vorgegebenen, ideologisch und das heißt letztlich unwahr gewordenen Traditionsrahmen sprengt, mit einer veränderten Interpretation des Vergangenen eine veränderte, eine Gegen-Tradition. Sie steht im diametralen Gegensatz zum restaurativen Traditionsverhältnis, dem das vergangene Werk lediglich als Objekt eines rückwärtsgewandten utopischen Anspruchs gilt, dessen Beziehung zur eigenen Gegenwart die der Flucht ist, und dem Vergangenheit und Zukunft nur durch die geschichtsmetaphysisch begriffene Wiederkehr des versunkenen Schönen vermittelt ist, das seine Wahrheit an seiner Aura haben soll. Solches regressive Pathos der Anciennität steigert die kontemplative Haltung zum musealen *objet d'art* noch in die des Kultes und des Ritus (vgl. die George-Passagen S. 27 f), der mit dem Werk zugleich die stilisierte und verklärte historische Epoche, der es zugehört, noch einmal einer als fremd und zerrissen empfundenen Gegenwart heilsgeschichtlich als das kommende Zeitalter ihrer eigenen Erlösung suggerieren will.

10.2. Bestimmte Negation als dialektische Haltung zur literarischen Tradition (zur Kritik der Werkimmanenz)

Bleibt solches Traditionsverhältnis aber im Grunde melancholisch immer nur auf die vergangenen Werke fixiert, da seine Vermittlung mit der Zukunft keine praktische, sondern eine metaphysische ist, so erblickt das auf die Marxsche Geschichtsphilosophie in revolutionärer Absicht gegründete Verhältnis Brechts zur literarischen Tradition in den vergangenen Werken die unerfüllt gebliebenen und unabgegoltenen Zeugnisse einer revolutionären Emanzipationsgeschichte, an die es bewußt anknüpft und die es fortführen will: Ursprung bezeichnet nicht schon das Ziel, wie Karl Kraus formulierte[660], sondern den historischen Weg zu ihm. Was vom traditionellen Werk zunächst ins so bestimmte

Blickfeld tritt, ist dessen Bezug zur gesellschaftlichen Wirklichkeit und, ganz allgemein gefaßt, zur herrschenden Klasse seiner Zeit. Der Begriff des ‹Materialwerts› der literarischen Tradition wird so entscheidend und wesentlich vertieft durch den geschichtsphilosophisch begründeten des ‹Änderungsvorschlags›: etwa 1928 notierte Brecht in einem Fragment gebliebenen Aufsatz *‹Über Kritik›*: «Ich nehme an, Sie sehen, da Ihnen die dialektische Denkweise unbekannt ist, es den älteren Kunstwerken nicht mehr an, welches die Fragen waren, auf die sie die Antworten darstellen, welcher materiellen Situation sie entsprangen und welche Änderungsvorschläge sie enthalten»[661]; und 1930 formulierte er, jetzt schon mit direktem Bezug auf das historische Subjekt der Marxschen Revolutionstheorie: «In der Sphäre der Varianten gibt es keine Tradition, gibt es nur Aktion und Reaktion, das heißt gibt es nur Reaktionen. Hin und her springt das Pendel. Was zu führen scheint, ist die Opposition, sie verdankt ihr Dasein der Übersättigung. Klassik und Romantik, Impressionismus und Expressionismus sind Reaktionen. Handelt es sich jedoch um wirkliche, revolutionäre Fortführung, so ist Tradition nötig. Klassen und Richtungen, die auf dem Marsch sind, müssen versuchen, ihre Geschichte in Ordnung zu bringen; sie haben nichts zu erwarten von Differenzierungen, sie werden gefährdet durch jenen trügerischen Reichtum von Nuancen, den sich die herrschenden Klassen und Richtungen leisten können – wenn sie sonst nichts mehr haben.»[662] Wesentlich an diesem Versuch einer ‹Theorie über eine Tradition› ist der Zusammenhang, in den Tradition und Revolution hier gebracht werden: diese gewinnt ihr Spezifisches nicht an der abstrakten Verwerfung von jener, sondern sie versteht sich als reflektierte Fortführung und praktischen Vollzug mit einem geschichtsphilosophisch definierten Erkenntnisinteresse am Vergangenen, das sich im Rahmen bestimmter Negation bewegt und dieses theoretisch und praktisch mit der Zukunft vermitteln will.
Bestimmte Negation schließt wesentlich ein die radikale Kritik und rücksichtslose Denunziation alles Ideologischen, das der konforme Interpretations- und Traditionszusammenhang an den Werken hat hervortreten lassen. Hannah Arendt kommt diesem Sachverhalt sehr nahe, wenn sie schreibt: «Das Parodistische wiederum richtet sich weniger gegen die Tradition selbst als gegen diejenigen, welche uns mit ihrer Hilfe über unsere eigenen Probleme beruhigen möchten, gegen die *Klassizisten* und nicht gegen die *Klassiker.*»[663] Helge Hultberg hat in seinem Buch *‹Die ästhetischen Anschauungen Bertolt Brechts›* an dieser Auffassung Kritik geübt: Brechts Parodien seien ein Glied in seinem Anti-Idealismus und seiner ‹Ideologiezertrümmerung›, er wolle darauf aufmerksam machen «wie verbraucht und ausgehöhlt die abendländische Tradition ist, die Klassiker drücken nicht ewige Wahrheiten aus, sondern idealistische Lügen, die die barsche Wirklichkeit in der Klas-

sengesellschaft verschleiern sollen»[664]. Als Beleg führt er die Schiller-, Goethe- und Hölderlin-Parodien aus der *‹Heiligen Johanna der Schlachthöfe›* an, um daraus zu schließen, hier handle es sich um Hohn[665] gegenüber den Klassikern. H. Hultberg verkennt, daß der Gegenstand solchen Hohns nicht Hölderlins Lyrik ist, sondern zum einen der Gebrauch, besser der Mißbrauch, den die bürgerliche Gesellschaft von dieser macht – im *‹Gespräch über Klassiker›* zwischen Ihering und Brecht findet der Theaterkritiker sehr drastische Formulierungen für diesen Sachverhalt[666] –, zum andern ist es die bürgerliche Gesellschaft selber, weil deren ganze Widersprüchlichkeit und Ideologienbildung sich eben im Nebeneinander von Unterdrückung und Ausbeutung auf der einen und einer alldem scheinbar enthobenen Kultur auf der anderen Seite manifestiert. Die klassischen Werke sind nicht per se ‹idealistische Lügen›, sondern sie sind ideologischen Charakters durch den in ihnen selber nicht reflektierten Bezug zur gesellschaftlichen Wirklichkeit ihrer Zeit und konnten zu idealistischen Lügen werden in dem Maße, in dem sie vom Bürgertum des 19. und beginnenden 20. Jahrhunderts ideologisch in den Dienst genommen wurden und die Idee der menschlichen Emanzipation, die ihr idealistisches Pathos zentral meinte, sich vor dem Interesse des Bürgertums als herrschender Klasse blamierte. Der Klassizismus, von dem Hannah Arendt spricht, ist sicher eine der Erscheinungsformen dieser Ideologie gewesen, in dessen Kritik hat sich jedoch Brechts angeblicher ‹Haß auf die Klassiker› nicht erschöpft. Hannah Arendt hat jedoch – im Gegensatz zu Helge Hultberg – erkannt, daß Ideologiekritik nicht nur mehr umfaßt als bloßen Hohn auf das klassische Werk, sondern diesem in erster Linie auch gar nicht gilt, wenn sie schreibt, Brecht behaupte nur, «daß Schönheit unter anderem dazu mißbraucht wird, um das wirklich existierende Häßliche zu verbergen, aber er läßt die Schönheit selbst eigentlich unangetastet»[667]. Zu welchen Konstruktionen die umgekehrte Auffassung führt, läßt sich bei Hultberg sehr deutlich zeigen, wenn er erst dem späten Brecht «Respekt vor den alten Kunstwerken» bescheinigt, freilich nur um dieses Urteil sogleich wieder zurückzunehmen und zu konstatieren: «Brecht will die alten Werke nicht als ästhetische Ganzheiten auffassen, die es zu respektieren gilt, sondern gerade als politisch-soziale Aussagen über eine verschwundene Zeit. Die Klassiker sind für den älteren Brecht ‹fortschrittlich›, er spricht – in dem Artikel *‹Einschüchterung durch die Klassizität›* – von ‹dem kämpferischen Geist der Klassiker› [wa, Bd. 17, S. 1275], der im bürgerlichen Theater allmählich verfälscht worden sei. Die Klassiker waren freilich nicht nur fortschrittlich, sondern auch durch die Klassengesellschaft gebunden und ohne Einsicht darin, was der dialektische Materialismus gebracht hat. Darum muß ‹die geschichtliche Situation zur Entstehungszeit des Werks› studiert werden und der gute Wille der Klassiker anerkannt

werden, aber dann muß man unstreitig etwas mithelfen, um das herauszubekommen, was die Klassiker gemeint hätten, wenn sie Marx gekannt hätten.»[668]
Die Passage ist beinahe ein Musterbeispiel dafür, wie einer bloß phänomenologisch verfahrenden Literaturwissenschaft ein an der marxistischen Theorie orientiertes Traditionsverhältnis erscheint. H. Hultberg nimmt Brecht gegenüber eben jene naive Haltung zur Tradition ein, die dieser in dem zitierten Aufsatz zu kritisieren sich bemüht hat. ‹Respekt› vor dem klassischen Werk bezeugt sich für Hultberg darin, es nicht nach dem zu befragen, was er etwas unbeholfen «politisch-soziale Aussagen» nennt, sondern es als ‹ästhetische Ganzheit› aufzufassen. Nun bedarf es nicht einmal unbedingt des Marxismus, um einzusehen, daß das Kunstwerk eben keine fensterlose Monade ist, das «als solches und in sich» nach «ewigen Gesetze[n]»[669] lebt, sondern sein Verhältnis zur historisch-gesellschaftlichen Wirklichkeit bestimmt sich als dialektisches: die Autonomie der Kunst kann daher nicht in hermetischer Abschließung von aller Wirklichkeit bestehen, vielmehr eignet der Kunst als einer spezifischen Weise menschlicher Praxis eine bestimmte Souveränität gegenüber der Realität, die sich in der Form ihrer Weltaneignung und -vermittlung manifestiert.
Von seinem werkimmanenten Ausgangspunkt her, demzufolge er die politischen und gesellschaftlichen Implikationen eines Werks – mit Wolfgang Kayser – aus dem «Zentrum der Literaturwissenschaft»[670] ausscheidet, muß Hultberg die Frage nach ihnen als bloßes Dokumentarisch-Nehmen des Kunstwerks abtun. Die dialektische Methode – und das gilt auch für die ästhetischen Positionen Brechts, zumal sein Traditionsverhältnis – sucht aber gerade das Kunstwerk nicht allein in der Geschichte zu sehen als bloßes historisches Zeugnis, sondern die Geschichte im Kunstwerk; sie begreift also gerade auch dessen Form als historische und hat so einen geschärften Blick für dessen Altern im Prozeß der Traditionsbildung und für die ideologischen Momente, die ihm im Interpretations- und Wirkungszusammenhang, in dem die Werke seit ihrem historischen Ursprung stehen, zuwachsen. Eben jene zu erkennen und in der ‹Bearbeitung› zu kritisieren, die Werke durch geschichtsphilosophische und wissenschaftliche Reflexion auf ihren historischen Ort neu zu sehen, ist die Intention Brechts. In dem von Hultberg leider nur sehr kurz zitierten Text ‹*Wie soll man Molière spielen?*› versucht Brecht dieses Verhältnis zur literarischen Tradition theoretisch auszuführen: «Die marxistische Betrachtungsweise, zu der wir uns bekennen, führt bei großen Dichtwerken nicht zu einer Feststellung ihrer Schwächen, sondern ihrer Stärken. Diese Betrachtungsweise räumt mit den Restaurierungen, Verfälschungen und Entstellungen auf, die in Verfallsepochen durch das Eingehen auf schlechteren Geschmack oder durch (bewußte oder unbewußte) Versuche der herr-

schenden Klasse, sich durch eine selbstgefällige und selbstherrliche ‹Interpretierung› von Meisterwerken [zu vergnügen], diese beschädigt haben.»[671] Brechts Ideologiekritik, die darauf aus ist, eben durch einen konformen und affirmativen Traditionszusammenhang verschüttete Gehalte und Formen freizulegen und in eigener kritischer Interpretation wiederherzustellen, erscheint Hultberg als Gewalt, die den Werken selber qua geschlossenen und ästhetischen Ganzheiten angetan wird. Brecht jedoch begreift sein Traditionsverhältnis gerade als deren Rettung, Gewalt und Schaden sieht er ihr – mit Recht – durch ganz andere Mächte zugefügt, auf sie geht er in dem von Hultberg leider auch mit wenig Genauigkeit und Sorgfalt gelesenen Aufsatz *‹Einschüchterung durch die Klassizität›* von 1954 ein: «Die Größe der klassischen Werke besteht in ihrer menschlichen Größe, nicht in einer äußerlichen Größe in Anführungszeichen. Die Tradition der Aufführungen, lange Zeit an den Hoftheatern ‹gepflegt›, hat sich auf den Theatern des niedergehenden und verkommenden Bürgertums immer mehr von dieser menschlichen Größe entfernt, und die Experimente der Formalisten haben da nur noch nachgeholfen. An Stelle des echten Pathos der großen bürgerlichen Humanisten trat das falsche Pathos der Hohenzollern, an Stelle des Ideals trat die Idealisierung, an Stelle des Schwungs, der eine Beschwingtheit war, das Reißerische, an Stelle der Feierlichkeit das Salbungsvolle und so weiter und so weiter. Es entstand eine falsche Größe, die nur öde war», und er kommt zu dem Schluß: «Der echte Respekt, den diese Werke verlangen können, fordert es, daß wir den scheinheiligen, lippedienerischen, falschen Respekt entlarven.»[672] Der ‹Respekt›, den Hultberg fordert, ist freilich der des werkimmanenten Interpreten, und diese Position läßt ihn nicht nur den Wandel im Traditionsverhältnis, der sich in diesem Artikel manifestiert, abwerten und geringschätzen, sondern auch dessen theoretische Begründung. Ein geschichtsphilosophisches Verhältnis zur Tradition – und besonders ein marxistisches – kann er sich, und das folgt mit Notwendigkeit aus seinem Ansatz, nur vorstellen als eines, das die klassischen und andere Autoren nur dann zum Gegenstand seiner Reflexion machen kann, wenn er ihnen die eigene Rezeption eben jener Geschichtsphilosophie von vornherein unterstellt hat. Der hämische Gestus jedoch, den Hultberg erkannt zu haben glaubt: der gute Wille der Klassiker müsse zwar anerkannt werden, aber man müsse etwas mithelfen, um das herauszubekommen, was die Klassiker nach einer Marx-Lektüre gemeint hätten, er findet gerade in den von Hultberg selbst zitierten Texten Brechts keinen Beleg, im Gegenteil – gerade in dem Molière-Artikel heißt es, als Antwort auf die Frage, wie man Molière spielen solle: «So, wie er nach möglichst genauer Prüfung des Textes unter Berücksichtigung der Dokumente von Molières Zeit und seiner Stellung zu dieser Zeit gespielt werden muß. Das heißt, man darf ihn nicht verdrehen, verfäl-

schen, schlau ausdeuten; man darf nicht spätere Gesichtspunkte über die seinen stellen und so weiter.»[673] Und in dem Artikel ‹*Humor und Würde*›, ein Brief an die «Kollegen vom technischen Stab», hält Brecht ausdrücklich fest: «Der wahre Respekt vor den klassischen Werken muß aber der Größe ihrer Ideen und der Schönheit ihrer Formen gelten ...»[674]
Helge Hultbergs Ansatz, so objektiv er sich gibt, glaubt das Werk als Sprachgefüge gleichsam rein aus all seinen historischen und gesellschaftlichen Bezügen lösen und dem interesselosen Wohlgefallen unverstellter ‹Interpretation› anheimgeben zu können: Geschichte und gar Geschichtsphilosophie fallen aus solcher Deutung als dem Werk bloß äußerliche oder ihm gar Gewalt antuende heraus. Dabei ist schon dessen Sprache nichts, was etwa unmittelbar gegeben wäre als ontologisch rein Entsprungenes: zwar konstituiert das Kunstwerk eine ‹eigene Welt›, diese aber ist selbst eingebettet in einen allgemeinen gesellschaftlich-geistigen Lebenszusammenhang und gebildet aus einer kommunikativen Sprache, in der dessen Geschichte sich sedimentiert hat. Gerade Brecht hat einen außerordentlich ausgeprägten Sinn für die historischen, ideologischen und klassenspezifischen Implikationen, Assoziationen und Qualitäten von Sprache gehabt und diese bewußt in der poetischen Montage als Kunstmittel verwandt.

Ist das Werk schon geschichtlich, so kann der Interpret selber von seiner eigenen historischen Erfahrung und seiner historischen Distanz zum Werk nicht absehen. Gerade ihr eigener historisch-gesellschaftlicher Erfahrungshorizont hat jede Zeit und jede soziale Klasse die traditionellen Werke in anderem Licht sehen lassen – und je größer die zeitliche, und nicht bloß quantitative, sondern vom Stand der historischen Erfahrung her auch qualitative Entfernung vom traditionellen Werk, um so zwingender erweist sich die Notwendigkeit geschichtsphilosophischer Reflexion. Daher ist ein geschichtsphilosophisch begründetes Verhältnis zur literarischen Tradition nicht bloß von außen an die Werke herangetragen und krude, subjektive Willkür gegenüber diesen, sondern wird von der Historizität der Werke, von der Reflexion auf den eigenen historischen Ort und der zunehmenden wissenschaftlichen Erkenntnis der Wirklichkeit objektiv selbst gefordert. Das gilt nicht allein für den Interpreten, sondern im gleichen Maße für den Autor der Moderne.Die Rezeption des Marxismus ist dem Werk Brechts nicht äußerlich, sondern wesentlich: in ihr ist der Wahrheitsanspruch seines Werks seit Ende der zwanziger Jahre begründet.

Der kritisierte werkimmanente Rigorismus Hultbergs, der ein marxistisches Traditionsverhältnis wie das Brechts als bloß subjektives verwerfen muß, verkennt überdies, daß in jedes Verhältnis zur literarischen Tradition ein spezifisches Erkenntnisinteresse eingeht. Für den Interpreten wie den Autor gilt, daß sich ihm tradierte Sinngehalte nur in dem Maße erschließen, als sich dabei seine eigene Welt aufklärt, er «stellt

eine Kommunikation zwischen beiden Welten her, er erfaßt den sachlichen Gehalt des Tradierten, indem er die Tradition auf sich und seine Situation *anwendet*»[675]. Zugleich entspringt aber die Traditonswahl einem eigenen Welt- und Geschichtsverständnis, das zuallererst im historischen Prozeß selber den Wirkungszusammenhang der Werke als Geschichte ihrer Rezeptionen und Interpretationen konstituiert. Dieser Prozeß, begriffen als Entfaltung der Werke selber, kann erstarren, indem eine bestimmte Tradition und deren Deutung mit dem Interesse einer herrschenden Klasse für identisch erklärt, kanonisiert und selber zur herrschenden wird: daraus folgt, daß ihre Kritik, die Erschütterung ihres Anspruchs auf Gültigkeit und schließlich ihre Auflösung nicht bloß geistesgeschichtlich, als Selbstreflexion und -bewegung von autonomer Kunst sich vollzieht, sondern, wie vermittelt auch immer, die Wirkung gesellschaftlicher Bewegungen darstellt, die von den Dissoziationen und Sezessionen innerhalb der herrschenden Klasse bis zur sozialen Umwälzung reicht, die in der Fundierung der Kunst auf Politik sich manifestiert.
Die Geschichte der Traditionsbildung und Rezeption der Kunstwerke ist eine der heftigsten Interessen und Ansprüche, die dialektisch auf die gesellschaftlichen Umwälzungen bezogen bleibt: als solche enthält sie die Möglichkeiten äußerster ideologischer Verhärtung und Beharrung, des radikalen Verwerfens und der Neubegründung von Traditionen in sich. Solche Dialektik zwischen dem historisch-gesellschaftlichen Prozeß und seinen geistig-kulturellen Manifestationen ist konstitutiv für das Weiterwirken des Kunstwerks noch über seinen historischen Ort hinaus – indem jede gesellschaftliche Klasse sich eine eigene theoretisch und geschichtsphilosophisch begründete Tradition schafft, kommt es zuallererst zur Entfaltung der Werke in der Zeit, werden ihre vielfältigen gehaltlichen und formalen Aspekte freigesetzt. Die Entfaltung der Werke in der Zeit aber gehört für den historischen Materialisten unmittelbar zu ihrer aktuellen Erscheinungsform. Die materialistisch-dialektische Interpretation der Tradition macht an dieser formale und inhaltliche Aspekte sichtbar, die bis dahin bewußt oder unbewußt verschüttet waren – sie begründet darum eine neue Traditionsauffassung, die dem Wirkungs- und Interpretationszusammenhang der Werke eine qualitativ neue Dimension hinzufügt.
Wenn man wie Hultberg und andere davon absehen zu können glaubt, dann können die Differenzierungen und Wandlungen in einem marxistischen Traditionsverhältnis wie dem Brechts nur als Oberflächenphänomene innerhalb von subjektiver Willkür bestimmten Bearbeitungszwangs registriert werden. Gerade die von Hultberg angeführten Texte enthalten aber wesentliche inhaltliche Aussagen über einen Wandel in Brechts Traditionsverhältnis, der sich noch während seiner Rezeption der Marxschen Theorie vollzieht.

10.3. Literarische Tradition als ‹Gebrauchswert› am Beispiel der Lyrik Brechts

Zu Beginn dieser Rezeption, etwa um 1925, ist Brechts Verhältnis zur Tradition, besonders zur klassischen Tradition, eindeutig von den Erfordernissen und Ansprüchen seiner poetischen Produktion, von seinem artistischen Interesse her bestimmt: der poetischen Technik der Montage entspricht der Begriff des ‹Materialwerts› – diese Entsprechung wird sehr deutlich in einem Artikel *‹Der Materialwert›*, in dem Brecht das ‹Vandalentum› des Regisseurs Leopold Jessner lobt und fortfährt: «Durch wohlüberlegte Amputationen und effektvolle Kombinationen mehrerer Szenen gibt er klassischen Werken oder wenigstens ihren Teilen, deren alten Sinn das Theater nicht mehr herausbringt, einen neuen Sinn. Er hält sich dabei an den Materialwert der Stücke.»[676]
Die Rezeption des Marxismus manifestiert sich vorerst nur in der Forderung nach einer Politisierung der literarischen Tradition. Auf eine Rundfrage «Wie soll man heute Klassiker spielen?» antwortet Brecht am 25. Dezember 1926, wirklich brauchen könne man von den alten Stücken nur mehr den Stoff. «Was man zur Anordnung und zum Wirksammachen dieses Stoffes dann aber brauchte, das waren neue Gesichtspunkte. Und die konnte man nur aus der zeitgenössischen Produktion beziehen. Durch Anwendung eines politischen Gesichtspunktes konnte man irgendein klassisches Stück zu mehr machen als einem Schwelgen in Erinnerungen. Es gibt noch andere Gesichtspunkte: Sie sind in der zeitgenössischen Produktion zu finden.»[677] Eindeutig überwiegt zu diesem Zeitpunkt ein nur sehr allgemein ideologiekritisch bestimmtes artistisches Interesse an der literarischen Tradition – die ‹Politisierung› ist nur ein ‹Gesichtspunkt› unter anderen, auch wird das Politische noch nicht im traditionellen Werk selber aufgesucht und freigelegt.
Die Entwicklung von Brechts Verhältnis zur literarischen Tradition kann von diesem Zeitpunkt an begriffen werden als eine Dialektik, deren Momente: artistisches Interesse qua poetisches Verfahren der Montage und geschichtsphilosophischer Anspruch des Marxismus als kritische Integration traditioneller Inhalte und Formen sich im Fortgang seiner poetischen Produktion entfalten, sich wechselseitig bestimmen und in den gelungensten Werken ineinander umschlagen.
Das geschichtsphilosophische und revolutionstheoretische Motiv in der Traditionswahl durchdringt erst sehr allmählich das vom artistischen Interesse bestimmte; neben die Kategorie des ‹Materialwerts› tritt zunächst der Begriff des ‹Gebrauchswerts›, der sowohl die literarische Tradition wie die zeitgenössische und Brechts eigene Produktion umfaßt; er verwendet ihn mit aller polemischen und provokatorischen Schärfe in seinem *‹Kurzen Bericht über 400 (vierhundert) junge Lyriker›* am 4. Februar 1927: «Ich kann also lediglich für mich geltend

machen, daß mir einfach jeder Mensch, der bereit ist, seinem Verstand im allgemeinen Gehör zu schenken ohne im besonderen darin ganz konsequent zu sein, fähig scheint, etwas zu beurteilen, was Menschen gemacht haben. Und gerade Lyrik muß zweifellos etwas sein, was man ohne weiteres auf den Gebrauchswert untersuchen können muß»[678], und er empfahl als preiswürdig einen Song aus einem Radsportblatt ‹*He! He! The Iron Man!*› von Hannes Küpper, mit der Begründung, dieser habe «zum Gegenstand eine interessierende Sache», nämlich einen Sechs-Tage-Champion, er sei «ziemlich einfach, unter Umständen singbar» und habe «einen gewissen dokumentarischen Wert»[679], zumindest für ihn, Bertolt Brecht.
Hans Mayer hat darin die Begründung einer «unliterarischen Tradition» erblickt und Klaus Schuhmann hat überzeugend den Zusammenhang dieser Position mit der der ‹Neuen Sachlichkeit› dargestellt[680] und zugleich Brecht von einem marxistischen Standpunkt aus kritisiert. Ein bißchen zu sehr moralisierend hält er ihm entgegen: «Er lehnt die Gedichte der literarischen Jugend Deutschlands ab, weil er mit dem ‹empfindsamen Teil einer verbrauchten Bourgeoisie› nichts zu tun haben will, ergötzt sich aber an den Segnungen der kapitalistischen Sportindustrie, die mit den Sechs-Tage-Rennen einen Nervenkitzel und Kassenschlager besonderer Art erfunden hat. Wo Brecht den Boden der bürgerlichen Gesellschaft zu verlassen glaubt, betritt er ihn sogleich wieder. Indem er eine literarische Tradition mit einer gegenliterarischen zu überwinden sucht, will er den Schritt über die Negation hinaus tun. Sein Verdikt gegen die bürgerliche Tradition ist jedoch eine Scheinlösung, solange er in seinem Denken und Dichten der bürgerlichen Gesellschaft verbunden bleibt.»[681] In diesem Urteil ist, gerade auch wo es sich auf das Problem der Tradition bezieht, vieles zu schematisch gesehen. Zunächst geht es nicht darum, ob Brecht sich an den Segnungen der kapitalistischen Sportindustrie ergötzt, sondern darum, was in einer technisierten Umwelt und einer kapitalistischen Massengesellschaft *Gegenstand* von Lyrik überhaupt noch sein könne: das Sechs-Tage-Rennen als organisierte und präfabrizierte Vergnügung der Massen in den großen Städten ist dabei eines von vielen möglichen Themen. Was Brecht an den eingesandten Gedichten vorab kritisiert und was ihn grundsätzlich gegen sie einnimmt, ist deren «Sentimentalität, Unechtheit und Weltfremdheit»[682] – worin diese sich am deutlichsten manifestiert, kleidet er in die rhetorische Frage: «Was nützt es, aus Propagandagründen für uns, die Photographien großer Städte zu veröffentlichen, wenn sich in unserer unmittelbaren Umgebung ein bourgeoiser Nachwuchs sehen läßt, der allein durch diese Photographien vollgültig widerlegt werden kann?»[683] Die Frage weist auf das wesentliche Pathos der Polemik Brechts und bezeichnet zugleich die Zusammenhänge mit seiner frühen Produktion: hatte er dort gegen ein restauratives Tradi-

tionsverhältnis sich entschieden, gegen die epigonale Restitution des hohen Stils als geschichtsphilosophischen Schon- und Fluchtraum und eben gerade die ‹Sprache des Marktes› und diesen selbst in allegorischer Gestalt in sein Werk hineingenommen, so ist die Wendung zur ‹unliterarischen Tradition› von Sport und Technik, wie auch immer vermittelt durch zeitgenössische literarische Strömungen, eine Konsequenz, die im allmählichen Bewußtwerden und in der Radikalisierung seiner eigenen ästhetischen Positionen liegt.

Schon früh hatte er die großen Städte im Bild des Dschungels – was mit der Rezeption Kiplings verbunden war – und die tobenden gesellschaftlichen Auseinandersetzungen im Bild sportlicher, scheinbar unmotivierter Kämpfe darzustellen versucht (etwa im *‹Dickicht der Städte›*) – all das war verbunden gewesen mit einer Wahl von Inhalten und Formen, die gerade den konform und ideologisch gewordenen Traditionszusammenhang sprengen sollten: sie hatten vorab den Charakter von Gegen-Tradition. Hannah Arendt hat das einmal sehr pointiert, und ein wenig zu gut gemeint, für die Balladen Brechts darzustellen versucht. Als den eigentlichen Grund, aus dem Brecht die Ballade als Form verwandte gibt sie an: «Die Volkstradition nämlich hatte von sich aus die Ballade gewählt, um sich in ihr eine eigene ungeschriebene Tradition zu sichern, die neben und unabhängig von der großen Kunsttradition von einer vergessenen und vernachlässigten Geschichte Zeugnis gab, – eine Form, in der das Volk zwischen Moritat, Dienstbotengesängen, Volkslied und Chanson versuchte, sich seine eigene dichterische Unsterblichkeit zu verschaffen. Nicht als Brecht anfing, sich mit dem Marxismus zu beschäftigen, sondern als er begann, die Balladenform zu benutzen und zu Ehren zu bringen, – da hat er als Dichter die Partei der Unterdrückten ergriffen.»[684] Sieht man einmal ab von der viel zu früh angesetzten und aus der Verwendung einer Kunstform allein wohl auch nicht ableitbaren positiven Parteinahme für die Unterdrückten und der etwas arg idealistischen Auffassung von der dichterischen Unsterblichkeit des Volkes, so ist daran festzuhalten, daß hier der Zusammenhang zwischen der Wahl der Gegen-Tradition und eines wie immer auch verschlüsselten emphatischen Bezugs auf die gesellschaftliche Realität gesehen wird. In den Bezugsrahmen solcher Gegen-Tradition gehört im Grunde auch noch jene Haltung, die Brecht den Song *‹He! He! The Iron Man!›* empfehlen ließ: die Radikalisierung seiner ästhetischen Position besteht darin, den Bildcharakter des Kunstwerks, in Brechts Sprache, seinen ‹Schönheitswert› so weit abzustreifen, daß die soziale Realität im bloßen Dokument gleichsam selber zu reden beginnt. In der Negation beinahe alles Formalen, bis auf jenes, was die Freizeit- und Kulturindustrie selber hervorbringt, soll deren eigene Negativität, deren eigene Verarmung erscheinen – kritisch wäre dagegen einzuwenden, daß so intendierte Emanzipation vom Scheincharakter der Kunst, indem sie

das Dokumentarische polemisch für die Kunst nimmt, sich gegen sich selbst kehrt und nun das Dokumentarische mit allen Zügen des Auratischen ausstattet.
Bertolt Brecht spricht ausdrücklich von dem «dokumentarischen Wert», den Küppers Song für ihn habe – der aber kann für ihn nur darin bestehen, daß in ihm der gefeierte Champion als Maschine vorgestellt wird. Das Individuum als ‹menschliche Kampfmaschine›, der Mensch als total funktionalisierbares Objekt ist ein Thema, das Brecht seit der *‹Legende vom toten Soldaten›* und *‹Mann ist Mann›* intensiv beschäftigt hat – im Sport hatte er einen neuen Motivbereich gefunden, in dem er es entfalten konnte. Klaus Schuhmann geht daher fehl in der Annahme, Brecht habe geglaubt, damit «den Boden der bürgerlichen Gesellschaft zu verlassen». Es geht ihm darum, deren Wesen in all ihren Erscheinungsformen zur Sprache zu bringen, und dazu schien ihm die bürgerliche Ästhetik und deren lyrische Kunstübungen als im hohen Maße ungenügend, *deren* Boden will er zu diesem Zeitpunkt (und nicht erst zu diesem) verlassen, und er tut das aus der Erkenntnis jener ungeheuren Kluft, die sich zwischen den lyrischen Selbstaussagen der spätbürgerlichen Poesie seiner Zeit und deren gesellschaftlicher Realität, ihren massenhaften Vergnügungen und ‹poetischen› Formen aufgetan hat. Indem er polemisch diese gegen jene wendet, folgt er immer noch den artistisch bestimmten Interessen einer Gegen-Tradition, die sich im Prozeß der Radikalisierung zur «gegenliterarischen Tradition» (Schuhmann) verschärft. Damit will er jedoch nicht, wie Schuhmann unterstellt, bereits «den Schritt über die Negation hinaus tun»: wo er sein Interesse selber als eines an Dokumenten definiert, kann vom Positiven doch nicht die Rede sein. Genausowenig wird Brecht dadurch zum Apologeten der bürgerlichen Gesellschaft: die Erfahrung, ja die Irritation, die seinem Werk hier immer noch voraufgeht, ist die der großen Städte und ihrer Massen, deren Wesen sucht er zu erkennen und darzustellen, wobei ihm freilich zu diesem Zeitpunkt die Annahme, dies sei schon durch die bloß dokumentarische Reproduktion der Realität zu leisten, noch nicht problematisch geworden ist. Insofern bleibt er allerdings auf dem ‹Boden der bürgerlichen Gesellschaft›, oder besser an deren Oberfläche – aber nicht als ihr Apologet.
Apologet, freilich im Sinne eines Anwalts, ist Brecht, wenn er auf den Erscheinungsformen dieser Realität als Gegenstand von literarischer Produktion insistiert. In solchem Erkenntnisinteresse ist jenes ästhetische Selbstverständnis begründet, das Brecht mit der Kategorie des ‹Gebrauchswerts› zu bestimmen versucht. Sein polemisches Moment, der bürgerlichen Ästhetik mit einer Kategorie des Marktes – der Begriff ‹Gebrauchswert› entstammt der ökonomischen Wertlehre von Karl Marx – den Kampf anzusagen, ist gegen jenen Begriff von Kultur gerichtet, der diese als eine von den Zwecken der gesellschaftlichen

Nutz- und Mittelwelt enthobene Sphäre etabliert. Ihm gegenüber versucht Brecht provokatorisch auf den Warencharakter von Kunst und damit auf ihre Funktion im Verwertungszusammenhang der kapitalistisch organisierten bürgerlichen Gesellschaft zu verweisen. Den «stillen, feinen, verträumten Menschen, empfindsamer Teil einer verbrauchten Bourgeoisie»[685] hält er deren ökonomische Praxis entgegen und fordert, sie in den Begriff der Kunst hineinzunehmen in der Absicht, dessen tradierte Komposition dadurch kritisch aufzulösen. ‹Gebrauchswert› ist gleichbedeutend mit der Nützlichkeit eines Produkts: «Die Nützlichkeit eines Dinges macht es zum *Gebrauchswert.* Aber diese Nützlichkeit schwebt nicht in der Luft. Durch die Eigenschaften des Warenkörpers bedingt, existiert sie nicht ohne denselben.» Marx zitiert in diesem Zusammenhang John Locke: «Der *natürliche Wert* (*natural worth*) jedes Dinges besteht in seiner Eignung, die notwendigen Bedürfnisse zu befriedigen oder den Annehmlichkeiten des menschlichen Lebens zu dienen.»[686] Der Gebrauchswert (die Nützlichkeit) eines Produkts besteht für den, der es für sich haben will, der Tauschwert (Verkaufswert) für den, der es nicht für sich haben will (der Fabrikant). Indem Brecht bewußt nur auf den Gebrauchswert abhebt, und den Begriff des Tauschwerts nur insoweit in die theoretische Reflexion miteinbezieht, als er gerade gegen ihn den Standpunkt der reinen ‹Nützlichkeit› einnimmt, bleibt seine Position an ästhetischen Kategorien festgemacht, die freilich nicht länger die der späten bürgerlichen Kunsttheorie sind, aber doch auf deren frühen Anfänge zurücklenken und im inneren Zusammenhang zumal mit den ästhetischen Positionen der Aufklärung stehen. Brechts Frage an Fritz Sternberg: «Sollen wir nicht die Ästhetik liquidieren?»[687], etwa zur gleichen Zeit gestellt als er die 400 Lyriker ablehnte, bleibt rhetorisch und bloß verbalradikal: nicht *die* Ästhetik wolle er eigentlich liquidieren, sondern deren im historischen Prozeß zur herrschenden erstarrte bürgerliche Ausprägung. Diese aber war für den Lyriker Brecht vorwiegend aktualisiert in der Lyrik Rainer Maria Rilkes, Stefan Georges, Franz Werfels und Hugo von Hofmannsthals: dessen Verse aus der *‹Ballade des äußeren Lebens›*:

> Was frommt das alles uns und diese Spiele,
> Die wir doch groß und ewig einsam sind . . .[688]

werden noch in Brechts *‹Ballade vom angenehmen Leben›* ironisch apostrophiert:

> Ich selber könnte mich durchaus begreifen
> Wenn ich mich lieber groß und einsam sähe.
> Doch sah ich solche Leute aus der Nähe
> Da sagt' ich mir: Das mußt du dir verkneifen.[689]

Der Begriff der Schönheit war ihm so sehr eins geworden mit deren bürgerlich-idealistischer Definition, daß ihm dessen Kritik mit der von Ästhetik überhaupt zusammenfiel. Bei dem Versuch, seine Gegenposition zu formulieren und theoretisch zu begründen, bedient er sich zunächst nur in provokatorischer Absicht eines Begriffs der Marxschen Wertlehre, so gegen jene, die die Sprache des Marktes ganz aus ihren lyrischen Gebilden bannen wollten, *scheinbar* den Standpunkt eben des Marktes einnehmend. Sollte ihn diese Kategorie, die des Gebrauchswertes, gerade von der bürgerlichen literarischen Tradition trennen, Ausdruck der «aktiven Feindschaft zwischen dieser Generation und allem Vorangegangenen»[690] sein, so führte ihn deren Explikation und theoretische Ausführung gerade zum aktiven Verstehen nicht nur der bürgerlichen literarischen Tradition.
Indem Brecht das, was einer der entscheidenden Gründe für die Wendung der deutschen Lyrik ins Hermetische und zur extremen Verinnerlichung des poetischen Subjekts war: die Industrialisierung, die damit verbundene Ausbildung einer kapitalistischen Massengesellschaft und die administrative Durchorganisation nahezu aller Lebensbereiche, bewußt zum Gegenstand seiner Dichtung macht, ist er auf dem Wege, der Lyrik die öffentlichen Funktionen zurückzugewinnen und ihre privaten nutzbar zu machen. Er aktiviert damit Eigenschaften, die die Lyrik mit dem Ende der Aufklärungs-Epoche in immer zunehmenden Ausmaß verloren hatte. Heinrich Heine schreibt in einem wahrscheinlich späten Fragment: «Die höchste Blüte des deutschen Geistes: Philosophie und Lied – Die Zeit ist vorbei, es gehörte dazu die idyllische Ruhe, Deutschland ist fortgerissen in die Bewegung – der Gedanke ist nicht mehr uneigennützig, in seine abstrakte Welt stürzt die rohe Tatsache – Der Dampfwagen der Eisenbahn gibt uns eine zittrige Gemütserschütterung, wobei kein Lied aufgehen kann, der Kohlendampf verscheucht die Sangesvögel, und der Gasbeleuchtungsgestank verdirbt die duftige Mondnacht.»[691]
Dennoch hatte sich das Lied in verwandelter Form erhalten, einen Schleichpfad der Tradition bezeichnend, der von den satirischen Moritaten der Revolution, den Zwischenliedern und Couplets von Johann Nestroy und den spärlichen Zeugnissen politischer Lyrik (auf die schon die Ironie Heines sich verwiesen sah, auch Georg Herwegh wäre hier zu nennen) bis zu Frank Wedekind und Walter Mehring führte, eine Tradition, die sich aus den Kräften des niederen Stils, aus den poetischen Formen der populären erzählenden Lyrik der Unterschichten, der Moritat und dem Bänkelsang nährte – an sie knüpfte schon der junge Brecht an, denn einzig in solchen Formen schienen ihm historische, gesellschaftliche und politische Gegenstände noch darstellbar. Zugleich ging mit der Rezeption solcher Tradition die ‹Singbarkeit›, der Vortrag als ein wesentliches Konstituens in die Komposition der lyrischen Gebilde ein.

Wenn Brecht also 1927 als ein Kriterium für den ‹Gebrauchswert› von Lyrik deren ‹Singbarkeit› bestimmt, so bringt er damit zum einen in Kategorien der Marxschen Wertlehre eine längst von ihm geübte Praxis auf den Begriff, zum andern erschließt er sich auf dem Wege der Umfunktionierung eine Tradition, die in ihrem historischen Ursprung bis ins 16. Jahrhundert zurückweist, die der vorbürgerlichen Lyrik, für die der Vortrag, die – freilich vorgegebene und zugewiesene – gesellschaftliche Funktion noch konstitutiv war. In ähnlicher Weise hat Hanns Eisler die Tradition ‹der Musik als Gemeinschaftskunst›, die ihre ‹Hochblüte› im 16., 17. und 18. Jahrhundert hatte[692], zu beleben und umzufunktionieren versucht. Sergej Tretjakov berichtet in seinem literarischen Porträt Eislers: «Eisler blätterte in Noten auf dem Klavierpult und lobte Bach. Er suchte in ihm einen Verbündeten im Kampf für den Chor, an dem das ganze Publikum teilhat, im Gegensatz zur heutigen Trennung zwischen Vortragenden und passiven Zuhörern. Die hohe Kultur des Chors, der Menschen vereint, zusammenschließt, in einheitlichen Rhythmus und einheitliche Bewegung führt, suchte Eisler in jenen Zeiten, da die Kirche den Chorgesang pflegte und in diesem Sinne geniale Zeitgenossen mobilisierte.»[693] Der Begriff ‹Gebrauchswert› darf daher nicht als bloß polemisch und provokativ oder, auf das Traditionsverhältnis bezogen, mit leninistischen Kategorien als Ausdruck eines ‹linken Radikalismus› gewertet werden[694], seine theoretische Verwendung geht einher mit der Ausbildung einer spezifischen Gegen-Tradition zum einen und zum andern mit dem – allerdings nicht unproblematischen – Rückgriff auf vorbürgerliche Traditionen.
Die ‹Singbarkeit›, der Vortrag nimmt in der Entwicklung der Lyrik Brechts verschiedene Gestalt an: sie umfaßt die Formen von Ballade, Moritat und Bänkelsang, wobei Brecht sich nie streng an deren vorgegebenen Rahmen hält, sondern sie ganz und gar in artistischer Freiheit gebraucht; sie umfaßt ferner die Funktionalisierung der Lyrik im epischen Theater und der Oper, zumal in der Form des Songs, des Duetts und des Lieds – hier steht sie in der Tradition Nestroys und Wedekinds –, sie umfaßt schließlich das politische Kampflied, das Kinderlied und, späte Manifestation ihrer ‹Nützlichkeit›, das Lehrgedicht, das an römische und chinesische Traditionen anknüpft. Mit alldem setzt Brecht die Lyrik wieder in ihre öffentlichen Rechte ein und damit zugleich in ihre politischen und sozialen. Denn in der vom jüdisch-christlichen Dogma und von der feudalen ökonomischen Gesellschaftsformation bestimmten historischen Epoche der Poesie war dieser lediglich ein bestimmter und eindeutig definierter Bereich im gesellschaftlichen und kulturellen Lebenszusammenhang zugewiesen; Lyrik hatte dessen vielfältigen Ansprüchen lediglich auf möglichst vollkommene Weise nachzukommen und fand darin ihre Erfüllung und ihren ersten Gebrauchswert; Brechts negative und ironische Fixierung auf das pro-

testantische Kirchenlied der Reformation ist auch in dessen Gebrauchswert begründet, der freilich erst in der Parodie gleichsam zu sich selbst kommen soll.

Bestimmt man ‹Gebrauchswert› als Begründung der öffentlichen – und das heißt letztlich auch politischen – Funktionen, die Brecht der Lyrik wieder eröffnen will, so ergibt sich, daß aus den ästhetischen Positionen, die er seit Mitte der zwanziger Jahre einnimmt, ein vergleichbarer Impuls zur Traditionswahl sich bildet wie aus der Rezeption der Marxschen Theorie. Diese jedoch gibt seinen ästhetischen Auffassungen erst die revolutionstheoretische Richtung und Substanz, indem sie den ‹Gebrauchswert› auf den Standpunkt der unterdrückten Klasse bezieht und seine Lyrik als praktisch-politische bestimmt, die Geschichte und Gegenwart, in Brechts Abbreviaturen gesprochen, als gesellschaftlich-politischen Herrschaftszusammenhang begreift und zu ihrem zentralen Thema macht.

Erst innerhalb dieses durch die restituierte praktische Funktion der Lyrik und darüber hinaus seiner gesamten poetischen Produktion bestimmten Selbstverständnisses ist es Brecht möglich, bürgerliche literarische Tradition nicht mehr allein als bloß negative, seinen artistischen wie politischen Intentionen immer nur entgegengesetzte zu begreifen, sondern zum einen das im Kulturerbe selber enthaltene und noch uneingelöste revolutionäre und technische Potential zu entdecken und zu aktivieren, zum andern Traditionen kritisch fortzuführen und neu zu interpretieren, die durch die herrschenden und konformen bislang verschüttet oder den Interessen der herrschenden bürgerlichen Kultur gemäß rezipiert worden waren.

Die Wende wird, darin ist Schuhmann zuzustimmen, durch den Traktat ‹*Fünf Schwierigkeiten beim Schreiben der Wahrheit*›, entstanden in den ersten Jahren der Emigration, bezeichnet: er nennt als historische literarische Zeugen von *exemplarischer* Bedeutung für die «List, die Wahrheit unter vielen zu verbreiten»[695] Konfuzius, Voltaire, Lukrez, Shakespeare, einen ägyptischen Dichter, «der vor viertausend Jahren lebte»[696] und Swift; das etwa zur gleichen Zeit entstandene Gedicht ‹*Besuch bei den verbannten Dichtern*› fügt die Namen Ovid, Po Chü-i, Tu Fu, Villon, Dante, Heine und Euripides hinzu.[697] Diesen Autoren ist, in Brechts Interpretation, gemeinsam, daß ihre Literatur wesentlich als kommunikative, als öffentliche und bei einigen als explizit politische sich versteht. Der Umkreis der literarischen Traditionen, denen sich Brecht seit Beginn der Emigration (zum Teil auch schon davor) zuwandte, ist mit diesen Namen im wesentlichen festgehalten. Ihre Bestimmung als «die satirische Welttradition»[698], wie Hans Mayer das versucht hat, ist ganz sicherlich viel zu eng.

Chinesische, römische und die Tradition der bürgerlichen Aufklärung, die sich als wesentliche aus diesem Komplex herausschälen lassen: ihnen ist, sehr weit gefaßt, gemeinsam, daß ihre Literatur einen wie immer auch vorgegebenen, unmittelbar auf den politisch-gesellschaftlichen Lebenszusammenhang gerichteten Sinn hatte. In China war das lyrische Gedicht eine der wichtigsten rhetorischen Formen, in der religiöse, politische, auch gesellschaftspolitische Argumente und Änderungsvorschläge vorgetragen wurden, es gehörte zur intellektuellen Ausstattung des höfischen Beamten, wurde an Akademien gelehrt, vermochte aber zugleich auch, vor allem durch die Werke der von Brecht angeführten Autoren, ein hohes Maß an Popularität zu erreichen. Diesen Bezug zu Staat und Gesellschaft im weitesten Sinne bis in die Bereiche der Ökonomie und der unmittelbaren Lebenspraxis hinein hatte auch die römische Lyrik, zumal im Lehrgedicht und den ländlichen Gedichten: politische Ereignisse, die Vergegenwärtigung der eigenen Historie, die Erkenntnis der Natur, philosophische Systeme waren Gegenstand der großen Versdichtungen und des lyrischen Gedichts. Indem Brecht gerade an solche Traditionen wieder anknüpft, möchte er die bloße Subjektivität, das Hermetische und «die scheinbar geschichtslose Innerlichkeit»[699] der deutschen Lyrik des 19. und noch des beginnenden 20. Jahrhunderts, zumal in ihrer konformen Erstarrung zum Moment bürgerlicher Gemütskultur, aufheben und zugleich aus deren kritischer Auflösung eine neue Kunstauffassung begründen, in die noch die dritte der oben angesprochenen Traditionen, die der bürgerlichen Aufklärung, eingeht. Diente jedoch in deren Ästhetik die Poesie lediglich als Medium, in dem Theorie und Reflexion sich vortrug, so soll im Werk Brechts Poesie schon in der Reflexion selber, das heißt in der Weise der Reflexion, ihren Ursprung haben, sie ist nicht mehr ein bloßes Nebenbei, etwas der Theorie Äußerliches und von ihr Ablösbares, sondern die poetische Artikulation bildet sich im Zentrum der theoretisch-politischen Reflexion selber: jene ist dieser die notwendige Erscheinungsform.

Darin aber ist ein Bruch mit der überkommenen Kunstauffassung überhaupt begründet. Denn mit der theoretisch-politischen Reflexion soll auch seine praktische, verändernde Funktion für das Werk formkonstitutiv werden: dem versucht die Kategorie ‹Gebrauchswert› Rechnung zu tragen. Kunst ist für den Marxisten Brecht nicht länger geschlossenes, ‹gestaltetes› Werk, Monade, sondern Instrument und Versuch, Nebenprodukt in einem Prozeß, dessen Hauptprodukt die Veränderung der Welt ist. In den Begriff ‹Gebrauchswert› ist derart im Ansatz schon beides eingegangen: das artistisch-utilitaristische wie das theoretisch-praktische Interesse des marxistischen Kunstproduzenten. Im Zuge der Entwicklung dieser ästhetisch-politischen Konzeption reflektiert Brecht sein Verhältnis zur literarischen Tradition (die zeitgenössische immer eingeschlossen), zumal deren praktische Rezeptionsweise, im kategorialen Rahmen von ‹literarischer Technik›, bzw. ‹Schreibweise› und ‹gesellschaftlicher Funktion›.

10.4. Technischer Kunstbegriff und Verhältnis zur literarischen Tradition

Der Begriff der ‹literarischen Technik›, dessen theoretische Herkunft und Bedeutung bereits erörtert wurden, bezieht seinen kunsttheoretischen Gehalt aus der Selbstreflexion des Autors als Produzent. Er hat seine politische Funktion bei Brecht und anderen auch darin, das Interesse des Autors an der ungehemmten Entfaltung seiner Produktivität gegen alle Versuche einer normativen Festlegung seiner Schreibweise und seines Verhältnisses zur literarischen Tradition geltend zu machen. Den theoretischen und praktischen Zusammenhang von technischem Kunstbegriff und dem Verhalten gegenüber der künstlerischen Vergangenheit und Gegenwart hat Brecht vor allem in der Auseinandersetzung mit den offiziellen kulturpolitischen Positionen des ‹sozialistischen Realismus› und ihren kunsttheoretischen Begründungen entfaltet.
Bertolt Brechts Begriff des objektiven technischen Standards der Gegenwart (vgl. S. 159), an den anzuknüpfen sei, impliziert keine normative Hypostasierung des aktuellen Stands der künstlerischen Technik, sondern ist begründet in der dialektischen Einsicht in die historisch-gesellschaftliche Vermittlung von künstlerischen Techniken und sozialen Funktionen, in deren Widersprüche und Ungleichzeitigkeiten: «Die alte Technik (die man in der Schablone antrifft) war einmal imstande, gewisse gesellschaftliche Funktionen zu erfüllen; sie ist es nicht mehr, neue Funktionen zu erfüllen; jedoch sind die neuen Funktionen gemischt mit den alten, und wir benötigen das Studium der veralteten Technik dringend. Die neuere, sterile, isolierte Technik wiederum, die in keinem gesunden Austausch mit der Umwelt steht, ergibt, studiert man zugleich mit ihr die neuen Funktionen, eine bedeutende Ausbeute.»[700] Von daher erscheinen Brecht bestimmte Formprinzipien der Literatur seiner Zeit als brauchbare, weil entwicklungs- und ausbaufähige Techniken, deren Einfluß es nicht auszuschalten (so die offizielle Position), sondern zu modifizieren gelte. Zu diesen Stilelementen rechnet Brecht den inneren Monolog (Joyce), den Stilwechsel (Joyce), die Dissoziation der Elemente (Döblin, Dos Passos), die assoziierende Schreibweise (Joyce, Döblin), die Aktualitätenmontage (Dos Passos) und die Verfremdung (Kafka).[701] Das Stilprinzip der Montage als aktuelle literarische Technik ebenso wie Stilwechsel und Verfremdung gehen modifiziert oder umfunktioniert in die literarische Praxis

Brechts ein, zugleich aber auch älteste und alte Techniken von den Praktiken der chinesischen Lyrik und Dramatik bis zu Diderots Theorie des Schauspielers. Ganz allgemein ließe sich sagen, daß der historische Entwicklungsstand literarischer Technik, der der literarischen Praxis der Moderne vorgegeben ist, alte und neue Techniken gleichermaßen umfaßt: deren uneingeschränkte Verfügbarkeit ist schon deshalb eine zentrale Bedingung für die Entfaltung aller produktiven Möglichkeiten avancierter politischer Kunst, weil diese Verfügbarkeit selber ein irreversibles Resultat kritisch-produktiver Emanzipation der Kunst von vorgegebenen Poetiken, ideologischen Ansprüchen und fixierten gesellschaftlichen Funktionen bildet. Brecht wendet sich darum – ebenso wie Benjamin, Bloch, Eisler und Tretjakov – konsequent gegen den Versuch der offiziellen Literaturpolitik, diesen Prozeß rückgängig zu machen und etwa die Formensprache der bürgerlichen Literatur des 19. Jahrhunderts als Norm des ‹sozialistischen Realismus› zu fixieren: «[...] exkommuniziert nicht die Montage, setzt nicht den inneren Monolog auf den Index! Erschlagt die jungen Leute nicht mit den alten Namen! Laßt nicht bis 1900 eine Entwicklung der Technik in der Kunst zu und ab da nicht mehr!»[702] Brecht muß so die Erfahrung machen, daß im Gegensatz zu der vom Aufbau des Sozialismus erwarteten «Entfaltung der künstlerischen Produktion auf breitester Skala»[703] die stalinistische Legitimationsästhetik und Kulturpolitik die gesellschaftliche Produktivkraft Kunst autoritär und restaurativ zu restringieren sucht, daß an die Stelle ihrer Entfesselung eine neue Fessel getreten ist, gegen die sie sich wiederum kritisch und in bestimmter Negation durchsetzen muß.

Der emanzipativen dialektischen Literaturtheorie Brechts, die der Kunstproduktion praktische, operative und antizipierende Möglichkeiten weist, entspricht ein vorwiegend technisches und konstruktives, an aktueller Verwendbarkeit und Umfunktionierbarkeit orientiertes Interesse an der künstlerischen Vergangenheit. Seine Kategorien ‹Technik› und ‹gesellschaftliche Funktion›, die Tretjakovs Differenzierung von Material und Bestimmung entsprechen, stehen so in einem unmittelbaren Zusammenhang mit den praktisch-politischen Wirkungsabsichten seiner Kunstproduktion, eingreifendes Denken und Verhalten gegenüber der Wirklichkeit zu ermöglichen. Im Begriff der ‹literarischen Technik› ist derart produktives und politisches Interesse reflektiert: «Wir können zu einer freien Aussprache über Technik, zu einer natürlichen Haltung zur Technik nur kommen, wenn wir die neue gesellschaftliche Funktion uns klarmachen, die der Schriftsteller hat, wenn er realistisch, das heißt von der Realität bewußt beeinflußt und die Realität bewußt beeinflussend schreiben will.»[704] Diese gesellschaftliche Funktionsbestimmung verändernder literarischer Praxis ist der entscheidende Ausgangspunkt nicht nur für das konkrete Verhalten

zur literarischen Tradition und Moderne, sondern auch für die Stellung der literarischen Technik zur Wissenschaft, zu den ‹Denktechniken›. Denn Brecht geht wie Benjamin von der historisch-materialistischen Einsicht aus, daß die Techniken des Schreibens «mit dem technischen Standard unseres Zeitalters überhaupt verknüpft»[705] sind. Er expliziert das an der Stellung des offiziellen sozialistischen Realismus zur Psychologie – indem dieser die überkommene Einfühlungstechnik verwendet, übernimmt er auch deren alte Funktionen: «Die wenigsten unserer ‹Realisten› haben zum Beispiel Kenntnis genommen von der Entwicklung der Auffassungen über die menschliche Psyche in der zeitgenössischen Wissenschaft und Praxis. Sie halten immer noch bei einer Psychologie introspektiver Art, einer Psychologie ohne Experimente, einer Psychologie ohne Historie und so weiter.»[706]
Die Einsicht in die historisch-gesellschaftliche Funktionsbestimmtheit der tradierten Formensprache und die Anerkennung eines aktuellen objektiven technischen Standards, an den es anzuknüpfen gilt, sind Bildungselemente einer dialektischen Theorie des Kulturerbes, die jeder normativen Festlegung einer Schreibweise durch eine erkenntnistheoretisch begründete Traditionslinie entgegengesetzt ist. Als Nachweis der Vorbildlichkeit genügt es darum nicht, so Brecht mit deutlicher Wendung gegen Lukács, «daß eine bestimmte historische Epoche in dem vorbildlichen Kunstwerk gut abgespiegelt wurde. Mit dem gleichen Spiegel kann man in der Literatur nicht andere Epochen spiegeln, so wie man mit ein und demselben Spiegel verschiedene Köpfe und dann noch Tische und Wolken spiegeln kann.»[707] Ebensowenig reiche es aus, wenn man zeige, wie die Mittel der Darstellung dem technischen Standard einer vergangenen Epoche entsprachen: «Das sagt über eine zu gewinnende literarische Technik nur aus, daß sie eben dem technischen Standard unserer Epoche entsprechen müssen, was ein frommer Wunsch bleibt.»[708] Obwohl im Zweifel, «ob wir irgend etwas von der Technik unserer Vorbilder verwerten können, wenn sie doch so fest mit anderer Epochen Inhalten, Techniken und gesellschaftlichen Zwecken verknüpft sind»[709], versucht Brecht die Notwendigkeit des Studiums alter Techniken auf zweifache Weise zu begründen, daß nämlich in den neuen gesellschaftlichen Funktionen wie in den neuen Techniken die alten Funktionen und Techniken noch enthalten und lebendig sind. So ist auch die neue Technik «eine Fortführung, wenn auch keine geradlinige, wenn auch keine bloße Addition»[710] – eine theoretische Einsicht, die gerade die Festlegung literarischer Praxis auf *eine* tradierte Schreibweise ausschließt.
Bertolt Brecht wendet sich ebenso wie Bloch und Eisler gegen die globale Zurechnung der zeitgenössischen Literatur zur dekadenten Phase der bürgerlichen Klasse und das ihr zugrunde liegende geschichtsphilosophische Aufstieg–Abstieg-Schema: «Die Geschichte tut unseren lite-

rarischen Schubfachverwaltern nicht den Gefallen, den Abstieg und den Aufstieg sorgfältig voneinander zu trennen, den zweiten pünktlich nach dem ersten anzusetzen und in der Literatur für den Aufstieg einen neuen Vertreter zu ernennen. Sie verfährt entsetzlich schlampig und bringt alles durcheinander. Um in die Schubfächer zu gehen, müssen die literarischen Werke tüchtig beschnitten werden. Ich sah einmal im Film Chaplin einen Koffer packen. Was am Schluß drüber hinaushing, Hosenbeine und Hemdzipfel, schnitt er einfach mit einer Schere ab.»[711]
Ähnlich wie Bloch tritt er dafür ein, im Abstieg der bürgerlichen Literatur und im Aufstieg der proletarischen nicht «zwei völlig getrennte Phänomene»[712] zu sehen und die Gegenwart dialektisch als eine Zeit des Übergangs zu begreifen.[713] Deren Kunst ist nicht nur Verfallsprodukt, einfache Widerspiegelung der Dekadenz und der Zersetzung: ihre Techniken selber zersetzen Bestehendes, in ihnen sind Produktivkräfte repräsentiert, hinter die deshalb nicht zurückgegangen werden kann, weil sie neuen gesellschaftlichen Funktionen zugeführt werden können. So folgert Brecht: «Es ist ohne weiteres zu erwarten, daß Dampfmaschinen, Mikroskop, Dynamo und so weiter, Öltrust, Rockefeller-Institut, Paramountfilm und so weiter in der literarischen Technik Entsprechungen haben, die sowenig wie alle diese neuen Erscheinungen selber einfach mit dem kapitalistischen System zu beerdigen sind.»[714]
Aus dieser Sicht freilich muß das Studium der alten Technik und ihr möglicher Gebrauchswert problematisch werden. Denn wenn «schon für die Beschreibung der Prozesse, in denen ein Mensch des Spätkapitalismus steht [...] die Formen des Rousseauschen Erziehungsromans oder die Techniken, mittels derer die Stendhal und Balzac die Karriere eines jungen Bourgeois beschreiben, außerordentlich überholt»[715] sind, dann kann das Interesse an den alten Techniken und ihre Verwendbarkeit selber nur schwer ohne immanente Widersprüchlichkeit vermittelt werden. Diese Widersprüchlichkeit, die sich als eine des artistischen mit dem politischen Interesse erweist, hat ihren Ursprung in der Frage nach den Bedingungen der Möglichkeit, «Technisches von Inhaltlichem ablösen»[716] zu können, nach der Umfunktionierbarkeit einer tradierten Formensprache. Brechts theoretische und praktische Antworten auf diese Frage sind selber durch solche Widersprüchlichkeit charakterisiert. Denn da in der alten Technik immer auch gesellschaftlicher Inhalt und Funktionsgehalt sich niedergeschlagen hat, kann dieser sich wiederum gegen ihre einfache Umfunktionierung, gegen die neue Funktion selber kehren und ihr die intendierte neue gesellschaftliche und politische Qualität nehmen. (Diese Problematik wird am Beispiel der Versifizierung des ‹*Kommunistischen Manifests*› nach dem Lehrgedicht des Lukrez unten weiter diskutiert.) Brecht scheint aus der spezifischen Schwierigkeit, die die Umfunktionierung alter Techniken impliziert, zwei Schlüsse gezogen zu haben: zum einen den Rückgriff vor allem auf

vor- und frühbürgerliche literarische Techniken, weil deren Trennung vom gesellschaftlichen Lebensprozeß, von Wissenschaft und Produktion, noch nicht derart ausgeprägt war wie gerade in der deutschen Literatur des 19. und 20. Jahrhunderts und von daher ihre Umfunktionierung durch eine literarische Praxis, die gerade auch diese Trennung zurücknehmen will, eher möglich scheint – zum andern das praktisch-kritische Anknüpfen an den literarischen Techniken der Moderne. Zwar müssen dabei die gleichen Gesichtspunkte geltend gemacht werden wie bei der Verwendung alter Techniken, aber die Notwendigkeit, vorab die historische Differenz im technischen Standard selber aufzuheben, ist nicht mehr gegeben. Zudem kann Brecht vom objektiv kritischen Charakter der zeitgenössischen literarischen Techniken ausgehen. Den theoretischen Kurzschluß von Lukács, der die Tatsache, daß die Literatur der Moderne den verdinglichten und entfremdeten Charakter des gesellschaftlichen Lebensprozesses auch in ihren Formgestalten reflektiert, als ihr bewußtes Eintreten *für* eben diesen gesellschaftlichen Zustand ausgibt, kann Brecht, wie auch Bloch und Eisler, als *laudatio temporis acti*, als restaurativen Rückzug vor der konkreten gesellschaftlichen Gegenwart entlarven. Er notiert über die Angriffe von Lukács in seinem Tagebuch: «Da ist bei Lukács im frühen bürgerlichen Roman (Goethe) ein ‹breiter Reichtum des Lebens› und der Roman erweckt ‹die Illusion der Gestaltung des ganzen Lebens in seiner vollständigen entfalteten Breite›. Nachmachen! *Nur, daß sich jetzt nichts mehr entfaltet und kein Leben mehr breit wird!* Der Rat wäre höchstens, man solle es breit treten!» Und gegen Lukács' Disqualifizierung von Zola als einem bloßen ‹Beschreiber›, einem Vertreter des ‹antigestalterischen› Realismus wendet Brecht ein: «Bei Zola rückt ein Tatsachenkomplex in den Mittelpunkt der Romane, das Geld, das Bergwerk usw. Aus organischer Vielfalt der Komposition wird mechanische Verknüpfung, Montage. Zunehmende Entmenschung des Romans! Daraus dreht der unselige Mann nun den unseligen Schriftstellern, die aus ‹Erzählern› zu ‹Beschreibern› herabgesunken sind, den Strick. Sie kapitulieren. Sie stellen sich auf den Standpunkt des Kapitalismus, sie entmenschen das Leben. Die Proteste, die sie anfügen, läßt er nicht gelten. Sie sind post festum, in die Sache hineingetragen, es sind Scheinradikalismen. Aber daß das entmenschte Proletariat tatsächlich seine ganze Menschlichkeit in den Protest legt und von da aus in den Kampf gegen die Entmenschlichung der Produktion geht, übersieht der Herr Professor [...] An den ‹seelenlosen› Tatsachenkomplexen Bergwerk, Geld usw. ist die Erzählungsform der Balzac, Tolstoi usw. in die Brüche gegangen. Die Ermahnungen der Professoren leimen sie nicht wieder zusammen. All the kings horses and all the kings men couldn't put Humpty Dumpty together again.»[717]

Eine auf Politik fundierte, auf das praktische Eingreifen gerichtete

Literatur kann sich solcher Regression aufs gute Alte nicht verschreiben, weil sie selber in der konkreten gegenwärtigen Wirklichkeit, in der Welt der Alltäglichkeit aktiv und verändernd sich entfalten will. Da diese Wirkungsabsicht die Wahl der literarischen Techniken bestimmt, kann auf die praktisch-kritische Rezeption der zeitgenössischen Schreibweisen nicht verzichtet werden, denn diese sind in ihren entwikkelten Formen selber – wie indirekt und vermittelt auch immer – Antworten auf die Wirklichkeit der bürgerlichen Gesellschaft.
In der Bestimmung der Literatur als verändernder Praxis wie der darin begründeten Wahlfreiheit gegenüber den literarischen Techniken liegt die entscheidende Differenz der Position Brechts zu den Theoremen von Lukács wie denen des offiziellen sozialistischen Realismus. Lukács' Polemik gegen den technischen Kunstbegriff, ausgehend von der Erkenntnistheorie der Widerspiegelung des Seins im Bewußtsein, läuft auf den Vorwurf des Subjektivismus hinaus. Diese Erkenntnistheorie charakterisiert er selber als streng objektivistische «im Sinne der Überzeugung von der strengen Objektivität der Natur und Gesellschaft und ihrer Gesetze»[718]; ihr entspricht ein «Objektivismus der Praxis, der *Parteilichkeit*»[719]. Die Aufgabe des ‹echten› Kunstwerks besteht demzufolge, da die Parteinahme «eine der Wirklichkeit selbst innewohnende treibende Kraft ist», darin, sie «durch die richtige, dialektische Widerspiegelung der Wirklichkeit» bewußt zu machen und in die Praxis einzuführen.[720] Die «Parteilichkeit als Eigenschaft der dargestellten Materie selbst zu gestalten, als treibende Kraft, die ihr innewohnt, aus ihr organisch herauswächst»[721], soll einzig dem geschlossenen Werk möglich sein, ja Geschlossenheit des Werks «*ist* [...] die Widerspiegelung des Lebensprozesses in seiner Bewegung und in seinem konkreten bewegten Zusammenhang»[722]. Damit wird zugleich der ästhetische Schein, die künstlerisch erzeugte Illusion, also gerade das, was die marxistische Ideologiekritik als gesellschaftlich produziert erkannt hat, und die operative Literatur durch die Zurücknahme der Kultur in den materiellen Lebensprozeß aufheben will, als «besondere Form der Widerspiegelung der Wirklichkeit»[723] ontologisch verewigt.
Die historischen Vorbilder solcher Geschlossenheit sind jene «alten Realisten», denen «die Subjektivität des Künstlers [...] *Mittel* zur möglichst vollständigen Widerspiegelung der Bewegung einer Gesamtheit»[724] war. Wo aber die Dialektik von Subjekt und Objekt einseitig zugunsten des objektiven Moments aufgelöst und die Subjektivität zum bloßen Medium objektiver Widerspiegelung erklärt wird, wird Objektivismus zum Instrument seines Gegenteils: eines Dezisionismus, der sich selber Sachwalter und berufener Interpret der objektiven Bewegungsgesetze der Materie dünkt und in deren Namen ästhetische Weisungen erteilt. Da der Kunstproduzent, die künstlerische Subjektivität bloßes Medium ist, ist auch die Form immer schon ‹objektive Form› als

fixierter, nämlich durch Geschlossenheit definierter Modus objektiver Widerspiegelung. Mit dieser Auffassung ist der Begriff der Technik, den Lukács lediglich als Kategorie des Handwerklichen gelten lassen will, nicht vereinbar. So weit gefaßt wie bei Benjamin, Brecht und Eisler erscheint dem Ontologen des gesellschaftlichen Seins Technik als bare Unmöglichkeit, nämlich «als selbständiges, von der Subjektivität des Künstlers frei dirigiertes Instrument, mit dem man an ein beliebiges Material herantreten und aus ihm Beliebiges formen kann»[725]. Die technische Kunstauffassung aber muß folgerichtig zur Vernachlässigung des Erbes und seiner gesetzmäßigen Höherentwicklung führen, denn wer mit solchem technischen Interesse an das Erbe, «Homer, Shakespeare oder sogar Balzac herantritt, wird notwendig enttäuscht werden müssen und kann sehr leicht aus dieser Enttäuschung heraus, aus dem naheliegenden, aber falschen Gefühl, mehr unmittelbar technisch Brauchbares bei den modernen Schriftstellern zu finden, im Sumpf der imperialistischen Formzersetzung landen»[726].

Lukács' Polemik gegen den technischen Kunstbegriff im Namen gesetzmäßiger Weiterentwicklung des klassischen Erbes und der Objektivität der Form erweist sich als ein Versuch, die ästhetischen Auffassungen der ‹Kunstperiode› geschichtsphilosophisch und ontologisch-materialistisch als objektive Gestalt von Widerspiegelung vor einer veränderten Gegenwart zu legitimieren und zugleich für den ‹sozialistischen Realismus› zu reklamieren. Der Begriff von Kunst, der die ‹Kunstperiode› auszeichnete, war freilich bereits der philosophischen Ästhetik Hegels selber, angesichts der ‹Not der Gegenwart› und des ‹prosaischen Lebens› ebenso problematisch geworden wie ihrem Schüler Heinrich Heine, der die Kritik der Kunstperiode bis zu dem Gedanken des praktischen Aufgehens einer neuen Technik in der Zeitbewegung radikalisierte.[727] Indem Lukács' Festlegung des literarischen Erbes zugleich die Festlegung einer Schreibweise und darüber hinaus einer Kunstauffassung überhaupt legitimieren soll, schließt sie – so könnte man Heine abwandeln – gegenüber der aktuellen literarischen Praxis das Postulat ein, aus der verblichenen Vergangenheit ihre Gestalt zu borgen. Lukács' ästhetischer Ausweg aus der ‹Not der Gegenwart› ist ein Rückweg. Brecht konfrontiert ihn mit einem anderen ‹Ausweg›, den die «neue heraufkommende Klasse zeigt» und sich der ‹entmenschten› Gegenwart nicht durch ästhetische Restauration zu entziehen sucht: «Es wird nicht angeknüpft an das gute Alte, sondern an das schlechte Neue. Es handelt sich nicht um den Abbau der Technik, sondern um ihren Ausbau. Der Mensch wird nicht wieder Mensch, indem er aus der Masse herausgeht, sondern indem er hineingeht in die Masse. Die Masse wirft ihre Entmenschtheit ab, damit wird der Mensch wieder Mensch (nicht einer wie früher).»[728]

Einer derart sich selber als verändernde Praxis begreifenden Literatur ist ihre Technik in der Tat, mit Lukács zu reden, ein selbständiges, von der Subjektivität des Künstlers frei dirigiertes Instrument. Denn für sie gibt es keinen ‹Objektivismus der Praxis›, keine der Bewegung der Materie selber innewohnenden Parteilichkeit, die es im geschlossenen Werk ‹gestaltend› widerzuspiegeln gilt, weil sie in den historischen Prozeß selber praktisch eingreifen und praktisches Eingreifen ermöglichen will. Ihr Realitäts- und Geschichtsbegriff ist nicht objektivistisch geschlossen, meint nicht gegliederte Totalität und ontologisch-materialistische Selbstgewißheit, sondern ist dialektisch, offen im Prozeß und bestimmt durch die Kategorie der Möglichkeit. Sie bewegt sich auf der Höhe der Gegenwart; die Souveränität gegenüber der Realität, die Souveränität in der Wahl ihrer formalen Mittel und im Verhalten zu Konventionen und Traditionen bilden die historischen Bedingungen ihrer praktischen Möglichkeiten und ihrer produktiven Entfaltung: «Das kämpfende, die Wirklichkeit ändernde Volk vor Augen, dürfen wir uns nicht an ‹erprobte› Regeln des Erzählens, ehrwürdige Vorbilder der Literatur, ewige ästhetische Gesetze klammern. Wir dürfen nicht bestimmten vorhandenen Werken *den* Realismus abziehen, sondern wir werden alle Mittel verwenden, alte und neue, erprobte und unerprobte, aus der Kunst stammende und anderswoher stammende, um die Realität den Menschen meisterbar in die Hand zu geben.»[729] Die Souveränität, die Freiheit im Verhältnis zur Tradition wird zugleich gebunden an die als wirkungsästhetisch allein nicht mehr zu begreifende, politische Intention der Veränderung des Bestehenden, sie ist damit notwendig auf Geschichtsphilosophie qua Revolutionstheorie verwiesen. Brecht formuliert diesen Sachverhalt dialektisch: «Das Neue muß das Alte überwinden, aber es muß das Alte überwunden in sich haben, es ‹aufheben›. Man muß erkennen, daß es jetzt ein neues Lernen gibt, ein kritisches Lernen, ein umformendes, revolutionäres Lernen. Es gibt Neues, aber es entsteht im Kampf mit dem Alten, nicht ohne es, nicht in der freien Luft.»[730] Die revolutionstheoretische Begründung des Traditionsverhältnisses bestimmt zugleich die Traditionswahl: sie geht mit den theoretischen Komplexen der Ideologiekritik, des ‹Gebrauchswerts›, des technischen Kunstbegriffs und der in reflektierter Souveränität begründeten Formkonstitution der Montage eine Verbindung ein, die das Verhältnis Brechts zur literarischen Tradition seit den dreißiger Jahren bestimmt.

Wenn Brecht derart sein Verhältnis zur künstlerischen Vergangenheit begründet durch den praktischen Gehalt der Marxschen Revolutionstheorie, die «Masse der Produzierenden, die so lange das Objekt der Politik war», zum «Subjekt der Politik» zu emanzipieren[731], dann ist um so dringlicher zu fragen, inwieweit eine Umfunktionierung alter Techniken solchen politischen Intentionen entsprechen kann. Karl Marx hat im ‹*18. Brumaire des Louis Bonaparte*› die Differenz zwischen den bürgerlichen Revolutionen und der sozialen Revolution des 19. Jahrhunderts gerade an deren Verhältnis zur Tradition, zur Vergangenheit überhaupt festzumachen versucht. Die soziale Revolution kann dieser Unterscheidung zufolge «ihre Poesie nicht aus der Vergangenheit schöpfen, sondern nur aus der Zukunft. Sie kann nicht mit sich selbst beginnen, bevor sie allen Aberglauben an die Vergangenheit abgestreift hat. Die früheren Revolutionen bedurften der weltgeschichtlichen Rückerinnerungen, um sich über ihren eigenen Inhalt zu betäuben. Die Revolution des neunzehnten Jahrhunderts muß die Toten ihre Toten begraben lassen, um bei ihrem eigenen Inhalt anzukommen.»[732] Wenn die Kunst Brechts im Sinne dieser sozialen Revolution «in das Leben selber, das Leben des Klassenkampfs, der Produktion, der besonderen geistigen und körperlichen Bedürfnisse unserer Zeit eingreifen»[733], wenn sie sich selber in den gesellschaftlichen Lebensprozeß zurücknehmen, in der Selbstverständigung der Massen aufgehen will, dann erfordert das in der Tat eine ganz außerordentliche Verwandlung ihrer eigenen Technik[734] und verlangt von der praktischen Aneignung vergangener, daß diese selber verändert werden und nicht etwa nur der bürgerliche mit dem sozialistischen Standpunkt ausgetauscht wird.[735] Es ist aber zumindest fraglich, ob die Umfunktionierung alter Techniken, wie sie von Brecht gefordert und praktiziert wird, über die «inhaltliche Auffüllung vorgegebener Gattungen bisheriger Literaturtradition»[736], vom Lehrgedicht des Lukrez bis zur Aufklärung, hinausgeht und bereits jene ganz außerordentliche Verwandlung der Technik ausmacht, die eine kulturrevolutionäre Konzeption von Kunst als verändernder Praxis verlangt. Hinzu kommt die kaum zu überwindende Schwierigkeit, eine tradierte Schreibweise derart aus ihrem funktionalen, historisch-gesellschaftlichen Zusammenhang herauszulösen, daß sie gleichsam als rein gemachtes technisches Element in aktuelle literarische Praxis eingebracht werden könnte, zumal wenn Brecht selber von der Einsicht ausgeht: «Technik ist ja nichts ‹Äußerliches›, von der Tendenz weg zu Transportierendes.»[737] Eine umfunktionierende «Ablösungsoperation»[738] des Technischen vom Inhaltlichen übernimmt immer auch den gesellschaftlichen Funktionsgehalt der alten Technik. Sie kann versuchen, diesen mit den neuen Funktionen zu amalgieren, aber sie kann die alten Funktionen nicht selber destruieren – daher immer wieder Brechts Rückgriff auf vor- und frühbürgerliche Stilelemente und Gattungen, die selber noch pädagogischen, öffentlich-sozialen und ‹wissenschaftlichen› Charakter haben. Im Verhältnis zur Moderne hat die Fortführung der Tradition für Brecht die unmittelbar praktische Bedeutung, an dem Entwicklungsstand der Technik anzuknüpfen, den die «Entwicklungslinie der Künste»[739] selber erreicht hat. Seine Auffassung der Kunst als einer spezifischen Weise produktiver Tätigkeit bewährt sich so gerade in der Auseinandersetzung über die

praktische Aneignung zeitgenössischer Kunst. Lukács begreift Kunst lediglich als *eine* Form der Widerspiegelung von objektiver Wirklichkeit; er reflektiert auf ihre Stellung *zu* den Produktionsverhältnissen und leitet daraus für die Kunst der Moderne ein mechanisches Zurechnungsschema ab, demzufolge die geschichtsphilosophisch fixierte Signatur der bürgerlichen Produktionsverhältnisse (Abstieg) zusammenfällt mit der ihrer Kunst (Dekadenz). Da für Brecht die Geschichte der Künste der historischen Entwicklung der Produktivkräfte zugehört und das historische Subjekt der Produktion die Gattung selber, die Menschheit, ist, geht ihm die Kunst qua Produktion niemals ganz, als bloßes Abbild etwa, in den Produktionsverhältnissen auf, sondern weist als Gebrauchswert über diese auch wieder hinaus. Die zeitgenössische Literatur und Wissenschaft bezeichnet so auch einen objektiven Stand geistiger Produktivkräfte, an den die sozialistische Literatur, am Ausbau der Künste, der Entfaltung der künstlerischen Produktion auf breitester Skala interessiert, praktisch-kritisch anknüpfen kann: «Hier taucht die Frage des *Erbes* auf; es kommt zur Auseinandersetzung mit überkommenen Kulturerzeugnissen, Zeugnissen einer von einer andern, feindlichen Klasse beherrschten Kultur, in der aber doch eben alles steckt, was überhaupt erzeugt wurde; man hat hier vor sich die letzte Etappe, die unter der bürgerlichen Herrschaft und Kontrolle erreicht wurde, aber doch auch die letzte Etappe darstellt, die die Menschheit überhaupt erreicht hat.»[740]
Diese dialektische Auffassung der künstlerischen Vergangenheit und Gegenwart als eines praktisch-emanzipativen, in Widersprüchen sich entfaltenden Zusammenhangs von Kunstproduktion und gesellschaftlichen Produktionsverhältnissen und die revolutionstheoretische Einsicht in die Notwendigkeit einer Kulturrevolution, verstanden als Rücknahme der Kultur in den gesellschaftlichen Lebensprozeß, sind konstitutiv für Brechts Kritik an jenem Begriff von ‹Kultur›, mit dem die offizielle Kulturpolitik schon seit Ende 1931, vollends seit der Inauguration der Volksfront, in der Frage des Erbes operierte.

10.5. Kulturrevolution und Kulturerbe

Bertolt Brechts Kritik dieser fetischisierten Auffassung von Kultur, der eine genauso verdinglichte Konzeption ihrer Aneignung entspricht, festgemacht an Kategorien wie Besitz, Verwaltung und Treuhandschaft, ist der Walter Benjamins in der historisch-materialistischen Erkenntnis der gesellschaftlichen, durch Herrschaft, Unterdrückung und namenlose Fron konstituierten Grundlage aller bisherigen Kultur verwandt. Benjamin hatte die mechanische, unspezifische Gegenüberstellung von Kultur und Barbarei, welche Alternative die revisioni-

stische Kulturpolitik strategisch gegen den Faschismus zu wenden versuchte, aufgelöst in die dialektische Formel, jedes Dokument der Kultur sei zugleich eines der Barbarei. Brecht versucht, diese dialektische Volte Benjamins marxistisch zu konkretisieren. Er geht davon aus, daß die «bürgerliche Kultur» auf dem Eigentum beruht, das heute als «Eigentum von Produktionsmitteln herrscht» – dieser gesellschaftliche Charakter der Kultur bestimmt das Widerspruchsvolle ihrer historischen Erscheinung: «Man darf eben nicht vergessen, daß sie zugleich mit der Verklärung des Eigentums seinerzeit auch einige Mitarbeit an der Entwicklung der Produktivkräfte übernahm.»[741] Die Einsicht, daß der bürgerlichen Kultur der Widerspruch von Produktivkräften und Produktionsverhältnissen selber inhärent ist, hat entscheidende Konsequenzen für ihre praktische Aneignung, denn Kultur ist dann «keineswegs ganz und gar reaktionär, einfaches Rudiment, störende Fessel»[742]. Selber Produktivkraft, kann sie zu ihrer ungehemmten Entfaltung auch gegen ihre bürgerlich-kapitalistische Formbestimmtheit sich kehren: «[...] denn wenn die Kultur auch vom Bürgertum entwickelt wurde und kontrolliert wird, so ist sie eben doch das, was wir an Kultur haben, die Summe der Erfahrungen, Impulse, Tendenzen widersprechender Art, das heißt sie ist immerhin so weit entwickelt, verallgemeinert und entwicklungsfähig, daß die Schranken, die ihr durch das Bürgertum gesetzt werden nicht absolut, unübersteigbar, zerstörerisch sind. Der ist der höchste Stand unserer Kultur, von dem aus das Bürgerliche als Schranke, Fessel und Bedrohung erscheint.»[743]
Solche dialektisch-ideologiekritische Differenzierung verlangt eine spezifische, nämlich kritische und selber verändernde Aneignung der kulturellen Tradition, die sich vom bloßen Besitz- und Verwaltungsanspruch ans klassische und edle Erbe grundsätzlich unterscheidet; sie verlangt eine revolutionäre Haltung zur Kultur, insofern sie ideologische, affirmative, die Produktivität einschränkende Funktionen übernommen hat, und sie ermöglicht die unmittelbare Fortentwicklung all jener Elemente, die produktiv über ihre bürgerlichen Schranken hinausweisen. Für das Verhalten einer marxistisch fundierten literarischen Praxis zur künstlerischen Vergangenheit impliziert diese Konzeption die kritische Destruktion des wirkungsgeschichtlichen und traditionellen Zusammenhangs, in den das alte Werk eingebettet ist, für jenes zur künstlerischen Gegenwart die kritische Aufnahme und Fortführung der Techniken, formalen Mittel und Bauprinzipien, in die selber schon, wie rudimentär auch immer, Kritik an der Entfremdung und Verdinglichung des gesellschaftlichen Lebensprozesses eingegangen ist.
Gegenüber der bürgerlichen Kultur als ideologischer Institution, die die Trennung von Alltag und Erhebung ebenso verewigen will wie sie an ihr eine zentrale gesellschaftliche Grundlage hat, gilt für Brecht die programmatische revolutionstheoretische Einsicht, die Marx aus seiner

Analyse des bürgerlichen Staates als Überbauinstitution gewonnen hatte.[744] Ebensowenig wie der Staat kann auch die Kultur von der Arbeiterklasse nicht einfach fertig in Besitz genommen werden; die Selbstregierung der Produzenten weist die gleiche qualitative Differenz zu den voraufgegangenen sachlichen Gewaltverhältnissen auf wie die kulturrevolutionäre Aufhebung der Trennung von Alltäglichkeit und Kultur zu deren bisherigen Erscheinungsformen. Daher formuliert Brecht die radikale Konsequenz: «Die Basis unserer Einstellung zur Kultur ist der Enteignungsprozeß, der im Materiellen vor sich geht. Die Übernahme durch uns hat den Charakter einer entscheidenden Veränderung. Nicht nur der Besitzer ändert sich hier, auch das Besitztum. Und das ist ein verwickelter Prozeß. Was von der Kultur also verteidigen wir? Die Antwort muß heißen: Jene Elemente, welche die Eigentumsverhältnisse beseitigen müssen, um bestehen zu bleiben.»[745] An dieser revolutionstheoretisch begründeten Haltung zur bürgerlichen Kultur und zum ‹kulturellen Erbe› hat Brecht gerade auch im Kampf gegen den Faschismus festgehalten und von daher die revisionistische kulturpolitische Strategie der ‹Verteidigung der Kultur›, eingeschlossen die normative Festlegung des Kulturerbes und seiner Aneignungsweise, kritisiert: «Niemand kann doch erwarten, daß es sich bei diesem Erben um ein friedliches fleißiges Hereinschaffen herrenlos im Regen stehengelassener Güter handeln könnte.»[746] Die von der Volksfront für die Bündnispolitik mit der bürgerlichen Intelligenz propagierte Alternative ‹Kultur oder Barbarei› lehnt Brecht ebenso wie Benjamin ausdrücklich ab. In der *‹Plattform für die linken Intellektuellen›* wird als eine Ursache des Versagens der kulturellen Bemühungen erkannt, daß diese Arbeiten sich «allzu unbestimmt [...] an *alle* wandten»[747]. Die Entwicklung in Deutschland habe aber gezeigt, daß nur eine Schicht von Menschen bereit gewesen sei, «die Interessen aller zu vertreten», das Proletariat. Das «Unterscheidungsmerkmal barbarisch und human» für den Kampf gegen den Faschismus habe «keine organisierende Kraft»[748]; allein die Arbeiterklasse könne «Zustände [...] schaffen, an denen *alle* ein Interesse haben, welche also die Grundlage für eine wirkliche Kultur abgeben können»[749]. Im klaren Gegensatz zur politischen Linie der Volksfront heißt es daher in der ‹Plattform›: «Bundesgenosse im Kampf gegen den Nationalsozialismus kann nur die Arbeiterklasse sein.»[750]
Brechts Rede auf dem I. Internationalen Schriftstellerkongreß zur Verteidigung der Kultur griff von dieser Position aus die Parole und damit indirekt auch die Strategie des Kongresses an: «Reden wir nicht nur für die Kultur! Erbarmen wir uns der Kultur, aber erbarmen wir uns zuerst der Menschen! Die Kultur ist gerettet, wenn die Menschen gerettet sind. Lassen wir uns nicht zu der Behauptung fortreißen, die Menschen seien für die Kultur da, nicht die Kultur für die Menschen!»[751] Er forderte dazu auf, über die Wurzel der Übel nachzudenken, die in den Eigen-

tumsverhältnissen liege – in ihnen sei auch die Herrschaft des Faschismus verankert, die Quelle der Barbarei sei jenes «Eigentum des Einzelnen, das zur Ausbeutung des Mitmenschen dient und das mit Klauen und Zähnen verteidigt wird, unter Preisgabe einer Kultur, welche sich zu seiner Verteidigung nicht mehr hergibt oder zu ihr nicht mehr geeignet ist»[752]. Brechts Kritik an der revisionistischen Kulturpolitik richtet sich ebenso gegen deren legitimationsstrategischen Versuch, eine bestimmte, bürgerlich-realistische Schreibweise als verbindliche zu fixieren. Er versucht sich die politische Ursache dieser Wendung zum ‹sozialistischen Realismus› mit der schematischen Übertragung der Erfordernisse der Stalinschen Nationalitätenpolitik auf die Kulturpolitik zu erklären. Wenn dieser Erklärungsversuch auch eher ein Ausdruck einer theoretischen Ratlosigkeit ist[753], so ist seine Charakterisierung der ‹sozialistisch-realistischen› Kunst, die solche Kulturpolitik administrativ hervorbringen wird, gleichwohl treffend: «Es würde eine schreckliche Verkümmerung der großen Parole *Sozialistischer Realismus* bedeuten, wenn man etwa die Stalinsche Parole in der Nationalitätenpolitik *sozialistischer Inhalt, nationale Form* hier mechanisch nachbildete und so etwas wie *sozialistischer Inhalt, bürgerliche Form* als Parole aufstellte [...] Die Parole *Bürgerliche Form* wäre einfach reaktionär. Sie bedeutete nur die Banalität: Neuen Inhalt in alte Schläuche.»[754] Gegenüber den «immer neuen Anforderungen der sich immer ändernden sozialen Umwelt» alte Formen als einzig verwendbare zu fordern, erweist sich als der wirkliche «Formalismus»[755]. Brecht wendet das Problem grundsätzlich, wenn er die Frage nach dem revolutionären Selbstverständnis stellt, das solchem Formalismus noch zugrunde liegen kann: «Können wir wirklich gegen das Experiment Stellung nehmen, wir, die Umstürzler?»[756]

Die sich selber als verändernde Praxis begreifende Literatur Brechts läßt so ihr Verhältnis zu Tradition und Kulturerbe bestimmen von der konkreten Dialektik von Material und Bestimmung, von Instrument (= Versuch/Experiment) und gesellschaftlicher Funktion, von der Intention der Veränderung wie von der vor sich gehenden Veränderung der Wirklichkeit selber. Experiment und Neuerung sind notwendige Bildungselemente einer marxistisch fundierten Kunstproduktion: «Wenn wir uns die neue Welt künstlerisch praktisch aneignen wollen, müssen wir neue Kunstmittel schaffen und die alten umbauen [...] Experimente ablehnen heißt sich mit dem Erreichten begnügen, das heißt zurückbleiben.»[757] Die Fundierung der Kunst auf Politik, wie Brecht sie versucht, ihre theoretische Selbstreflexion als spezifische Weise von Produktion und Praxis und ihre so eingeleitete Emanzipation vom Ritual ermöglichen ein Verhältnis zum Kulturerbe, das der legitimationsideologischen Rückwendung zur Tradition ebenso entraten kann wie der geschichtsphilosophisch rationalisierten, eskapisti-

schen Verurteilung moderner Kunst als Fäulnisprodukt.
Fundierung der Kunst auf Politik erweist sich in den Versuchen Brechts und seinem Verhältnis zur literarischen Tradition als eine spezifische und qualifizierte Weiterentwicklung und Transformation jener Reflektiertheit, Distanz und technischen Variationsfähigkeit, die die Kunst der Moderne in der radikalen Kritik des traditionalen Werks entfaltet hat.

11. Zum Verhältnis von Aufklärung, Engagement und der Fundierung von Kunst auf Politik und Wissenschaft

Dichtung hat ihren Ursprung nicht in sich selbst – ein metaphysisches Vorurteil, das gerade auch in der Brecht-Forschung ständig wiederkehrt[758] –, sondern das ästhetische konvergiert mit dem reflektierenden und scientifischen Bewußtsein, weil auch die Dichtung die empirische Wirklichkeit nicht bloß reproduzierend und abbildend hinnimmt. Die Dichtung der Moderne hat diesen Sachverhalt – wie zu Beginn ausführlich dargestellt wurde – in ihren Begriff, in ihr Selbstverständnis hineingenommen. Je komplexer die gesellschaftliche Realität wurde, je mehr alle Lebensbereiche in deren soziale und administrative Strukturen integriert wurden, je tiefer die gesellschaftlichen Widersprüche wurden, um so mehr zersetzte sich der bürgerliche Begriff von Kunst und verfiel der Ideologie: interesseloses Wohlgefallen, Freiheit von Zwecken, Autonomie immer noch da behauptend, wo alles vom Interesse, von Zwecken und heteronom bestimmt wird. Souveränität gegenüber der Realität konnte Kunst einzig noch beanspruchen, wo sie sich ihre heteronomen Bestimmungen einbekannte, sich selbst und ihren historischen wie gesellschaftlichen Ort zum Gegenstand ihrer Selbstreflexion wie ihrer Praxis machte. Eine der Möglichkeiten der modernen Kunst, sich ihren heteronomen Bedingungen nicht gänzlich zu unterwerfen und damit sich selbst aufzugeben, ist auf diese sich einzulassen und die eigene Funktion in ihnen zu bestimmen, es ist die Möglichkeit ihrer Fundierung auf Politik, also in der Moderne zugleich eine, die noch auf vielfältige Weise an Traditionen gebunden ist und sich auch an deren kritischer Integration bildet. Dagegen könnte eingewandt werden, die politischen Intentionen Brechts seien für die Entwicklung seiner ästhetischen Auffassungen irrelevant, ja hätten diese lediglich fehlgeleitet, die sinnliche Fülle seines Frühwerks zu dürrem Rationalismus und karger Agitationssprache verdünnt, lediglich hie und da habe dichterisches Vermögen durch die ihm innewohnende Kraft dem Ideologen gegen dessen Willen auf den rechten Weg der Poesie geholfen.[759] Demgegenüber muß festgehalten werden, daß gerade auch Brechts spezifische Konzeption literarischer Praxis sich bildet an einer Kritik bürgerlicher Kultur und Ästhetik: deren ganze Widersprüchlichkeit war, was die Generation Brechts angeht, zum erstenmal nach der Erfahrung des Ersten Weltkriegs und der gescheiterten Revolution bewußt geworden und aktualisierte sich mit eindringlicher Schärfe angesichts des Faschismus als einem Produkt jener bürgerlichen Gesellschaft, der auch die idealistische Kultur zugehörte. Herbert Marcuse hat überzeugend nachgewiesen, daß die «kulturelle Umorganisation vom liberalistischen Idealismus zum heroischen Realismus» noch innerhalb der affir-

mativen Kultur selbst[760] sich vollzog, daß «idealistische Innerlichkeit mit der heroischen Äußerlichkeit verwandt»[761] war, die ideologische Vorbereitung des autoritären Staates die heroische Gestalt der affirmativen Kultur hervorgekehrt habe.[762]
Walter Benjamin hat in seinem Aufsatz ‹*Das Kunstwerk im Zeitalter seiner technischen Reproduzierbarkeit*› den Zusammenhang von Faschismus und den späten Ausformungen bürgerlicher Ästhetik noch radikaler und präziser bezeichnet, indem er jenen als «Ästhetisierung des politischen Lebens»[763] und somit als «Vollendung des l'art pour l'art»[764] begriff. «Die Menschheit, die einst bei Homer ein Schauobjekt für die Olympischen Götter war, ist es nun für sich selbst geworden. Ihre Selbstentfremdung hat jenen Grad erreicht, der sie ihre eigene Vernichtung als ästhetischen Genuß ersten Ranges erleben läßt. So steht es um die Ästhetisierung der Politik, welche der Faschismus betreibt.» Und Benjamin weist auf jene Konsequenz hin, die ihn nicht nur mit den Intentionen Brechts kritisch verbindet, sondern die er in dessen Werk exemplarisch realisiert sah: «Der Kommunismus antwortet ihm mit der Politisierung der Kunst.»[765]
Brechts ästhetische Auffassungen sind entwickelt aus einer kontinuierlichen und präzisen Kritik der bürgerlichen Kultur und ebenso wie Benjamin hat ihm der Faschismus den Blick für deren Aporien und Widersprüche geschärft. Eine zentrale Kategorie seiner Kritik ist die der ‹Folgenlosigkeit› bürgerlicher Literatur: «Wir haben eine folgenlose Literatur, die sich nicht nur bemüht, selber keine Folgen zu haben, sondern sich auch alle Mühe gibt ihre Leser zu neutralisieren, indem sie alle Dinge und Zustände ohne ihre Folgen darstellt. Wir haben folgenlose Bildungsinstitute, die sich ängstlich bemühen, eine Bildung zu vermitteln, welche keinerlei Folgen hat und von nichts die Folge ist. Alle unsere ideologiebildenden Institutionen sehen ihre Hauptaufgabe darin, die Rolle der Ideologie *folgenlos* zu halten, entsprechend einem Kulturbegriff, nach dem die Bildung der Kultur bereits abgeschlossen ist und Kultur keiner fortgesetzten schöpferischen Bemühung bedarf.»[766]
Er geht so von der Erkenntnis aus, daß die idealistische Ästhetik gegenüber der so gründlich gewandelten gesellschaftlichen Realität ideologischen Charakter angenommen hat. Aus Anlaß eigener Erfahrungen mit der kapitalistischen Kulturindustrie kritisiert er diesen in seiner Schrift über den ‹Dreigroschenprozeß› von 1932. Neben die Einsicht in die ‹Folgenlosigkeit› traditionaler Kunst tritt nun die, daß gerade deren kontemplative Haltung, ihre scheinbare Freiheit von Zwecken und ihre Trennung von Praxis sie dieser verfügbar gemacht hat: «In Wirklichkeit gerät natürlich die ganze Kunst ohne jede Ausnahme in die neue Situation, als Ganzes und nicht in absplitternden Teilen hat sie sich auseinanderzusetzen damit, als Ganzes wird sie zur Ware oder nicht zur Ware. Die Umgestaltung durch die Zeit läßt nichts unberührt, sondern

erfaßt immer das Ganze.»[767] Aus dieser Analyse des historisch-gesellschaftlichen Augenblicks – und er war auch politisch ein entscheidender – formuliert Brecht seine Kritik an «der großen bürgerlichen Ideologie, idealistischer Herkunft»: «Vielen dieser Vorstellungen liegt zugrunde die Vorstellung von einem unverletzlichen Phänomen Kunst, das direkt aus dem Menschlichen gespeist wird, ohne deshalb seiner nicht auch entraten zu können, einem unabhängigen Phänomen gesellschaftlicher Art, das sich gegen die Gesellschaft durchsetzen kann, das sich überhaupt und überall manifestieren kann und muß, aller Umwelt sich gleichsam nur als Medium bedienend [...] Sein Nutzen gilt als sehr groß, jedoch hütet man sich eher, ihn zu nennen, denn eines seiner vornehmsten Prädikate soll eine gewisse Nutzlosigkeit sein, der Nutzen davon wiederum soll darin bestehen, daß es in ihm etwas gibt, das sich der gemeinen Nutzung entzieht und ohne Interesse geliebt wird. Etwas lieben zu können ohne Interesse gilt als Blüte des menschlichen Geistes.»[768] Brecht erwartet, daß der «Gang der Realität» diese Vorstellungen auflösen wird; freilich, obwohl «die kapitalistische Produktionsweise die bürgerliche Ideologie [zertrümmert]», bescheidet er sich nicht beim bloß passiven Zuwarten, «sondern indem man in Form von Experimenten die Realität provoziert», soll dieser Prozeß «durch Beschleunigung und Zusammenfassung sichtbarer gestaltet» werden. «Auch soll man neue Begriffe reichlich einströmen lassen, so das Denkmaterial vermehren, denn viel liegt an dem zu zähen Beibehalten des alten Begriffsmaterials, das die Realität nicht mehr zu fassen vermag wie schon Bacon, freilich ohne viel Erfolg in den Geisteswissenschaften, aber desto glücklicher in den technischen, vorgeschlagen hat.»[769] Der Verweis auf Francis Bacon und dessen ‹*Neues Organon*› ist keineswegs beiläufig in der Schrift über den ‹Dreigroschenprozeß›. Schon dessen Bezeichnung als ‹soziologisches Experiment› soll methodologisch (induktives Prinzip) die Kritik an einem ‹marxistischen› Objektivismus begründen helfen, der gesellschaftlichen Widerspruch und Klassenkampf gleichsam als natürliche Kategorien behandelt[770], die Widersprüche «in den Dingen und Vorgängen»[771] selber nicht mehr zu provozieren und mobilisieren sucht.

Die praktische Philosophie Francis Bacons und ihre Bedeutung für die marxistische Fundierung der literarischen Praxis Brechts

Bacons Werk gilt ihm so als Exempel der Zukunft im Vergangenen, denn dieses hatte als Vorläufer der bürgerlichen Aufklärung zuerst die Kategorien einer Ideologiekritik und zugleich die Voraussetzungen einer «theoretischen Neugierde»[772] formuliert, deren praktisches Erkenntnispathos und methodisches Prinzip der Theoretiker Brecht zu seinem eigenen zu machen sucht. Hatten diese bei Bacon sich entfaltet

an der «Beruhigung der menschlichen Wißbegierde an dem, was die Antike erreicht hatte»[773] und an der ‹Sorglosigkeit und Trägheit (*socordia et inertia*) der Menschen›, die sich den Aristoteles zur unbefragten und bequemen Autorität werden ließen, so gelten sie Brecht als die historischen Zeugnisse seines eigenen Kampfes gegen eine ebenso gleichsam Natur gewordene bürgerliche Gesellschaft wie deren Ästhetik und darüber hinaus einen selbstgenügsam und -gewiß gewordenen Marxismus.
Solche theoriegeschichtliche Fundierung hat nicht den Charakter von Legitimation, sondern bildet eine ‹belebende› Konstruktion, die im Vergangenen jene unabgegoltenen Gehalte aufzufinden sucht, deren kritischer Impuls noch in der Gegenwart zu wirken vermag. Die neue Kritik, vorgetragen in der Form der alten Kritik an verdinglichter philosophischer und wissenschaftlicher Autorität und im inhaltlichen Verweis auf sie, soll die kritische Konstellation sichtbar machen, in die sie selber zu gerade diesem Fragment der Vergangenheit getreten ist. Bacons ‹*Neues Organon*› ist derart für Brecht zunächst wegen seiner Idolenlehre wichtig geworden, die eine frühe Gestalt von Ideologiekritik darstellt. In ihr und der emphatischen Radikalität, mit der Bacon versucht, gegen eine bloß kontemplative *theoria* eine praktische Philosophie, die konkret zur Verbesserung des menschlichen Lebens, zur Entfaltung von Produktion und Wissenschaft beitragen will, zu entwerfen, liegt ein Berührungspunkt dieses frühen, gleichwohl noch theologisch vorgetragenen Materialismus mit dem dialektischen Materialismus von Karl Marx.
Die von Brecht immer wieder zur methodischen Begründung seiner Verfremdungstechnik angeführte Analogie, daß Bacons Instrumentarium naturwissenschaftlicher Erkenntnis – methodischer Zweifel, Experiment, induktives Verfahren – in eines zur kritischen Erkenntnis der gesellschaftlichen Phänomene tranformiert werden könne[774], hat ihren Ursprung offensichtlich in seinen theoretischen Diskussionen mit Karl Korsch.[775] Dieser schreibt in seinem Buch ‹*Karl Marx*› über Zusammenhang und Differenz der naturwissenschaftlichen Methodik mit der des Marxschen Materialismus: «Statt die von den Naturforschern in jahrhundertelanger Arbeit entwickelten und ihrem Forschungsgebiet genau angepaßten, in weitgehender Spezialisierung weitgehend differenzierten Methoden fix und fertig auf die Gesellschaftsforschung zu übertragen, erblickt der neue Materialismus von Marx seine Aufgabe in der Ausbildung *spezifischer Methoden* der geschichtlich gesellschaftlichen Forschung – eines novum organum, das es dem Gesellschaftsforscher ermöglichen soll, auch auf seinem Gebiet die der unbefangenen Erforschung des Wirklichen im Wege stehenden idola zu durchdringen und hinter einem unendlichen Gewirr von ‹ideologischen› Verkleidungen den versteckten realen Sachverhalt ‹na-

turwissenschaftlich treu zu konstatieren›. Hierin besteht der Kern des Marx'schen Materialismus.»[776] Freilich wird an dieser Interpretation schon jene Tendenz zum Empirismus spürbar, die in den Theoremen des späten Korsch immer stärker hervortrat und auch in den theoretischen Arbeiten Brechts ihre Spuren hinterlassen hat. Dennoch bezeichnet sie exakt jenen exemplarischen, modellhaften Charakter, den Bacons Idolenlehre für die Kritik Brechts an einer gegen Erfahrung immunisierten ‹marxistischen› Weltanschauung ebenso gehabt hat wie für die ideologiekritische Haltung seiner Verfremdungstheorie. Dieser wird sogleich deutlich, wenn man im Paragraphen 38 des *‹Novum Organum›* liest: «Die Götzenbilder und falschen Begriffe, die von dem menschlichen Geist schon Besitz ergriffen haben und fest in ihm wurzeln, halten den Geist nicht bloß so besetzt, daß die Wahrheit nur schwer einen Zutritt findet, sondern daß, selbst wenn dieser Zutritt gewährt und bewilligt worden ist, sie bei der Erneuerung der Wissenschaften immer wiederkehren und belästigen, solange man nicht sich gegen sie vorsieht und nach Möglichkeit verwahrt.»[777] Solche Kritik setzte zugleich Wandlungen im Begriff der Theorie selbst voraus – ihnen gilt Brechtc Interesse im gleichen Maße.

Theorie war nicht mehr, wie es die Antike noch gesehen hatte, «ruhende und beglückende Anschauung der sich selbst darbietenden Dinge». «Es genügt nicht mehr den einzelnen Gegenstand in den Focus der Anschauung zu rücken und von ihm gleichsam eine Aussage über sich selbst zu erwarten; nur angestrengte Veränderung der Wirklichkeit gewährt Aufschluß über sie, und die Insistenz der ruhenden Anschauung ist nutzlos.»[778] Bacon formuliert dieses Prinzip in der Einleitung zum *‹Neuen Organon›*: *«Nemo enim rei alicuius naturam in ipsa re recte aut feliciter perscrutatur; verum post laboriosam experimentorum variationem non acquiescit, sed invenit quod ulterius quaerat»*[779], daraus resultiert die Bedeutung der Negation im Erkenntnisvorgang (*procedere primo per negativas ... post omnimodam exclusionem*), ja ein Konzept der Erkenntnis überhaupt, das kritisch «gegen den Wirklichkeitsbegriff der momentanen Evidenz gerichtet» und «ganz von dem Wirklichkeitsbegriff des experimentellen Kontextes getragen» ist, «in dem die wahre Natur der Dinge – wie die des Bürgers im Staate – sich nur zeigt, wenn sie ihrer ‹Natürlichkeit› entzogen und gleichsam künstlicher Unordnung ausgesetzt sind (*cum quis in pertubatione ponitur*)»[780].

Brecht wendet solche Erkenntnisprinzipien auf sein artistisches Verfahren an, das er als ein kritisch-realistisches begreift. Denn auch ihm geht es wie Bacon darum, den Wirklichkeitsbegriff der momentanen und unmittelbar anschaulichen Evidenz zu kritisieren – freilich ist seine Kritik nicht bloß bezogen auf Dinge und Erscheinungen der Natur, sondern auf die verdinglichten und zur zweiten Natur gewordenen

Erscheinungsformen der kapitalistischen Gesellschaft, deren Wesen er freizulegen sucht: «Die Lage wird dadurch so kompliziert, daß weniger denn je eine einfache ‹Wiedergabe der Realität› etwas über die Realität aussagt. Eine Photographie der Kruppwerke oder der AEG ergibt beinahe nichts über diese Institute. *Die eigentliche Realität ist in die Funktionale gerutscht.* Die Verdinglichung der menschlichen Beziehungen, also etwa die Fabrik, gibt die letzteren nicht mehr heraus.»[781] Aus dieser Einsicht, die zugleich sehr genau den Wandel in der Argumentation seit der Ablehnung der 400 Lyriker bezeichnet (vgl. S. 219f), folgt konsequent, daß solche Erkenntnis gleichsam der Phänomenologie der bürgerlichen Gesellschaft auch in die ästhetische Produktion eingehen muß – und zwar nicht bloß als die Darstellung positiver theoretischer Inhalte, sondern gerade und vorzüglich als in der Form selber realisierte. Daher fährt Brecht an dieser Stelle fort: «Es ist also tatsächlich ‹etwas aufzubauen›, etwas ‹Künstliches›, ‹Gestelltes›. Es ist also ebenso tatsächlich Kunst nötig. Aber der alte Begriff der Kunst, vom Erlebnis her, fällt eben aus [...] Aber wir reden, so redend, von einer Kunst mit ganz anderer Funktion im gesellschaftlichen Leben, nämlich der, Wirklichkeit zu geben ...»[782]

Dieser ‹antimetaphysische›, technische Kunstbegriff – wie Brecht ihn selber in der Sprache aufklärerischer Tradition bezeichnet – hat so einen seiner theoretischen Ursprünge in Bacons praktisch-philosophischer Begründung des Experiments in der Vorrede zum *‹Neuen Organon›*: « [...] denn die Natur verrät sich mehr, wenn sie von der Kunst gedrängt wird, als wenn sie sich frei überlassen bleibt.»[783]

In Brechts *‹Messingkauf›* zitiert der Philosoph genau diesen Satz[784], um gegen Abbildrealismus und Naturalismus in der Manier Stanislavskijs einen kritischen Realismus durchzusetzen: «Daß die Realität auf dem Theater wiedererkannt wird, ist nur eine der Aufgaben des echten Realismus. Sie muß aber auch noch durchschaut werden. Es müssen die Gesetze sichtbar werden, welche den Ablauf der Prozesse des Lebens beherrschen. Diese Gesetze sind nicht auf Photographien sichtbar. Sie sind aber auch nicht sichtbar, wenn der Zuschauer nur das Auge oder das Herz einer in diese Prozesse verwickelten Person borgt.»[785]

Denn je vollständiger die Illusion, je verdeckter, je mehr in der Abbildung aufgegangen das artistische Instrumentarium, die künstlerische Technik, um so eindringlicher ist der objektive Schein von Natürlichkeit. Eine selber auf Veränderung des Bestehenden gerichtete literarische Praxis dagegen vermeidet alles, um diesen Schein zu erzeugen; sie sucht ihn zu destruieren, weil eben der ästhetische Schein selber immer auch am objektiven ideologischen Schein der zur zweiten Natur verdinglichten gesellschaftlichen Verhältnisse partizipiert. Solche sekundäre Natürlichkeit etwa des Abbild-Realismus, die den ideologischen Schein bloß verdoppelt, bewirkt, «daß man mit dem Urteil, mit der

Phantasie und mit den Impulsen nicht mehr dazwischenkommen kann, sondern sich einfügt, lediglich mitlebt und ein Objekt der ‹Natur› wird. Die Realität muß, bei aller Komplettheit, schon durch eine künstlerische Gestaltung verändert sein, damit sie als veränderbar erkannt und behandelt werden kann. Und das ist der Grund unserer Natürlichkeitsforderung: Wir wünschen die Natur unseres Zusammenlebens zu verändern.»[786]

Das artistische Gestaltungsprinzip, das Brecht an Bacons Modell praktischer Philosophie und Wissenschaftstheorie konstruktiv sich erschließt, ist weniger auf dessen vielfältigen inhaltlichen Bestimmungen bezogen als auf seine erkenntniskritische Grundhaltung, die des Staunens nicht übers Seltene, sondern übers Bekannte und Alltägliche: «Nichts ist der Philosophie hinderlicher gewesen, als daß man bei allen bekannten und häufigen Vorkommnissen sich um deren Betrachtung nicht gekümmert, sondern sie obenhin angenommen hat, ohne nach ihren Ursachen zu fragen. So kommt es, daß die Belehrung über unbekannte Dinge meist nicht so nöthig ist als die Aufmerksamkeit auf bekannte.»[787] Die Verfremdungstechnik, die Stilelemente Montage und offene Form sollen selbständiges kritisches Urteil, produktive Phantasie und eingreifende Impulse ermöglichen. Sie sind erste technische Lösungen jener großen Schwierigkeit, auf die «die Herstellung von Abbildungen der Welt» stößt, «welche dazu beitragen können, die Welt beherrschbar zu machen»[788]. Wenn Brecht das von Bacon entlehnte methodologische Organon zur ‹Meisterung der Natur› transformiert in eine literarische Technik, die helfen soll die Menschen zur Souveränität gegenüber der Realität zu emanzipieren durch die Präsentation ihrer Widersprüche und undurchschauten gesellschaftlichen Gesetze, übernimmt er zugleich ein methodisches und didaktisches Prinzip Bacons, in dem man eine frühe Erscheinungsform des emanzipativen Vernunftinteresses der bürgerlichen Aufklärung erblicken kann, das Prinzip der Induktion. Denn die Intention des Kunstproduzenten, wie sie programmatisch in den ‹*Notizen über eine Gesellschaft für induktives Theater*› festgehalten ist, «die Welt als veränderlich und unbekannt aufzufassen und solche Abbildungen abzuliefern, welche mehr über die Welt als über ihn Aufschluß geben»[789], zielt auf Selbsttätigkeit, Abstrahierungsvermögen und selbständiges Urteil, nicht auf die appellative Verkündigung und Repräsentation eines geschlossenen Weltbildes und einer ebenso geschlossenen Realität. Den emanzipativen Gehalt des induktiven Prinzips formuliert Bacon in der Vorrede zum ‹*Neuen Organon*›: «Dem Urtheile der Menschen thue ich keine Gewalt an; ich hintergehe sie nicht, sondern führe sie zu den Dingen selbst und zu dem, was diese verbindet; *damit sie selbst sehen*, was sie haben, und sehen, was sie beweisen, was sie hinzufügen, und was sie zu dem Gemeinsamen beitragen können.»[790] Mit dem induktiven Prinzip rezipiert Brecht an Bacons

praktischer Philosophie zudem die entschiedene Kritik geschlossener Weltbilder und autoritär-dogmatischer Systementwürfe (Bacons Kritik der Scholastik) und damit den Primat der methodischen Reflexion, des Organons zu ihrer Erschließung vor der geschlossenen Deutung der Realität als Totalität. Bacon, die *idola theatri* analysierend, schreibt: «Der menschliche Verstand zieht in das, was er einmal als wahr angenommen hat, weil es von Alters her gilt und geglaubt wird, oder weil es gefällt, auch alles Andere hinein, um Jenes zu stützen und mit ihm übereinstimmend zu machen. Und wenn auch die Bedeutung und Anzahl der entgegengesetzten Fälle größer ist, so bemerkt oder beachtet der Geist sie nicht oder beseitigt und verwirft sie mittelst Unterscheidungen zu seinem großen Schaden und Verderben, nur damit das Ansehen jener alten fehlerhaften Verbindungen aufrecht erhalten bleibe.»[791]
Solche Kritik geschlossener Weltanschauungen kehrt wieder in Brechts *‹Buch der Wendungen›*, freilich umfunktioniert und indirekt gegen die Hypostasierung der materialistisch-dialektischen Methode zur Weltanschauung gerichtet: «Es ist besser, die Urteile an die Erfahrungen zu knüpfen, als an andere Urteile, wenn die Urteile den Zweck haben sollen, die Dinge zu beherrschen. Me-ti war gegen das Konstruieren zu vollständiger Weltbilder.»[792] Bacon hat versucht, das induktive Prinzip auch in seiner Schreibweise zu realisieren; er ist darum auch als Schriftsteller, als literarischer Techniker von praktischem Interesse für Brecht. So begründet Bacon philosophisch den Aphorismus als ‹offene Form›, die dem induktiven Prinzip vollkommen entspricht: «Da endlich die Aphorismen nur einige Theile und gleichsam abgebrochene Stücke der Wißenschaften darlegen, so reizen sie an, daß auch andere etwas beyfügen und herlegen; die methodische Überlieferung aber, indem sie mit der ganzen Wißenschaft prahlt, macht die Menschen alsbald sicher, als wenn sie nun gleichsam das Ziel erreicht hätten.»[793] Der philosophische Aphorismus als eine Ausprägung der ‹offenen Form› ist ein strukturtypisches Stilprinzip gerade für die theoretischen Arbeiten Brechts, in denen die Erkenntnis in der Tat in «einzelnen scharf begrenzten Sätzen» (vgl. Anm. 793) ausgesprochen wird, so daß auch andere etwas «beyfügen und herlegen» können.
Bertolt Brechts Rezeption Bacons und darüber hinaus der radikalen bürgerlichen Aufklärung (Diderot) ist unmittelbar bedeutsam für seine Kritik des überkommenen ‹metaphysischen› Kunstbegriffs, insofern dieser der Kunst einen eigenen, von anderen produktiven Tätigkeiten separierten, zumeist ontologisch definierten Bereich zuweist. Brecht schlägt dagegen, ganz in der Tradition der Großen Enzyklopädie, vor: «Es wäre viel nützlicher, den Begriff ‹Kunst› nicht zu eng zu fassen. Man sollte zu seiner Definierung ruhig solche Künste wie die Kunst des Operierens, des Dozierens, des Maschinenbaus und des Fliegens heranziehen.»[794] Die Definition der Kunst durch ihre Stellung zur Wissenschaft

und zu den mechanischen Künsten heißt für Brecht zum einen, den seit der frühen bürgerlichen Aufklärung gesprengten theoretischen und praktischen Zusammenhang von Wissenschaft, Kunst und gesellschaftlichen Produktivkräften zu rekonstruieren und zugleich dessen historische Begrenztheit kritisch zu überschreiten. Wenn es darum in Bacons ‹*Neuem Organon*› heißt: «In bürgerlichen Dingen ist selbst eine Veränderung zum Bessern wegen der damit verbundenen Störungen bedenklich. Die bürgerliche Gesellschaft ruht auf der Autorität, der Gemeinsamkeit, dem Ruf und der Meinung, und nicht auf Beweisen; aber in den Künsten und Wissenschaften soll, wie in den Schmelzhütten, Alles von dem Lärm neuerer Vorrichtungen und weiterer Fortschritte erfüllt sein»[795], so knüpft Brecht bewußt an dem so bestimmten theoretisch-praktischen Zusammenhang von Kunst, Wissenschaft und Entfaltung der Produktivkräfte an[796]; er erkennt jedoch, daß in Bacons Fortschrittsbegriff die gesellschaftliche Emanzipation auf die bloß instrumenteller Vernunft reduziert wird. Brechts ästhetische Theorie partizipiert an der scientistischen Haltung Bacons, indem er deren kritische Verfahrensweise in der Naturerkenntnis umfunktioniert in eine radikale, gegenüber der gesamten Gesellschaft einzunehmende Haltung praktisch-kritischer Umwälzung. Er versucht so, die kritisch-emanzipative Haltung zur Natur, die die praktische Philosophie Bacons einnahm, zu verbinden mit dem emanzipativen Vernunftinteresse der radikalen Aufklärung[797] und der Revolutionstheorie in praktischer Absicht eines als kritisch begriffenen Marxismus. Diese theoriegeschichtliche Rekonstruktion hat ihren historischen Ursprung in einer von Brecht durchaus erkannten Krise des Marxismus selber. Durch den reflektierten Rückgriff auf die frühbürgerliche Philosophie und Kunsttheorie (Bacon, Diderot), für die Wissenschaft und Kunst noch nicht in dem später erreichten Ausmaß geschieden waren, sondern als spezifische Formen produktiver Betätigung aufgefaßt wurden, versucht Brecht zum einen seine Konzeption von Kunst als verändernder Praxis und Produktion theoriegeschichtlich zu fundieren. Zum andern jedoch wendet er das uneingelöste emanzipative Potential dieser vergangenen Theorien, zumal das in ihnen exemplarisch formulierte kritische Prinzip, gegen einen zur Weltanschauung und ontologischen Seinslehre verkommenen Materialismus.

Die Rekonstruktion des emanzipativen Vernunftinteresses für seine literarische Praxis hat ihren politischen und theoretischen Grund nicht nur darin, daß das Bekenntnis zur Vernunft die gemeinsame antifaschistische Position der exilierten Schriftsteller gewesen wäre[798], sondern ebenso in Brechts Einsicht in die Deformation der kritischen und revolutionären Gehalte der materialistischen Dialektik zur selbstgewissen Weltanschauung: «Der Faschismus mit seiner grotesken Betonung des Emotionellen und vielleicht nicht minder ein gewisser Verfall des rationellen Moments in der Lehre des Marxismus veranlaßte mich selber zu einer stärkeren Betonung des Rationellen.»[799] Jenes Bündnis, auf das Bacon seine «besten Hoffnungen gebaut» hatte, das Bündnis «des versuchenden nämlich und des denkenden» Vermögens[800] bildet so, durch die Rezeption von Descartes und Diderot auf die Reflexionsstufe des emanzipativen Vernunftinteresses gehoben und materialistisch-dialektisch gewendet, einen zentralen Ausgangspunkt der ästhetisch-politischen Theorie und Praxis Brechts.

Aufklärung, Engagement und Fundierung der Kunst auf Politik

Der konstruierte theoriegeschichtliche Zusammenhang, in den Brechts auf Politik fundierte literarische Praxis sich stellt, ist konstituiert durch die Verbindung eines marxistisch interpretierten bürgerlichen Rationalismus mit einem in seinen theoretischen Prinzipien wesentlich von Korsch beeinflußten kritischen Marxismus. In der kritischen Integration des emanzipativen Vernunftinteresses bürgerlicher Aufklärung artikuliert sich ein differenziertes Verhältnis auch zur bürgerlichen philosophischen, kunsttheoretischen und künstlerischen Tradition. Dessen theoretischer Grund ist eine emanzipatorisch begriffene Rationalität, die, von der Aufklärung zuerst als «Ausgang des Menschen aus selbstverschuldeter Unmündigkeit» formuliert, als gesellschaftlich eingelöst erst gesehen wird in der von Marx prognostizierten «Assoziation, worin die freie Entwicklung eines jeden die Bedingung für die freie Entwicklung aller ist». Solche kritisch-umfunktionierende Rezeption bürgerlicher Aufklärung in revolutionstheoretischer Absicht läßt den ästhetischen Theoretiker Brecht von «jener bürgerlichen rationellen Vernünftigkeit» sprechen, «welche die Werke der Swift, Voltaire, Lessing, Goethe und so weiter in so hohem Maße» auszeichne.[801] Voraussetzung solcher Traditionswahl ist ein theoretisch-praktisch begründetes ästhetisches Engagement, wie es Brecht zu Beginn der Emigration selber noch weitgehend in Kategorien der Aufklärung formuliert hat: «Auch die Kunst muß in dieser Zeit der Entscheidungen sich entscheiden. Sie kann sich zum Instrument einiger weniger machen, die für die vielen die Schicksalsgötter spielen und einen Glauben verlangen, der vor allem blind zu sein hat, und sie kann sich auf die Seite der vielen stellen, und ihr Schicksal in ihre eigenen Hände legen. Sie kann die Menschen den Rauschzuständen, Illusionen und Wundern ausliefern, und sie kann den Menschen die Welt ausliefern. Sie kann die Unwissenheit vergrößern, und sie kann das Wissen vergrößern. Sie kann an die Gewalten appellieren, die ihre Kraft beim Zerstören beweisen, und an die Gewalten, die ihre Kraft beim Helfen beweisen.»[802] Solche Programmatik legt die Frage nahe nach dem Verhältnis von Engagement im aufklärerischen

Sinne zur Fundierung von Kunst auf Politik. Auf diese Problematik soll im folgenden Exkurs über die Brecht-Kritik Adornos näher eingegangen werden.

Exkurs: Theodor W. Adornos Kritik an der literarischen Theorie und Praxis Bertolt Brechts – negative Dialektik des ‹autonomen› Werks oder kulturrevolutionäre Fundierung der Kunst auf Politik?

Theodor W. Adorno hat in einer Auseinandersetzung mit Jean-Paul Sartres Buch *‹Was ist Literatur?›* den Begriff des Engagements diskutiert und dabei das Werk Brechts einer scharfen Kritik unterzogen. Im genauen Gegensatz zu der oben zitierten Forderung Brechts postuliert er apodiktisch: «Kunst heißt nicht: Alternativen pointieren, sondern, durch nichts anderes als ihre Gestalt, dem Weltlauf widerstehen, der den Menschen immerzu die Pistole auf die Brust setzt.»[803] In solcher theoretischen Analyse der Epoche, die auf wenige abstrakte Bestimmungen reduziert, durch eine einzige Allegorie der Brutalität charakterisiert wird und so als total geschlossenes, eindimensionales System und gesellschaftliche Monade erscheinen kann, ist die Annahme Adornos begründet, daß die «rücksichtslose Autonomie der Werke, die der Anpassung an den Markt und dem Verschleiß sich entzieht» qua Autonomie «unwillkürlich» bereits «zum Angriff»[804] werde. Konsequent wendet Adorno Samuel Becketts Stücke und Franz Kafkas Prosa gegen das Werk Brechts. Indem jene die historischen Sachverhalte, die Abdankung des Subjekts ernst nehmen und ihnen formal zu entsprechen suchen, nämlich in der vollkommenen Durchartikulation bis zur Weltlosigkeit, genügen sie damit der Idee des engagierten Kunstwerks und der polemischen Verfremdung eher als der Theoretiker Brecht, der sie zwar gedacht, aber um so weniger praktiziert habe, je geselliger er dem Menschlichen sich verschrieb.

Engagierte Dichtungen im Sinne Brechts denunziert Adorno als offiziell, während ihm für die Werke Kafkas und Becketts gilt: als Demontagen des Scheins sprengen sie die Kunst von innen her, welche das proklamierte Engagement von außen, und darum nur zum Schein, unterjocht.[805] Das Unausweichliche solcher Kunst nötige zu jener Änderung der Verhaltensweise, welche die engagierten Werke bloß verlangten. Die autonomen Werke sind, indem sie, mit Adorno zu reden, dem Weltlauf sich gleichmachen, Erkenntnis als begriffsloser Gegenstand. Nicht haben sie die Menschen zu ihr zu überreden, weil sie in ihre Hand gegeben sei. Gesellschaftliche Realität und politische Praxis erscheinen so als ein Verblendungszusammenhang, dem alles unentrinnbar verfallen ist. Kunst, die sich in seinen Grenzen als wie auch immer engagierte, «auch als politisch radikale versteht, macht sich mit ihm gemein, in ihr steckt schon das weltfreundliche Moment; im Gestus des Anredens heimliches Einverständnis mit den Angeredeten, die doch allein dadurch noch aus der Verblendung zu reißen wären, daß man dies Einverständnis aufsagt»[806]. Diesen voluntaristischen Akt leistet einzig das ohne Rest negativ gewordene Kunstwerk – denn nur als vollendete Negation macht sich die Gestalt des Werkes selber zum Gleichnis eines Anderen, das sein soll. Über dieses Andere, das einzig noch im Denken und im radikal autonomen Werk ex negativo festgehalten werden kann, ergeht das Bilderverbot. Doch – gut idealistisch – entspringen unvermittelt aus den Kunstwerken selber, als rein gemachten und hergestellten, Anweisungen auf die Praxis, deren sie sich enthalten: die Herstellung richtigen Lebens. So halten sie wortlos fest, was der Politik versperrt ist; ja, die Verstelltheit wahrer Politik hier und heute, die Erstarrung der Verhältnisse, die nirgendwo zu tauen sich anschicken, nötigen den Geist geradezu dorthin, wo er sich – wie Adorno wenig glücklich, aber um so aufschlußreicher formuliert – nicht zu encanaillieren braucht.[807]

Die Trennung von Marxismus und Dichtung im neuen Gewand: der vorgebliche Widerspruch von ästhetischer Theorie und Praxis Brechts

Der aus diesen Theoremen hergeleiteten Kritik am Werk Brechts entspricht methodisch – nach der Trennung des Dichters vom marxistischen Theoretiker, gegen die Adorno zu Recht argumentiert – ein neuer Versuch, die konstitutiven Elemente des Brechtschen Werks voneinander zu trennen und gegeneinander zu wenden. Zum einen anerkennt Adorno die ästhetische Theorie Brechts, zumal die der polemischen Verfremdung als avanciertes, dem historischen Stand des Bewußtseins entsprechenes Formelement. Zugleich jedoch sieht er Brechts poetische Produktion hinter diesen ästhetischen Anspruch zurückfallen, ja ihn denunzieren dadurch, daß er sich zu gesellig dem Menschlichen verschrieben habe; mit anderen Worten: dadurch, daß sein Werk sich auf gesellschaftliche Praxis bezogen und in diese einzugreifen versucht hat. Wie schon der Gegensatz des Dichters und des Marxisten bloß konstruiert war und lediglich die Aporien manifestierte, in die eine ontologisierend-werkimmanente Interpretation angesichts engagierter Kunst der Moderne geraten mußte, so ist es auch die von Adorno berufene Distanz zwischen angeblich objektiv jede Kommunikation aufkündigender ästhetischer Theorie und des subjektiv dennoch intendierten Bezugs auf Praxis.
Wie schon oben bei der Erörterung der Tradition Francis Bacons und der Aufklärung deutlich wurde, ist im Werk Brechts gerade der Bezug auf Praxis, die Erkenntnisfunktion seiner Produktion wesentlich an deren formalen Elementen festgemacht. Das hat auch Adorno gesehen, wenn er das Medium des artistischen Prinzips, die Verfremdung unmittelbar erscheinender Vorgänge als eines der Formkonstitution bezeichnet. Jedoch wendet er diese wiederum gegen die beabsichtigte prak-

tische Wirkung und dekretiert daher, noch dazu am falschen Beispiel: Brechts Technik der Reduktion hätte ihr Recht einzig im Bereich jenes *l'art pour l'art*, welches seine Version des Engagements verurteilt wie den Lukullus.[808]

Das Beispiel des Lukullus ist deshalb falsch und nicht ohne Rancune gewählt, weil die erste Fassung des Stücks den Schluß offenließ und das Problem der Verurteilung ganz dem Räsonnement des Publikums überließ, was auch durchaus seiner formalen Anlage entsprach: die Verurteilung des Lukullus, von der Bühne herab verkündet, wurde in die zweite Fassung des Stückes erst nach einer dreistündigen Diskussion zwischen führenden Mitgliedern der Regierung unter dem Vorsitz des Staatspräsidenten und den Autoren[809] aufgenommen, die im wesentlichen den Vorwurf des Formalismus und die Forderung, positiv die politische Linie der DDR-Regierung zu unterstützen, zum Gegenstand hatte.

Die Rancune Adornos besteht in der vorgegebenen Unkenntnis dieser Differenzen, die dazu herhalten muß, Brecht unvermittelt mit stalinistischen Positionen zu identifizieren.

Autonomie als negative Praxis (Adorno) und Aufhebung der Autonomie in verändernder literarischer Praxis (Brecht)

Theodor W. Adorno, der engagierte Literatur vorab als offiziell denunziert, identifiziert die Autonomie des radikal negativen Werks (Beckett, Kafka) bereits mit praktischer Kritik. Denn angesichts des Weltzustands komme solcher Autonomie per se schon politische Bedeutung zu, da sie sich dem Getriebe radikal verweigere. Dieses ästhetische Theorem ist an geschichtsphilosophische Voraussetzungen gebunden, deren Gültigkeit kritisch zu hinterfragen wären. Adorno hypostasiert die Periode des Faschismus zum allgemeinen Zustand der Epoche: das autonome Subjekt ist unwiederbringlich dahin, ausgelöscht und nur noch zu vorbestimmten und verwalteten Reflex-Handlungen fähig. Sinnvolle gesellschaftliche und politische Praxis ist unmöglich geworden; deren historische Dialektik, von Hegel noch begriffen als Fortschritt im Bewußtsein der Freiheit, ist endgültig stillgestellt, sie verkommt zum bloßen Getriebe, zum – so Adornos beziehungsreiche Vokabel – Weltlauf und kehrt sich als negative gegen sich selber. Mit der behaupteten Unmöglichkeit sinnvoller gesellschaftlicher Praxis, die auf Änderung des Bestehenden gerichtet wäre, ist für Adorno auch auf Politik fundierte Kunst unmöglich geworden. Denn das Publikum, die bestimmte soziale Schicht oder Klasse, an die sie sich wenden will, ist immer schon rettungslos integriert in den umfassenden Verblendungszusammenhang der bestehenden Gesellschaft. Jede literarische Produktion, die die kritische Urteilskraft und das Abstraktionsvermögen solchen Publikums zur Bedingung ihrer Möglichkeit und deren Aktivierung zum Zentrum ihrer Bemühungen macht, verfällt Adorno zufolge selber jenem Verblendungszusammenhang und damit dem Ideologieverdacht. Zugleich büßt sie ihre Autonomie ein, denn jede Weltfreundlichkeit erscheint bereits als Einverständnis. Sie kann nur aufgekündigt werden durch die radikale Sensibilität des bis zur Weltlosigkeit durchartikulierten Werks, das die Abstraktheit und die unversöhnlichen Widersprüche der Realität in seine dissonante und abstrakte Formgestalt hineinnimmt. Nur diese stringente Reduktion und konsequente Negativität kann das ganz andere festhalten als Chiffre eines Glücksversprechens, das in der Herstellung des richtigen Lebens sich einlösen soll.

Gerade an diesen Begriffen jedoch, dem eines nicht näher charakterisierten Anderen und einer als Praxis ausgegebenen Herstellung des richtigen Lebens werden die Aporien und Widersprüche der ästhetischen Theorie Adornos und seiner Kritik Brechts manifest. Denn wenn Adorno zufolge Veränderung des Bestehenden und jene kollektive politisch-gesellschaftliche Praxis, durch die allein richtiges Leben herzustellen wäre, unmöglich geworden ist, dann kann dieses in der Tat nur noch im radikal autonomen Werk und im Denken festgehalten werden. Praxis verkommt zum trauernden Eingedenken dessen, was sein sollte, die *vita activa* zur *vita contemplativa*, das neben dem Weltlauf in passiver Klage verharrt und Glück eigentlich nur noch an seinem subjektiven Selbst erfahren kann. In dieser Hypostase einer erstarrten und bis in die intimsten Regungen hinein verdinglichten und verwalteten Realität aber ist selber schon die ideologische Integrierbarkeit jener Autonomie des negativen Werks angelegt, die ihr doch einzig noch widerstehen soll.

Diese Gefahr hat Adorno durchaus erkannt, aber diese Erkenntnis erscheint der negativen Dialektik als objektive Schranke, die nur sprachlose Metaphysik zu überschreiten vermag. «Nichts Reines», schreibt Adorno in der *‹Ästhetischen Theorie›*, «nach seinem immanenten Gesetz Durchgebildetes, das nicht wortlos Kritik übte, die Erniedrigung durch einen Zustand denunzierte, der auf die totale Tauschgesellschaft sich hinbewegt [...] Das Asoziale der Kunst ist bestimmte Negation der bestimmten Gesellschaft. Freilich bietet durch ihre Absage an die Gesellschaft, die der Sublimierung durchs Formgesetz gleichkommt, autonome Kunst ebenso als Vehikel der Ideologie sich an: in der Distanz läßt sie die Gesellschaft, vor der ihr schaudert, auch unbehelligt.»[810]

Diese Argumentation macht nicht nur den diametralen Gegensatz zu den Positionen Brechts deutlich, sondern zugleich ihre immanente theoretische Widersprüchlichkeit und Unstimmigkeit. Denn bloße Absage, Distanz und Schauder sind eben gerade keine Kennzeichen

bestimmter Negation einer bestimmten Gesellschaft, sondern bilden den schlechten kategorialen Rahmen abstrakter Negation. Nur die abstrakte Negation kann wortlos Kritik üben, die bestimmte Negation muß sich analytisch und ideologiekritisch auf die spezifischen Erscheinungsformen einer bestimmten Gesellschaft einlassen. Derart auf Kritik fundierte Kunst kann nicht als reine Produktivkraft[811] sich begreifen. Sie versteht sich selber als gesellschaftliche Produktivkraft, und das, was einst ihre Autonomie genannt wurde, ist aufgegangen in der kritischen Selbstreflexion ihrer eigenen Produktionsbedingungen. Das ist die zentrale Differenz in den ästhetischen Theorien Adornos und Brechts: wo Adornos Reflexion der Kunstproduktion vor der totalen Tauschgesellschaft in kritische Metaphysik abdankt, erkennt Brecht den einzig möglichen Ausweg in der Politisierung der Kunst. Diese hat ihren gesellschaftlichen Ursprung in der unausweichlich gewordenen Selbstreflexion der Autoren auf ihre eigenen Produktionsbedingungen und ihre erste Konsequenz in der Erkenntnis, daß der Dichtung als einzige Chance die Teilnahme an verändernder Praxis selber bleibt. Das Problem, von dem die auf Politik fundierte Kunst Brechts ausgeht, ist nicht, um das Bild Adornos aufzunehmen, daß der Weltlauf dem Menschen immerzu die Pistole auf die Brust setzt, sondern gerade die Verschleierung und die Anonymität von Herrschaft und gesellschaftlichem Leid, die die Menschen eben jenen Weltlauf hinnehmen läßt. Die Entscheidung, die Brecht fordert, ist eben die, jene Negativität des Weltzustands zwar in das Werk hineinzunehmen, ihn aber nicht zur Befindlichkeit von Welt überhaupt metaphysisch zu verklären und in immer neuen Allegorien der Ausweglosigkeit und des Scheiterns bis zur Weltlosigkeit stilistisch zu aktualisieren – sondern den Menschen die Welt auszuliefern, sie als erkennbare und veränderbare darzustellen.
Diese inhaltlich-theoretischen Voraussetzungen aber gehen in die Reflexion der Form selber ein und sind von ihr nicht als bloß heterogene und von außen ihr aufgezwungene zu trennen. Adornos ästhetisches Theorem über Kafkas Prosa und Becketts Stücke: als Demontagen des Scheins sprengten sie die Kunst von innen her, welche das proklamierte Engagement von außen, und darum nur zum Schein, unterjoche, verfehlt als indirekte Kritik am Werk Brechts ihren Gegenstand, da in ihm Engagement Konstituens einer avancierten Formensprache und ihm also immanent ist. Das artistische Prinzip der Montage versteht sich eben als Demontage des Scheins: es ist zugleich scientistischer Herkunft. Denn weil die Gesellschaft in ihrer Funktionalität, ihrer Anonymität und ihren ökonomischen Krisen der abstrahierenden wissenschaftlichen Einsicht bedarf, nähert sich die reflektierte Kunst der Moderne tendenziell der Wissenschaft an.[812] (Im Naturalismus war diese Annäherung noch wesentlich inhaltlich bestimmt – im modernen Roman kündigt sie sich auch schon formal im

immer weitergehenden Vordringen des Essays in die epische Handlung an.)

Zur Kritik an Adornos negativer Radikalisierung des Autonomie-Begriffs: Resümee

1. Indem Adorno das Problem einer auf Politik fundierten Kunst in den Kategorien von Engagement und Autonomie diskutiert, bleibt er auf einen traditionalen Begriff von Kunst fixiert. Adornos Autonomie-Begriff erhält in der Moderne einen gesellschaftlichen und gesellschaftskritischen Sinn, indem Kunst durch die rückhaltlose und fensterlose Selbstversenkung sich auf die monadologische und entfremdete Situation des einzelnen zurücknimmt und einzig so der gesellschaftlichen Wahrheit die Treue zu halten vermag. Isolierung, Entfremdung und die Abstraktheit der gesellschaftlichen Verhältnisse – das ist der rigoristische Imperativ der Ästhetik Adornos – sind zugleich der gesellschaftlich angemessene Standpunkt der modernen Kunst selber. Die Einsicht in das Wesen des gesellschaftlichen Ganzen, die solche Kunst vermittelt, ist vorab festgemacht an ihrer formalen Konstitution, an der Brüchigkeit und Destruktion ihres Bildcharakters.
2. Indem diese, wie ein Zerrspiegel, Abstraktheit und Negativität der Verhältnisse immer wieder bloß reflektierend zurückwerfen, bleiben sie ihnen zugleich immanent. Das unglückliche Bewußtsein, das die radikale Negativität solcher von Adorno als avanciert analysierten und postulierten Kunst vertiefen hilft, bleibt unaufgeklärt über sich selbst; als Isoliertes, als Monade vermag es auf dem Grund solcher Negativität einzig die Utopie des ganz Anderen festzuhalten – eine Utopie, die konkret nicht genannt werden kann, weil sie mit der Negation von Kommunikation und Soziabilität auch die Bedingungen einer Änderung der Wirklichkeit selbst negiert.
3. Die Erkenntnis, die die Kunst der Negation zu leisten vermag, ist, da sie selbst abstrakte Negation bleibt, die abstrakt unendliche Selbsterkenntnis des unglücklichen Bewußtseins: dieses aber kann nur zu sich selbst kommen und die Bedingungen seiner Befreiung erkennen in der bestimmten Negation. Der Reflexion darauf aber hat sich der metaphysische Rigorismus Adornos begeben. Nicht nur negiert er fast alle wirkungsästhetischen Momente, sondern, indem er dogmatisch am – wie immer auch gebrochenen – traditionalen Autonomie-Prinzip festhält, beschränkt er die Erkenntnisfunktion von Kunst allein auf deren mimetisches Vermögen und damit auf die monadologische Abgeschlossenheit der Werke.
4. Diese Einschränkung erweist sich gerade angesichts vieler Werke der Moderne, zumal dem Brechts, als willkürlich, inadäquat und in sich widersprüchlich. Seit Baudelaire und Rimbaud wehrt die Kunst der

Moderne das Prinzip der bürgerlichen Rationalität nicht einfach von sich ab (durch Idylle und restaurative Traditionsbildung), sondern artikuliert ihre Antithetik zu dieser bürgerlichen Zweckrationalität dadurch, daß sie diese zweckrationale Welt und ihre Desiderate in sich selbst hineinnimmt – ihren Formproblemen wie ihnen Gegenständen nach. Deshalb aber kann nicht ausgeschlossen werden, daß Kunst auch teil hat an der kritischen wissenschaftlichen und theoretischen Erkenntnis dieser bürgerlichen Gesellschaft und auch diese ihren Formproblemen wie ihren Gegenständen nach in sich hineinnimmt.
5. Das schließt die Konsequenz der Fundierung von Kunst auf Politik ein wie die Sprengung der an ‹Schöpfung› orientierten formalen und inhaltlichen Geschlossenheit der Werke, die den für totalitär und eindimensional erklärten Charakter der Gesellschaft bloß reproduzierend hinnehmen. Diese ästhetische Position begreift Geschichte und Gegenwart als Momente eines emanzipativen Prozesses. Sie kann sich von ihrem methodischen Anspruch und ihrem Erkenntnisinteresse her nicht darauf einlassen, den historischen Prozeß – wie Adorno das tut – als bloße Verfallsgeschichte der bürgerlichen Emanzipationsgehalte zu denken und in einer als total entfremdet, geschlossen gedachten Gegenwart stillzustellen, der sie sich dann kategorisch gleichzumachen hätte. Adornos Objektivismus, demzufolge die Verdinglichung absolut und Veränderung unmöglich geworden ist, läßt einer anderen oder entgegengesetzten Erfahrung von Geschichte und Gesellschaft keinen Raum mehr und denunziert sie a priori als falsches Bewußtsein.
6. Am überkommenen Autonomieprinzip kann auch Adorno nur als letzter Gestalt seiner bürgerlichen Verfallsgeschichte festhalten. Insofern ist ihm die abstrakte und einfachste Bestimmung von Autonomie, die Verselbständigung der Kunst zu einem Gefüge autonomer Zusammenhänge, durch die allein sie über die bestehende Gesellschaft hinausweisen kann, schon zur Erscheiungsform und zum Legitimationsgrund ihrer politischen Wahrheit geworden. Politische Funktion soll solcher als autonom verstandenen Kunst der abstrakten Negativität von außen, heteronom und gleichsam blind, gegen ihre erklärten Intentionen zukommen: solche wortlose Kritik aber verfällt kraftlos den affirmativen Ideologien des Bestehenden.

Die auf Politik fundierte Kunst Brechts hält an theoretisch begründeter gesellschaftlicher Erfahrung und emanzipatorischer Geschichtsauffassung in praktischer Absicht fest. Von daher bestimmt sich auch der Begriff von Politik, der hier in Rede steht. Benjamin hatte die Funktion der Kunst in ihrer Fundierung auf Politik abgehoben von ihrer Fundierung aufs Ritual und die Geschichte der Kunst begriffen als eine fortschreitende Emanzipation vom Ritual. Mit ihrer Fundierung auf Politik treten an die Stelle des Rituals Konstruktion und Geschichte, an die

Stelle formaler Geschlossenheit und Monade offene Form und Montage. Das Verhältnis solcher Kunst zur gesellschaftlichen Realität erschöpft sich nicht in deren denunziatorischer Mimesis qua abstrakter Negation. Weil sie erkannt hat, daß die bloß abstrakte Negation in der permanenten Repetition des Immer-Gleichen, zu der sie verurteilt ist – denn ist einmal gesellschaftliche Wirklichkeit zur total entfremdeten, geschlossenen erklärt worden, dann ist die Möglichkeit jeder qualitativ anderen Erfahrung von vornherein abgeschnitten –, nicht nur zur abstrakt-unendlichen werden muß, soll ihr die Konsequenz des Schweigens nicht zur unausweichlichen werden[813], sondern auch folgenlos bleibt, hat sie die bestimmte Negation zum kritischen Prinzip ihrer poetischen Produktion erhoben. In dem Maße, in dem die Kunstproduktion Brechts auf dieses Prinzip sich gründet, hebt sie das traditionale Prinzip der Autonomie im Begriff der Politik auf: er ist wesentlich durch revolutionstheoretischen und -praktischen Anspruch konstituiert. Für eine ästhetische Produktion, die auf ihn fundiert ist, schließt er zugleich als konstitutives Moment deren erklärtes Bewußtsein über ihre eigenen objektiven, gesellschaftlichen Produktions- und Verwertungsbedingungen mit ein. Damit aber kann solche Kunst nicht mehr in den überkommenen Gegensätzen Engagement–*l'art pour l'art* diskutiert werden, womit sie zu einer bloßen ‹Kunstrichtung› innerhalb der traditionellen Kunst würde – Politik als fundierender Praxisbezug ästhetischer Produktion bezeichnet überhaupt erst «als Begriff die objektive Möglichkeit gegenwärtiger Kunstproduktion unter den gegenwärtigen Produktionsbedingungen»[814]. Die derart auf Politik fundierte Kunst begreift sich selber als ein konkretes Bildungselement in einem durch Zusammenfallen von Veränderung und Selbstveränderung konstituierten Prozeß permanenter sozialer Revolution. Ihre Souveränität gegenüber der Realität verwirklicht sich in dem Maße, in dem die Kunst ihre verändernden Funktionen in einem kommunikativen Prozeß wechselseitiger Kritik und Selbstverständigung mit dem Publikum wahrnehmen kann, dessen gemeinsamer Gegenstand die als veränderbar erkannte und in praktischer Veränderung begriffene soziale Realität ist. In ihrer theoretischen Selbstreflexion geht sie von den folgenden Einsichten aus:

– der Einsicht in die Abstraktheit und Negativität der bestehenden gesellschaftlichen Verhältnisse

– der Einsicht, daß die Kunst die erkannten abstrakten und negativen Verhältnisse in sich hineinnehmen muß, jedoch nicht im Sinne einer bloß denunziatorischen Mimesis an das Entfremdete, die selbst abstrakt negativ und utopisch bleibt

– der Einsicht, daß die Kunst der wissenschaftlichen Erkenntnis bedarf in dem Maße, in dem sie selbst in ihren wirkungsästhetischen Intentionen verändernde Erkenntnis vermitteln will; sie läßt die Wahl ihrer

Formen und Inhalte von dieser Einsicht bestimmen: «Alles Formale, was uns hindert, der sozialen Kausalität auf den Grund zu kommen, muß weg; alles Formale, was uns verhilft, der sozialen Kausalität auf den Grund zu kommen, muß her.»[815] Ebenso ist die sinnliche Konkretion und Naivität, zu der sie fähig ist, nicht im Gegensatz zur Wissenschaftlichkeit entstanden, sondern hat diese zur Voraussetzung: wie nur die äußerste Anstrengung des Begriffs zum Konkreten führt, so ist auch die Naivität der Produktion Brechts vermittelt durch Reflexion und Rationalität. Sie ist sich zugleich der Krisen und der Destruktionen bewußt, in die sie sich durch diese Position begibt, aber dem Vorwurf, die Welt werde durch eine auf Wissenschaft fundierte Kunst so ‹kahl›, begegnet sie mit der nüchternen Erkenntnis, daß sie eben so kahl sei: « [...] die Zerstörungen sind unvermeidbar, und sie lohnen sich. Der furchtlose Blick einer neuen Kunst fällt auch auf das Zerstörte»[816].
– der Einsicht, daß die Kunst von der Reflexion ihrer Produktionsbedingungen her objektiv auf Politik verwiesen ist, daß sie Politik angesichts der abstrakt gewordenen Verhältnisse begreift als deren revolutionstheoretisch begründete bestimmte Negation und ideologiekritische Denunziation, die ihrer formalen Artikulation wesentlich und nicht bloß äußerlich ist. Dieser Begriff von Politik geht auf in dem der Emanzipation der Kunst vom Ritual: er setzt an dessen Stelle Konstruktion und Geschichte, ohne jedoch den Scheincharakter von Kunst ganz abstreifen zu können, was gleichbedeutend wäre mit der Rücknahme der Kunst in den gesellschaftlichen Lebensprozeß durch die kulturrevolutionäre Veränderung des Alltags.

Schluß: An der Spitze des Neuen das Älteste? – Zur Dialektik von Regression und Antizipation in Brechts Verhältnis zur literarischen Tradition

Werner Mittenzwei hat an einer Stelle seines Brecht–Lukács-Aufsatzes mit Recht darauf hingewiesen, daß Brechts Traditionsauffassung die frühbürgerlichen Schriftsteller hervorhebe, zumal die der Aufklärung, und sich stark von der alten didaktischen chinesischen und lateinischen Dichtung, von außerliterarischen Traditionen und Elementen der Volkskunst angezogen gefühlt habe.[817] Von der poetischen Praxis, der Frage nach der Integration jener Traditionen in aktuelle literarische Produktion her ergeben sich Widersprüche und Probleme, die nicht immer ganz ausgetragen sind bzw. werden konnten.

Auf ein zentrales Problem hat Adorno im Zusammenhang mit dem Begriff ‹Gebrauchswert› aufmerksam gemacht. In einem Brief an Benjamin weist er darauf hin, «daß der bloße Begriff des Gebrauchswertes keinesfalls genügt, den Warencharakter zu kritisieren, sondern nur aufs vorarbeitsteilige Stadium zurücklenkt. Das war stets mein eigentlicher Vorbehalt gegen Berta [Deckname für Brecht] und ihr ‹Kollektiv› sowohl wie ihr unmittelbarer Funktionsbegriff sind mir darum stets suspekt gewesen, nämlich selber als ‹Regression›.» Und zum Problem der Tradition wendet er ein, freilich in bezug auf Benjamins Baudelaire-Arbeit: «Die Formel, daß ‹das Neue sich mit dem Alten durchdringt› ist mir höchst bedenklich im Sinne meiner Kritik am dialektischen Bild als einer Regression. Nicht wird darin aufs Alte zurückgegriffen, sondern das Neueste ist, als Schein und Phantasmagorie, selber das Alte.»[818]

Diese Problematik soll zunächst an Brechts Versuch einer materialistisch-dialektischen Umfunktionierung des emanzipativen Vernunftinteresses der radikalen bürgerlichen Aufklärung diskutiert werden.

Die Konzeption verändernder literarischer Praxis und das Problem einer ‹Rückkehr zur Aufklärung›

Klaus-Detlef Müller hat bemerkt, die ‹Rückkehr zur Aufklärung› lasse sich bei Brecht grundsätzlich beobachten: «Er betont die revolutionäre Perspektive des aufklärerischen Denkens. Die Analogie ist so zu verstehen, daß Brecht als Folge einer Aufklärung über die gegebenen sozialen Verhältnisse mit gleicher Notwendigkeit die proletarische Revolution erwartet wie die Aufklärung des achtzehnten Jahrhunderts zur bürgerlichen Revolution geführt hat.»[819] Durch die Unterstellung einer bloßen Rückkehr zur Aufklärung wird das revolutions- und literaturtheoretische Problem, das Brechts Verhältnis zur Tradition der Aufklärung impliziert, eher verdeckt als wirklich freigelegt. Die Bemerkung des

Philosophen im *‹Messingkauf›*: «Kein schwierigerer Vormarsch als der zurück zur Vernunft!»[820] macht die Schwierigkeiten und Aporien an diesem Verhältnis schon eher sichtbar. Der reflektierte Rückgriff Brechts auf ästhetische und philosophische Theorien der Aufklärung hat eine doppelte, wenn auch vermittelte Ursache: eine revolutionstheoretische und eine ästhetische.

Auf die revolutionstheoretische Problematik verweist die bereits angeführte Wendung Brechts über einen gewissen Verfall des rationellen Elements in der Lehre des Marxismus. Sie ist zum einen zu verstehen vor dem Hintergrund seiner Kritik an bestimmten Erscheinungsformen in der Theorie und Praxis des sozialistischen Realismus, zum andern als ein Ansatzpunkt seiner Bemühungen, Dialektik als *kritische* und revolutionäre *Methode* gegen den ontologischen Materialismus zu rekonstruieren. Wenn Brecht gegen die Deformationen der marxistischen Theorie das ‹Rationelle›, den methodischen Zweifel[821] und das emanzipative Vernunftinteresse wendet, dann hat dieser Versuch seinen Grund zugleich auch in nicht explizierten Inhalten der Marxschen Revolutionstheorie selber. Denn die revolutionäre Theorie der historischen Subjekt-Werdung des Proletariats, umrissen durch Kategorien wie Selbstregierung, Selbsttätigkeit und Selbstbefreiung der Produzenten, ist von Marx zwar programmatisch artikuliert, aber nicht formell entwickelt worden. Darauf hat zuerst Korsch in den Thesen zum Vortrag *‹Hegel und die Revolution›* hingewiesen, wo er über die Marxsche Revolutionstheorie sagt, sie sei «eine Theorie der proletarischen Revolution, nicht wie sie sich auf ihrer eigenen Grundlage entwickelt hat, sondern umgekehrt, wie sie eben aus der bürgerlichen Revolution hervorgeht» und darum «in jeder Beziehung im Inhalt und in der Methode noch behaftet [...] mit den Muttermalen des Jakobinismus, der bürgerlichen Revolutionstheorie»[822].

Bertolt Brechts literarischer Theorie und Praxis muß der Umstand, daß die Marxsche Revolutionstheorie selber «keinen adäquaten Begriff proletarischer Subjektivität im revolutionären Klassenkampf entfalten»[823] konnte, zu einem zentralen Problem werden, das durch die spezifischen historischen und politischen Erfahrungen noch verschärft wird. Er versucht dieses Problem theoretisch dadurch zu lösen, daß er die bürgerlich-aufklärerische Theorie des Subjekts, das emanzipative Vernunftinteresse der Menschheit, rekonstruiert und auf das proletarische Klasseninteresse projiziert. Für seine ästhetische Theorie und weitgehend auch für seine literarische Praxis aber hat das zur Folge, daß er das marxistische revolutionstheoretische Programm der Selbstbewußt- und Subjektwerdung des Proletariats überwiegend vorträgt in Sprache und Begrifflichkeit der bürgerlichen emanzipativen Vernunftphilosophie: «Dabei braucht doch kaum hervorgehoben zu werden, daß für die aufsteigende Klasse die Vernunft etwas absolut Schöpferisches, Lebendiges, ja Lebenstrotzendes, die Kritik etwas ganz Elementares, unendlich Produktives, das Leben selber ist.»[824] Das bringt ihn sogar dazu, Vernunft und Selbsterhaltung unmittelbar zu identifizieren: «Daß die Menschen leben müssen, nur dieser Umstand macht sie vernünftig [...] Die großen Realitäten des leben Müssens bringen die Abstraktionen und Ideen (in den Schulen und Kirchen usw.) immer wieder zur Vernunft.»[825]

Aber all diese Projektionen und philosophischen Parallelismen stellen im Grunde nur vorläufige und halbe Lösungen des Problems dar, wie marxistisch fundierte literarische Praxis dem revolutionstheoretischen Desiderat, daß die Produzenten in der sozialen Revolution lernen sollen, mit Bewußtsein Geschichte zu machen, konkret entsprechen kann, ohne vom emanzipativen Gehalt irgend nachzulassen. Am nächsten ist Brecht einer Lösung in seiner Lehrstück-Theorie und -Praxis gekommen, in der, zumindest dem Anspruch nach, die künstlerischen Versuche alles Lehrhafte abstreifen und in der «Selbstverständigung»[826] der Massen aufgehen sollten: «Diese Selbstverständigung war ein genußvoller Prozeß. Die Gefühle der Meisterung der Materie waren genußvolle. Im Fortschreiten lag Genuß. Die Künstler hatten nicht den Eindruck, daß sie die Massen belehrten, nicht einmal, wenn sie sie informierten.»[827] Diesen Versuchen, literarische Praxis mit verändernder, gesellschaftlich umwälzender Praxis zu verbinden – wie sie konsequenter noch Brechts Lehrer Tretjakov konzipiert und praktiziert hatte – waren freilich durch den historischen Prozeß selber Grenzen gesetzt; im Exil konnte Brecht sie nicht mehr, in der stalinistischen Periode der DDR nur in sehr eingeschränktem Maß realisieren. Die objektive historische und politische Situation – vor allem des Exils – bewirkte auf der Ebene der theoretischen Selbstreflexion und auch der literarischen Praxis Brechts eine zunehmende Orientierung an aufklärerischen Traditionen: in diesem Zusammenhang sind die Programme für ein induktives Theater zu lesen. Bacons Prinzip der Induktion, insofern es als Organon von Erfahrungswissenschaft sich versteht und konstitutiv von gesellschaftsverändernder Praxis absieht, kann eine Form des epischen Theaters als Übergangslösung begründen und legitimieren helfen, das selber von verändernder Praxis, vom Aufgehen im revolutionären gesellschaftlichen Alltag abgeschnitten ist.

Zur Interpretation der literaturtheoretisch-ästhetischen Ursachen für die Rückwendung Brechts zu vor- und frühbürgerlichen Traditionen kann – indirekt – ein Hinweis Bacons selber dienen. Bacon bestimmt in seiner Schrift *‹Über die Würde und den Fortgang der Wissenschaften›* die Poesie als eine «Gattung der Gelehrsamkeit»[828] und weist der parabolischen Poesie eine hervorragende Stellung gegenüber der erzählenden und dramatischen zu: «Diese Art zu belehren aber, welche zur *Erklärung* dient, wurde in den ältern Jahrhunderten sehr viel angewandt. Denn da die Erfindungen und Folgerungen der menschlichen Vernunft (auch diejenigen welche nun gemein und bekannt sind) damals neu und ungewöhnlich waren, so begrieffen die Menschen jene Feinheit der Schlüße kaum, wo sie ihnen nicht durch dergleichen Bilder und Beyspiel sinnlich gemacht wurden.»[829]

Aus Bacons Deutung der parabolischen Poesie kann eine Erklärung für Brechts Rückgriff auf vor- und frühbürgerliche Gattungen wie Lehrgedicht, Parabel, Kalendergeschichte, Aphorismus und anderes hergeleitet werden. Brechts Versuch, eine Kunstproduktion zu entfalten, die von der voraufgegangenen sich unterscheiden soll wie die Chemie von der Alchimie, also Kunst auf Politik und Wissenschaft zu fundieren, führt ihn in der literarischen Praxis zurück zu Gattungen vergangener Literaturtradition, die selber noch Funktionen der Vermittlung von ‹Wissenschaft› übernehmen konnten – anders gesagt: er lenkt in der Tat zurück auf vorarbeitsteilige Stadien, nämlich jene historischen Epochen, in denen ‹Künste› und Wissenschaften, Kunstproduktion und ihre unmittelbare Funktion für die Lebenspraxis noch nicht derart durch gesellschaftliche Arbeitsteilung geschieden waren wie zur Gegenwart Brechts. Die Umfunktionierung der römischen Tradition (Lehrgedicht), der chinesischen Tradition (Spruchweisheit, Analekten) wie jener der Aufklärung (Fabel, Parabel, Gleichnis, ästhetische und philosophische Theorie) versucht an deren ‹Gebrauchswert›, an ihren noch unmittelbar gesellschaftlichen und politischen Funktionen zu partizipieren. Sowohl Hegels Theorem vom Ende der Kunst, aus der ‹Not der Gegenwart› hergeleitet, als auch Marx' Hymne auf die Zerstörung aller idyllischen, bornierten und patriarchalischen Verhältnisse durch die kapitalistische Entwicklung (im *‹Kommunistischen Manifest›*) können die Problematik dieser Verfahrensweise verdeutlichen. Der historische und gesellschaftliche Zustand, von dem schon sie ausgingen, stellt eine künstlerische Praxis, die auf Politik und Wissenschaft sich fundiert, unausweichlich vor die Frage nach der historischen Möglichkeit, *gleichzeitige* künstlerische Techniken zu entwickeln, die in die kulturrevolutionäre Veränderung des gesellschaftlichen Alltags eingehen können. Brechts praktische Integration der genannten literarischen Traditionen

erscheint von daher auch als ein Versuch, dem Postulat nach absoluter Gegenwärtigkeit und Zukunftsbezogenheit verändernder literarischer Praxis durch die inhaltlich neue Füllung lehrhafter poetischer Gattungen vergangener Literaturtradition auszuweichen. Darin ist zugleich eine partielle Rücknahme der Emanzipation der Kunst vom Ritual beschlossen, denn die inhaltliche Umfunktionierung des Lehrgedichts etwa oder der Spruchweisheit und Parabel partizipiert immer auch an dem auratischen Charakter, den kultischen Funktionen dieser Gattungen: an der Spitze des Neuen erscheint das Älteste.[830]
Solche regressiven Tendenzen haben ihren Grund zudem in unaufgelösten Differenzen zwischen artistischem und revolutionstheoretischem Interesse in der Kunstproduktion Brechts selber.
Das Vorherrschen des artistischen Interesses an der Tradition kann ihr zur bloß reproduzierenden Partizipation an der Aura der vergangenen Werke, zum erschlichenen Archaischen geraten, das über sich selbst nicht mehr hinausweist und überdies durch die semantischen Implikationen ihrer rezipierten Formen die aktuell gemeinten Inhalte überlagern kann. Beispiele dafür wären von Brecht übernommene bestimmte volksliedhafte Formen, Formen des Kirchenlieds, die nicht in parodistischer Absicht verwandt waren, die Übernahme von Bildern und Topoi der christlichen, aber auch der chinesischen Tradition – dabei verhält es sich jedoch nicht so, daß etwa die biblische Sprache kraft ihrer ungebrochenen poetischen Substanz die Intentionen des ‹Ideologen› Brecht in ihr Gegenteil verkehrt, wie immer wieder argumentiert wird[831], sondern es sind dies Fragen der poetischen Praxis, der gelungenen oder mißlungenen Integration tradierter Formen und Inhalte in den aktuellen Gehalt, Fragen, die allein an dem theoretischen Anspruch Brechts – solche Formen emanzipativ zu wenden – und dessen poetischer Realisierung entschieden werden können.
Diese Problematik hat ihren Grund schon im Begriff des ‹Aufhebens› selber. Wie Hegel in der ‹*Wissenschaft der Logik*› ausführt ist das Aufgehobene «ein ‹*Vermitteltes*; es ist das Nichtseiende, aber als *Resultat*, das von einem Sein ausgegangen ist. Es hat daher die *Bestimmtheit, aus der es herkommt, noch an sich.*»[832] Eben diese Bestimmtheit aber kann bei der nicht gelungenen Integration der rezipierten traditionalen Gehalte immer noch die aktuellen ästhetisch-politischen Intentionen selber bestimmen: das wäre an der Problematik bestimmter chinesischer Traditionen (gerade aus dem ‹*Tao te ching*›), aber auch lateinischer und jenen der bürgerlichen Aufklärung zu zeigen. Gerade die Versuche, die Gehalte der Marxschen Geschichtsphilosophie und Revolutionstheorie in einer den genannten Traditionen entlehnten philosophischen Bilder- und Formensprache zu formulieren, erzeugen immer wieder die Aporie, daß das Neueste phantasmagorisch als das Alte selber, als ständige Wiederkehr des Immer-Gleichen erscheinen kann (vgl. etwa das

Laotse-Gedicht: «Daß das weiche Wasser in Bewegung / Mit der Zeit den mächtigen Stein besiegt. / Du verstehst, das Harte unterliegt» – oder so problematische Gedichte wie *‹Das Lied von der Moldau›* und *‹Das Lied vom Wasserrad›*, in denen die Aporie sich freilich aus der Umsetzung marxistischer Geschichtsauffassung in eine christlich-barock geprägte Bildersprache ergibt, dazu kommt die sehr fragwürdige Repristination der Gestalt des ‹Weisen› und des Begriffs ‹Weisheit›). Neben die Gefahr der Regression im Verhältnis zur literarischen Tradition tritt als notwendiges Komplement die der Antizipation. Auf sie hat Eisler in der Diskussion um Brechts teilweise realisierten Plan einer Versifizierung des ‹Kommunistischen Manifests› nach dem Vorbild des Lehrgedichts *‹De natura rerum›* von Lukrez aufmerksam gemacht: «Ich sagte mir: Welches Kulturniveau müßten die Leser des *‹Kommunistischen Manifests›* schon haben, um bereits die Versifikation genießen zu können! Das setzt also voraus den Zustand der Gesellschaft, wo das *‹Kommunistische Manifest›* ungefähr genauso bekannt ist wie die Bibel – und eine Versifikation einen neuen Reiz, nämlich den Reiz der Ästhetik, in die Lektüre des *‹Kommunistischen Manifests›* hineinbringt. Ähnlich wie die großen religiösen Epen voraussetzen die christliche Religion als Gemeingut. Nehmen Sie den *‹Messias›* von Klopstock und überhaupt die großen Stoffe der Bibel, die immer wieder neu behandelt werden. Auch in der Musik. Also: den Zustand, daß wir eine Bevölkerung vorfinden, wo das *‹Kommunistische Manifest›* so bekannt ist, daß die Poetisierung einen sozialen Sinn ergibt, sah ich nicht voraus. Und wenn Sie mich fragen, sag ich offen: er ist auch noch nicht da. Obwohl ich bestimmt glaube, daß er einmal kommen wird.»[833]

Diese von Eisler selber so genannte, aber nur scheinbar ‹praktizistische› Kritik bezeichnet wesentliche Probleme nicht nur von Brechts Verhältnis zur literarischen Tradition. Sie macht zum einen noch einmal auf die schon von Benjamin konstatierte, nicht vollends aufgelöste Differenz zwischen artistischem Interesse und theoretisch-praktischem Anspruch aufmerksam (am Schluß des 2. Kapitels dieser Arbeit ist auf diesen Sachverhalt hingewiesen worden), und sie analysiert zugleich das Moment der Antizipation, das diesem artistischen Interesse zuwächst, wenn es sich in solcher souveränen, intellektuell artistischen Verwendung der literarischen Tradition mit einem aktuellen und damit konkret auf die gegenwärtigen Bedingungen verwiesenen revolutionstheoretischen Anspruch verbindet. Die Aporie, in die Brecht so gerät – und Eisler hat sie präzise bezeichnet –, besteht darin, daß Brecht seine wirkungsästhetischen Intentionen nur unter großen Schwierigkeiten mit seiner avancierten ästhetischen Position und Traditionsauffassung vermitteln kann; denn eine Versifizierung des *‹Kommunistischen Manifests›* hätte, wenn ihr ästhetischer Reiz einen sozialen Sinn im Verständnis Brechts haben sollte, bei dem von Brecht beanspruchten Publikum zum einen das gleiche souverän-intellektuelle Verhältnis zur römischen Tradition, zumal des Hexameters, zum andern eine habitualisierte Vertrautheit und verinnerlichte Bekanntheit mit dem ‹*Kommunistischen Manifest*› vorausgesetzt. Da diese Voraussetzungen noch nicht gegeben waren und sind, bedeutete die konsequente Verfolgung des artistischen Interesses die Antizipation einer noch nicht erreichten Stufe der gesellschaftlichen und kulturellen Entwicklung. Wo das wesentlich artistisch bestimmte Interesse an der Tradition die aktuellen emanzipativen Gehalte in ihrem Medium vortragen will, kann sich eine relative Verselbständigung der poetischen Produktion von jener gesellschaftlichen Gegenwart ergeben, auf die sie sich didaktisch und aufklärerisch beziehen will. Der Rückgriff auf das Alte erscheint so als Antizipation. Erst die kulturrevolutionäre Veränderung des gesellschaftlichen Alltags, die Verwandlung der artistischen Studios «in technische Laboratorien, in Fabriken des qualifizierten Menschen und einer qualifizierten Lebensweise»[834], die aufgehobene Trennung von Alltag und Erhebung kann solche Antizipation, als Gestalt des Überbaus, zurücknehmen in einen gesellschaftlichen Lebensprozeß, in dem alle Kunst beitragen kann zur größten, der Lebenskunst.

Anmerkungen

1 MEW, Bd. 19, S. 111.
2 MEW, Bd. 19, S. 112.
3 Helmut Fleischer: ‹*Marxismus und Geschichte*› Frankfurt a. M. 1969. S. 13.
4 Ebd.
5 Cesare Cases: ‹*Stichworte zur deutschen Literatur. Kritische Notizen*›. Wien–Frankfurt a. M.–Zürich 1969. S. 10f.
6 Ebd., S. 11.
7 Adorno einer der genannten Richtungen zuzuordnen fällt schwer, da er sich von den Positionen Lukács' und Brechts ebenso kritisch distanziert hat wie von denen des späten Benjamin. Auf die Theoreme Adornos, insbesondere seine Kritik an Brecht, soll in einem Exkurs ausführlich eingegangen werden.
8 Vgl. Karel Kosik: ‹*Die Dialektik des Konkreten. Eine Studie zur Problematik des Menschen und der Welt*›. Frankfurt a. M. 1970. S. 17f.
9 Ebd., S. 17.
10 Ebd., S. 19.
11 Walter Benjamin: ‹*Bert Brecht. Ein Rundfunkvortrag*›. In: Benjamin, ‹*Lesezeichen*›. Leipzig 1970. S. 262f.
12 Ebd., S. 268.
13 Kosik, a. a. O., S. 233.
14 Paul Gerhard Völker: ‹*Skizze einer marxistischen Literaturwissenschaft*›. In: M. L. Gansberg und P. G. Völker, ‹*Methodenkritik der Germanistik*›. Stuttgart 1970. S. 124. Völker wirft der Verfremdungstheorie Brechts in diesem Zusammenhang «Halbherzigkeit» vor – ein Vorwurf, dem nachgegangen werden soll.
15 Karl Marx-Ausgabe. Hg. von H.-J. Lieber und B. Kautsky. Darmstadt 1960. Bd. III/1, S. 273f.
16 Hugo Friedrich: ‹*Die Struktur der modernen Lyrik*›. Reinbek 1968 (= rowohlts deutsche enzyklopädie. 25). S. 141.
17 Ebd., S. 166.
18 Vgl. dazu Theodor W. Adorno: ‹*Philosophie der neuen Musik*›. Frankfurt a. M. 1958. S. 20.
19 Walter Benjamin: ‹*Das Kunstwerk im Zeitalter seiner technischen Reproduzierbarkeit*›. In: Benjamin, ‹*Illuminationen*›. Frankfurt a. M. 1961. S. 154.
20 Adorno, a. a. O., S. 120.
21 Benjamin, Illuminationen, a. a. O., S. 153.
22 Ebd., S. 171.
23 G. W. F. Hegel: ‹*Ästhetik*›. Hg. von Friedrich Bassenge. Frankfurt a. M. o. J. Bd. I, S. 578.
24 Ebd.
25 Ernst Bloch: ‹*Erbschaft dieser Zeit*›. Frankfurt a. M. 1962. S. 215.
26 Friedrich, a. a. O., S. 168.
27 Nicht zufällig fehlt daher auch die Lyrik Brechts ganz in seiner Analyse, obwohl auch sie viele der von ihm beschriebenen Strukturelemente aufweist.

28 Karel Kosik hat für diesen Sachverhalt den Begriff ‹Totalisierung› vorgeschlagen, freilich für historisches Verhalten überhaupt. Für eine geschichtsphilosophische Theorie des Verhaltens zur Tradition formuliert er:
«Die mittelalterliche Kultur konnte die antike Kultur oder die der ‹heidnischen› Völker nicht beleben (totalisieren und integrieren), ohne sich dabei der Gefahr des Zerfalls auszusetzen. Dagegen ist die fortschrittliche moderne Kultur des 20. Jahrhunderts eine universale eigenständige Kultur mit einer hohen Fähigkeit, zu totalisieren. Während die mittelalterliche Welt gegenüber dem Ausdruck der Schönheit und Wahrheit anderer Kulturen blind und verschlossen war, zeichnet sich das moderne Sehen der Welt durch Polyvalenz aus, durch die Fähigkeit, die Äußerungen der verschiedenartigsten Kulturen zu absorbieren: in sich aufzunehmen und neu zu bewerten.» (Kosik, a. a. O., S. 149.)

29 Paul Valéry: ‹*Die Eroberung der Allgegenwärtigkeit*›. In: Valéry, ‹*Über Kunst*›. Frankfurt a. M. 1959. S. 47.

30 MEW, Bd. 4, S. 465.

31 Hier zitiert nach der deutschen Ausgabe: Christopher Caudwell, ‹*Bürgerliche Illusion und Wirklichkeit. Beiträge zur materialistischen Ästhetik*›. München 1971. S. 57.

32 Hegel, a. a. O., S. 579.

33 Max Kommerell: ‹*Gedanken über Gedichte*›. 2. Aufl. Frankfurt a. M. 1956. S. 12.

34 Benjamin, Illuminationen, a. a. O., S. 155.

35 Ebd., S. 152.

36 Walter Benjamin: ‹*Briefe*› 1. Frankfurt a. M. 1966. S. 322.

37 Adorno, a. a. O., S. 46.

38 Ebd., S. 36.

39 Peter Szondi: ‹*Theorie des modernen Dramas*›. Frankfurt a. M. 1959. S. 137.

40 Paul Valéry: ‹*Zur Theorie der Dichtkunst*›. Frankfurt a. M. 1962. S. 178.

41 Hegel, a. a. O., S. 578.

42 Theodor W. Adorno: ‹*Prismen. Kulturkritik und Gesellschaft*›. München 1963. S. 152.

43 Walter Benjamin: ‹*Eduard Fuchs, der Sammler und der Historiker*›. In: Benjamin, ‹*Das Kunstwerk im Zeitalter seiner technischen Reproduzierbarkeit*›. Frankfurt a. M. 1968. S. 98 f.

44 Hegel, a. a. O., S. 579.

45 Adorno, Philosophie, a. a. O., S. 20.

46 Hegel, a. a. O., S. 579.

47 Dieter Henrich: ‹*Kunst und Kunstphilosophie der Gegenwart*›. In: ‹*Immanente Ästhetik. Ästhetische Reflexion, Lyrik als Paradigma der Moderne*›. Hg. von W. Iser. München 1966. S. 14.

48 Vgl. dazu Max Weber: ‹*Gesammelte politische Schriften*› (München 1921. S. 140 f) und den grundlegenden Aufsatz von Georg Lukács: ‹*Die Verdinglichung und das Bewußtsein des Proletariats*› (In: Lukács, ‹*Geschichte und Klassenbewußtsein*›. Berlin 1923. S. 94 f).

49 Helmuth Plessner: ‹*Die Legende von den zwanziger Jahren*›. In: *Merkur* XVI/1962, S. 36. Plessner, der dieses Phänomen vor allem an Baukunst

und Innenarchitektur analysiert, folgert jedoch, daß solche Historisierung im Grunde eine «Antwort auf das ganze Leben» gewesen sei, «die das Selbstbewußtsein des Bürgers in romantischen Kategorien festhalten wollte. Weil niemand wußte, wohin er gehörte, suchte er im Bild einer vergangenen Epoche Halt zu gewinnen. Bis in die Anfänge des 20. Jahrhunderts dauerte die Suche nach einer historischen Rechtfertigung des Lebens und demzufolge nach einem Stil in Kunst und Handwerk.» (Ebd.)

50 Herbert Marcuse: ‹*Über den affirmativen Charakter der Kultur*›. In: Marcuse, ‹*Kultur und Gesellschaft*› I. Frankfurt a. M. 1965. S. 63.

51 Stefan George: ‹*Der Teppich des Lebens*› V, 18.
Diese inhaltlich sehr verwandten Verse aus dem ‹*Siebenten Ring*› zitiert Gert Mattenklott. In ihnen tritt die eskapistische Abwendung vom kapitalistischen Alltag noch deutlicher hervor:

Hüllt auch das bild der schnöde werktag heuer,
Hier trat aus zeiten-wirrnis und -gezeter,
Das haupt bekränzt, vortragend offne feuer,
Der erste feierliche zug der beter.

Mattenklott weist zu Recht daraufhin, daß die «feierliche Formation der Feuerträger» die Sonnwendfeiern des Dritten Reiches präfiguriere. (Gert Mattenklott: ‹*Bilderdienst. Ästhetische Opposition bei Beardsley und George*›. München 1970. S. 279.)

52 Hegel, a. a. O., S. 581.

53 Vgl. dazu *«Stefan George 1868–1968. Der Dichter und sein Kreis. Eine Ausstellung des Deutschen Literaturarchivs im Schiller-Nationalmuseum Marbach a. N.»*, Katalog Nr. 19 (Stuttgart 1968. S. 179f). Dort auch eine Schilderung des Tages von Maximilian Kronberger.

54 Im ‹*Jahrbuch für die geistige Bewegung*›, zit. nach: Richard Hamann und Jost Hermand, ‹*Stilkunst um 1900*›. Berlin 1967. S. 115.

55 Zit. nach: Karl Löwith, ‹*Von Hegel zu Nietzsche*›. 5. Aufl. Stuttgart 1964. S. 40.

56 Rudolf Borchardt: ‹*Revolution und Tradition in der Literatur*›. In: Borchardt, ‹*Reden*›. Stuttgart o. J. S. 224.

57 Richard Huelsenbeck: ‹*En avant dada. Die Geschichte des Dadaismus*›. Hannover 1920. S. 34f.
In einer frühen Polemik von George Grosz und John Heartfield gegen Oskar Kokoschka (1919/20 in der Zeitschrift *Der Gegner*, 1. Jg. Nr. 10–12) tritt diese Haltung gegen die zur Ideologie verkommene bürgerliche Kultur noch schärfer und politisch prononcierter hervor; unter der Überschrift «Der Kunstlump» heißt es dort zu Anfang: «Die Bourgeoisie und das ihr mit Haut und Haaren verschriebene Kleinbürgertum hat sich gegen das aufbäumende Proletariat stets unter anderem auch mit ‹Kultur› gepanzert. Ein alter Schlachttrick des Bürgers! Im Rahmen dieser mit ihm in Schlamm und Dreck versinkenden Kultur steht die ‹Kunst›. Mit der Bibel in der Hand weiht man immer die Mordwaffen, die für die gemeinsten Interessen der verruchten Ausbeuterbande geführt werden (siehe jetzt auch Horthy-Ungarn), mit Goethes Faust im Tornister und den bösartigsten Dichterphrasen im Maul als Beruhigungspillen gab man sich stets das

‹ethische Gleichgewicht›, dessen man bedurfte im Kampf für Raub, Unterdrückung und rücksichtsloseste Ausbeutung des andern bis aufs Hemd.» (Zit. nach: *‹Literatur im Klassenkampf›*. Dokumentation von Walter Fähnders und Martin Rector. München 1971. S. 43; vgl. dort auch die Dokumentation der heftigen Kontroverse, die der Aufsatz von Heartfield und Grosz auslöste.) Diese Passage macht zugleich den politischen Ursprung dieses Verhältnisses zur bürgerlichen Kultur deutlich: die Erfahrung des Ersten Weltkriegs und der bürgerlichen Konterrevolution als entlarvende Selbstdarstellung der herrschenden Klassen Europas und ihrer ideologisch instrumentalisierten ‹Kultur›.

58 Walter Benjamin: *‹Kommentare zu den Gedichten von Brecht›*. In: Benjamin, *‹Versuche über Brecht›*. Frankfurt a. M. 1966. S. 50f.

59 Vgl. dazu: Theodor W. Adorno: *‹Gustav Mahler›*. Frankfurt a. M. 1960. S. 59.

60 Vgl. dazu etwa Walter Hinck: *‹Die deutsche Ballade von Bürger bis Brecht›*. Göttingen 1968. S. 128; Hannah Arendt: *‹Der Dichter Bertold Brecht›*. In: *Die Neue Rundschau*, Jg. 61/1950, S. 67.

61 Benjamin, Illuminationen, a. a. O., S. 177.

62 Gert Mattenklott hat die Differenzen zwischen Brecht und George so formuliert: «Ließe sich von den bedeutendsten Romanen des Jahrhunderts, wie denen Prousts und Joyces sagen, daß sie ihre ästhetische Konsistenz durch eben das beständige Dementi der Möglichkeit erlangen, diese Konsistenz noch herzustellen und daß die Entfaltung dieses Paradoxes das Prinzip ihrer Form sei, so stellt George einer bei diesen bezweifelten repräsentativen Erfahrbarkeit und ihr entsprechenden sprachlichen Gestaltung der modernen Realität eine kraft des dichterischen Willens autonom gesetzte gegenüber. Mag dieser Vergleich den Einspruch noch zulassen, daß der Tradition gattungsspezifischer Probleme in ihm nicht Rechnung getragen sei, so ist triftig doch der Hinweis auf Brecht, an dessen früher Lyrik schon sich jene Distanz der dichterischen Sprache zu sich selbst als verborgenes Gestaltungsprinzip erkennen läßt, die die Georgesche nie besessen hat. Der Lyriker Brecht darf denn auch als das genaue Gegenbild zu jenem bezeichnet werden.» (Mattenklott, a. a. O., S. 177f.)

63 Adorno, Philosophie, a. a. O., S. 120f.

64 Kommerell, a. a. O., S. 47.

65 Ebd.

66 Ebd., S. 46.

67 Theodor W. Adorno: *‹Thesen über Tradition›*. In: Adorno, *‹Ohne Leitbild. Parva Aesthetica›*. Frankfurt a. M. 1967. S. 36.

68 Clemens Heselhaus: *‹Deutsche Lyrik der Moderne von Nietzsche bis Ivan Goll›*. Düsseldorf 1961. S. 321.

69 Ebd.

70 Walter Benjamin: *‹Geschichtsphilosophische Thesen›*. In: Benjamin, *‹Illuminationen›*, a. a. O., S. 276.

71 Bloch, a. a. O., S. 181.

72 Arthur Rimbaud: *‹Leben und Dichtung›*. Übertragen von K. L. Ammer. 2. Aufl. Leipzig 1921. S. 184.

73 Ebd., S. 186.

74 Ebd., S. 187.

75 Ebd.

76 Der Marxist Brecht hat später im Gespräch mit Benjamin den historischen Ort des ‹*Bateau ivre*› analysiert: «In diesem, meint er, hätten auch Marx und Lenin – wenn sie es gelesen hätten – die große geschichtliche Bewegung gespürt, von der es ein Ausdruck ist. Sie hätten sehr wohl erkannt, daß darin nicht der exzentrische Spaziergang eines Mannes beschrieben wird, sondern die Flucht, das Vagabondieren eines Menschen, der es in den Schranken der Klasse nicht mehr aushält, die – mit dem Krimkrieg, mit dem mexikanischen Abenteuer – beginnt, auch die exotischen Erdstriche ihren merkantilen Interessen zu erschließen.» (Walter Benjamin: ‹*Gespräche mit Brecht. Svendborger Notizen*›. Notiz vom 4. Juli 1934. In: Benjamin, ‹*Versuche über Brecht*›. Frankfurt a. M. 1966. S. 118.) Es mag dahingestellt bleiben, ob gerade Lenin solches verspürt hätte, das ‹*Bateau ivre*› wäre ihm wohl eher als Dokument des trübsten ‹Fideismus› erschienen; wesentlich an der Bemerkung Brechts ist, daß an ihr die Korrespondenz der Vita des jungen Rimbaud zur eigenen Jugend deutlich wird: das Vagabondieren eines Menschen, der es in den Schranken der Klasse nicht mehr aushält.

77 Walter Benjamin: ‹*Über einige Motive bei Baudelaire*›. In: Benjamin, ‹*Illuminationen*›, a. a. O., S. 220.

78 Zit. nach Benjamin, Illuminationen, a. a. O., S. 220f.

79 Am 31. August 1934 notiert Benjamin aus einer Diskussion mit Brecht über das Werk Franz Kafkas: «Er [Brecht] hält sich vorwiegend an den ‹*Prozeß*›. Vor allem steckt da, wie er meint, die Angst vor dem nicht enden wollenden und unaufhaltsamen Wachstum der großen Städte. Aus eigenster Erfahrung will er den Albdruck kennen, den diese Vorstellung dem Menschen aufwälzt. Die unübersehbaren Vermittlungen, Abhängigkeiten, Verschachtelungen, in die die Menschen durch ihre heutigen Daseinsformen hineingeraten, finden in diesen Städten ihren Ausdruck.» (Benjamin, Versuche, a. a. O., S. 123.)

80 Bertolt Brecht, Notiz vom 11. September 1921. In: Brecht, ‹*Schriften zur Literatur und Kunst*› I. In: Brecht, ‹*Gesammelte Werke in 20 Bänden*› [= wa]. Bd. 18, S. 14.

81 Hegel, a. a. O., S. 577.

82 Zum Begriff des ‹geschlossenen› und des ‹zerrütteten› Kunstwerks vgl. Adorno, Philosophie, a. a. O., S. 118f.

83 «Uns gilt die Kunst nicht mehr als die höchste Weise, in welcher die Wahrheit sich Existenz verschafft.» (G. W. F. Hegel: ‹*Ästhetik*›. Berlin 1955. S. 139.)

84 Kunst als gelungene Vermittlung von Idee und sinnlicher Erscheinung stellt im Stufengang des absoluten Geistes nur eine, die unterste, Stufe dar, seine nächsten, höheren Manifestationen bilden Religion und Philosophie. Diesem Schema prozessualer Selbstverwirklichung des identischen Subjekt–Objekt qua absoluter Geist entsprechen in der Logik die Kategorien Anschauung, Vorstellung und Begriff.

85 Vgl. Willi Oelmüller: ‹*Die unbefriedigte Aufklärung*›. Frankfurt a. M. 1969. S. 250. Die Ausführungen zu Hegels Theorem vom Ende der Kunst in diesem Abschnitt stützen sich wesentlich auf Oelmüllers Darlegungen, insbes. dessen IV. Kapitel (S. 240–264).

86 Hegel, Ästhetik, a. a. O., S. 568.
87 Ebd., S. 948.
88 Ebd., S. 571.
89 Hegel, Ästhetik I, Frankfurt a. M. o. J., S. 21.
90 Ebd.
91 Ebd., S. 22.
92 Vgl. die moralisierende Wendung «sich verführen lasse» in dem oben angegebenen Zitat, die noch von einer freien Willensentscheidung der Intelligenz ausgeht, sich jenen Wissenschaften dienstbar zu machen oder nicht, die für die «Not der Gegenwart» und die eigennützigen Interessen, das heißt für die bürgerliche Gesellschaft verwertbar sind.
93 Hegel, Ästhetik I, Frankfurt a. M. o. J., S. 22.
94 Ebd. (Hervorhebungen vom Autor.)
95 Vgl. Oelmüller, a. a. O., S. 250 f.
96 Hegel, Ästhetik I, Frankfurt a. M. o. J., S. 22.
97 G. W. F. Hegel: ‹*Ästhetik*›. Hg. von Friedrich Bassenge. Frankfurt a. M. o. J. Bd. II, S. 472.
98 Zit. nach: Lu Märten, ‹*Wesen und Veränderung der Formen und Künste. Resultate historisch-materialistischer Untersuchungen*›. Weimar 1949. S. 265.
99 Zit. n. Märten, ebd.
100 Heinrich Heine: ‹*Sämtliche Werke*›. Hg. von Hans Kaufmann. München 1964. Bd. VII, S. 229. Im folgenden wird nach dieser Ausgabe zitiert, wenn nichts anderes angegeben ist.
101 Zit. n. Löwith, a. a. O., S. 41.
102 Zit. n. Löwith, a. a. O., S. 42. Wunderbare Entschiedenheit und Gelassenheit kann ich freilich im Gegensatz zu Löwith an diesen Sätzen nicht ablesen, eher schon eine Bestätigung jener Kritik, die Heine am Kunstegoismus des großen Zeitablehnungsgenies geübt hat.
103 Jürgen Habermas: Nachwort zu G. W. F. Hegel, ‹*Politische Schriften*›. Frankfurt a. M. 1966. S. 368.
104 Habermas, a. a. O., S. 368 f.
105 G. W. F. Hegel: ‹*Sämtliche Werke*› (Jubiläumsausgabe). Hg. von Hermann Glockner. 3. Aufl. Stuttgart 1949 f. Bd. 11, S. 563.
106 G. W. F. Hegel: ‹*Wissenschaft der Logik*› Bd. 1. Leipzig 1951 (= Philosophische Bibliothek. Bd. 56). S. 22.
107 Heine, Werke Bd. IX, S. 44.
108 Lorenz von Stein: ‹*Geschichte der sozialen Bewegung in Frankreich von 1789 bis auf unsere Tage*› Bd. II: ‹*Die industrielle Gesellschaft. Der Sozialismus und Kommunismus Frankreichs von 1830 bis 1848*›. München 1921. S. 11: «Die Julirevolution zuerst ist der Akt, durch welchen die industrielle Gesellschaft zur definitiven Herrschaft gelangt.»
109 Ebd., S. 10
110 Ebd., S. 11; vgl. a. ebd.: «Sondern der wahre Inhalt der ganzen Epoche des Julikönigtums ist kein anderer als die organische Ausbildung des im Prinzipe der volkswirtschaftlichen Gesellschaft liegenden Gegensatzes der beiden Klassen dieser Gesellschaft, und zwar im praktischen Leben, in der Theorie, und in der Organisierung zur gewaltsamen Tat.»
111 Ebd., S. 5.

112 Ebd., S. 9.
113 Heine, Werke Bd. XI, S. 55.
114 Ebd., S. 56; vgl. auch den Brief vom 19. November 1830 an Karl August Varnhagen von Ense: «Ich selbst hasse die aristocratie bourgeoise noch weit mehr.» (Heinrich Heine: *‹Briefe›*. Leipzig 1969. S. 138.)
115 Heinrich Heine: *‹Briefe›*. Erste Gesamtausg. n. d. Handschriften. Hg. von Friedrich Hirth. Mainz 1950. Bd. 1, S. 420.
116 Löwith, a. a. O., S. 43. Löwith schreibt, Goethe und Hegel hätten es vermocht, noch «eine Welt zu gründen», in der «der Mensch bei sich sein kann», ihre nächsten Schüler jedoch hätten das «Gleichgewicht ihrer Meister als das Produkt einer bloßen Harmonisierung verkannt». Die ‹Mitte›, aus der die Goethesche Natur gelebt habe und die Vermittlung, in der Hegels Geist sich bewegte, seien bei Marx und Kierkegaard in die Extreme der Äußerlichkeit und Innerlichkeit auseinandergefallen. Löwiths Schema, demzufolge Heine sicherlich der Marxschen Äußerlichkeit zuzurechnen wäre, krankt an seiner Fixierung auf Geistesgeschichte. Ganz abgesehen von dem problematischen Ineinssetzen Goethescher Mitte und Hegelscher Vermittlung ist es die gesellschaftliche Entwicklung selber, die solches «aus der Mitte seiner Natur heraus leben» nicht mehr zuläßt, und gerade dies hat Marx und auch Heine erkannt.
117 Heine, Briefe, Leipzig 1969, S. 132. Diese Charakterisierung stammt noch aus der Zeit vor der Juli-Revolution und ist auf den Goethe nach der Sturm- und Drang-Periode beschränkt, sie gilt nicht ‹dem frühesten Goethe›, dem ‹Werther-Goethe›.
118 Heine, Werke Bd. IX, S. 46 f.
119 Ebd., S. 44 f.
120 Ebd., S. 46.
121 Heine, Briefe, Leipzig 1969, S. 132.
122 Heine, Werke Bd. VIII, S. 47.
123 Heine, Werke Bd. IX, S. 46.
124 Heine, Werke Bd. VIII, S. 48. Die Ästhetik-Vorlesungen Hegels hatte Heine in Berlin gehört.
125 Ebd.
126 Ebd., S. 49.
127 Ebd.
128 Ebd.
129 Ebd.
130 Wolfgang Preisendanz: *‹Der Funktionsübergang von Dichtung und Publizistik bei Heine›*. In: *‹Die nicht mehr schönen Künste. Grenzphänomene des Ästhetischen›*. Hg. von H. R. Jauss. München 1968 (= Poetik und Hermeneutik. III). S. 345.
131 Odo Marquard: Diskussionsbeitrag zu Preisendanz in: *‹Die nicht mehr schönen Künste›*, a. a. O., S. 631 f. Marquard verkehrt freilich auf bemerkenswerte Weise Ursache und Wirkung: es ist nicht das Ende der Kunstperiode, das den Einbruch des Außerästhetischen unvermeidlich macht, sondern es ist der Einbruch des Außerästhetischen, der das Ende der Kunstperiode möglich macht. Schließlich mußte sich Heine auch nach Goethes Tod mit den epigonalen Fortführern der Kunstperiode auf das Heftigste auseinandersetzen.

132 In Preisendanz' und Marquards Begriff der ‹welthaften Vermittlung› resp. der ‹Welthaltigkeit› ist nicht die Reflexion darauf eingegangen, daß Heine, wenn er von der heiligen Harmonie mit der Umgebung spricht, in der griechische und mittelalterliche Künstler gestanden hätten und solchen Einklang von Kunst und Zeit in der Zukunft wieder erwartet, immer noch Hegels geschichtsphilosophischer Kategorie der Substantialität verhaftet bleibt.

133 Heine, Werke Bd. VIII, S. 49. (Hervorhebung vom Autor.)

134 Heine, Werke Bd. V, S. 254.

135 In diesem Zusammenhang ist der Hinweis von Albrecht Betz bedeutsam, daß Heine den Vorwurf der Zerrissenheit vom Marchese, «dem nobilitierten Gumpel und Prototyp der neuen Geld-Bourgeoisie», erheben läßt. (Albrecht Betz: ‹*Ästhetik und Politik. Heinrich Heines Prosa*›. München 1971. S. 25.) Damit gewinnt Heines Argumentation eine ideologiekritische Dimension.

136 wa, Bd. 15, S. 334.

137 Heine, Werke Bd. V, S. 225.

138 Heine, Werke Bd. IX, S. 118.

139 Preisendanz, a. a. O., S. 345. Preisendanz versucht in seiner Interpretation Heines Programm des Endes der Kunstperiode für einen rezeptionsästhetischen Kunstbegriff zu reklamieren, indem er Heines Problem, artistisches Interesse mit Politik und Wissenschaft zu vermitteln, verkürzt auf das Problem, ‹nichtästhetische Wirkungsabsicht› und artistisches Interesse in einem neuen Dichtungsbegriff zu vereinen. «Politisierung der Literatur» (Preisendanz, ebd.) geht dabei für Preisendanz auf in der publizistischen Wirkungsabsicht: «[...] die Politisierung der Literatur, die publizistische Wirkungsabsicht scheint sich als Funktion eines neuen Dichtungsbegriffs herauszustellen.» (Ebd.)

140 So Hans Robert Jauss: ‹*Das Ende der Kunstperiode. Aspekte der literarischen Revolution bei Heine, Hugo und Stendhal*›. In: Jauss, ‹*Literaturgeschichte als Provokation*›. Frankfurt a. M. 1970. S. 112. Auch Jauss bleibt in den Grenzen der Rezeptionsästhetik stehen, weil er Heines Antizipation von Literatur als selber verändernder Praxis, begründet in der aufgehobenen Trennung von Leben und Schreiben, nicht realisiert.

141 Zit. nach Betz, a. a. O., S. 39; vgl. auch die Interpretation von Betz, S. 38 f.

142 Heine, Werke Bd. X, S. 67; vgl. auch Heines Interpretation von Hegels Satz: Alles was wirklich ist, ist vernünftig und alles Wirkliche ist vernünftig. In den ‹*Briefen über Deutschland*› heißt es dazu: «Als ich einst unmutig war über das Wort: ‹Alles was ist, ist vernünftig›, lächelte er sonderbar und bemerkte: ‹Es könnte auch heißen: Alles, was vernünftig ist, muß sein.›» (Heine, Werke Bd. XIV, S. 64.) In bemerkenswerter Affinität zu dieser Interpretation formuliert Brecht in der 6. These zur Theorie des Überbaus: «Was vernünftig ist, das *wird* wirklich, und was wirklich wird, das ist vernünftig.» (wa, Bd. 20, S. 77 [Hervorhebung vom Autor].)

143 Benjamin, Versuche, a. a. O., S. 135.

144 Friedrich, a. a. O., S. 166.

145 Friedrich Nietzsche: ‹*Jenseits von Gut und Böse*›. Stuttgart 1953. S. 146.

146 Benjamin, Gespräche, a. a. O., S. 118.

147 Ebd., S. 126.
148 Bloch, a. a. O., S. 215.
149 Hans Mayer: ‹*Bertolt Brecht und die Tradition*›. Pfullingen 1961. S. 30.
150 Vgl. Roger Planchon: ‹*Hanns Eisler in Lyon*›. In: *Sinn und Form* XV/1963, S. 151.
151 Vgl. dazu die zusammenfassende Darstellung seiner Dissertation in: *Frankfurter Rundschau* vom 16. November 1968, S. IV.
152 Ebd.
153 Mayer, a. a. O., S. 12.
154 Ebd., S. 13.
155 Ebd., S. 14.
156 Karl Otten: ‹*ARBEITER!*›. In: ‹*Über die großen Städte. Gedichte 1885–1967*›. Hg. von F. Hofmann, Joachim Schreck, Manfred Wolter unter Mitarbeit von Bernd Jentzsch. Berlin–Weimar 1968. S. 135.
157 wa, Bd. 15, S. 18.
158 wa, Bd. 15, S. 23 und 24.
159 wa, Bd. 15, S. 9f; Mayer, a. a. O., S. 26.
160 Reinhold Grimm: ‹*Bertolt Brecht und die Weltliteratur*›. Nürnberg 1961. S. 10.
161 Upton Sinclair: ‹*Der Sumpf. Roman aus Chicagos Schlachthäusern*›. In: Sinclair, ‹*Gesammelte Romane*› Bd. I. Berlin 1924. S. 62. Brecht findet also den Ausgangspunkt seiner ‹*Don Carlos*›-Kritik in den Reflexionen Sinclairs selbst.
162 Ebd., S. 60f.
163 Ebd., S. 184.
164 Ebd., S. 127.
165 Ebd., S. 107. (Hervorhebung vom Autor.)
166 wa, Bd. 2, S. 702.
167 wa, Bd. 7, S. 2908.
168 Benjamin, Lesezeichen, a. a. O., S. 274.
169 Ebd., S. 267.
170 Sinclair, a. a. O., S. 124: «Du lieber Gott, werden die Menschen wirklich zugeben, daß sie alle auf der Straße erfrieren? Wird ihnen niemand helfen?»
171 Exemplarisch für diese Interpretationen vor allem: Hans Egon Holthusen, ‹*Versuch über Brecht*›. In: Holthusen, ‹*Kritisches Verstehen*›. München 1961. S. 100f.
172 wa, Bd. 9, S. 725.
173 Vgl. wa, Bd. 17, S. 947f: ‹*Bei Durchsicht meiner ersten Stücke*›. Solche gesellschaftlich gewendete hedonistisch-emanzipative Strategie ist nicht ohne Tradition in der deutschen revolutionären Literatur. Auch hier wäre als Vorläufer Brechts Heinrich Heine zu nennen, der in der kleinen Studie ‹*Verschiedenartige Geschichtsauffassung*› die Revolution definiert als Geltendmachen des Lebens «gegen den erstarrenden Tod, gegen die Vergangenheit» (Heine, Werke Bd. X, S. 67). Im dritten Buch der ‹*Romantischen Schule*› heißt es: «Wir haben die Lande gemessen, die Naturkräfte gewogen, die Mittel der Industrie berechnet, und siehe, wir haben ausgefunden, daß diese Erde groß genug ist; daß sie jedem hinlänglichen Raum bietet, die Hütte seines Glückes darauf zu bauen, daß diese

Erde uns alle anständig ernähren kann, wenn wir alle arbeiten und nicht einer auf Kosten des anderen leben will; und daß wir nicht nötig haben, die größere und ärmere Klasse an den Himmel zu verweisen.» (Heine, Werke Bd. IX, S. 118.) Noch deutlicher wird die Affinität Heines zu Brecht an der folgenden Briefstelle: «Seit aber, durch die Fortschritte der Industrie und Ökonomie, es möglich geworden, die Menschen aus ihrem materiellen Elende herauszuziehen und auf Erden zu beseligen, seitdem – Sie verstehen mich. Und die Leute werden uns schon verstehen, wenn wir ihnen sagen, daß sie in der Folge alle Tage Rindfleisch statt Kartoffel essen sollen und weniger arbeiten und mehr tanzen werden. – Verlassen Sie sich darauf, die Menschen sind keine Esel.» (Brief an Heinrich Laube, 10. Juli 1833. In: Heine, Briefe, Leipzig 1969, S. 154.) Vgl. dazu die Ausführungen Ziffels über ‹niedrigen Materialismus› in Brechts *‹Flüchtlingsgespräche›*: «Ich hab mich oft gewundert, warum die linken Schriftsteller zum Aufhetzen nicht saftige Beschreibungen von den Genüssen anfertigen, die man hat, wenn man hat.» (wa, Bd. 14, S. 1393.) Die Abneigung gegen einen asketisch-puritanischen Sozialismus, der den Materialismus zur doktrinären Idee verkommen läßt, teilt Brecht mit Heine, wie dieser sie mit dem jungen Marx und Engels teilt (vgl. zu dieser Problematik bei Heine die Studie von Leo Kreutzer: *‹Heine und der Kommunismus›*. Göttingen 1970).

174 Bertolt Brecht: *‹die proletarische dialektik›*. In: *Alternative* 41 (1965), S. 93.

175 wa, Bd. 14, S. 1392.

176 Klaus-Detlef Müller: *‹Die Funktion der Geschichte im Werk Bertolt Brechts. Studien zum Verhältnis von Marxismus und Ästhetik›*. Tübingen 1967. S. 15f.

177 Vgl. Karl Korsch: *‹Der Standpunkt der materialistischen Geschichtsauffassung›* (= Hauptteil der *‹Kernpunkte der materialistischen Geschichtsauffassung›* [s. Anm. 238]). In: Korsch, *‹Marxismus und Philosophie›*. Hg. von Erich Gerlach. Frankfurt a. M. 1966. S. 156.

178 Vgl. Benjamin, Versuche, a. a. O., S. 59f.

179 Bertolt Brecht: *‹Hauspostille›*. Berlin–Frankfurt a. M. 1961. S. 118.

180 Der Begriff wird hier verwandt im Sinne Ernst Blochs, vgl. den Abschnitt: «Ungleichzeitigkeit und Pflicht zu ihrer Dialektik» in: Bloch, a. a. O., S. 104–160. Bloch unterscheidet zwischen objektiv und subjektiv ungleichzeitigen Widersprüchen: «Der subjektiv ungleichzeitige Widerspruch ist gestaute Wut, der objektiv ungleichzeitige unerledigte Vergangenheit» (ebd., S. 122). Objektiv ungleichzeitig ist das Weiterwirken sowohl dem Stand der Produktivkräfte, der historischen Entfaltung des Kapitalismus inadäquater Produktionsformen und -verhältnisse als auch Ideologien, wie zum Beispiel der Faschismus und all seine deutsch-nationalen, lebensphilosophischen, neogotischen und völkischen Vorläufer und Verzweigungen.

181 Josef W. Stalin: *‹Fragen des Leninismus›*. Berlin 1955. S. 724: «Der dialektische Materialismus ist die Weltanschauung der marxistisch-leninistischen Partei.»

182 wa, Bd. 12, S. 539.

183 Etwa 1937/38, Brecht an Korsch, in: Briefwechsel Korsch/Brecht, Mappe

1933–38, Internationaal Instituut voor Sociale Geschiedenis (IIvSG) Amsterdam. Zu den Tagebüchern, Arbeitsbüchern, Notizheften und Briefen im Brecht-Archiv hatte ich leider keinen Zugang.

184 Wie etwa Wieland Herzfelde das in *‹Gesellschaft, Künstler und Kommunismus›* normativ zu fassen sucht: «Sein [des Künstlers] Weg zum Kommunismus hat zwei Phasen: die erste hat er durchlaufen, wenn er seinen Platz in der kommunistischen Partei, seine Pflichten im Kampf gegen das Ausbeutertum, in der Solidarität mit den Genossen erkannt hat. Dieser Weg ist verhältnismäßig leicht zurückzulegen. Die zweite Phase setzt mit der Erkenntnis ein, daß die Fortsetzung seiner Berufstätigkeit in gewohnter Weise ähnlich unmöglich ist, wie etwa für den kommunistischen Journalisten die Arbeit in einer bürgerlichen Redaktion» usw. Zit. n.: Friedrich Albrecht, *‹Deutsche Schriftsteller in der Entscheidung. Wege zur Arbeiterklasse 1918–1933›*, Dokumentarischer Anhang. Berlin–Weimar 1970 (= Beiträge zur Geschichte der deutschen sozialistischen Literatur im 20. Jahrhundert. Bd. 2). S. 545; auch die segensreichen Wirkungen, die Johannes R. Becher dem Parteieintritt der Intellektuellen nachsagte, mußten Brecht wohl versagt bleiben: «Sie wurden einfach und kräftig, gesund und natürlich, sie lernten auch ihre Hände zu gebrauchen und mit den Dingen umzugehen [...]» (Johannes R. Becher: *‹Der Weg zur Masse›*. In: Albrecht, a. a. O., S. 589.)

185 Vgl. Fritz Sternberg: *‹der dichter und die ratio. erinnerungen an bertolt brecht›*. Göttingen 1963. S. 66. Zur Biographie Sternbergs, der der SAPD (Sozialistische Arbeiterpartei Deutschlands) beitrat, vgl. Hanno Drechsler: *‹Die Sozialistische Arbeiterpartei Deutschlands (SAPD)›*. Meisenheim/Glan 1965. S. 370f. Über Brechts Beziehung zur KPD teilt Sternberg unter anderem mit, daß Brecht immer wieder seine politische Unabhängigkeit betont habe (Sternberg, a. a. O., S. 23).

186 Der Beginn dieser Bekanntschaft ist schwer auszumachen. Fritz Sternberg vermerkt, «daß Brecht nicht nur mit mir, der ich niemals Mitglied der Kommunistischen Partei war, ständig zusammenkam, sondern längere Jahre hindurch auch mit Karl Korsch» (Sternberg, a. a. O., S. 23). Diese Anmerkung läßt ebenso auf die Jahre 1927 und 1928 als den Beginn der Bekanntschaft schließen wie die Erinnerungen von Marieluise Fleisser an Brecht (s. Marieluise Fleisser: *‹Frühe Begegnung›*. In: *Akzente* 13/1966, S. 239f): «Feuchtwanger trat an Einfluß zurück, jetzt wurde Sternfeld [= Sternberg] der wichtige Mann und Korsch» (Fleisser, a. a. O., S. 246f). Die zitierte Bemerkung folgt bei Fleisser im Anschluß an die Schilderung von Brechts Preisrichter-Rolle im Lyrik-Wettbewerb der *Literarischen Welt* (4. Februar 1927).

187 Auch hier lassen sich genaue Daten nur schwer eruieren. Die Zeitschrift *Polemos* druckte in ihrer Nr. 11 (1969), S. 9f das Programm eines Vorlesungszyklus von Korsch mit dem Titel *‹Vorlesungen über wissenschaftlichen Sozialismus›* ab, der für den Zeitraum vom November 1928 bis Februar 1929 angekündigt ist. Das Programm eines zweiten Vorlesungszyklus mit dem Titel *‹Lebendiges und Totes im Marxismus›* (November 1932–Februar 1933) ist abgedruckt in der *Alternative* 41 (1965), S. 92. Erich Gerlach, der Korschs Schriften in der Bundesrepublik wieder bekannt gemacht hat und damals auch zu den Hörern Korschs gehörte,

teilte dem Verfasser mit, daß Brecht regelmäßig an Korschs Vorlesungen teilnahm und im Anschluß daran zusammen mit Alfred Döblin lange Diskussionen mit Korsch und anderen hatte, in denen Brecht im Gegensatz zu Döblin Karl Korschs Kritik der Sowjet-Union entgegengetreten sei, dessen Auffassung der materialistischen Dialektik aber geteilt habe. (Mündl. Mitteilung an den Verfasser auf Grund stenographischer Notizen Erich Gerlachs.) Hanna Kosterlitz, eine Freundin Korschs, erinnert sich: «KK gab Kurse im Hause der Karl Marx Schule, Neukölln. Danach lange Sitzungen im Cafe Adler am Alexanderplatz. Dort auch Vorträge und panel Diskussionen von KK und andern. BB drängte auf neue revolutionäre Formel für Dialektik. KK erklärte, das gäbe es nicht, aber alle Teilnehmer interessiert an Gesprächen. Nie formulierte Resultate oder Beschlüsse, zwanglos. Aus diesen Diskussionen entsprang die Idee zum Komm. Man. in Versform.» Die Notiz wurde mir freundlicherweise mitgeteilt von Michael Buckmiller, der an einer politischen Biographie Korschs arbeitet (Brief an den Verfasser vom 15. März 1972).

188 Vgl. *Alternative* 41 (1965), S. 92.

189 Oskar Negt: ‹*Marxismus als Legitimationswissenschaft. Zur Genese der stalinistischen Philosophie*›. Einleitung zu: Abram Deborin und Nikolaj Bucharin, ‹*Kontroversen über dialektischen und mechanistischen Materialismus*›. Frankfurt a. M. 1969. S. 21.

190 Ebd.

191 Die Formel von der ‹Korsch-Legende› wurde etwa zur gleichen Zeit von zwei Vertretern der Literaturwissenschaft der DDR geprägt: zum einen von Werner Mittenzwei in einer Fußnote zu ‹*Erprobung einer neuen Methode. Zur ästhetischen Position Bertolt Brechts*›, einem Aufsatz in dem Sammelband ‹*Positionen. Beiträge zur marxistischen Literaturtheorie*› (Leipzig 1969. S. 613f, Fußn. 12) und von Ingeborg Muenz-Koenen in einer Rezension ‹*Brecht in westdeutschen Publikationen*› (in: ‹*Weimarer Beiträge*› 1/1969, 15. Jg. Berlin–Weimar 1969. S. 123–147). Zunächst zu Mittenzwei. Er behauptet, die ‹Korsch-Legende› sei von der bürgerlichen Brecht-Literatur erfunden worden, um «den Marxismus Brechts von dem ‹offiziellen Marxismus› abzusondern» (Mittenzwei, a. a. O., S. 613). Schon diese Behauptung ist zumindest eine Halbwahrheit, denn nach der kommentierenden Darstellung des Briefwechsels zwischen Brecht und Korsch durch Wolfdietrich Rasch im *Merkur* (188 [1963], S. 988–1003) hatte erst wieder die Berliner Zeitschrift *Alternative* (41 [1965] ‹*Karl Korsch. Lehrer Bertolt Brechts*›) die Zusammenarbeit von Brecht und Korsch eingehend dokumentiert. Die Korsch–Brecht-Nummer der *Alternative* wird allerdings weder von Mittenzwei noch von Muenz-Koenen erwähnt: sie der ‹Bürgerlichkeit› zu zeihen würde freilich auch schwerhalten.

Schlicht falsch ist Mittenzweis Argumentation, Korsch habe «in einigen Fragen eine trotzkistische Auffassung» (Mittenzwei, a. a. O., S. 613) vertreten und sei daher aus der Kommunistischen Partei ausgeschlossen worden. Die «marxistische Grundorientierung» (ebd., S. 613), der Brecht in seiner weiteren Entwicklung gefolgt sei, sei «keineswegs die trotzkistische Richtung» (ebd.) gewesen, die Korsch eingeschlagen habe. Das sind Wendungen, denen man ihre stalinistische Herkunft auf den ersten Blick

ansieht und die darüber hinaus auch jeder Grundlage entbehren. K. Korsch vertrat keine ‹trotzkistischen› Auffassungen, sondern wurde am 26. Juni 1926 zusammen mit Ernst Schwarz als Vertreter der linken Opposition (Gruppe der ‹Entschiedenen Linken›) gegen die damalige politische Linie des ZK der KPD aus der Partei ausgeschlossen. In dem Organ seiner Gruppe, der *Kommunistischen Politik*, schrieb Korsch dazu: «Nach meiner Überzeugung stellt die gegenwärtige Führung der KPD eine rechte Parteiführung dar, die immer mehr die Linie einer opportunistischen, d. h. unkommunistischen und unleninistischen Politik verfolgt. Sie unterdrückt zugleich durch ein Regime ideologischen Terrors und polizeilicher Methoden alle in der Partei bisher noch vorhanden gewesenen Reste von Parteidemokratie, so daß der Kampf für die Wiederherstellung einer kommunistischen Politik innerhalb der Partei heute fast überhaupt nicht mehr möglich ist» (*Kommunistische Politik* 4 [Mitte Mai 1926]). Daß Brecht diese Auffassungen Korschs, insbesondere über die Parteidemokratie, nicht nur weitgehend teilte, sondern ihn zum Teil in der Schärfe der Kritik noch übertraf, wird aus dem oben wiedergegebenen Me-ti-Zitat (vgl. Anm. 182) ebenso deutlich wie aus einer Notiz in den ‹*Marxistischen Studien*› (wa, Bd. 20, S. 49f), in der es heißt, die «gegenwärtige Leitung der Partei, eine geistig ziemlich niedrige, aber kräftige und schlaue Kleinbürokratie», löse ihre nicht eben leichte Aufgabe, «eine auf Millionenstärke angeschwollene Partei in der Opposition zu halten», «sehr achtenswert». «Diese Bürokratie», heißt es dann weiter, «mag nicht fähig sein, eine Revolution zu führen, aber der Stoß, der sie im Falle einer Revolution hinwegfegen wird (sie wird ohne falsche Sentimentalität erledigt werden), wird nicht von einer Seite aus geführt werden, der ihre geistige und sittliche Mittelmäßigkeit auf die Nerven geht. Diese Bürokratie wird an den Folgen krepieren, die ihre materielle Position bei ihr haben wird. Mit anderen Worten: Sie wird am Tage der Revolution andere (materielle) Interessen haben als das Proletariat.» Soweit Brecht.
Im übrigen standen sowohl die Gruppe ‹Entschiedene Linke› als auch Korsch in kritischer Distanz zu Leo Trotzki; so erschien in der Nr. 15/16 der *Kommunistischen Politik* (Ende August 1927) eine ausführliche Trotzki-Kritik, wahrscheinlich von Korsch geschrieben, in der festgestellt wird, daß Trotzki «in seiner Gesamteinstellung [...] nicht auf dem Boden jener marxistischen Theorie steht, die nach Marx und Engels nichts anderes ist als der allgemeine Ausdruck der tatsächlichen Bewegung des revolutionären proletarischen Klassenkampfes.» (Diese letzte Wendung, ein paraphrasiertes Zitat aus dem ‹*Kommunistischen Manifest*›, wird von Korsch immer wieder verwandt.) Im übrigen teilte Gerlach dem Verfasser mit, daß ein noch unveröffentlichtes englisches Manuskript einer Trotzki-Kritik Korschs mit dem Titel ‹*Thermidor in reverse*› existiert. Eher als zu Trotzki suchte die Gruppe ‹Entschiedene Linke›, das sei noch hinzugefügt, Kontakt zu der sowjetischen Gruppe ‹Arbeiteropposition› (vgl. die Übersetzung eines Artikels von Aleksandr G. Šljapnikov: ‹*Die Wahrheit über die Arbeiteropposition*› in: *Kommunistische Politik* 19, 20, November 1926).
Werner Mittenzwei benutzt ferner den Vorwand, gegen die in der Tat einseitige Behauptung, Korsch sei *der* marxistische Lehrer Brechts gewe-

sen, zu polemisieren, dazu, die Bedeutung Korschs für Brechts theoretisches Selbstverständnis völlig abzuwerten. Korsch sei demnach «nur einer der vielen marxistisch Gebildeten» gewesen, «mit denen sich Brecht gern unterhielt, Gedanken austauschte und Korrespondenz pflegte», außerdem habe Brecht ja immer die Auffassung vertreten, «daß auch aus schiefen, unvollkommenen Darstellungen gelernt werden könne» (Mittenzwei, a. a. O., S. 613); schließlich wird von den vielen Äußerungen Brechts über Korsch aus einer einzigen, sehr differenzierten und ad personam gehaltenen Passage mit dem Titel ‹*Mein Lehrer*› (wa, Bd. 20, S. 65 f) der besonders kritische und ironische erste und letzte Absatz zitiert und daraus geschlossen, Brecht habe in Korsch einen Mann gesehen, «der sich nicht zum Gesamtverständnis der revolutionären Bewegung hinaufarbeiten konnte» (ebd., S. 613).
Um diese Verfahrensweise zu kennzeichnen, sei zum einen auf den Umstand verwiesen, daß Mittenzwei bei dem von ihm zitierten Text Brechts über Korsch von insgesamt zehn Absätzen acht unberücksichtigt läßt, unter ihnen den Absatz: «Seine Hilfe bei meinen Arbeiten ist unschätzbar. Er entdeckt alle Schwächen. Und er macht sogleich Vorschläge. Er weiß viel. Ihm zuzuhören ist schwierig. Seine Sätze sind sehr lang. So bringt er mir Geduld bei» (wa, Bd. 20, S. 66). – Aus diesem Absatz geht Muenz-Koenen zufolge lediglich hervor, daß Brecht Korschs Eigenschaften als ‹Diskussionspartner› geschätzt habe. – Darüber hinaus geht Mittenzwei ebenso wie Muenz-Koenen mit keinem Wort auf die von Rasch zitierten Passagen aus dem Briefwechsel ein. Ich zitiere daher aus dem Briefwechsel vollständig eine Passage, der man entnehmen kann, welche Bedeutung Brecht den Arbeiten Korschs für seine eigene Produktion zugemessen hat (gekürzt zit. a. bei Rasch, a. a. O., S. 991): «ich betrachte sie als meinen lehrer, Ihre arbeiten und Ihre persönliche freundschaft bedeuten viel für mich und es kommt nur darauf an, dass Sie mit mir geduld haben. Wir differieren seit langem in der einschätzung der UDSSR, aber ich glaube fest, dass Ihre einstellung zur USSR nicht die einzige anwendung ist, die man von Ihren wissenschaftlichen forschungen machen kann. ich diskutiere seit langem alle strittigen punkte im kopf mit Ihnen, bevor ich etwas schreibe.» (IIvSG, Mappe: nicht datierte Briefe.) Es ist doch eigentlich erstaunlich, daß Brecht sich dieser Mühe unterzog bei einem Mann, der sich laut Mittenzwei nicht zum Gesamtverständnis der revolutionären Bewegung hinaufarbeiten konnte.
W. Mittenzweis Versuch, die *Zusammenarbeit* von Korsch und Brecht herunterzuspielen zu ein wenig Unterhaltung, ein wenig Gedankenaustausch und der Pflege von Korrespondenz ist zu durchsichtig und plump angelegt. Nicht nur war Brecht Hörer der Vorlesungen Korschs und aktiver Teilnehmer an dessen Arbeitskreisen, auch die intensive Anteilnahme Brechts am Entstehen des Buches ‹Karl Marx› von Korsch, seine hohe Wertschätzung dieses Buches, die Zusammenarbeit bei dem Versuch Brechts, das ‹*Kommunistische Manifest*› als Lehrgedicht zu versifizieren (vgl. *Alternative* 41 [1965], S. 45–57), bezeugen das Gegenteil. Über Korschs Buch ‹*Karl Marx*›, das 1938 in London erscheint, schreibt Brecht im Februar 1939 an Korsch: «ich habe jetzt Ihren MARX bekommen und danke Ihnen sehr dafür. ich lese es mit heisshunger, es verschafft die nötige

klärung. (und schön, dass er von dem geschlagensten aller proletariate produziert ist!)» (IIvSG, Mappe 1939–1948, Brecht an Korsch, Svendborg, februar 39). Mag die letzte Bemerkung den von Mittenzwei zitierten Satz Brechts, Korsch wäre auch beim Proletariat «wohl nur ein Gast» (WA, Bd. 20, S. 66) in die richtigen Dimensionen rücken, so zeigt die folgende Bemerkung in einem Brief noch aus der Entstehungszeit des ‹*Karl Marx*› den Stellenwert, den Brecht dem Buch für die theoretische Debatte innerhalb der kommunistischen Bewegung zumaß. Brecht lobt in diesem Brief, daß Korsch seine Darstellung nach Paragraphen gliedert und nennt als einen Vorteil dieses Vorgehens, es könnten «bei dieser Schreibart die Richtigstellungen in der eigenen Reihe erfolgen, ohne dass der Gegner profitiert» (IIvSG, Mappe 1933–1938, Brecht an Korsch 1936).
Auffällig und aufschlußreich zugleich ist die Tatsache, daß Mittenzwei von den «vielen Marxisten, mit denen Brecht zusammenarbeitete und die sein Weltbild mit beeinflußten», nicht einmal einen beim Namen nennt. Ausdrücklich als seine ‹Lehrer› bezeichnet hat er, soweit ich sehe, außer Korsch noch Fritz Sternberg, Sergej M. Tretjakov und Margarete Steffin. Lediglich Ingeborg Muenz-Koenen, die zu Recht von der «Komplexität der Brechtschen Marxismusaneignung» (Muenz-Koenen, a. a. O., S. 126) spricht, führt an, daß Brecht beispielsweise Vorträge in der marxistischen Arbeiterschule besuchte, daß erfahrene Kommunisten seine engsten Mitarbeiter waren, daß er vor allem bei den Arbeitern selbst in die Lehre ging (ebd.). Aber er ging eben auch bei Korsch in die Lehre, was zumindest der Komplexität halber nicht eskamotiert werden sollte. Der Verfasser ist sich im klaren darüber, daß Überzeugen unfruchtbar ist, aber da es bei der Formel der ‹Korsch-Legende›, wie sie von Mittenzwei und Muenz-Koenen vertreten wird, um schlichte faktische Wahrheit geht und der Bereich theoretischer Auseinandersetzung nicht einmal erreicht wird, hielt er diese Anmerkung für nötig. Wenn Mittenzwei schreibt: «Gegenwärtig wird die Haltung zur Korsch-Legende immer mehr zu einem Prüfstein für wissenschaftliche Objektivität und intellektuelle Redlichkeit» (Mittenzwei, a. a. O., S. 614), dann kann man dem nur entgegnen, daß an diesem Prüfstein diejenigen gescheitert sind, die die Formel von der Korsch-Legende erfanden. Im übrigen wird an alldem wieder einmal deutlich, wie dringlich die Veröffentlichung des gesamten Briefwechsels und der Tagebücher von Brecht ist.

192 Vgl. Brecht an Korsch: «las ich jetzt wieder Ihre große kautskykritik» (zit. bei Rasch, a. a. O., S. 994); vgl. Karl Korsch: ‹*Die materialistische Geschichtsauffassung. Eine Auseinandersetzung mit Karl Kautsky*›. In: ‹*Archiv für die Geschichte des Sozialismus und der Arbeiterbewegung*› (Hg. von Carl Grünberg) 14 (1929).

193 Vgl. das Vorwort zur 2. Aufl. 1931 in: Korsch, Marxismus, a. a. O., S. 31–72.

194 An dieser Stelle sei darauf hingewiesen, daß Korsch mit Recht zwischen Leninscher Theorie und Praxis und dem erst von Stalin legitimationswissenschaftlich begründeten weltanschaulichen System des ‹Leninismus› unterschieden hat. Ebenso hat Brecht zwar Theoreme und Prinzipien Lenins rezipiert, jedoch seine eigene theoretische Position, soweit ich sehe, an keiner Stelle als ‹leninistisch› bezeichnet.

195 Karl Korsch: ‹*Krise des Marxismus*› (1931). In: Korsch, ‹*Die materialistische Geschichtsauffassung und andere Schriften*›. Hg. von Erich Gerlach. Frankfurt a. M. 1971. S. 169.
196 ‹*Dokumente des Sozialismus*›. Hg. von Eduard Bernstein. Stuttgart 1903. Bd. 2, S. 65–78.
197 So im Brief an Franz Mehring (14. Juli 1893), Dokumente, a. a. O., S. 76.
198 Dokumente, a. a. O., S. 77.
199 Karl Korsch: ‹*Karl Marx*›. Hg. von Götz Langkau. Frankfurt a. M. 1967. S. 189.
200 Ebd.
201 Vgl. ebd., S. 198, wo er Hegels Verurteilung dieser Kategorie als «ungenügende» und bloße «Zuflucht der Reflexion» anführt.
202 Lukács, a. a. O., S. 26.
203 Ebd., S. 27.
204 Ebd., S. 39.
205 Vgl. ebd., S. 39f, wo Lukács den Gedanken entwickelt, die Hegelsche Dialektik sei nicht durch ihre materialistische Umkehrung zur «Algebra der Revolution» geworden, sondern das «revolutionäre Prinzip der Hegelschen Dialektik» sei darum zum «Vorschein» gekommen, «weil das Wesen der Methode, der Gesichtspunkt der Totalität, die Betrachtung aller Teilerscheinungen als Momente des Ganzen, des dialektischen Prozesses, der als Einheit von Gedanken und Geschichte gefaßt ist, aufrecht erhalten wurde». Er folgert daraus: «Die dialektische Methode bei Marx geht auf die Erkenntnis der Gesellschaft als Totalität aus» (ebd., S. 40). Die dialektische Methode bei Marx geht jedoch nicht nur auf die Erkenntnis der Totalität der Gesellschaft aus, sondern zugleich auch auf deren praktische Umwälzung, sie ist kritisch *und* revolutionär in einem: Praxis verhält sich zur Totalitäts-Erkenntnis darum nicht wie die Handlung zur Handlungsanweisung, sondern ist selber konstitutives Moment von Erkenntnis.
206 Vgl. dazu Hans-Jürgen Krahl: ‹*Thesen zum allgemeinen Verhältnis von wissenschaftlicher Intelligenz und proletarischem Klassenbewußtsein*›. In: Krahl, ‹*Konstitution und Klassenkampf*›. Frankfurt a. M. 1971. S. 336. Krahl definiert den materialistischen Begriff von Empirie als «qualitativ und material nach Maassgabe konkreter Arbeit, d. h. der materialistische Empiriebegriff ist gebunden an Gebrauchswerte, Bedürfnisse und Interessen».
207 Korsch, Marx, a. a. O., S. 190.
208 Vgl. Korsch, Marxismus, a. a. O., S. 135 f.
209 Vgl. dazu auch die Einleitung Erich Gerlachs zu Korsch, Marxismus, a. a. O., S. 11.
210 Karl Liebknecht: ‹*Meinungsverschiedenheiten in der deutschen Sozialdemokratie*›. In: ‹*Die Rätebewegung I*›. Hg. von Günter Hillmann. Reinbek 1971 (= Rowohlts Klassiker. 277/278/279). S. 11.
211 Ebd., S. 13.
212 Korsch, Marxismus, a. a. O., S. 135.
213 Ebd., S. 136.
214 Ebd., S. 31.
215 MEW, Bd. 3, S. 533.
216 Ebd.

217 MEW, Bd. 23, S. 393.

218 Es ist in diesem Zusammenhang bemerkenswert, daß Korsch den Praxis-Begriff in der umfassenden Bedeutung, die er bei Marx hat, in seinem Buch ‹*Karl Marx*› wieder aufgegriffen hat (vgl. Korsch, Marx, a. a. O., S. 154). Für die Ausarbeitung einer materialistischen Kunsttheorie ist Marx' Begriff der Praxis von Kosik in seiner ‹*Dialektik des Konkreten*› verwandt worden. Der Verfasser stimmt grundsätzlich mit Kosik überein, wenn dieser formuliert: «Der Marxismus ist kein mechanischer Materialismus, der das gesellschaftliche Bewußtsein, die Philosophie und die Kunst auf wirtschaftliche Verhältnisse reduziert und dessen analytische Tätigkeit darin besteht, den irdischen Kern geistiger Gebilde zu enthüllen. Die materialistische Dialektik zeigt im Gegenteil, wie das konkrete historische Subjekt die seiner materiellen ökonomischen Grundlage entsprechenden Ideen und einen ganzen Komplex von Bewußtseinsformen schafft. Das Bewußtsein wird nicht auf die Verhältnisse reduziert, vielmehr wird in den Mittelpunkt der Aufmerksamkeit ein Prozeß gestellt, in dem das konkrete Subjekt die gesellschaftliche Wirklichkeit produziert und reproduziert und zugleich in ihr selbst historisch produziert und reproduziert wird» (Kosik, a. a. O., S. 119). Für die systematische Fundierung einer dialektisch-materialistischen Literaturwissenschaft ist der Praxis-Begriff in ähnlicher Weise von Paul Gerhard Völker verwandt worden.

219 wa, Bd. 15, S. 492; vgl. die außerordentlich ähnliche Argumentation Korschs: «Auch die ökonomischen Vorstellungen stehen zur Wirklichkeit der materiellen Produktionsverhältnisse der bürgerlichen Gesellschaft nur scheinbar im Verhältnis des Bildes zu dem abgebildeten Gegenstand, in Wirklichkeit aber in dem Verhältnis, in welchem ein besonderer, eigentümlich bestimmter Teil eines Ganzen zu den anderen Teilen dieses Ganzen steht.» (Korsch, Marxismus, a. a. O., S. 56.)

220 wa, Bd. 19, S. 372 f.

221 MEW, Bd. 13, S. 8.

222 Der Gedanke der historischen Spezifität aller Sätze der Marxschen Theorie wird von Korsch systematisch entwickelt in dem für das Verhältnis zu Brecht sehr wichtigen Aufsatz ‹*Why I am a Marxist*› (dt. ‹*Warum ich ein Marxist bin*›. In: ‹*Sozialistisches Jahrbuch*› 2: ‹*Gegen den Dogmatismus in der Arbeiterbewegung*›. Berlin 1970 [= Rotbuch. 23]. S. 7f., insbes. Abschnitt I, S. 8–11), der die theoretische Begründung des Satzes: «Der Marxismus ist nicht *allgemein*, sondern spezifisch» (ebd., S. 8) enthält; vgl. auch Brechts Thesen: ‹*Ableitung der drei Sätze in Korschs ‹Why I am a Marxist› aus der Dialektik*›. In: wa, Bd. 20, S. 71.

223 wa, Bd. 12, S. 435.

224 wa, Bd. 20, S. 76.

225 Vgl. Karl Marx: ‹*Grundrisse der Kritik der Politischen Ökonomie*›. Berlin 1953. S. 30f: «Bei der Kunst bekannt, daß bestimmte Blütezeiten derselben keineswegs im Verhältnis zur allgemeinen Entwicklung der Gesellschaft, also auch der materiellen Grundlage, gleichsam des Knochenbaus ihrer Organisation stehn.»

226 Die neuere Marx-Interpretation hat hier sehr differenzierte Begriffe entwickelt, so spricht Ernst Bloch davon, daß der Fortschritt im Unterbau ein «keineswegs gleichmäßig, gleichförmig beschaffener» sei. «Er ist vielmehr

weitgehend anders in der Funktionsgruppe: Produktivkräfte und Produktionsverhältnisse (ökonomische Basis) einerseits und in der davon bestimmten Funktions- (nicht nur Reflex-) Gruppe: Überbau andererseits. Denn die Produktionsverhältnisse können einen Fortschritt zeigen, dem der Überbau gegebenenfalls nicht nur nicht nachkommt, sondern dem er zuweilen sogar mit besonderem Kulturverlust entgegengesetzt ist.» (Ernst Bloch: ‹*Differenzierungen im Begriff Fortschritt*›. In: ‹*Sitzungsberichte der Deutschen Akademie der Wissenschaften zu Berlin*›, Jg. 1955, Nr. 5, Berlin 1956, S. 12f.)

227 wa, Bd. 20, S. 76.

228 wa, Bd. 20, S. 77.

229 wa, Bd. 20, S. 71. Den Begriff ‹kritischer Marxismus› verwendet Brecht im Anschluß an Korsch.

230 wa, Bd. 20, S. 54.

231 Korsch, Marx, a. a. O., S. 177.

232 Ebd.

233 wa, Bd. 15, S. 132.

234 wa, Bd. 18, S. 260.

235 wa, Bd. 20, S. 326: «Eine der schlimmen Folgen des Stalinismus ist die Verkümmerung der Dialektik.»

236 wa, Bd. 20, S. 152; vgl. auch wa, Bd. 12, S. 532 über Engels' ‹*Dialektik der Natur*›. Walter Benjamin (Versuche, a. a. O., S. 131) notiert eine Äußerung Brechts, es sei «kein Zufall – wenn auch bedauerlich –, daß Engels sich zuletzt der Naturwissenschaft zugewandt habe»; vgl. Lukács Kritik der Naturdialektik (a. a. O., S. 17, Fußn. 1) und Korsch, Marxismus, a. a. O., S. 52f, 131. Zum gesamten Problem vgl. auch: Alfred Schmidt, ‹*Der Begriff der Natur in der Lehre von Marx*›. Frankfurt a. M. 1962. S. 49f; zur Dogmatisierung der Naturdialektik im Sowjet-Marxismus: Negt, a. a. O., S. 33f.

237 Korsch, Marxismus, a. a. O., S. 133.

238 Karl Korsch: ‹*Kernpunkte der materialistischen Geschichtsauffassung. Eine quellenmäßige Darstellung*›. Berlin–Leipzig 1922.

239 Brief an Korsch aus Santa Monica/USA, Ende März 1945. In: *Alternative*, 8/1965, H. 41, S. 45.

240 Zit. bei Korsch, Kernpunkte, a. a. O., S. 50.

241 wa, Bd. 20, S. 140.

242 Vgl. Korsch, Marxismus, a. a. O., S. 133.

243 wa, Bd. 20, S. 168; ebenso: wa, Bd. 12, S. 431: «Das Denken ist ein Verhalten des Menschen zu den Menschen.»

244 wa, Bd. 20, S. 149.

245 Korsch, Marx, a. a. O., S. 208; vgl. auch Korsch. Marxist, a. a. O., S. 8: Der Zweck des Marxismus «ist nicht die *Anschauung* und der *Genuß* der bestehenden Welt, sondern ihre *praktische Umwälzung*».

246 wa, Bd. 16, S. 531. Der theoretische Stellenwert dieser Passage innerhalb der Diskussion um den Marxismus mag daran deutlich werden, daß die Redaktion der *Deutschen Zeitschrift für Philosophie* 1956 in der Auseinandersetzung mit der stalinistischen Philosophie sich des gleichen Arguments bediente. Sie warf dieser vor, für sie werde die Wirklichkeit ein «Arsenal von Beispielen zur Illustration der materialistischen Dialektik»,

die Dialektik aber sei «das schärfste Erkenntnisinstrument zur gedanklichen Bewältigung und praktischen Revolutionierung der Wirklichkeit» (*Deutsche Zeitschrift für Philosophie*, 4/1956 [Leitartikel der Redaktion], S. 22).

247 wa, Bd. 20, S. 156.

248 wa, Bd. 20, S. 172f; vgl. a. Anm. 245; ebenso wa, Bd. 12, S. 469: «Aber das heißt, die Große Methode schlecht angewendet. Sie verlangt, daß man davon spricht, wie gewisse Dinge zum Vergehen gebracht werden.»

249 Zit. bei Wieland Herzfelde: ‹*Über Bertolt Brecht*›. In: ‹*Erinnerungen an Brecht*›. Leipzig 1964. S. 138.

250 wa, Bd. 16, S. 567.

251 wa, Bd. 12, S. 475.

252 wa, Bd. 19, S. 377.

253 wa, Bd. 19, S. 327.

254 wa, Bd. 19, S. 489.

255 wa, Bd. 19, S. 524.

256 wa, Bd. 17, S. 1016.

257 wa, Bd. 20, S. 140.

258 wa, Bd. 20, S. 175. (Hervorhebung vom Autor.)

259 wa, Bd. 20, S. 193.

260 Walter Benjamin: ‹*Einbahnstraße*›. Frankfurt a. M. 1962. S. 49.

261 wa, Bd. 15, S. 246.

262 wa, Bd. 15, S. 245.

263 Ebd.

264 wa, Bd. 15, S. 246.

265 Walter Benjamin: ‹*Das Kunstwerk im Zeitalter seiner technischen Reproduzierbarkeit*›. In: Benjamin, ‹*Lesezeichen*›, a. a. O., S. 382. Benjamin macht diese Emanzipation zwar an der Möglichkeit der technischen Reproduktion, dem Verlust der ‹Echtheit› fest, sie kann jedoch auch allgemeiner aufgefaßt werden, etwa im Sinne der ausgezeichneten Interpretation des Benjaminschen Aufsatzes von Michael Scharang in: ‹*Zur Emanzipation der Kunst*›. Neuwied–Berlin 1971. S. 7–25, insbes. S. 14f. Brecht, der den Aufsatz Benjamins kannte, hat 1936 vergeblich versucht, ihn in deutscher Fassung in der Zeitschrift *Das Wort* unterzubringen (er erschien zuerst in französischer Sprache in *Zeitschrift für Sozialforschung*); vgl. Klaus Völker: ‹*Brecht-Chronik*›. München 1971. S. 67.

266 Benjamin, Lesezeichen, S. 381.

267 Vgl. Walter Benjamin: ‹*Der Autor als Produzent*›. In: Benjamin, ‹*Versuche über Brecht*› a. a. O., S. 98.

268 wa, Bd. 15, S. 377.

269 Dieser Aufsatz ist in der deutschen Übersetzung von Erich Gerlach unter dem Titel ‹*Ein undogmatischer Zugang zum Marxismus*› in der Zeitschrift *Politikon* 38 (1971), S. 8–11, erschienen. Ich zitiere nach dieser Übersetzung; vgl. zum folgenden auch mein Vorwort zu Korschs Aufsatz, ebd., S. 8.

270 Korsch nannte Partos in einem Brief an Brecht den «letzten Ritter der abgeschlossenen ersten revolutionären Epoche der europäischen Arbeiterbewegung» (Korsch an Brecht, Seattle 31. Juli 1939; IIvSG Mappe 1939–1948).

271 Vgl. *Kommunistische Politik*, 2. Jg., Nr. 9/10, 5. Juni 1927 (Artikel: ‹*Die russische Opposition, die Urbahnsgruppe, der Unterdrückungsterror der Instanzen und unsere Kommunistische Politik*›). Mit Langerhans hatte Brecht noch in den USA Verbindung, vgl. Brecht an Korsch, Oktober 1942: «langerhans' buch habe ich mit grossem interesse gelesen, besonders nachdem Weil und das institut es ‹einfach verrückt› nannten. auch die gedichte sind schön» (IIvSG, Mappe 1939–1948.) Mit dem ‹Institut› ist das Institut für Sozialforschung gemeint.

272 Vgl. K. Völker, a. a. O., S. 55; Hanna Kosterlitz erinnert sich: «Ab 1930, 1931 oder sogar Anfang 1932 bis 1933. Vorgeschlagen von BB, fand in BB's Wohnung am Knie statt. Thema: der dialektische Materialismus. Einmal wöchentlich ca. 8 oder 9 Wochen. Starb am Verkehrsstreik. B. brachte mit: Hans Richter (Holländer, machte Filme, sehr reich) und Dudorff (machte Proletkultfilme, darunter Kuhle Wampe, meist schlecht) KK brachte mit: Heinz Langerhans, Paul Partos, Heinz Pächter. Heinz Pächter als störend empfunden» (vgl. Anm. 187). Mit Dudorff ist sicherlich Zlatan Dudov gemeint.
Auf diese Arbeitsgemeinschaft bezieht sich Brecht in einem Brief an Korsch vom Januar 1934: «Sehr gern möchte ich die einfachen Übungen des letzten Winters fortsetzen. Freilich ist alles Menschenmaterial sehr zerstreut; andrerseits ist gerade deswegen Klärung der Methoden nötig, sonst gibt es überhaupt keine Möglichkeit, an verschiedenen Punkten zu leistende Arbeit zu kummulieren.» (IIvSG, Mappe 1933–1938.)

273 Korsch, Zugang, a. a. O., S. 9; die Wendung ‹pragmatisch› deutet auf Korschs 1946 schon sehr artikulierte Neigungen zum amerikanischen Positivismus, in ‹*Why I am a Marxist*› (1935) spricht er noch von den «kritisch aktivistischen und revolutionären» Zügen des Marxismus (Korsch, Marxist, a. a. O., S. 17).

274 Korsch, Zugang, a. a. O., S. 9.

275 Ebd.

276 Vgl. *Politikon*, a. a. O., S. 10f; die beiden Texte von Korsch erschienen zuerst, freilich außerhalb des dokumentarischen Kontextes von ‹*A Nondogmatic Approach to Marxism*›, in der *Alternative* 41 (1965), S. 67 und 68, der Text von Sorel in: ‹*Dokumente des Sozialismus*› Bd. 2, a. a. O., S. 27f, der Lenin-Text findet sich in: W. I. Lenin, ‹*Der ökonomische Inhalt der Volkstümlerrichtung und die Kritik an ihr in dem Buch des Herrn Struve, 1894*›. In: Lenin, ‹*Ausgewählte Werke*› Bd. I. Frankfurt a. M. 1970. S. 95f.

277 wa, Bd. 20, S. 68; vgl. die Anmerkung zu diesem Text in: wa, Bd. 20, Anmerkungen, S. 5, wo noch die Rede davon ist, Brecht sei «wahrscheinlich» durch ein ähnliches Experiment Korschs angeregt worden. Es kann nunmehr als sicher gelten, daß der Brecht-Text im Zusammenhang des Studienzirkels «Kritischer Marxismus» von Korsch entstanden ist.

278 wa, Bd. 20, S. 69.

279 wa, Bd. 20, S. 70.

280 Korsch, Krise, a. a. O., S. 167f; vgl. auch das Editorial der Zeitschrift *Polemos* 11 (1969), die diesen Text zuerst wieder veröffentlicht hat.

281 Korsch, Krise, a. a. O., S. 169.

282 MEW, Bd. 2, S. 98; vgl. die Affinität dieser Position zu der Heines in

seiner Schrift ‹*Verschiedenartige Geschichtsauffassung*›.

283 MEW, Bd. 3, S. 45.

284 Korsch, Krise, a. a. O., S. 169.

285 Korsch, Marxist, a. a. O., S. 14.

286 Korsch, Krise, a. a. O., S. 170.

287 Freilich mit der Einschränkung, daß Lenin und Sorel «die ursprüngliche Schärfe des Marx'schen kritischen Prinzips nicht wieder erreicht, geschweige denn gesteigert» hätten (Korsch, Marxist, a. a. O., S. 13). In einem Brief an Korsch (1938) erkundigt sich Brecht, ob dem Buch ‹*Karl Marx*› noch ein ‹Lenin› folge (IIvSG, Mappe 1933–1938), und im Februar 1939 schreibt Brecht aus Svendborg über Korschs ‹*Karl Marx*›: «hübsch auch, dass es jetzt der 5. band der soziologen geworden ist und damit ein abschluss (sofern Sie nicht noch einen LENIN schreiben). da haben Sie sich solche zeit gelassen, die für uns arbeitet» (IIvSG, Mappe 1939–1948).

288 Korsch, Zugang, a. a. O., S. 9.

289 Lenin, Werke I, a. a. O., S. 95.

290 Ebd., S. 96.

291 Ebd.

292 wa, Bd. 20, S. 68.

293 Ebd.

294 Vgl. *Politikon*, a. a. O., S. 11 (auch: *Alternative*, a. a. O., S. 78).

295 MEW, Bd. 3, S. 46.

296 wa, Bd. 20, S. 69.

297 wa, Bd. 20, S. 70.

298 Vgl. Ernst Schumacher: ‹*Drama und Geschichte. Bertolt Brechts ‚Leben des Galilei' und andere Stücke*›. Berlin 1968. S. 419, Fußn. 12, und S. 138. Brecht hat sich im Frühjahr 1942 an einer durch Vorträge Hans Reichenbachs ausgelösten Debatte über Determinismus und Indeterminismus beteiligt. Schumacher weist daraufhin, daß Brecht im Gegensatz zu Reichenbach eine materialistische Position vertreten habe. (S. 138).

299 Korsch, Marxist, a. a. O., S. 16.

300 «Das Zusammenfallen des Änderns der Umstände und der menschlichen Tätigkeit oder Selbstveränderung kann nur als *revolutionäre Praxis* gefaßt und rationell verstanden werden» (MEW, Bd. 3, S. 6). Das Wort vom erzogenen Erzieher findet sich ebenfalls in der dritten Feuerbach-These (MEW, Bd. 3, S. 5f), vgl. auch: «Ihr habt 15, 20, 50 Jahre Bürgerkrieg und Völkerkämpfe durchzumachen, nicht nur um die Verhältnisse zu ändern, sondern um Euch selbst zu ändern» (MEW, Bd. 8, S. 412).

301 Rosa Luxemburg: ‹*Die russische Revolution*›. Frankfurt a. M. 1963. S. 78. Vgl. dazu auch die Programmrede Rosa Luxemburgs auf dem Gründungsparteitag der KPD in: ‹*Der Gründungsparteitag der KPD. Protokolle und Materialien*›. Hg. von Hermann Weber. Frankfurt a. M. 1969; insbes. S. 189f: «Man dachte es ist nur nötig, die alte Regierung zu stürzen, eine sozialistische Regierung an die Spitze zu stellen, dann werden Dekrete erlassen, die den Sozialismus einführen. Das war wiederum nichts als eine Illusion. Der Sozialismus wird nicht gemacht und kann nicht gemacht werden durch Dekrete, auch nicht von einer noch so ausgezeichneten sozialistischen Regierung. Der Sozialismus muß durch die Massen, durch jeden Proletarier gemacht werden.»

302 Luxemburg, Revolution, a. a. O.
303 Ebd., S. 76.
304 Rosa Luxemburg: ‹*Programm des Spartakusbundes*›. In: ‹*Gründungsparteitag der KPD*›, a. a. O., S. 295.
305 Vgl. MEW, Bd. 7, S. 89: Der revolutionäre Sozialismus ist «die Permanenzerklärung der Revolution, die Klassendiktatur des Proletariats als notwendiger Durchgangspunkt zur Abschaffung der Klassenunterschiede überhaupt . . .».
306 wa, Bd. 20, S. 49.
307 wa, Bd. 20, S. 116; vgl. dazu auch die Ausführungen Liebknechts (s. Anm. 210, 211).
308 wa, Bd. 20, S. 117.
309 Ebd.
310 wa, Bd. 20, S. 118.
311 wa, Bd. 20, S. 119.
312 Brief Brechts an Korsch (datiert: anfang november 1941, IIvSG, Mappe 1939–1948). Die Interpretation von Rasch (a. a. O., S. 999) geht allerdings fehl in der Annahme, die Beurteilung Stalins hänge für Brecht also davon ab, ob die Produktionssteigerung eine absolut zwingende Notwendigkeit war, die Stalin zur Entmachtung der Sowjeträte genötigt habe. Brechts Vorschlag geht wesentlich darüber hinaus, denn das Unterliegen der Räte muß man bereits auf den X. Parteitag der Bolschewiki von 1921 datieren, auf dem die für direkte Arbeiterdemokratie eintretende Arbeiteropposition gegenüber der Parteiführung eine eindeutige Niederlage erlitt (vgl. dazu die informative Darstellung der englischen Gruppe Solidarity: ‹*Räte in Rußland 1917–1921*› [Berlin 1971] sowie Oskar Anweiler: ‹*Die Rätebewegung in Rußland 1905–1921*› [Leiden 1958], den Textband ‹*Die russische Arbeiteropposition*›, Hg. von Gottfried Mergner [Reinbek 1972 (= Rowohlts Klassiker. 291)] und das Buch von Moshé Lewin: ‹*Lenins letzter Kampf*› [Hamburg 1970]). Lewin zitiert eine Äußerung Lenins schon vom März 1919, das niedrige Kulturniveau bewirke, daß «die Sowjets, die nach ihrem Programm Organe der Verwaltung *durch die Werktätigen* sein sollen, in Wirklichkeit Organe der Verwaltung *für die Werktätigen* sind, einer Verwaltung durch die fortgeschrittene Schicht des Proletariats, nicht aber durch die werktätigen Massen selbst» (Lewin, S. 19f). Zu den Rätekonzepten Korschs vgl. vor allem: Karl Korsch, ‹*Schriften zur Sozialisierung*›. Hg. und eingel. von Erich Gerlach. Frankfurt a. M. 1969; und Karl Korsch, ‹*Arbeitsrecht für Betriebsräte*›. Hg. von Erich Gerlach. Frankfurt a. M. 1968.
313 wa, Bd. 20, S. 120.
314 Ebd.
315 wa, Bd. 20, S. 95; vgl. dazu auch Karl Korsch: ‹*Die Sozialisierungsfrage vor und nach der Revolution*›. In: Korsch, ‹*Schriften zur Sozialisierung*›, insbes. S. 52: «Dem Drängen der Masse nach irgendeinem seelischen Ausgleich gegen die ungeheure Unfreiheit des einzelnen großbetrieblichen Arbeiters unter modernen großindustriellen Produktionsverhältnissen kann nicht durch einen bloßen Wechsel des Arbeitgebers Genüge getan werden; die Klasse der werktätigen Arbeiter wird als solche nicht freier, ihre Lebens- und Arbeitsweise nicht menschenwürdiger dadurch, daß an

die Stelle des von den Besitzern des privaten Kapitals eingesetzten Betriebsleiters ein von der Staatsregierung oder der Gemeindeverwaltung eingesetzter Beamter tritt.» Die weitgehende Übereinstimmung mit der Argumentation Brechts bedarf wohl keiner besonderen Erwähnung.

316 Brecht an Korsch, anfangs november 1941, IIvSG, Mappe 1939–1948; eine ähnliche Argumentation Brechts findet sich in einigen Stücken des ‹*Me-ti*›, vgl. vor allem ‹*Über den Staat*› (wa, Bd. 12, S. 540) und ‹*Selbstherrschaft des Ni-en*› (wa, Bd. 12, S. 538), auch ‹*Theorie des To-tsi*› (wa, Bd. 12, S. 523f). Auch Benjamin hält in seinen Svendborger Notizen Äußerungen Brechts fest, die in diese Richtung gehen: «In Rußland herrscht eine Diktatur *über* das Proletariat. Es ist so lange zu vermeiden, sich von ihr loszusagen, als diese Diktatur noch praktische Arbeit für das Proletariat leistet – das heißt als sie zu einem Ausgleich zwischen Proletariat und Bauernschaft unter vorherrschender Wahrnehmung der proletarischen Interessen beiträgt.» Einige Tage darauf habe Brecht von einer «Arbeitermonarchie» gesprochen (Benjamin, Versuche, a. a. O., S. 135). Ein abschließendes Urteil über Brechts Stellung zur stalinistischen Sowjet-Union wird erst möglich sein nach der Veröffentlichung der Tagebücher, Briefe und allen einschlägigen Materials. Ernst Schumacher, der offenbar Einblick in die entsprechenden Schriften Brechts gehabt hat, faßt seinen Eindruck so zusammen: «Die einschlägigen Notizen in Brechts Journal, die unmittelbaren Kommentare zu den Prozessen und der nachfolgenden Entwicklung sowie die Materialien mit indirektem Bezug auf die Sowjetunion lassen erkennen, daß Brecht sich in zunehmendem Maße der Diskrepanz zwischen der Notwendigkeit, die proletarische Revolution zu verteidigen, und der dabei erfolgten willkürlichen Handhabung der Gesetzlichkeit bewußt wurde, aber niemals den geringsten Zweifel hatte, daß die Sowjetunion und die KPdSU die Hauptkraft im Kampf gegen den Faschismus darstellten und in letzter Instanz ausschlaggebend sein würden» (Schumacher, a. a. O., S. 411, Fußn. 10). Daß die Sowjet-Union für den exilierten Brecht die Hauptkraft im Kampf gegen den Faschismus war und er Stalin natürlich auch unter diesem Aspekt beurteilte, ist sicherlich richtig. Jedoch Brechts Kritik am Stalinismus lediglich darin zu sehen, daß er sich in zunehmendem Maße der willkürlichen Handhabung der Gesetzlichkeit bewußt geworden sei, scheint mir allzu offensichtlich in der offiziellen Formelsprache der Entstalinisierung gehalten, die am Stalinismus lediglich die Erscheinungen, aber nicht seine theoretischen, politischen und institutionellen Grundlagen kritisiert. Wenn Brecht die schon von Rosa Luxemburg verwandte Charakterisierung der «Diktatur über das Proletariat» benutzt, dann reicht das theoretisch und politisch weiter als die persönliche Betroffenheit über die «willkürliche Handhabung der Gesetzlichkeit».

317 wa, Bd. 12, S. 537.

318 Die ‹Große Ordnung› wird von Brecht im Sinne der Marxschen Theorie als Selbstregierung und Selbstverwaltung der Produzenten begriffen. Das wird ganz deutlich an dem Aphorismus ‹*Ka-meh über die Verwirklichung der Großen Ordnung*›, wo Ka-meh die Arbeiter vor jenen Leuten warnt, die ihnen predigten, sie müßten die ‹Große Ordnung› verwirklichen, das seien Pfaffen: «In Wirklichkeit handelt es sich für euch doch darum, eure

Angelegenheiten zu ordnen; das machend schafft ihr die Große Ordnung» (wa, Bd. 12, S. 507). Vgl. auch wa, Bd. 12, S. 520: «Ein Land, in dem das Volk sich selbst verwalten kann, hat keine besonders glänzende Führung nötig.»

319 wa, Bd. 12, S. 422.

320 wa, Bd. 12, S. 554.

321 wa, Bd. 20, S. 121.

322 Benjamin, Versuche, a. a. O., S. 128.

323 wa, Bd. 12, S. 535.

324 wa, Bd. 12, S. 539.

325 wa, Bd. 12, S. 540. Um den theoretischen Stellenwert dieser Kritik zu verdeutlichen, sei darauf hingewiesen, daß sie einem der zentralen Angriffspunkte der Kommunistischen Partei Chinas an der Moskauer Fraktion des Weltkommunismus entspricht. Freilich besteht ein entscheidender Unterschied darin, daß diese Kritik der KPCh erst gegen die Nachfolger Stalins erhoben wurde.

326 wa, Bd. 20, S. 327f.

327 Vgl. Karl Marx: ‹*Ökonomisch-philosophische Manuskripte*›. In: Marx, ‹*Texte zur Methode und Praxis II. Pariser Manuskripte 1844*›. Hg. von Günther Hillmann. Reinbek 1968 (= Rowohlts Klassiker. 209/210). S. 57.

328 Karl Marx und Friedrich Engels: ‹*Die deutsche Ideologie*›. Berlin 1960. S. 71. Der Begriff ‹Arbeit› bezeichnet für Marx in der ‹*Deutschen Ideologie*› zumeist entfremdete Arbeit, davon wird unterschieden der Begriff ‹Lebenstätigkeit›.

329 Marx, Grundrisse, a. a. O., S. 505.

330 Ebd.

331 Ebd.

332 Marx/Engels, Ideologie, a. a. O., S. 73.

333 Ebd.

334 Ebd., S. 72.

335 Ebd.

336 Vgl. die Erfahrungen, die Vladimir V. Majakovskij mit dieser Programmatik der Sachlichkeit auf seiner Amerika-Reise machte: Hugo Huppert, ‹*Erinnerungen an Majakovskij*›. Frankfurt a. M. 1966. S. 120f.

337 Diesen Begriff übernehme ich von Krahl, a. a. O., S. 337f. Meine Überlegungen zum emanzipativen Gehalt des Produktionsbegriffs in der Marxschen Theorie gehen zum Teil von den Thesen Krahls aus.

338 wa, Bd. 19, S. 543.

339 Marx/Engels, Ideologie, a. a. O., S. 71.

340 Ebd., S. 72.

341 Vgl. dazu Krahl, a. a. O., S. 391.

342 Diese Debatte ist ausführlich dargestellt und analysiert worden von Helga Gallas: ‹*Marxistische Literaturtheorie. Kontroversen im Bund proletarisch-revolutionärer Schriftsteller*›. Neuwied–Berlin 1971. Ihrer kritischen Analyse der Differenzen zwischen Lukács und Brecht in diesem Zeitraum und ihren Resultaten stimme ich weitgehend zu, sie machen eine ausführliche Kritik der Positionen von Lukács meinerseits nahezu überflüssig. Meine kritischen Einwände gegenüber dieser Arbeit beziehen sich

auf Mängel in ihrem Versuch, die Auseinandersetzung über offene und geschlossene Formen aus der verschiedenen Marxismus-Rezeption von Lukács und Brecht zu erklären (insbes. S. 164f). Helga Gallas sieht diese Differenz primär in der Interpretation des erkenntnistheoretischen und methodischen Ansatzes von Marx begründet und kann überzeugend nachweisen, daß dieser Ansatz in die theoretische Konzeption von Lukács nicht eingeht. Aus ihrer Analyse fällt jedoch das revolutionstheoretische und damit politische Element heraus. Die Erkenntnis der qualitativen Differenz von bürgerlicher und proletarischer Revolution, wie Marx sie programmatisch bezeichnet hat, ist jedoch wesentlich für eine marxistisch fundierte literarische Praxis. Wenn Helga Gallas daher den Nachweis liefert, daß die Literaturtheorie von Lukács auf die Positionen klassisch-bürgerlicher Ästhetik zurückfällt, diese Literaturtheorie aber nicht nur in der DDR für lange Zeit als die gültige ‹marxistische› Kunsttheorie normative Funktionen hatte, dann hätte zumindest die Frage nahegelegen, welche legitimationsideologischen und politischen Funktionen diese Ästhetik hatte, welche gesellschaftliche Organisation der Produktion sie verklärte, welche Politik sich ihrer bediente und, schließlich, ob diese Politik noch an der qualitativen Differenz von bürgerlicher Revolution und proletarischer Revolution als Selbstbestimmung der Produzenten festgehalten hat.

343 Der Begriff findet sich bei Kosik, a. a. O., S. 7f, seine Definition auf S. 9. Karel Kosik versucht als Vertreter eines kritischen Marxismus, der, wie bei vielen Vertretern der osteuropäischen marxistischen Intelligenz, aus der Rebellion gegen den objektivistischen Stalinismus heraus entwickelt wurde, die Marxsche Dialektik als konkrete, praktische, auf die subjektive Aktion zielende zu rekonstruieren. Mit dem Begriff ‹Pseudokonkretheit› gelingt es ihm, den Marxschen Begriff der Entfremdung und Verdinglichung als umfassende und vielschichtige kritische Kategorie zu beleben und für eine dialektische Theorie von Geschichte, Wissenschaft und Kultur fruchtbar zu machen. Kosik definiert ‹Pseudokonkretheit› wie folgt: «Dazu gehören: die Welt der äußeren Erscheinungen, die sich an der Oberfläche der wirklichen, wesentlichen Prozesse abspielen; die Welt der Versorgung und Manipulation, d. h. die zum Fetisch erhobene Praxis der Menschen (die mit der revolutionär-kritischen Praxis der Menschheit nicht identisch ist); die Welt der geläufigen Vorstellungen, die eine Projektion der äußeren Erscheinungen in das Bewußtsein der Menschen und ein Gebilde der fetischisierenden Praxis, ideologische Formen ihrer Bewegung sind; die Welt der fixierten Objekte, die den Eindruck natürlicher Bedingungen machen und nicht unmittelbar als Ergebnisse der gesellschaftlichen Tätigkeit der Menschen erkennbar sind» (ebd., S. 9).

344 Ebd., S. 18.

345 wa, Bd. 16, S. 696.

346 wa, Bd. 16, S. 670f.

347 wa, Bd. 16, S. 682.

348 wa, Bd. 16, S. 673.

349 Wladimir I. Lenin: *‹Materialismus und Empiriokritizismus›*. In: Lenin, *‹Werke›* Bd. 14. Berlin 1970. S. 326.

350 Ebd., S. 329.

351 Ebd., S. 328 f.
352 Thomas Meyer: Einleitung zu Vladimir I. Lenin, ‹*Hefte zu Hegels Dialektik*›, München 1969. S. 45.
353 Lenin, Materialismus, a. a. O., S. 134.
354 Korsch, Marxismus, a. a. O., S. 61.
355 Ebd., S. 117.
356 Ebd.
357 Ebd., S. 134.
358 Ebd., S. 62.
359 Ebd.
360 Ebd., S. 63.
361 Josef W. Stalin: ‹*Ökonomische Probleme des Sozialismus in der UdSSR*›, S. 416; zit. n. Negt, a. a. O., S. 43.
362 Korsch, Marxismus, a. a. O., S. 67.
363 Ebd., S. 122.
364 Negt, a. a. O., S. 16.
365 Ebd.
366 Ebd., S. 18.
367 Ebd., S. 42.
368 Ebd.
369 Ebd.
370 Ebd., S. 43.
371 Andrej A. Ždanov: ‹*Über Kunst und Wissenschaft*›. Berlin 1951. S. 9. Ilja G. Erenburg berichtet in seinen Memoiren, daß der Maler Sterenberg in den dreißiger Jahren von einem Kritiker angegriffen wurde, weil er für ein Stilleben einen Hering gewählt hatte: « [...] der Kritiker wertete das als Versuch, die Gegenwart anzuschwärzen» (Ilja Erenburg: ‹*Menschen, Jahre, Leben*› Bd. I. München 1972. S. 150 f).
372 Ždanov, a. a. O., S. 8 f.
373 Negt, a. a. O., S. 44.
374 Vgl. ‹*Der Kampf gegen den Formalismus in Kunst und Literatur, für eine fortschrittliche deutsche Kultur*›. Berlin 1951. S. 152.
375 Ebd., S. 27.
376 Wladimir I. Lenin: ‹*Drei Quellen und drei Bestandteile des Marxismus*›. Berlin 1966. S. 4.
377 wa, Bd. 20, S. 93.
378 wa, Bd. 20, S. 93 f.
379 wa, Bd. 20, S. 170 f.
380 wa, Bd. 20, S. 159.
381 wa, Bd. 12, S. 463.
382 Briefwechsel Brecht/Korsch, IIvSG Mappe 1933–1938.
383 Benjamin, Versuche, a. a. O., S. 133.
384 Zit. n. K. Völker, a. a. O., S. 72 f.
385 Ebd., S. 75.
386 Benjamin, Versuche, a. a. O., S. 132.
387 Ebd., S. 128.
388 wa, Bd. 12, S. 507.
389 wa, Bd. 19, S. 446.
390 wa, Bd. 16, S. 567.

391 wa, Bd. 16, S. 794.
392 Vgl. Karl Marx und Friedrich Engels: *‹Über Kunst und Literatur›*. Hg. von M. Lifschitz. Berlin 1953. S. 510.
393 Vgl. Alfred Sohn-Rethel: *‹Geistige und körperliche Arbeit›*. Frankfurt a. M. 1970. S. 200 f.
394 Korsch, Marxist, a. a. O., S. 8.
395 Ebd., S. 11.
396 Brecht an Korsch; svendborg, februar 39, IIvSG Mappe 1939–1948.
397 wa, Bd. 19, S. 532 f.
398 wa, Bd. 16, S. 657.
399 Oskar Negt: *‹Empirie und Klassenkampf›*. In: *Politikon* 38 (1971), S. 16.
400 wa, Bd. 19, S. 288.
401 wa, Bd. 19, S. 393.
402 wa, Bd. 15, S. 229.
403 Benjamin, Versuche, a. a. O., S. 132.
404 wa, Bd. 16, S. 918.
405 Negt, Marxismus, a. a. O., S. 44.
406 wa, Bd. 19, S. 541; vgl. auch wa, Bd. 16, S. 926: «Natürlich nützen uns nicht Büros mit Fenstern aus Rosaglas, wo die Beamten, hinaussehend, eine wunderbare Welt sehen und die Welt, hineinsehend, wunderbare Beamten sieht. Unsere besseren Mitarbeiter werden diejenigen sein, die durch *ungelöste* Probleme angelockt werden.»
407 wa, Bd. 19, S. 545; vgl. auch wa, Bd. 19, S. 542: «Es mag für administrative Zwecke und mit Rücksicht auf die Beamten, die für Administration zur Verfügung stehen, einfacher sein, ganz bestimmte Schemata für Kunstwerke aufzustellen. Dann haben die Künstler ‹lediglich› ihre Gedanken (oder die der Administration?) in die gegebene Form zu bringen, damit alles ‹in Ordnung› ist. Aber der Schrei nach Lebendigem ist dann ein Schrei nach Lebendigem für Särge. Die Kunst hat ihre eigenen Ordnungen.» Und wa, Bd. 19, S. 546: «Es ist nicht die Aufgabe der marxistisch-leninistischen Partei, die Produktion von Gedichten zu organisieren wie eine Geflügelfarm, sonst gleichen eben die Gedichte sich wie ein Ei dem andern.»
408 wa, Bd. 19, S. 545.
409 Sergej Tretjakov: *‹Die Kunst in der Revolution und die Revolution in der Kunst›*. In: Tretjakov, *‹Die Arbeit des Schriftstellers. Aufsätze – Reportagen – Porträts›*. Hg. von Heiner Boehncke. Reinbek 1972 (= das neue buch. 3). S. 9.
410 Um nur ein exemplarisches Beispiel zu geben, sei auf den Diskussionsbeitrag von Andrej A. Ždanov, dem seit 1935 führenden ‹Theoretiker› des sozialistischen Realismus, zu *‹Fragen der sowjetischen Musikkultur›* verwiesen, den er im Januar 1948 auf der Beratung von Vertretern der sowjetischen Musik im ZK der KPdSU gehalten hat. Ždanov setzt sich darin mit dem Problem des ‹Neuerertums› auseinander. Nachdem er zunächst frühe Experimente der sowjetischen Pädagogik, die «gruppenweise laboratorische Unterrichtsmethode», bei der den Schülern offenbar eine sehr weitgehende Selbstbestimmung in der Thematik und der Gestaltung des Unterrichts eingeräumt wurde, abgekanzelt hat, weil in ihnen – *horribile dictu* – die Lernenden «zu Führenden und der Pädagoge zum Geführten» wurden und es überdies – noch schrecklicher – «kein Fünfnotensystem für Zensuren» gab, wendet er

sich der Malerei zu. Er erwähnt die für einen gewissen Zeitraum sehr aktiven Richtungen des Futurismus, Kubismus und Modernismus, deren Losungen er hämisch als höchst ‹links› apostrophiert und fährt fort: « [...] sie ‹stürzten› den ‹verfaulten Akademismus› und verkündeten das Neuerertum. Dieses Neuerertum bestand in einem verrückten Durcheinander; so malten sie zum Beispiel ein Mädchen mit einem Kopf und vierzig Beinen, das mit einem Auge hierhin und mit dem anderen dorthin sieht. (Heiterkeit, Bewegung im Saal.) Womit endete das alles? Mit einem vollkommenen Fiasko der ‹neuen Richtung›. Die Partei stellte in vollem Umfange die Bedeutung des klassischen Erbes [...] wieder her» (Ždanov, a. a. O., S. 69f).

411 Sergej Tretjakov: ‹*Woher und Wohin? Perspektiven des Futurismus*›. In: *Ästhetik und Kommunikation. Beiträge zur politischen Erziehung* 4 (1971), S. 89.

412 Mit den Arbeiten Tretjakovs wird Brecht zum erstenmal bekannt im April 1930, als das Theater Vsevolod E. Mejercholds in Berlin gastiert, unter anderem mit Tretjakovs Stück ‹*Brülle, China!*›, von dem er besonders angetan ist (vgl. K. Völker, a. a. O., S. 49). Bei einem Aufenthalt Tretjakovs in Berlin (Januar 1931) lernen sich die beiden Schriftsteller näher kennen; damit beginnt eine produktive Freundschaft, gegründet auf der Affinität ihrer theoretischen und praktischen Intentionen. Der Maler Hans Richter, ebenfalls eng befreundet mit Tretjakov, schreibt über ihn: «Tretjakow liebte die moderne Kunst. Es war eine 50 % sensuelle und kunstkritische Liebe und 50 % eine revolutionär marxistische Zuneigung. Obgleich schon längst als anti-marxistisch von Stalin verdammt, marschierte Tretjakow weiter mit der ‹Linken›, den Intellektuellen und setzte sich für die Bedeutung der modernen russischen Kunst ein. In langen Diskussionen versuchte er mir die klassenkämpferische Seite auch der abstraktesten Form klarzumachen, eine Seite, die mich zwar interessierte, aber deren Zusammenhang ich weder fühlen noch zu verstehen vermochte [...] Obgleich er gut deutsch, das heißt baltisch sprach, brachten ihn Brechts Schriften zur Verzweiflung, nicht weil Brechts Dichtungen schwieriger oder unklarer waren als andere, sondern ganz allgemein wegen der Eigentümlichkeit der deutschen Sprache, die das Verb ans Ende des Nebensatzes zu setzen beliebt. Außerdem behauptete er, Brecht habe eine spezielle Technik, seine Objekte irgendwo zu verstecken, so daß man sie wie verlorengegangene Kinder unter den Röcken der Mutter Subjekt hervorsuchen müsse. Er hatte vor, alles von Brecht ins Russische (‹eine viel einfachere Sprache›?) zu übersetzen, und arbeitete derzeit an Brechts ‹*Mutter*› (nach Gorki).» (Hans Richter: ‹*Begegnungen in Berlin*›. In: ‹*Avantgarde Osteuropa 1910–1930*›, Katalog der Ausstellung der Deutschen Gesellschaft für Bildende Kunst und der Akademie der Künste, Berlin Oktober–November 1967, S. 19f.)
Mitte Mai 1932 und noch einmal im Exil, im Frühjahr 1935, trifft Brecht in Moskau mit Tretjakov, Asja Lazis und Bernard Reich zusammen (vgl. K. Völker, a. a. O., S. 54, 61). Tretjakov übersetzt einige Stücke Brechts, die er in einem Band mit dem Titel ‹*Das epische Theater*› herausgibt; Brecht bearbeitet Tretjakovs Stück ‹*Ich will ein Kind haben*› (die Bearbeitung der autorisierten Übersetzung von Ernst Hube erschien im Max-Reichard-Verlag, Freiburg o. J.). 1934 veröffentlicht Tretjakov in der Zeitschrift *Das Internationale Theater* (3/4 [1934], S. 54–58) ein literarisches Porträt Brechts, in

dem er über seine Begegnungen mit Brecht, dessen und ihre gemeinsamen theoretischen und politischen Diskussionen berichtet. (Ein Hinweis auf Tretjakov findet sich auch in den Erinnerungen Sternbergs, a. a. O., S. 23 f.) In einem Gedicht, das Brecht nach Tretjakovs Liquidation in den Säuberungen Stalins (1939, über die genauen Umstände vgl. Richter, a. a. O., S. 20) verfaßt (Titel: ‹*Ist das Volk unfehlbar?*›) und ihm widmet, bezeichnet er den sowjetischen Schriftsteller als seinen Lehrer: «Mein Lehrer / Der große, freundliche / Ist erschossen worden, verurteilt durch ein Volksgericht. / Als ein Spion. Sein Name ist verdammt. / Seine Bücher sind vernichtet. Das Gespräch über ihn / Ist verdächtig und verstummt. / Gesetzt, er ist unschuldig?» (wa, Bd. 9, S. 741 f. In der Werkausgabe fehlt die Widmung an Tretjakov, sie wird aber von Schumacher in der schon zitierten Fußnote bestätigt, vgl. Schumacher, a. a. O., S. 411). Vgl. zur Biographie Tretjakovs auch das Nachwort von Heiner Boehncke in: Tretjakov, Arbeit, a. a. O., S. 188 f. Meinem Kapitel liegen vor allem die Aufsätze Tretjakovs ‹*Woher und Wohin?*›, ‹*Der neue Lev Tolstoj*› (beide: *Ästhetik und Kommunikation* 4 [1971]) sowie ‹*Wir schlagen Alarm!*›, ‹*LEF und NEP*›, ‹*Fortsetzung folgt*› zugrunde. Die drei zuletzt genannten Texte wurden mir freundlicherweise von Heiner Boehncke im Manuskript zur Einsicht überlassen. Zitiert wird nach der mittlerweile (April 1972) erschienenen Auswahl. Eine Tretjakov-Auswahl wird ebenfalls vorbereitet in der DDR, Herausgeber ist Fritz Mierau. Da mir eine relativ kleine Zahl von Texten zur Verfügung stand, mußte ich mich in meiner Darstellung auf einige zentrale Berührungspunkte vor allem der theoretischen Auffassungen Tretjakovs und Brechts beschränken. Eine umfassende Untersuchung des Verhältnisses von Brecht zur sowjetischen Avantgarde kann ich hier nur anregen, ich halte sie allerdings im Hinblick auf eine Korrektur des überkommenen Brecht-Bildes für vielversprechend genug.

413 Zit. n. René Fülöp-Miller: ‹*Geist und Gesicht des Bolschewismus*›. Zürich–Leipzig–Wien 1926. S. 126. – Dieses Buch, eine «Darstellung und Kritik des kulturellen Lebens in Sowjet-Rußland», von einem christlich-kulturkonservativen Standpunkt geschrieben, ist gleichwohl wegen der Fülle seines Bildmaterials und der Schilderung unmittelbarer Eindrücke des Verfassers ein unschätzbares historisches Dokument. Brecht, der es kannte, machte, gefragt nach den besten Büchern des Jahres 1926, unter anderem den Vorschlag, Fülöp-Millers Buch zu kaufen und den Text mit einer Schere herauszuschneiden: « [. . .] das Bildmaterial ist ausgezeichnet und bewahrt Sie davor, über den Bolschewismus den üblichen Unsinn zu reden» (wa, Bd. 18, S. 51).

414 Vgl. Fülöp-Miller, a. a. O., S. 186 f, insbes. die Tafeln gegenüber S. 188 und 189.

415 Tretjakov, Arbeit, a. a. O., S. 23.

416 Ebd., S. 20.

417 Ebd., S. 75.

418 Tretjakov, Woher, a. a. O., S. 86.

419 Marx, Grundrisse, a. a. O., S. 596.

420 Tretjakov, Woher, a. a. O., S. 86.

421 Kosik, a. a. O., S. 18.

422 Vgl. Boris J. Arvatov: ‹*Kunst und Produktion. Entwurf einer proletarisch-*

avantgardistischen Ästhetik (1921–1930)›. Hg. und übers. von Hans Günther und Karla Hielscher. München 1972. Arvatov kritisiert ähnlich wie Tretjakov, daß das künstlerische Schaffen in der bürgerlichen Gesellschaft «aus dem Bereich der sozialen Praxis, aus dem allgemeinen System der Produktion und damit auch aus dem System der Produktion von Gebrauchsgegenständen, die die Elemente des Alltags darstellen, ausgesondert» sei (ebd., S. 25).

423 Tretjakov, Arbeit, a. a. O., S. 37.

424 Tretjakov, Woher, a. a. O., S. 86f.

425 Ebd., S. 87.

426 Ebd.

427 Ebd.

428 Ebd.

429 Ebd.; vgl. auch Tretjakov, Arbeit, a. a. O., S. 60: «Das Erzeugnis der Kunst ist das Werkzeug für die direkte oder indirekte soziale Handlung. Darum können die Kunsterzeugnisse, gleich allen anderen Dingen, von drei Seiten betrachtet werden, und zwar: 1. von der Seite des Materials, 2. von der Seite der Konstruktion und 3. von derjenigen der Bestimmung (Funktion).»

430 Tretjakov, Arbeit, a. a. O., S. 40.

431 Tretjakov, Woher, a. a. O., S. 87.

432 Ebd., S. 87f.

433 Ebd., S. 88.

434 Ebd., S. 89.

435 Ebd., S. 87.

436 Ebd., S. 88.

437 Ein extremes Beispiel dafür ist die in der Frühphase der Sowjet-Union als ‹Verwissenschaftlichung der Produktion› gefeierte Übernahme des amerikanischen ‹Taylorismus›. Zur ambivalenten Einstellung Lenins zum ‹Taylorismus› vgl. Paul Mattick: *‹Marx und Keynes›* (Frankfurt a. M. 1971) und: Gabriele Lessing: *‹Der Taylorismus in der Sowjetunion. Ein sozialistisches System der Schweißauspressung›* [Manuskript 1971].
Zum emanzipativen Gehalt von Tretjakovs Produktions-Begriff und seiner Auffassung der proletarischen Revolution vgl. vor allem Tretjakov, Arbeit, a. a. O., S. 137f.

438 Tretjakov, Woher, a. a. O., S. 88.

439 Ebd.

440 Ebd.

441 Ebd.

442 wa, Bd. 10, S. 1029.

443 Tretjakov, Woher, a. a. O., S. 89.

444 Ebd., S. 87.

445 Walter Benjamin: *‹Die politische Gruppierung der russischen Schriftsteller›*. In: Benjamin, *‹Angelus Novus›*. Frankfurt a. M. 1966. S. 192 (zuerst in: *Die Literarische Welt* Nr. 10, 3. Jg., 11. März 1927, S. 1).

446 Ebd.

447 Leo Trotzki: *‹Zum Selbstmord Wladimir Majakowskis›*. In: *Die Aktion*, Jg. XX/1930, H. 1/2, S. 18.

448 Walter Benjamin: *‹Russische Debatte auf Deutsch›*. In: *Die Literarische Welt* Nr. 27, 6. Jg., 4. Juli 1930, S. 7f.

449 Benjamin, Debatte, a. a. O., S. 8.
450 Ebd.
451 Ebd.
452 Ebd.
453 Tretjakov, Arbeit, a. a. O., S. 39. (Hervorhebung vom Autor.)
454 Ebd., S. 41.
455 Ebd., S. 41 f.
456 Ebd., S. 41.
457 Ebd., S. 42.
458 Ebd.
459 Ebd., S. 8.
460 Noch in den Notizen Brechts für eine Rede auf dem IV. Deutschen Schriftstellerkongreß der DDR, 1956, findet sich der Satz: «Nötig ist nicht nur eine neue Denkweise, sondern auch eine neue Lebensweise» (wa, Bd. 19, S. 552).
461 wa, Bd. 18, S. 261; Marx leitet in den ‹*Ökonomisch-philosophischen Manuskripten*› die Möglichkeit der künstlerischen Tätigkeit aus der Fähigkeit des Menschen her, seiner Produktion wie seinem Produkt frei gegenüberzutreten und darum universell zu produzieren: «Das Tier formiert nur nach dem Maß und dem Bedürfnis der species, der es angehört, während der Mensch nach dem Maß jeder species zu produzieren weiß und überall das inhärente Maß dem Gegenstand anzulegen weiß; der Mensch formiert daher auch nach den Gesetzen der Schönheit» (Marx, Manuskripte, a. a. O., S. 57).
462 wa, Bd. 19, S. 411.
463 Auf diesen Zusammenhang von Verfremdungstechnik und Alltäglichkeit als Gegenstand literarischer Strategie hat Henri Lefèbvre aufmerksam gemacht; vgl. ‹*Critique de la vie quotidienne*› I, Introduction. 2. Aufl. Paris 1958. S. 17 f. Lefèbvre hat in der späteren Arbeit: ‹*La Vie quotidienne dans le monde moderne*› (Paris 1968) versucht, eine kulturrevolutionäre Theorie der Veränderung des gesellschaftlichen Alltags zu entwikkeln, die implizit die Theorien der frühen sowjetischen Kulturrevolution fortführt, vgl. insbes. S. 372 f: «Unsere Kulturrevolution kann nicht einfach ‹kulturelle› Ziele haben. Sie führt die Kultur auf eine Praxis hin: den veränderten Alltag. Die Revolution verändert das Leben und nicht allein den Staat oder die Eigentumsverhältnisse. Was heißen will, daß der Alltag ein schöpferisches Werk wird, daß die gesamte Technik der Veränderung des Alltags dient. Der Begriff ‹schöpferisches Werk› bedeutet dann nicht mehr einen Kunstgegenstand, sondern, auf der geistigen Ebene, eine Aktivität, die sich kennt, die sich begreift, die ihre eigenen Bedingungen reproduziert, die sich ihre Verhältnisse und ihre Natur (Körper, Bedürfnis, Zeit, Raum) aneignet, die sich zu ihrem ‹Werk› macht. Auf der gesellschaftlichen Ebene bedeutet dieser Begriff die Aktivität einer Gruppe, die ihre gesellschaftliche Rolle selbst in die Hand nimmt, anders gesagt: Selbstverwaltung.» Bevor solche Konzeptionen als ‹utopistisch› verworfen werden, sollte man bedenken, daß die französische Mai-Revolte von 1968 und die Kämpfe, die ihr bis heute folgten, sie im Ansatz realisiert haben (vgl. Henri Lefèbvre: ‹*Aufstand in Frankreich*›. Berlin o. J.).
Zum Gegenstand marxistischer Philosophie wurde der Begriff ‹Alltäglich-

keit› auch bei Karel Kosik; vgl. insbes. das Kapitel «Alltäglichkeit und Geschichte» (Kosik, a. a. O., S. 71 f). Auch Kosik erwähnt in diesem Zusammenhang Brechts Technik der Verfremdung.

464 Walter Benjamin: ‹*Bekränzter Eingang*›. In: *Die Literarische Welt* Nr. 2, 6. Jg., 10. Januar 1930, S. 8.

465 G. W. F. Hegel: ‹*Vorlesungen über die Geschichte der Philosophie*› III. In: ‹*Werke*› Bd. 20. Hg. von Eva Moldenhauer und Karl Markus Michel. Frankfurt a. M. 1971. S. 331.

466 Kosik, a. a. O., S. 76.

467 Ebd., S. 76 f.

468 wa, Bd. 16, S. 610.

469 wa, Bd. 15, S. 347.

470 Ebd.

471 wa, Bd. 15, S. 364.

472 wa, Bd. 16, S. 612.

473 Ebd.

474 wa, Bd. 19, S. 371.

475 Vgl. den Bericht Benjamins über diese Praxis Tretjakovs in seinem Aufsatz ‹*Der Autor als Produzent*› (a. a. O., S. 95 f) und das Buch Tretjakovs: ‹*Feld-Herren. Der Kampf um eine Kollektivwirtschaft*› (Berlin 1931). Die exakte Definition von ‹operativ› findet sich in Tretjakov, Autor, a. a. O., S. 120: «Operative Beziehungen nenne ich die Teilnahme am Leben des Stoffes selbst»; vgl. auch S. 141: «Unter dem operativen Charakter meiner Arbeiten verstehe ich ihre *unmittelbare* praktische Wirksamkeit.» (Hervorhebung vom Autor.)

476 Die zentrale Bedeutung der Lehrstücke und der ihnen zugrunde liegenden pädagogischen und revolutionären Theorie hat Reiner Steinweg nachgewiesen, vgl. seinen Aufsatz ‹*Das Lehrstück – ein Modell des sozialistischen Theaters*› in: *Alternative*, Jg. 14/1971, H. 78/79, S. 102 f. Steinwegs These, «daß das Lehrstück in der Theater-Theorie Brechts nicht etwa geringeren Stellenwert hat als die ‹großen› bekannten Schaustücke, sondern daß umgekehrt die Schaustücke des epischen Theaters Kompromisse sind, Formen, die der konterrevolutionären Entwicklung seit 1932 Rechnung tragen» (S. 116) erscheint mir vor dem Hintergrund der revolutionstheoretischen Konzeption und der spezifischen Marxismus-Rezeption Brechts ebenso überzeugend wie sein Hinweis, daß wer die «Not- und Übergangslösungen» der Emigration zur «Klassik» hochstilisiere, den revolutionären Ansatz für ein «Theater der Zukunft» verschütte (S. 116). Steinwegs Buch ‹*Das Lehrstück. Brechts Theorie einer politisch-ästhetischen Erziehung*› ist inzwischen erschienen (Stuttgart 1972).

477 Steinweg, a. a. O., S. 106.

478 Zit. n. K. Völker, a. a. O., S. 135; zur Strittmatter-Inszenierung vgl. aber wa, Bd. 16, S. 141.

479 Vgl. Bertolt Brecht: ‹*Über Lyrik*›. Frankfurt a. M. 1964 (= edition suhrkamp. 70). S. 112.

480 Ebd.

481 Ebd., S. 110.

482 Ebd., S. 111.

483 Ebd., S. 112; vgl. dazu auch Tretjakov, Autor, a. a. O., S. 43 f.

484 Ebd.

485 Diese Position wurde natürlich nicht nur von Tretjakov vertreten; so schreibt etwa der Konstruktivist El Lissitzky 1922: «[...] wir können uns ein Schaffen neuer Formen in der Kunst außerhalb der Wandlung gesellschaftlicher Form nicht denken» (El Lissitzky: ‹*Erinnerungen – Briefe – Schriften*›. Hg. von Sophie Lissitzky-Küppers. Dresden 1967. S. 341).

486 wa, Bd. 15, S. 272.

487 wa, Bd. 17, S. 1154. Von der Seite der offiziellen Kulturpolitik wurde der politische Kern des Worts von der ‹deutschen Misere›, den Brecht hier sehr offen ausspricht, sofort erkannt und entsprechend angegriffen. Ein Beispiel dafür ist die Debatte um Hanns Eislers ‹Faustus-Oper› (1952/53) und ein Essay Ernst Fischers über dieses Werk (*Sinn und Form*, Jg. 4/1952, H. 6). Alexander Abusch warf in seinem Beitrag: ‹*Faust – Held oder Renegat in der deutschen Nationalliteratur?*› Ernst Fischer vor, daß das Wort von der ganzen deutschen Geschichte als einer Misere eine undialektische Geschichtsauffassung verrate, insbesondere werde bei Fischer nicht ersichtlich, «daß der Sieg der Sowjetunion im Jahre 1945 die real vorhandenen, seit langem kämpfenden freiheitlichen Kräfte im deutschen Volk endlich freigesetzt und ihnen zu diesem Aufschwung [der DDR] verholfen hat» (*Sinn und Form*, Jg. 5/1953, H. 1–6, S. 190). Vgl. zu der Auseinandersetzung: Louise Eisler-Fischer, ‹*Faust in der DDR*›. In: *Neues Forum*, XVI. Jahr, H. 190, 1969, S. 561 f.

488 wa, Bd. 16, S. 774.

489 wa, Bd. 16, S. 907 (bezieht sich auf beide Zitate).

490 wa, Bd. 19, S. 526.

491 wa, Bd. 19, S. 527.

492 wa, Bd. 19, S. 489; in diesem Zusammenhang grenzt sich Brecht explizit gegen Formexperimente ab, die ausschließlich aus künstlerischen Gründen, «ohne eigentlichen sozialen Auftrag unternommen werden» und bezeichnet sie als formalistisch. Die Frage, «ob wir sie überhaupt nicht stattfinden lassen sollten» (S. 490) beantwortet er eindeutig negativ: «Ich bin nicht der Ansicht, daß wir sie nicht stattfinden lassen sollten» (S. 490) – ein Satz, den man wahrscheinlich nicht falsch interpretiert, wenn man nicht der Ansicht ist, er sei nicht im eigenen Interesse Brechts geschrieben.

493 Die Faszination, die die 1949 siegreiche chinesische Revolution auf Brecht ausgeübt hat, hat offensichtlich in dieser Aporie einen ihrer Gründe. Als ihm Eisler Ende Dezember 1949 eine Ode Mao Tse-tungs gibt, bearbeitet Brecht sie sofort und notiert dazu: «Mein Rechnen mit einer Renaissance der Künste, ausgelöst von der Erhebung des fernen Ostens scheint sich früher zu lohnen, als man hätte denken sollen» (zit. n. K. Völker, a. a. O., S. 129). Am 18. Januar 1949 schreibt er in sein Tagebuch: «Durch all diese Wochen hindurch halte ich im Hinterkopf den Sieg der chinesischen Kommunisten, der das Gesicht der Welt vollständig ändert. Dies ist mir ständig gegenwärtig und beschäftigt mich alle paar Stunden» (K. Völker, ebd.). Im Juli 1952 erwägt Brecht nach Angaben Völkers «chinesisches Exil» (ebd., S. 143). Das Interesse Brechts für Mao Tse-tungs Schrift ‹*Über den Widerspruch*› hat Hans Mayer treffend analysiert, vgl. Hans Mayer: ‹*Brecht in der Geschichte*›. Frankfurt a. M. 1971. S. 240.

494 Zit. n. ‹*Der Kampf gegen den Formalismus in Kunst und Literatur, für eine fortschrittliche deutsche Kultur*› (a. a. O., S. 152f [Hervorhebung vom Autor]). Als formalistisch in diesem Sinne wurden auf der Tagung unter anderem die Musik der Oper ‹*Das Verhör des Lukullus*› von Brecht und Dessau angegriffen; Fred Oelsner, Mitglied des Politbüros, warf dem Brecht-Stück ‹*Die Mutter*› vor, «kein Theater» und kein wirklicher Realismus zu sein, sondern eher eine Kreuzung «von Meyerhold und Proletkult» (ebd., S. 51)
Wilhelm Girnus übertraf die zitierte Entschließung noch durch die zynische Feststellung: «Und gerade in unserem Kampf gegen die amerikanische Kulturbarbarei und gegen den volksfeindlichen, antinationalen Formalismus steht das Volk so hundertprozentig hinter uns wie nur je. Hier zeigt sich, daß der gesunde Nationalstolz des deutschen Volkes nicht gebrochen ist . . .» (ebd., S. 145).

495 wa, Bd. 17, S. 1151; die unmittelbare politische Seite dieser Differenzen in der ästhetischen Theorie macht eine Mitteilung K. Völkers (a. a. O., S. 128f) deutlich (21. Dezember 1948): «Brecht schreibt das ‹*Aufbaulied*› für die Freie Deutsche Jugend. Er ignoriert den Einwand der Leitung gegen die Zeile ‹Denn kein Führer führt aus dem Salat› in der letzten Strophe.»

496 wa, Bd. 17, S. 1061.

497 Arvatov, a. a. O., S. 27.

498 Tretjakov, Autor, a. a. O., S. 120.

499 Ebd., S. 121.

500 Arvatov, a. a. O., S. 35.

501 wa, Bd. 19, S. 529f.

502 wa, Bd. 20, S. 76.

503 wa, Bd. 16, S. 539f.

504 wa, Bd. 19, S. 350; vgl. dazu auch S. 244f (Abschnitt über Bacon).

505 Vgl. Benjamin, Autor, a. a. O., S. 98.

506 Ebd.

507 Walter Benjamin: ‹*Eine Diskussion über russische Filmkunst und kollektivistische Kunst überhaupt. Erwiderung an Oscar A. H. Schmitz*›. In: *Die Literarische Welt*, Jg. 3/1927, Nr. 11, S. 8.

508 Benjamin, Autor, a. a. O., S. 111.

509 Ebd., S. 112.

510 Burkhardt Lindner weist in diesem Zusammenhang zu Recht darauf hin, daß Benjamins Ansatz «eine gewisse Verselbständigung der Technologie» zeitige; vgl. Burkhardt Lindner: ‹*Natur – Geschichte. Geschichtsphilosophie und Welterfahrung in Benjamins Schriften*›. In: *Text + Kritik* 31/32, Oktober 1971, S. 57 (Fußn. 17).

511 Vgl. Walter Benjamin: ‹*Theorien des deutschen Faschismus*›. In: *Die Gesellschaft* Jg. 7/1930, Bd. 2, S. 41, wo Benjamin die Proletarier bezeichnet als die «nüchternen Kinder, die an der Technik nicht einen Fetisch des Untergangs, sondern einen Schlüssel zum Glück besitzen». Helmut Lethen spricht die Problematik dieses Theorems indirekt an, wenn er formuliert, Benjamin erinnere damit «an die *natürliche* Allianz von Proletariat und Technik» (Helmut Lethen: ‹*Neue Sachlichkeit 1924–1932*›. Stuttgart 1970. S. 129 [Hervorhebung vom Autor]). Die

Entfaltung technisch-industrieller Produktivkräfte kann aber nicht als *natürlich* mit dem revolutionären Interesse des Proletariats in Einklang gebracht werden, weil das Proletariat die emanzipativen Möglichkeiten der Technik erst in dem Maße freisetzen kann als es seine eigene gesellschaftliche Emanzipation, also die Selbstregierung der Produzenten, verwirklicht und die gesamte Produktionsweise verändert hat.

512 Benjamin, Diskussion, a. a. O., S. 8.

513 Zur Problematik dieser These vgl. Lethen, a. a. O., S. 199, Fußn. 108.

514 Ich verwende diesen Begriff analog zu dem von Hanns Eisler für eine dialektische Musiktheorie entwickelten Begriff des «historisch bestimmten Materialstands»; vgl. dazu den auch für die Ausarbeitung einer dialektisch-materialistischen Literaturtheorie wichtigen Aufsatz von Günter Mayer: ‹*Zur Dialektik des musikalischen Materials*›. In: *Alternative* Jg. 12/1969, Nr. 69, insbes. S. 247. Eisler entfaltet diesen Begriff vor allem in seinem Buch ‹*Komposition für den Film*› (Berlin 1949). Nicht nur weil der Begriff ‹musikalisches Material› bei Eisler auch die spezifischen Verfahrensweisen der Materialbehandlung einschließt (Kompositionstechniken usw., vgl. a. G. Mayer, a. a. O., S. 256f, Fußn. 3), scheint mir diese analoge Begriffsbildung möglich, sondern auch weil G. Mayers Rekonstruktion der dialektischen Musiktheorie Eislers deren tiefgreifende Affinität zu den literaturtheoretischen Positionen Brechts insbesondere im Verhalten zu den ästhetischen Produktionen der Moderne implizit herausarbeitet.

515 wa, Bd. 19, S. 336.

516 wa, Bd. 19, S. 336f. (Hervorhebungen vom Autor.)

517 Ebd.

518 wa, Bd. 19, S. 304. (Hervorhebung vom Autor.)

519 Eisler, a. a. O., S. 37.

520 G. Mayer, a. a. O., S. 247; vgl. auch Ernst Bloch und Hanns Eisler: ‹*Die Kunst zu erben*›. In: *Die neue Weltbühne* 1 (1938), Nachdruck: *Alternative*, Jg. 12/1969, Nr. 69; ein Artikel, der in die Form eines Gesprächs zwischen einem Kunstfreund (Bloch) und einem Kunstproduzenten (Eisler) gekleidet ist. Der Kunstfreund fordert die Theoretiker des Erbes auf: «Man nehme an Schönberg auch einmal zur Kenntnis, daß er nicht nur ein Fäulnisprodukt ist, sondern daß er durch vierzig Jahre Kampf für einen neuen Stil zu einer beispielgebenden geschichtlichen Persönlichkeit geworden ist» (ebd., S. 218).

521 Eisler, a. a. O., S. 138.

522 wa, Bd. 19, S. 361: «Die Arbeiten der Joyce und Döblin weisen, und das in großer Weise, den welthistorischen Widerspruch auf, in den die Produktionskräfte mit den Produktionsverhältnissen geraten sind. In diesen Arbeiten sind in gewissem Umfang auch Produktivkräfte repräsentiert.»

523 Vgl. etwa wa, Bd. 10, S. 1014f (‹*Bei der Lektüre eines sowjetischen Buches*›).

524 wa, Bd. 19, S. 411.

525 wa, Bd. 19, S. 359f.

526 wa, Bd. 19, S. 361.

527 Kosik, a. a. O., S. 119.

528 Vgl. vor allem sein ‹*Schema der Abbauproduktion*› (wa, Bd. 18, S. 202f).

529 wa, Bd. 18, S. 229f.
530 Ernst Bloch und Hanns Eisler: ‹*Avantgarde-Kunst und Volksfront*›. In: *Die neue Weltbühne*, Jg. 33/1937, Nr. 50, S. 1570.
531 wa, Bd. 19, S. 378f.
532 wa, Bd. 19, S. 378.
533 Wladimir I. Lenin, Tagebuchblätter (1923), zit. n.: Marx/Engels/Lenin, ‹*Über Kultur, Ästhetik, Literatur*›. Leipzig 1971. S. 353.
534 Leo Trotzki: ‹*Literatur und Revolution*› (Übersetzung der russ. Erstausgabe von 1924). Berlin 1968. S. 13.
535 Ebd.
536 Wladimir I. Lenin: ‹*Lieber weniger, aber besser*› (1923), zit. n.: Marx/Engels/Lenin, a. a. O., S. 347.
537 Wladimir I. Lenin: ‹*Über proletarische Kultur*› (1920), zit. n.: Marx/Engels/Lenin, a. a. O., S. 343f.
538 Wladimir I. Lenin: ‹*Die Aufgaben der Jugendverbände*› (1920). In: Marx/Engels/Lenin, a. a. O., S. 340.
539 Ebd.
540 Negt, Marxismus, a. a. O., S. 21.
541 Johannes R. Becher: ‹*Unsere Wendung*›. In: *Die Linkskurve*, Jg. 3/1931, Nr. 10, S. 5.
542 Ebd.
543 Ebd., S. 8.
544 Vgl. ‹*Zur Tradition der sozialistischen Literatur in Deutschland. Eine Auswahl von Dokumenten*›. Hg. von der Deutschen Akademie der Künste. 2. Aufl. Berlin–Weimar 1967. S. 394.
545 Ebd., S. 398f.
546 Die Kontroverse ist dokumentiert in: ‹*Zur Tradition der sozialistischen Literatur in Deutschland*›, a. a. O., S. 436–490; vgl. auch den Abschnitt: «Die Festlegung des ‹literarischen Erbes›» in: Helga Gallas, ‹*Marxistische Literaturtheorie*› (a. a. O., S. 157f), in dem die Position von Lukács ausführlich referiert und interpretiert wird.
547 Gallas, a. a. O., S. 159.
548 Georg Lukács: ‹*Aus der Not eine Tugend*› [Entgegnung an Ottwalt]. In: ‹*Zur Tradition der sozialistischen Literatur in Deutschland*›, a. a. O., S. 476.
549 Vgl. Gallas, a. a. O., S. 162.
550 Diese Sätze aus dem Resolutionsentwurf Lenins über proletarische Kultur (vgl. Anm. 537) wurden nicht nur nicht zufällig von Lukács gegen Ottwalt zitiert (vgl. ‹*Zur Tradition der sozialistischen Literatur in Deutschland*›, a. a. O., S. 481), der ganze Resolutionsentwurf war zudem in H. 1 der *Linkskurve* des Jg. 1932 gleichsam programmatisch abgedruckt (S. 4f).
551 Ždanov, a. a. O., S. 7.
552 Ebd., S. 11.
553 Johannes R. Becher: ‹*Das große Bündnis*›. In: ‹*Zur Tradition der sozialistischen Literatur in Deutschland*›, a. a. O., S. 600.
554 Referat Dimitrovs in: Wilhelm Pieck, Georgi Dimitrov und Palmiro Togliatti, ‹*Die Offensive des Faschismus und die Aufgaben der Kommunisten im Kampf für die Volksfront gegen Krieg und Faschismus. Referate*

auf dem VII. Kongreß der Kommunistischen Internationale (1935). Berlin 1957. S. 165.

555 Dimitrov, a. a. O., S. 162.

556 Friedrich Albrecht spricht in diesem Zusammenhang von der ungleich größeren Bedeutung, «die ab 1934/35 die nationalen Traditionen für die sozialistische Literatur erlangen»; vgl. seinen Aufsatz: *‹Über einige Auffassungen vom literarischen Erbe›*. In: *‹Zur Geschichte der sozialistischen Literatur 1918–1933›*. Berlin 1963. S. 182.

557 Becher, Bündnis, a. a. O., S. 605.

558 Victor Serge: *‹Beruf: Revolutionär. Erinnerungen 1901 – 1917 – 1941›*. Frankfurt a. M. 1967. S. 358.

559 Zit. n.: Franco Fortini, *‹Der soziale Auftrag des Schriftstellers und das Ende des Antifaschismus›*. In: Fortini, *‹Die Vollmacht. Literatur von heute und ihr sozialer Auftrag›*. Wien–Frankfurt a. M.–Zürich 1968. S. 113. Fortini gibt in dem Abschnitt «Palais de la Mutualité 1935» dieses Essays einen sehr kritischen und differenzierten Bericht über diesen Kongreß, in dem er auch die Rede Brechts politisch würdigt, und zwar zu Recht als Distanzierung von den offiziellen Volksfront-Parolen (a. a. O., S. 108–117).

560 *‹Zur Tradition . . .›*, a. a. O., S. 799.

561 Ebd., S. 670.

562 Ebd., S. 676.

563 Ždanov, a. a. O., S. 70 (Hervorhebung vom Autor). Johannes R. Becher konkretisiert dieses Postulat 1951, als er den aberwitzigen Vorschlag macht, ‹Reproduktionsmuseen› zu schaffen, in denen die Maler durch das Kopieren von Holbein, Cranach, Grünewald usw. ihren eigenen Stil entdecken sollen (vgl. *‹Der Kampf gegen den Formalismus . . .›*, a. a. O., S. 123f).

564 Tretjakov, Arbeit, a. a. O., S. 23.

565 «Es kann und es wird keinerlei Koalition zwischen dem LEF und der alten Kunst in ihrer heutigen schädlichen Verwendung geben» (ebd.).

566 Ebd.

567 Ebd., S. 22.

568 Ebd.

569 Ebd. Tretjakov erwähnt als ein Beispiel, daß für ein Denkmal des Dramatikers Ostrovskij 100000 Goldrubel ausgegeben worden seien, während das Theater Mejercholds am Rande des Bankrotts balanciere.

570 Fünf Jahre nach dem Erscheinen dieses Aufsatzes kritisiert Lukács in der *Linkskurve* den Justizroman von Ernst Ottwalt, *‹Denn sie wissen, was sie tun›* (Berlin 1931), der mit den Techniken der Dokumentation und der Montage arbeitet, indem er ihm als normatives Vorbild des wahren und gestalterischen Realismus Tolstojs Roman *‹Auferstehung›* entgegenstellt (vgl. Gallas, a. a. O., S. 130–135).

571 Sergej Tretjakov: *‹Der neue Lev Tolstoj›*. In: *Ästhetik und Kommunikation* 4 (1971), S. 90.

572 Ebd.

573 Ebd., S. 91.

574 Ebd.

575 Ebd.

576 Ebd.
577 Ebd., S. 92.
578 Benjamin, Kunstwerk, a. a. O., S. 15.
579 Ebd., S. 19.
580 Ebd., S. 16.
581 Ebd., S. 19.
582 Benjamin, Versuche, a. a. O., S. 99.
583 Ebd., S. 100.
584 Ebd., S. 101.
585 Darauf hat mit Recht Burkhardt Lindner hingewiesen, vgl. Lindner, a. a. O., S. 50.
586 Brecht erhält Anfang August 1941 von Günther Anders die ‹*Geschichtsphilosophischen Thesen*›, die letzte Arbeit, die Benjamin dem Institut für Sozialforschung eingeschickt hat, er «findet sie klar und entwirrend und er sieht mit Schrecken, ‹wie klein die Zahl derer ist, die bereit sind, sowas wenigstens mißzuverstehen›» (K. Völker, a. a. O., S. 87).
587 Walter Benjamin: ‹*Geschichtsphilosophische Thesen*›. In: Benjamin, Illuminationen, a. a. O., S. 276.
588 Ebd., S. 279.
589 Ebd., S. 270.
590 Heinz-Dieter Kittsteiner: ‹*Die «geschichtsphilosophischen Thesen»*›. In: *Alternative* 56/57 (1967), S. 250.
591 Benjamin, Illuminationen, a. a. O., S. 270.
592 Vgl. dazu Kittsteiner, a. a. O., S. 250.
593 Benjamin, Illuminationen, a. a. O., S. 276.
594 Diese Intention Benjamins geht aus der X. These deutlich hervor, wo er den historischen Augenblick (1938) als einen bestimmt, «da die Politiker, auf die die Gegner des Faschismus gehofft hatten, am Boden liegen und ihre Niederlage mit dem Verrat an der eigenen Sache bekräftigen [...]». Er fährt fort: «Die Betrachtung geht davon aus, daß der sture Fortschrittsglaube dieser Politiker, ihr Vertrauen in ihre ‹Massenbasis› und schließlich ihre servile Einordnung in einen unkontrollierbaren Apparat drei Seiten derselben Sache gewesen sind. Sie sucht einen Begriff davon zu geben, wie teuer unser gewohntes Denken eine Vorstellung von Geschichte zu stehen kommt, die jede Komplizität mit der vermeidet, an der diese Politiker weiter festhalten.» (Benjamin, Illuminationen, a. a. O., S. 273.) Ebenso heißt es in der VIII. These, die Chance des Faschismus bestehe nicht zuletzt darin, «daß die Gegner ihm im Namen des Fortschritts als einer historischen Norm begegnen» (ebd., S. 272). Genau das aber tat die Volksfrontpolitik – und um das gleich hinzuzufügen: sie begegnete ihm auch im Namen der Kultur als einer historischen Norm.
Zu Benjamins Einstellung gegenüber der Kulturpolitik der Volksfront vgl. auch seinen Brief an Alfred Cohn, Paris, 18. Juli 1935, in dem er seinen Eindruck vom Schriftstellerkongreß schildert: «Ich meine, Dir nicht geschrieben zu haben, seit hier der Kongreß der antifaszistischen Schriftsteller ‹zur Rettung der Kultur› stattfand. Bei dieser Gelegenheit war auch Brecht hier und diese Begegnung war, wie Du Dir denken wirst, für mich das erfreulichste – fast das einzig erfreuliche – Element der Veranstaltung. Brecht selber ist weit besser auf seine Kosten gekommen; kein Wunder, da

er seit Jahren mit dem Plan eines großen satirischen Romans über die Intellektuellen umgeht.» (Walter Benjamin: ‹*Briefe*› 2. Frankfurt a. M. 1966. S. 669f.)

595 Benjamin, Illuminationen, a. a. O., S. 275f.
596 Ebd., S. 276.
597 Ebd. (These XV).
598 Ebd., S. 269.
599 Ebd., S. 271.
600 Ebd., S. 271f.
601 Ebd., S. 272.
602 Walter Benjamin: ‹*Eduard Fuchs, der Sammler und der Historiker*›. In: Benjamin, ‹*Angelus Novus*›, a. a. O., S. 303.
603 Ebd.
604 Ebd.
605 Ebd., S. 304.
606 Ebd.
607 Ernst Bloch: ‹*Das Prinzip Hoffnung*›. Frankfurt a. M. 1959. S. 253.
608 Bloch, Erbschaft, a. a. O., S. 228.
609 Ebd., S. 227.
610 Ernst Bloch: ‹*Bemerkungen zur «Erbschaft dieser Zeit»*› (gelegentlich einer Rezension dieses Buchs durch Hans Günther in *Internaionale Literatur* 3 [1936]) in: Bloch, ‹*Philosophische Aufsätze zur objektiven Phantasie*› Frankfurt a. M. 1969. S. 50.
611 Ebd., S. 51.
612 ‹*Deutsch-französische Jahrbücher*›. Hg. von Arnold Ruge und Karl Marx. Darmstadt 1967 [fotom. Nachdruck]. S. 39.
613 Bloch, Prinzip, a. a. O., S. 160f. (Hervorhebung vom Autor.)
614 Ebd., S. 178. (Hervorhebung vom Autor.)
615 Bloch, Erbschaft, a. a. O., S. 124.
616 Ebd., S. 125f.
617 Ebd., S. 270 (Diskussion über den Expressionismus).
618 Ebd., S. 125; vgl. auch die Darstellung der Kritik Hegels am romantischen Verhältnis zur Tradition in diesem Buch (S. 26f).
619 Ebd. S. 270f.
620 Bloch, Bemerkungen, a. a. O., S. 37.
621 Ebd., S. 38.
622 Bloch/Eisler, Kunst, a. a. O., S. 218.
623 Ebd.
624 Bloch, Erbschaft, a. a. O., S. 273. Bernhard Ziegler war das Pseudonym von Alfred Kurella.
625 Ebd., S. 271.
626 Bloch/Eisler, Kunst, a. a. O., S. 219.
627 Bloch, Erbschaft, a. a. O., S. 263.
628 Ebd. (Hervorhebung vom Autor.) Bloch benutzt hier offensichtlich die gleichen Kategorien, mit denen auch die Geschichtsphilosophie Benjamins operiert. Daß er mit diesen aufs engste vertraut war, bezeugen seine Erinnerungen an Benjamin, in denen er vor allem die Bedeutung der Kategorie ‹Jetztzeit› hervorhebt; vgl. ‹*Über Walter Benjamin*›. Frankfurt a. M. 1968. S. 19f.

629 Vgl. Bloch, Prinzip, a. a. O., S. 1070.

630 Bloch/Eisler, Kunst, a. a. O., S. 219.

631 Vgl. André Breton: *‹Als die Surrealisten noch recht hatten›*. In: Breton, *‹Die Manifeste des Surrealismus›*. Reinbek 1968 (= Rowohlts Paperback. 63). S. 101 f, vgl. insbes. S. 103: «In ihrem Schreiben vom 20. April haben die surrealistischen Schriftsteller festgestellt, daß es sich unter einem kapitalistischen Regime für sie nicht darum handeln kann, die Kultur zu verteidigen und zu behaupten. Diese Kultur sagten sie, kann uns lediglich in ihrem *Werden* interessieren, und dieses Werden erfordert allem zuvor die Veränderung der Gesellschaft durch die proletarische Revolution.» Die Affinität dieser Argumentation zu der Brechts in seiner Rede auf dem Kongreß ist kaum zu übersehen. Freilich nahmen sich die Surrealisten auch die Freiheit, die stalinistische Entwicklung in der UdSSR offen zu kritisieren und Fragen nach dem Schicksal politischer Gefangener zu stellen, was die schöne Eintracht im Namen der Kultur erheblich störte. Für solche Initiativen war Brecht freilich einmal wieder zu ‹schlau›. Zur Debatte über den Fall Serge (Victor Serge wurde unter falscher Anklage in der Sowjet-Union gefangengehalten) auf dem Kongreß vgl. *‹Zur Tradition der sozialistischen Literatur in Deutschland›*, a. a. O., S. 832 f.

632 Hanns Eisler: *‹Einiges über das Verhalten der Arbeiter-Sänger und Musiker in Deutschland›*. In: *Sinn und Form*, Sonderheft Hanns Eisler, Berlin 1964, S. 151.

633 Bloch/Eisler, Avantgarde-Kunst, a. a. O., S. 1568–1573. Der Artikel vertritt politisch die Position der Volksfront, warnt aber zugleich indirekt vor ihren kulturpolitischen Fehlern und Einseitigkeiten.

634 Ebd., S. 1569.

635 Ebd., S. 1570.

636 Ebd.

637 Ebd.

638 Ebd., S. 1571.

639 Ebd., S. 1572.

640 Ebd. Bloch und Eisler haben hier natürlich die gleichen Kunstproduzenten im Blick, auf die auch Brecht in seiner sehr ähnlichen Argumentation verweist.

641 Ebd.,S. 1573.

642 Auf der schon mehrfach zitierten Tagung des ZK der SED vom März 1951 führte der damalige Vorsitzende des Verbandes bildender Künstler, Otto Nagel, über die vom Faschismus verfolgten modernen Künstler aus: «Die anderen wurden verfemt, zusammen mit den politisch ‹Entarteten› durch die Ausstellungen der entarteten Kunst gejagt und bildeten dort mit diesen nun so gewissermaßen eine Einheitsfront, um nach dem Zusammenbruch des Naziregimes wieder aufzutauchen und als anerkannte Opfer des Faschismus, als Künstler, deren Bilder in der Ausstellung der Entarteten hingen, als Lehrkräfte auf unseren Hochschulen eingesetzt zu werden. (Walter Ulbricht: ‹Es gab schon vor Hitler Entartete!›) Natürlich. Ich möchte folgendes sagen: Ganz wenige von denen, die heute an unseren Hochschulen unterrichten, sind in der Lage, ein Ohr zu zeichnen. Das ist eine Wahrheit, um die man nicht herumreden kann.» (*‹Der Kampf gegen den Formalismus . . .›*, a. a. O., S. 82.)

643 Kittsteiner, a. a. O., S. 250.
644 wa, Bd. 15, S. 347.
645 wa, Bd. 16, S. 610.
646 wa, Bd. 16, S. 678.
647 wa, Bd. 19, S. 393: «Ohne die Fähigkeit des kritischen Genießens kann die proletarische Klasse überhaupt nicht das Erbe der bürgerlichen Kultur antreten. Der historische Sinn, ohne den zu haben sie hier nicht genießen kann, ist ein Sinn für Kritik, das muß einleuchten.»
648 wa, Bd, 16, S. 593. (Hervorhebung vom Autor.)
649 wa, Bd. 12, S. 527. Gegenüber Versuchen, solche Dialektik im Namen einer Gesetzmäßigkeit zur normativen Festlegung literarischer Praxis auf überkommene Schreibweisen zu benutzen, expliziert Brecht: «Das Neue kommt aus dem Alten, aber es ist deswegen doch neu» (wa, Bd. 19, S. 327).
650 vgl. wa, Bd. 16, S. 702.
651 wa, Bd. 16, S. 696. (Hervorhebung vom Autor.)
652 Fleischer, a. a. O., S. 84.
653 wa, Bd. 19, S. 549 f.
654 Benjamin, Briefe 1, a. a. O., S. 524 f.
655 Bloch, Erbschaft, a. a. O., S. 152.
656 Der Begriff findet sich bei Müller, a. a. O., S. 113.
657 Der Begriff findet sich bei Karl Marx im Vorwort zur ‹*Kritik der politischen Ökonomie*›, zit. bei: Korsch, Kernpunkte, a. a. O., S. 44.
658 wa, Bd. 18, S. 9.
659 wa, Bd. 18, S. 178. (Hervorhebung vom Autor.)
660 Als Motto zitiert bei Benjamin, Illuminationen, a. a. O., S. 276.
661 wa, Bd. 18, S. 107.
662 wa, Bd. 15, S. 201.
663 Arendt, a. a. O., S. 65.
664 Helge Hultberg: ‹*Die ästhetischen Anschauungen Bertolt Brechts*›. Kopenhagen 1962. S. 72.
665 Ebd., S. 73.
666 wa, Bd. 15, S. 177 f.
667 Hannah Arendt: ‹*Der Dichter Bertolt Brecht*›. In: ‹*Der Goldene Schnitt. Große Essayisten der Neuen Rundschau 1890–1960*›. Frankfurt a. M. 1960. S. 608.
668 Hultberg, a. a. O., S. 187 f.
669 Wolfgang Kayser: ‹*Das sprachliche Kunstwerk*›. 8. Aufl. Bern–München 1962. S. 387; vgl. auch die programmatischen Ausführungen Kaysers im Vorwort zur 1. Aufl.: «Eine Dichtung lebt und entsteht nicht als Abglanz von irgend etwas anderem, sondern als in sich geschlossenes sprachliches Gefüge. Das dringendste Anliegen der Forschung sollte demnach sein, die schaffenden sprachlichen Kräfte zu bestimmen, ihr Zusammenwirken zu verstehen und die Ganzheit des einzelnen Werkes durchsichtig zu machen.»
670 Ebd., S. 17.
671 wa, Bd. 17, S. 1257.
672 wa, Bd. 17, S. 1276, 1277.
673 wa, Bd. 17, S. 1257.
674 wa, Bd. 17, S. 1280.

675 Jürgen Habermas: ‹*Erkenntnis und Interesse*›. In: Habermas, ‹*Technik und Wissenschaft als Ideologie*›. Frankfurt a. M. 1968. S. 158.
676 wa, Bd. 15, S. 107.
677 wa, Bd. 15, S. 113.
678 Brecht, Lyrik, a. a. O., S. 8.
679 Ebd., S. 9.
680 Klaus Schuhmann: ‹*Der Lyriker Bertolt Brecht 1913–1933*›. Berlin 1964 (= Neue Beiträge zur Literaturwissenschaft. 20). S. 129 f.
681 Ebd., S. 137.
682 Brecht, Lyrik, a. a. O., S. 9.
683 Ebd.
684 Arendt, ‹*Der Dichter Bertolt Brecht*›, in: ‹*Der Goldene Schnitt*›, a. a. O., S. 610.
685 Brecht, Lyrik, a. a. O., S. 9.
686 Karl Marx: ‹*Das Kapital*›, 1. Abschnitt, 1. Kapitel: Die Ware. In: Karl Marx-Ausgabe, Hg. von H.-J. Lieber und B. Kautsky. Darmstadt 1962. Bd. IV, S. 4.
687 wa, Bd. 15, S. 126 f.
688 Hugo von Hofmannsthal: ‹*Ballade des äußeren Lebens*›. In: Hofmannsthal, ‹*Gedichte und lyrische Dramen*›. Frankfurt a. M. 1965. S. 16.
689 wa, Bd. 2, S. 448.
690 wa, Bd. 15, S. 128.
691 Heinrich Heine: ‹*Aphorismen und Fragmente*›. In: Heine, ‹*Sämtliche Werke*›. Hg. von Hans Kaufmann. München 1964. Bd. XIV, S. 148. Schon Heine sah sich angesichts dieses Stands der gesellschaftlichen Entwicklung auf politische Lyrik verwiesen.
692 Vgl. Hanns Eisler: ‹*Über moderne Musik*›. In: *Die Rote Fahne* vom 15. Oktober 1927. Nachdruck in: *Sinn und Form*, Sonderheft Hanns Eisler, Berlin 1964, S. 128.
693 Sergej Tretjakov: ‹*Hanns Eisler*›. In: *Sinn und Form*, Sonderheft Hanns Eisler, Berlin 1964, S. 118; vgl. auch Hanns Eisler: ‹*Die Erbauer einer neuen Musikkultur*›. In: Eisler, ‹*Reden und Aufsätze*›. Leipzig 1959. S. 32.
694 Schuhmann, a. a. O., S. 139.
695 wa, Bd. 18, S. 231.
696 wa, Bd. 18, S. 233.
697 wa, Bd. 9, S. 663 f.
698 H. Mayer, Bertolt Brecht, a. a. O., S. 84.
699 Gerhart Pickerodt in seiner Einleitung zum Bd. 6 der ‹*Epochen der deutschen Lyrik*›. Hg. von Walther Killy. München 1970. S. 9.
700 wa, Bd. 19, S. 359 f.
701 Vgl. wa, Bd. 19, S. 361.
702 wa, Bd. 19, S. 294.
703 wa, Bd. 19, S. 378.
704 wa, Bd. 19, S. 356.
705 wa, Bd. 19, S. 360.
706 wa, Bd. 19, S. 356 f.
707 wa, Bd. 19, S. 359.
708 Ebd.
709 Ebd.

710 wa, Bd. 19, S. 360.
711 wa, Bd. 19, S. 415.
712 wa, Bd. 19, S. 317.
713 «Die Zeit war die Zeit des Übergangs, und die Werke der Künstler bedeuteten sowohl einen Abstieg und ein Ende, als auch einen Aufstieg und einen Anfang. Sie trugen die Kennzeichen der Zersetzung und zersetzten Bestehendes, und sie trugen die Kennzeichen des Aufbaus und halfen aufbauen» (wa, Bd. 19, S. 336).
714 wa, Bd. 19, S. 360.
715 wa, Bd. 19, S. 360f.
716 wa, Bd. 19, S. 360. Wie schwierig sich diese Operation schon bei den neuen Techniken darstellt, davon gibt die programmatische Bemerkung Hanns Eislers einen Eindruck: «Wir werden unsere kritische Methode anwenden, das Handwerkliche vom Inhaltlichen trennen, das Handwerkliche vom Einfluß des Inhaltlichen säubern und dann manches aus dieser neuen Technik, dadurch daß wir ihr andere Zwecke und Inhalte geben, neu zur Entwicklung bringen» (Eisler, ‹*Einiges über das Verhalten . . .*›, a. a. O., S. 151).
717 Zit. n. Klaus Völker: ‹*Brecht und Lukács. Analyse einer Meinungsverschiedenheit*›. In: *Alternative* 67/68 (1969), S. 141 f; vgl. auch wa, Bd. 19, S. 297 f: «Die Schriftsteller finden einen entmenschten Menschen vor? Sein Innenleben ist verwüstet? Er wird im Hetztempo durch sein Leben gehetzt? Seine logischen Fähigkeiten sind geschwächt, wie die Dinge verknüpft waren, scheinen sie nicht mehr verknüpft? So müssen die Schriftsteller eben doch sich an die alten Meister halten, reiches Seelenleben produzieren, dem Tempo der Ereignisse in den Arm fallen durch langsames Erzählen, den einzelnen Menschen wieder in den Mittelpunkt der Ereignisse stoßen und so weiter und so weiter.» Auffällig ist die Affinität in der Argumentation mit jener Tretjakovs in seinem Aufsatz ‹*Der neue Lev Tolstoj*› (s. S. 185 f). (Hervorhebung vom Autor.)
718 Georg Lukács: ‹*Kunst und objektive Wahrheit*›. In: *Deutsche Zeitschrift für Philosophie*, Bd. II/1954, S. 116.
719 Ebd.
720 Ebd., S. 125.
721 Ebd.
722 Ebd., S. 122; vgl. a. S. 123: «Die Totalität des Kunstwerks ist vielmehr eine intensive: der abgerundete und in sich abgeschlossene Zusammenhang jener Bestimmungen, die – objektiv – für das gestaltete Stück Leben von ausschlaggebender Bedeutung sind, die seine Existenz und seine Bewegung, seine spezifische Qualität und seine Stellung im Ganzen des Lebensprozesses determinieren.»
723 Ebd., S. 125.
724 Ebd., S. 119.
725 Ebd., S. 140.
726 Ebd., S. 146.
727 Bezeichnend genug, daß Lukács in seinem Aufsatz ‹*Heinrich Heine als nationaler Dichter*› diese Sätze, die neue Kunst einer neuen Zeit brauche nicht «aus der verblichenen Vergangenheit ihre Symbolik zu borgen» und «müsse sogar eine neue Technik, die von der seitherigen verschieden,

hervorbringen», in ihrer ganzen historischen und kunsttheoretischen Tragweite nicht erkennt, über die Kategorie ‹neue Technik› kein Wort verliert und den Hegelianismus Heines gegen die radikale Kritik der ‹Kunstperiode› ausspielt, indem er diese überwiegend als Kritik der Romantik, weniger der Klassik darstellt (Georg Lukács: *‹Deutsche Realisten des 19. Jahrhunderts›*. Berlin 1951. S. 124 f).

728 wa, Bd. 19, S. 298; vgl. auch die treffende Kritik Blochs an dem restaurativen Charakter der Lukácsschen Kunsttheorie, insbesondere ihrer Polemik gegen einen technischen Kunstbegriff; er spricht von einer historischen «Zwei-Welten-Existenz. Indem der Erbe der bürgerlichen Welt sich technisch in ein Flugzeug setzt, Typ 1936, ideologisch aber in die Postkutsche, aus der Zeit von Hegels Tod, wie das die Oberlehrer jeder Färbung, auch die roten, tun» (Bloch, Bemerkungen zur *‹Erbschaft dieser Zeit›*, a. a. O., S. 37).

729 wa, Bd. 19, S. 325; vgl. auch wa, Bd. 19, S. 349: «Nichts ist so schlimm, als beim Aufstellen von formalen Vorbildern *zu wenig* Vorbilder aufzustellen. Es ist gefährlich, den großen Begriff ‹Realismus› an ein paar Namen zu knüpfen, so berühmt sie auch sein mögen, und ein paar Formen zur alleinseligmachenden schöpferischen Methode zusammenzufassen, auch wenn es nützliche Formen sein mögen.»

730 wa, Bd. 19, S. 314; vgl. zum Begriff ‹aufheben›: Hegel, Wissenschaft Bd. 1, a. a. O., S. 94.

731 wa, Bd. 19, S. 324.

732 Karl Marx-Ausgabe, a. a. O., Bd. III/1, S. 273 f.

733 wa, Bd. 19, S. 372.

734 wa, Bd. 19, S. 377.

735 Ebd.

736 P. G. Völker, a. a. O., S. 124.

737 wa, Bd. 19, S. 376.

738 wa, Bd. 19, S. 360.

739 wa, Bd. 19, S. 337.

740 wa, Bd. 19, S. 378 f. Der Begriff der Menschheit, der seinen philosophischen Ursprung – jedenfalls im Gebrauch durch Brecht – in der radikalen bürgerlichen Aufklärung, zumal dem französischen Materialismus, hat, ist in die marxistische Revolutionstheorie eingegangen: der Klassenkampf, die Selbstbefreiung des Proletariats soll mit der Emanzipation der Gattung zusammenfallen. Marx hat in der *‹Heiligen Familie›* diesen ‹notwendigen Zusammenhang› der Lehren des Materialismus mit dem Kommunismus und Sozialismus skizziert: «Wenn das wohlverstandene Interesse das Prinzip aller Moral ist, so kommt es darauf an, daß das Privatinteresse des Menschen mit dem menschlichen Interesse zusammenfällt [...] Wenn der Mensch von den Umständen gebildet wird, so muß man die Umstände menschlich bilden» (MEW, Bd. 2, S. 138; vgl. über diese Zusammenhänge die Studie von Günther Mensching: *‹Totalität und Autonomie›*. Frankfurt a. M. 1971). Brechts theoretischer Gebrauch der Begriffe ‹Menschheit› und ‹menschlich› entspricht der Marxschen Rezeption der Aufklärung, was vielfach belegt werden kann; vgl. zum Beispiel wa, Bd. 20, S. 79 f, wo dargelegt wird, warum der Kommunismus die «Interessen der gesamten Menschheit» vertritt, mit expliziter Anführung

des *homo homini lupus*, ferner: wa, Bd. 15, S. 243; wa, Bd. 16, S. 696; wa, Bd. 12, S. 486: «Viele meinten, die großen Meister der Musik und der Malerei müßten stolz gewesen sein, daß sie konnten, was sonst niemand konnte. Aber ich denke, sagte Me-ti, die großen Meister waren stolz, daß die Menschheit solches konnte.» Im ‹*Dreigroschenprozeß*› greift Brecht die Theoriebildung der KP an, weil sie den Begriff des Klassenkampfs zu einer quasi-natürlichen Kategorie verdinglicht habe: «Der Klassenkampf ist dann nicht mehr eine Sache des Menschen, sondern der Mensch eine Sache des Klassenkampfs» (wa, Bd. 18, S. 184).

741 wa, Bd. 20, S. 89.

742 Ebd.

743 wa, Bd. 19, S. 466.

744 Vgl. MEW, Bd. 17, S. 592: «Aber die Arbeiterklasse kann nicht die fertige Staatsmaschinerie einfach in Besitz nehmen und diese für ihren eignen Zweck in Bewegung setzen. Das politische Werkzeug ihrer Versklavung kann nicht als politisches Werkzeug ihrer Befreiung dienen.»

745 wa, Bd. 20, S. 90.

746 wa, Bd, 20, S. 92.

747 wa, Bd. 20, S. 236.

748 Ebd.

749 wa, Bd. 20, S. 237.

750 wa, Bd. 20, S. 239.

751 wa, Bd. 18, S. 245.

752 wa, Bd. 18, S. 246. Zum politischen Stellenwert der Rede und zu Brechts Einschätzung des Kongresses vgl. K. Völker, Chronik (a. a. O., S. 62 f) und Fortini (s. Anm. 559). In dem von Völker (S. 63) zitierten Brief Brechts an Korsch findet sich der handschriftliche Zusatz: «freund P. [gemeint ist Paul Partos] in Paris sprach ich mehrmals. er konnte mir bei meinem vortrag helfen und ich war froh, ihn zu treffen» (IIvSG, Mappe 1933–1938). Partos stand Korsch politisch sehr nahe und dürfte alles andere als ein Anhänger der stalinistischen Volksfrontpolitik gewesen sein. Natürlich wird von der Brecht-Forschung der DDR jede Differenz zur Volksfrontpolitik geleugnet. So unternimmt etwa Werner Mittenzwei (in: ‹*Die Brecht-Lukács-Debatte*› In: *Das Argument*, Jg. 10/1968, Nr. 46, S. 12 f) den sehr zweifelhaften Versuch, Brechts Verhältnis zur Tradition, wie er es Lukács gegenüber artikuliert, nachträglich zum adäquaten und wahren Ausdruck der Volksfrontpolitik der Komintern zu stilisieren, vgl. dazu Mittenzwei, a. a. O., S. 25: «Die große, damals von der Kommunistischen Partei aufgestellte Losung, das kulturelle Erbe für den antifaschistischen Kampf zu nutzen, wird von Brecht besser und wirksamer angewandt als von Lukács selbst.» Dieser Einschätzung widerspricht allerdings eine von Völker zitierte Tagebucheintragung Brechts über Lukács, in der er gegen diesen ironisch bemerkt: «Zwischen den Realisten des Bürgertums und denen des Proletariats ist kein Gegensatz. (Ein Blick auf die Scholochows scheint das allerdings zu beweisen.) Wohl auch nicht zwischen Bürgertum und Proletariat selber? Wie auch, im Zeichen der Volksfront? Hoch der Pastor Niemöller! Realist reinsten Wassers!» (zit. bei K. Völker, Brecht und Lukács, a. a. O., S. 144; vgl. auch den bei K. Völker [Chronik, a. a. O., S. 56 f] zitierten Brief Brechts an J. R. Becher

vom Juni 1931).

753 In einem Brief an Gretel Adorno vom 20. Juli 1938 schreibt Benjamin: «Was Brecht betrifft, so macht er sich die Gründe der russischen Kulturpolitik durch Spekulationen über die Erfordernisse der dortigen Nationalitätenpolitik klar so gut er kann. Aber das hindert ihn selbstverständlich nicht, die theoretische Linie als katastrophal für alles das zu erkennen, wofür wir uns seit 20 Jahren einsetzen. Sein Übersetzer und Freund war, wie Du weißt, Tretjakoff. Er ist höchstwahrscheinlich nicht mehr am Leben» (Benjamin, Briefe 2, a. a. O., S. 771 f).

754 wa, Bd. 19, S. 379.

755 wa, Bd. 19, S. 291.

756 Ebd.

757 wa, Bd. 19, S. 554.

758 Vgl. z. B. Albrecht Schöne: *‹Theatertheorie und dramatische Dichtung›* In: *Euphorion* 52 (1958), S. 295 f:
«[...] gegen das Programm des Theoretikers setzt das dramatische Kunstwerk sich durch und übersteigt die Schranken einer Tendenzdramatik, die in ihrer Wirkungsabsicht aufgeht und sich selber aufhöbe, wenn sie ihr außerdichterisches Ziel erreichte. Hier wie überall, wo die zwielichtige Figur Bertolt Brechts zur Quelle einer Dichtung wird, die als Kunstwerk ihrerseits das von der Geschichte Überholbare übersteigt, will es scheinen, als bediene die Kunst sich auch der widerstrebenden Hände, ja der unreinen Mittel, um ihre reinen Zwecke zu erfüllen.»
Das Kunstwerk gewinnt in der Argumentation Schönes eine eigenständige, nur in ihm selbst begründete Kraft: hier wird jedoch zugleich deutlich, daß die Position der Werkimmanenz notwendig an einen Punkt gelangt, an dem sie auf außerästhetische Fundierungen sich verwiesen sieht. Bei Emil Staiger ist dies die Fundamentalontologie Martin Heideggers – auch bei Schöne wird ‹das Kunstwerk› der Geschichte enthoben, sie erscheint letztlich als das ‹Unreine›, in das das Kunstwerk als ‹reine› Idee sich bloß auslegt. Demgegenüber ist mit Entschiedenheit darauf hinzuweisen, daß die Theorie vom Kunstwerk als reinem, der Geschichte enthobenem Gebilde selber historisch ist und von der Geschichte, wenn auch vielleicht nicht ‹überstiegen›, so doch überholt ist.

759 Vgl. dazu Albrecht Schöne: *‹Über Politische Lyrik im 20. Jahrhundert›* 2. Aufl. Göttingen 1969. S. 52 f:
«Hier [gemeint ist an dieser Stelle das *‹Lied von der Moldau›*] wie häufig in seiner politischen Lyrik wird die Gültigkeit dessen, was das Gedicht lehrt, unabhängig von der historischen Situation, vom Stand der gesellschaftlichen Entwicklung, und bleibt das Gedicht also verheißungsmächtig auch dann, wenn die von der marxistischen Ideologie bezeichnete Ziellinie des revolutionären Umsturzes erreicht und überschritten ist. Hier gilt, daß die auf eine bestimmte politische Wirkung gerichteten Energien ein Kunstgebilde hervorgebracht haben, in dessen den Hervorbringungszweck überdauernder Form sie aufgehoben sind [...] Denn daß gereimte, rhythmisierte Propagandarede und tendenziöse Gebrauchslyrik sich als Dichtung erweise, meint ja, daß die Sprache sich frei macht von den politischen Handlangerdiensten, in die ihr Sprecher sie stellen wollte, daß ihre von der Ideologie eingegebene Lehre sich ausweitet zum Gleichnis dessen

(oder sich enthüllt als Gleichnis dessen), was immer und allezeit so ist: als Botschaft vom Menschen.»
In dieser Interpretation treten die ideologischen Voraussetzungen der werkimmanenten Interpretation noch deutlicher hervor: Theologisieren und Ontologisieren verbinden sich zum ‹Jargon der Eigentlichkeit›, der im auftrumpfenden, prätendierten Tiefsinn stets um ‹den Menschen› und ‹was immer und allezeit so ist› zu wissen glaubt.

760 Marcuse, a. a. O., S. 93.
761 Ebd., S. 94.
762 Ebd., S. 95.
763 Benjamin, Kunstwerk, a. a. O., S. 48.
764 Ebd., S. 51.
765 Ebd.
766 wa, Bd. 18, S. 130.
767 wa, Bd. 18, S. 159.
768 wa, Bd. 18, S. 199f.
769 wa, Bd. 18, S. 200f.
770 wa, Bd. 18, S. 184.
771 wa, Bd. 18, S. 208.
772 Der Begriff wird entfaltet bei Hans Blumenberg: ‹*Die Legitimität der Neuzeit*›. Frankfurt a. M. 1966. S. 201f; vgl. zur folgenden Bacon-Darstellung Blumenberg, ebd., S. 383f und Kurt Lenk (Hg.): ‹*Ideologiekritik und Wissenssoziologie*› (insbes. die Einleitung, S. 17f). 2. Aufl. Neuwied–Berlin 1964. Die ausführlichsten Informationen über das Verhältnis Brechts zu Bacon bringt Schumacher, a. a. O., S. 42f. Schumacher führt auch die im Besitz Brechts befindlichen Bacon-Ausgaben und Schriften über Bacon an.
773 Blumenberg, a. a. O., S. 384.
774 wa, Bd. 15, S. 299: «Faßt man nämlich die Menschheit mit all ihren Verhältnissen, Verfahren, Verhaltensweisen und Institutionen nicht als etwas Feststehendes, Unveränderliches auf und nimmt man ihr gegenüber die Haltung ein, die man der Natur gegenüber mit solchem Erfolg seit einigen Jahrhunderten einnimmt, jene kritische, auf Veränderungen ausgehende, auf die Meisterung der Natur abzielende Haltung, dann kann man die Einfühlung nicht verwenden.»
775 Aufschlußreich in diesem Zusammenhang ist unter anderem ein Brief von Brecht an Korsch vom April 1948: «Manchmal wünschte ich, Sie hielten ein Journal mit vielen Eintragungen in der Baconischen Form über alle die Gegenstände, die sie gerade interessieren, unmethodisch im ganzen, ich meine *antisystematisch*. Solche wissenschaftlichen Aphorismen könnte man einzeln, in der oder jener Zusammenstellung, zu diesem oder jenem Zweck, verwerten, sie wären alle fertig zu jeder Zeit, anstatt einen davon umzubauen, könnten sie einen neuen bauen usw. es wäre sozusagen epische Wissenschaft» (IIvSG, Mappe 1939–1948). In ähnlicher Weise hatte Korsch offenbar am ‹*Me-ti*› mitgearbeitet, das geht jedenfalls aus einem Brief Brechts an Korsch (wahrscheinlich 1937) hervor: «Ich will das in chinesischem Stil geschriebene Büchlein mit Verhaltungslehren, von denen Sie ja einige kennen, weiterschreiben und bei der Durchsicht des Materials fielen mir wieder beiliegende Sätze in die Hand; sie sind so sehr

nützlich, daß ich Sie um eine Fortsetzung bitten möchte» (IIvSG, Mappe 1933–1938). Korsch notiert dazu handschriftlich: «Das sind meine Aphorismen zum Teil gemeinsam mit B. besprochen und von mir geformt (Anm. K.)» Korsch nimmt (fälschlich?) an, es handle sich bei dem ‹Büchlein› um das lange geplante Buch über die ‹Tuis›, frei nach Turandot (handschriftliche Notiz Korschs, ebd.).

776 Korsch, Marx, a. a. O., S. 203 f.

777 Zit. bei Lenk, a. a. O., S. 63.

778 Blumenberg, a. a. O., S. 385.

779 Zit. bei Blumenberg, ebd.

780 Blumenberg, a. a. O., S. 386.

781 wa, Bd. 18, S. 161 f. (Hervorhebung vom Autor.)

782 wa, Bd. 18, S. 162.

783 *‹Franz Baco's Neues Organon›*. Übers., erl. und mit einer Lebensbeschreibung des Verfassers versehen von J. H. von Kirchmann. Berlin 1870 (= Philosophische Bibliothek. Bd. 32). S. 64 (die Ausgabe befand sich im Besitz Brechts).

784 wa, Bd. 16, S. 515.

785 wa, Bd. 16, S. 520.

786 wa, Bd. 15, S. 251.

787 *‹Franz Baco's Neues Organon›*, a. a. O., S. 168 (Buch I, Art. 119): vgl. auch ebd., S. 271 (Buch II, Art. 31): « [. . .] denn das Staunen ist das Kind des Seltenen; wenn etwas, selbst aus der Gattung gewöhnlicher Dinge, nur irgend seltsam ist, so erweckt es das Staunen. Dagegen wird das, was wegen der Abweichung seiner Art von andern Arten wirklich das Staunen verdient, meist nur obenhin beachtet.» Es ist im übrigen nicht auszuschließen, daß Brechts Technik der Verfremdung, was ihre theoretische Fundierung angeht, sehr viel eher von Bacon sich herleitet als von Hegels philosophischer Erkenntniskritik: «Das Bekannte überhaupt ist darum, weil es bekannt ist, nicht erkannt» (G. W. F. Hegel: *‹Phänomenologie des Geistes›*. Hamburg 1952. S. 28). Vgl. auch wa, Bd. 15, S. 347, wo die Technik des Irritiertseins von der Naturwissenschaft hergeleitet wird.

788 wa, Bd. 15, S. 307.

789 wa, Bd. 15, S. 306. Die Notizen sind zugleich das Programm der von Brecht im März 1937 geplanten Diderot-Gesellschaft, die «das Bild einer neueren *antimetaphysischen* und sozialen Kunst formen sollte» (vgl. K. Völker, Chronik, a. a. O., S. 68 [Hervorhebung vom Autor.]). Über die Beziehung Diderots zur praktischen Philosophie Bacons vgl. Anm. 797.

790 *‹Franz Baco's Neues Organon›*, a. a. O., S. 45 f.

791 *‹Franz Baco's Neues Organon›*, a. a. O., S. 97 (Art. 46).

792 wa, Bd. 12, S. 463.

793 Lord Franz Bacon: *‹Über die Würde und den Fortgang der Wissenschaften›*. Darmstadt 1966 (repogr. Nachdruck einer Ausgabe von 1783). S. 517; vgl. auch *‹Franz Baco's Neues Organon›*, a. a. O., S. 138 f: «Die ersten und ältesten Forscher [. . .] pflegten die Erkenntnis, welche sie aus der Betrachtung der Dinge gewonnen hatten und für den Gebrauch zusammenfassen wollten, in Aphorismen, d. h. in einzelnen scharf begrenzten Sätzen auszusprechen und sich aller methodischen Verknüpfung zu enthalten; auch gaben sie sich nicht das Ansehen, als umfaßten

und lehrten sie die vollständige Kunst. Wie aber jetzt die Sache betrieben wird, kann man sich nicht wundern, daß die Menschen in dem nicht weiter forschen, was als vollendet und in allen seinen Teilen längst abgeschlossen dargestellt wird.»

Auch Diderot konzipierte, begründet in seiner Kritik am Systemdenken überhaupt, seine philosophischen Werke als Aphorismensammlung (vgl. Mensching, a. a. O., S. 89).

794 wa, Bd. 19, S. 350; vgl. insbes. den Artikel ‹*Kunst*› im Bd. I der ‹*Enzyklopädie*› von 1751, in: Denis Diderot, ‹*Philosophische Schriften*› Bd. I. Berlin 1961. S. 242f, wo Wissenschaft und Kunst materialistisch aus der menschlichen Arbeit hergeleitet werden und in der Tat solche Künste wie die des Maschinenbaus zur Definition der Kunst herangezogen werden.

795 ‹*Franz Baco's Neues Organon*›, a. a. O., S. 144f.

796 Vgl. auch Karl Marx: ‹*Das Kapital*› I (MEW, Bd. 23, S. 411), wo Marx auf diese Theorie-Praxis-Beziehung bei Descartes und Bacon hinweist: Descartes habe ebenso wie Bacon «eine veränderte Gestalt der Produktion und praktische Beherrschung der Natur durch den Menschen als Resultat der veränderten Denkmethode» betrachtet.

797 In dem traditionalen Begründungszusammenhang der ästhetischen Theorie Brechts kommt Diderot eine besondere Bedeutung zu, nicht zuletzt deshalb, weil Diderot selber die Philosophie Bacons umfassend rezipiert und kritisch in der radikalen Sozial- und Naturphilosophie der Aufklärung aufzuheben gesucht hat. Die Differenz zwischen instrumentellem und emanzipativem Vernunftbegriff wird sogleich deutlich, wenn man das oben angeführte Bacon-Zitat konfrontiert mit einem Absatz des Artikels ‹*Autorität*› aus dem Bd. I der ‹*Enzyklopädie*› von 1751, in dem Diderot die Autorität in den Wissenschaften der des Vernunftinteresses explizit unterordnet, weil das Vernunftprinzip in der gesamten gesellschaftlichen Entwicklung wirksam und bestimmend sein soll. Diderot bezeichnet die Vernunft als «eine Fackel, die von der Natur angezündet wurde und dazu bestimmt ist, uns zu leuchten», die Wissenschaft dagegen sei «bestenfalls nur ein Stock, der von Menschenhand geschaffen wurde und uns im Fall der Schwäche auf dem Weg zu helfen vermag, den uns die Vernunft zeigt» (Diderot, ‹*Philosophische Schriften*›, a. a. O., S. 264).

Der Marxismus beansprucht demgegenüber die praktische Aufhebung der Antinomie von instrumenteller und emanzipativer Vernunft in der gesellschaftlichen Emanzipation der Produzenten zum selbstbewußten Subjekt der Geschichte. Der Schranken des Vernunft-Begriffs bei Bacon war sich Brecht durchaus bewußt: «Bacons Hoffnungen, gesetzt in die Erfindungsgabe der Menschheit, muten uns heute naiv an. Die Menschheit hat wohl mehr erfunden, als Bacon erwartete, aber ihre Glückseligkeit hat sich weniger erhöht, als er hoffte» (zit. n. Schumacher, a. a. O., S. 116).

798 So interpretiert etwa Ernst Schumacher Brechts Gebrauch der Kategorie Vernunft (Schumacher, a. a. O., S. 88f), wenn er umstandslos Vernunft mit den Kategorien Humanismus und Kultur, als einigen geistigen Grundlagen der Kulturpolitik der Volksfront, gleichsetzt. Dieses Verfahren aber ist zumindest problematisch, denn im Vordergrund der Schriftstellerkongresse stand eindeutig die Parole der ‹Verteidigung der Kultur›; der politischen und philosophischen Leere dieser Parole kann man nicht nachträg-

lich dadurch aufhelfen, daß man, wie Schumacher, post festum den radikalen bürgerlichen Vernunft-Begriff als zentralen Inhalt unterstellt. Brecht wendet im übrigen das emanzipative Vernunftinteresse gerade *gegen* diesen unbestimmten, ‹folgenlosen› Kulturbegriff, indem er es mit dem proletarischen Klassenkampf identifiziert.

799 wa, Bd. 15, S. 242; vgl. auch MEW, Bd. 2, S. 135, wo Marx als «Hauptbedingungen einer rationellen Methode», wie sie bei Bacon entwickelt ist, «Induktion, Analyse, Vergleichung, Beobachtung, Experimentieren» angegeben hat.

800 ‹*Franz Baco's Neues Organon*›, a. a. O., S. 149 (Art. 95). Diderot faßte dieses Postulat bereits sehr viel konkreter auf, als er schrieb: «Das Interesse an der Wahrheit verlangt, daß die Denkenden endlich geruhen, sich mit den körperlich Arbeitenden zu verbinden, damit alle unsere Anstrengungen sich vereinigen und gleichzeitig gegen den Widerstand der Natur gerichtet werden» (zit. n. Mensching, a. a. O., S. 96).

801 wa, Bd. 19, S. 429.

802 wa, Bd. 18, S. 218.

803 Theodor W. Adorno: ‹*Engagement*›. In: Adorno, ‹*Noten zur Literatur III*›. Frankfurt a. M. 1965. S. 114.

804 Ebd., S. 128.

805 Ebd., S. 129.

806 Ebd., S. 133.

807 Ebd., S. 134.

808 Ebd., S. 121.

809 wa, Bd. 17, S. 1152.

810 Theodor W. Adorno: ‹*Ästhetische Theorie*›. In: Adorno, ‹*Gesammelte Schriften*› Bd. 7. Frankfurt a. M. 1970. S. 335.

811 Ebd.

812 Vgl. dazu Hans Bunge: ‹*Fragen Sie mehr über Brecht. Hanns Eisler im Gespräch*›. München 1970. S. 215, wo Eisler ausführt, Brecht habe den Ausdruck «einen Stoff ausmathematisieren» für die Produktion seiner Stücke gebraucht.

813 Die letzten Werke Becketts lassen diese Konsequenz, die in der inneren Logik dieser Position liegt, immer offenbarer werden: abstrakte Denunziation wird hier zur negativen Gestalt von Affirmation. Daß Brecht im Werk Becketts eine entschiedene und bedeutende Gegenposition zu seinen eigenen Intentionen sah, bezeugt sein – nicht realisierter – Plan, ein Gegenstück zu Becketts ‹*Warten auf Godot*› zu schreiben.

814 Michael Scharang: ‹*Zur Emanzipation der Kunst. Benjamins Konzeption einer materialistischen Ästhetik*›. In: *Ästhetik und Kommunikation* 1 (1970), S. 77.

815 wa, Bd. 19, S. 291.

816 wa, Bd. 19, S. 356.

817 Vgl. Mittenzwei, Brecht-Lukács-Debatte, a. a. O., S. 24.

818 Adorno an Benjamin, 2. August 1935. In: Benjamin, Briefe 2, a. a. O., S. 676, 678.

819 Müller, a. a. O., S. 36. Es ist natürlich nicht die Aufklärung gewesen, die zur bürgerlichen Revolution geführt hat, sondern im Prozeß der bürgerlichen Revolution entfaltete sich die Aufklärung.

820 wa, Bd. 16, S. 579.

821 Vgl. wa, Bd. 20, S. 133: «Die Fähigkeit, das Vorhandene zu bezweifeln, steht selber über Vernunft und Unvernunft und kann zweifellos nutzbringend angewendet werden.»

822 *Alternative* 41 (1965), S. 67.

823 Krahl, a. a. O., S. 391.

824 wa, Bd. 15, S. 229.

825 Zit. n. Schumacher, a. a. O., S. 92.

826 wa, Bd. 19, S. 335.

827 wa, Bd. 19, S. 335 f.

828 Bacon, a. a. O., S. 229.

829 Ebd., S. 235.

830 Wenn Marx über Bacon sagt, in ihm, als seinem ersten Schöpfer, berge «der Materialismus noch auf eine naive Weise die Keime einer allseitigen Entwicklung in sich», die Materie lache «in poetisch-sinnlichem Glanze den ganzen Menschen an» (MEW, Bd. 2, S. 135), so könnte man, daran anknüpfend, folgern, daß noch Brecht, der durch seine Kunst das Denken wieder zu einer der größten Vergnügungen der menschlichen Rasse machen möchte, von diesem Glanz das Licht für die ‹künstlichen› Scheinwerfer seiner kritischen Phantasie sich zu leihen sucht.

831 Vgl. dazu die schon zitierten Passagen von Schöne, ‹*Über politische Lyrik im 20. Jahrhundert*›; ferner: Holthusen, a. a. O., S. 71 f: «Die Selbstverleugnung der Doktrin zugunsten der Einbildungskraft, welche das philosophisch Allgemeine ins allgemein Menschliche zu verwandeln vermag, erscheint als ein höherer Grad von dichterischer Objektivierung», und S. 135: «Ständig übersteigt der Sinn dieser Stücke den Geltungsbereich der ideologisch-politischen Formel»; ferner: Max Högel, ‹*Bertolt Brecht*›. In: ‹*Lebensbilder aus dem Bayerischen Schwaben*› Bd. 8. Hg. von Götz Freiherrn von Pölnitz. München 1961. S. 474: «Er wird daher als Dichter einer ethischen Lebensauffassung und einer tätigen, Berge versetzenden Gewalt des Glaubens zu einer Zeit der inneren und äußeren Gefährdung des Menschen in die Geschichte des Dramas eingehen. Und doch mußte auch er als Moralist mit ewig verlangendem, ewig verwundetem Herzen – wie viele Revolutionäre ohne Partei – am Ende den Schauder geistiger Einsamkeit erfahren.»

832 Hegel, Wissenschaft, a. a. O.

833 Bunge, a. a. O., S. 88.

834 Arvatov, a. a. O., S. 92.

Literaturverzeichnis

Das Literaturverzeichnis enthält nur die Werke, Schriften und Titel, auf die in der vorliegenden Arbeit Bezug genommen wird.

1. Werkausgaben und literarische Texte

BRECHT, BERTOLT: Gesammelte Werke in 20 Bänden. Frankfurt a. M. 1967 (= Werkausgabe [wa])
Hauspostille. Berlin–Frankfurt a. M. 1961
Über Lyrik. Frankfurt a. M. 1964 (= edition suhrkamp. 70)

HEINE, HEINRICH: Briefe. Leipzig 1969
Briefe Bd. 1 [Erste Gesamtausgabe nach den Handschriften hg. von FRIEDRICH HIRTH]. Mainz 1949/50
Sämtliche Werke. 14 Bde. Hg. von HANS KAUFMANN. München 1964–1965

RIMBAUD, ARTHUR: Leben und Dichtung. Übertr. von K. L. AMMER. 2. Aufl. Leipzig 1921

SINCLAIR, UPTON: Der Sumpf. Roman aus Chicagos Schlachthäusern. In: SINCLAIR, Gesammelte Romane Bd. 1. Berlin 1924

Über die großen Städte. Gedichte 1885–1967. Hg. von F. HOFMANN, J. SCHRECK und M. WOLTER unter Mitarbeit von B. JENTZSCH. Berlin–Weimar 1968

2. Dokumentationen und Auswahlbände

Erinnerungen an Brecht. Zusammengestellt von HUBERT WITT. Leipzig 1964 (= Reclams Universalbibliothek. 117)

Literatur im Klassenkampf. Zur proletarisch-revolutionären Literaturtheorie 1919–1923. Eine Dokumentation von W. FÄHNDERS und M. RECTOR. München 1971

MARX, KARL, und FRIEDRICH ENGELS: Über Kunst und Literatur. Hg. von M. LIFSCHITZ. Berlin 1953

MARX, KARL, FRIEDRICH ENGELS und WLADIMIR I. LENIN: Über Kultur, Ästhetik, Literatur. Leipzig 1971

Zur Tradition der sozialistischen Literatur in Deutschland. Eine Auswahl von Dokumenten. Hg. von der Deutschen Akademie der Künste zu Berlin. 2. Aufl. Berlin–Weimar 1967

3. Literatur

ADORNO, THEODOR W.: Philosophie der neuen Musik. Frankfurt a. M. 1958
Gustav Mahler. Frankfurt a. M. 1960
Prismen. Kulturkritik und Gesellschaft. München 1963
Engagement. In: ADORNO, Noten zur Literatur III. Frankfurt a. M. 1965
Thesen über Tradition. In: ADORNO, Ohne Leitbild. Parva Aestetica. Frankfurt a. M. 1967
Ästhetische Theorie. In: ADORNO, Gesammelte Schriften Bd. 7. Frankfurt a. M. 1970

ALBRECHT, FRIEDRICH: Über einige Auffassungen vom literarischen Erbe. In:

Zur Geschichte der sozialistischen Literatur 1918–1933. Berlin 1963
Deutsche Schriftsteller in der Entscheidung. Wege zur Arbeiterklasse 1918–1933. Berlin–Weimar 1970 (= Beiträge zur Geschichte der deutschen sozialistischen Literatur im 20. Jahrhundert. Bd. 2)
Arendt, Hannah: Der Dichter Bertold Brecht. In: Die Neue Rundschau, Jg. 61/1950
Arvatov, Boris J.: Kunst und Produktion. Entwurf einer proletarisch-avantgardistischen Ästhetik (1921–1930). Hg. und übers. von Hans Günther und Karla Hielscher. München 1972
[Bacon, Francis:] Franz Bacon's Neues Organon. Übers., erl. und mit einer Lebensbeschreibung des Verfassers versehen von J. H. von Kirchmann. Berlin 1870
Lord Franz Bacon. Über die Würde und den Fortgang der Wissenschaften. Darmstadt 1966 [Reprogr. Nachdruck einer Ausgabe von 1783]
Benjamin, Walter: Eine Diskussion über russische Filmkunst und kollektivistische Kunst überhaupt. Erwiderung an Oscar A. H. Schmitz. In: Die Literarische Welt, Jg. 3/1927, Nr. 11
Bekränzter Eingang. In: Die Literarische Welt, Jg. 6/1930, Nr. 2
Russische Debatte auf Deutsch. In: Die Literarische Welt, Jg. 6/1930, Nr. 27
Theorien des deutschen Faschismus. In: Die Gesellschaft, Jg. 7/1930, Bd. 2
Geschichtsphilosophische Thesen. In: Benjamin, Illuminationen. Frankfurt a. M. 1961
Über einige Motive bei Baudelaire. In: Benjamin, Illuminationen. Frankfurt a. M. 1961
Das Kunstwerk im Zeitalter seiner technischen Reproduzierbarkeit. In: Benjamin, Illuminationen. Frankfurt a. M. 1961
Einbahnstraße. Frankfurt a. M. 1962
Briefe Bd. 1 und 2. Hg. von G. Scholem und Th. W. Adorno. Frankfurt a. M. 1966
Versuche über Brecht. Frankfurt a. M. 1966 (= edition suhrkamp. 172)
Die politische Gruppierung der russischen Schriftsteller. In: Benjamin, Angelus Novus. Frankfurt a. M. 1966 [Zuerst in: Die Literarische Welt, Jg. 3/1927, Nr. 3]
Eduard Fuchs, der Sammler und der Historiker. In: Benjamin, Angelus Novus. Frankfurt a. M. 1966
Das Kunstwerk im Zeitalter seiner technischen Reproduzierbarkeit. Frankfurt a. M. 1968
Eduard Fuchs, der Sammler und der Historiker. In: Benjamin. Das Kunstwerk im Zeitalter seiner technischen Reproduzierbarkeit. Frankfurt a. M. 1968
Bert Brecht. Ein Rundfunkvortrag. In: Benjamin, Lesezeichen. Leipzig 1970
Das Kunstwerk im Zeitalter seiner technischen Reproduzierbarkeit. In: Benjamin, Lesezeichen. Leipzig 1970
Becher, Johannes R.: Unsere Wendung. In: Die Linkskurve, Jg. 3/1931, Nr. 10
Betz, Albrecht: Ästhetik und Politik. Heinrich Heines Prosa. München 1971
Bloch, Ernst: Differenzierungen im Begriff Fortschritt. In: Sitzungsberichte

der Deutschen Akademie der Wissenschaften zu Berlin, Jg. 1955, Nr. 5. Berlin 1956
Das Prinzip Hoffnung. Frankfurt a. M. 1959
Erbschaft dieser Zeit. Frankfurt a. M. 1962
Erinnerungen an Walter Benjamin. In: Über Walter Benjamin. Frankfurt a. M. 1968
Bemerkungen zur «Erbschaft dieser Zeit». In: BLOCH, Philosophische Aufsätze zur objektiven Phantasie. Frankfurt a. M. 1969
BLOCH, ERNST, und HANNS EISLER: Avantgarde-Kunst und Volksfront. In: Die neue Weltbühne, Jg. 33/1937, Nr. 50
Die Kunst zu erben. In: Die neue Weltbühne 1 (1938) – Nachdruck: Alternative, Jg. 12/1969, Nr. 69
BLUMENBERG, HANS: Die Legitimität der Neuzeit. Frankfurt a. M. 1966
BORCHARDT, RUDOLF: Revolution und Tradition in der Literatur. In: BORCHARDT, Reden. Stuttgart o. J.
BRETON, ANDRÉ: Die Manifeste des Surrealismus. Reinbek 1968 (= Rowohlt Paperback. 63)
BUNGE, HANS: Fragen Sie mehr über Brecht. Hanns Eisler im Gespräch. München 1970
CASES, CESARE: Stichworte zur deutschen Literatur. Kritische Notizen. Wien–Frankfurt a. M.–Zürich 1969
CAUDWELL, CHRISTOPHER: Bürgerliche Illusion und Wirklichkeit. Beiträge zur materialistischen Ästhetik. München 1971
Deutsch-französische Jahrbücher. Hg. von ARNOLD RUGE und KARL MARX. Darmstadt 1967 [fotomechanischer Nachdruck]
DIDEROT, DENIS: Philosophische Schriften Bd. 1 und 2. Hg. von TH. LÜCKE. Berlin 1961
Dokumente des Sozialismus. Hg. von EDUARD BERNSTEIN. Bd. II. Stuttgart 1903
EISLER, HANNS: Komposition für den Film. Berlin 1949
Über moderne Musik. In: Sinn und Form, Sonderheft Hanns Eisler. Berlin 1964 [Erstdruck in: Die Rote Fahne vom 15. Oktober 1927]
Einiges über das Verhalten der Arbeiter-Sänger und Musiker in Deutschland (1935). In: Sinn und Form, Sonderheft Hanns Eisler. Berlin 1964
Die Erbauer einer neuen Musikkultur. In: EISLER, Reden und Aufsätze. Hg. von W. HÖNTSCH. Leipzig 1959
EISLER-FISCHER, LOUISE: Faust in der DDR. In: Neues Forum, XVI. Jahr, H. 190, 1969
FARRINGTON, BENJAMIN: Francis Bacon, Philosopher of industrial science. London 1951
FLEISCHER, HELMUT: Marxismus und Geschichte. Frankfurt a. M. 1969
FLEISSER, MARIELUISE: Frühe Begegnung. In: Akzente 13/1966
FORTINI, FRANCO: Die Vollmacht. Literatur von heute und ihr sozialer Auftrag. Wien–Frankfurt a. M.–Zürich 1968
FRIEDRICH, HUGO: Die Struktur der modernen Lyrik. Reinbek 1968 (= rowohlts deutsche enzyklopädie. 25)
FÜLÖP-MILLER, RENÉ: Geist und Gesicht des Bolschewismus. Zürich–Leipzig–Wien 1926
GALLAS, HELGA: Marxistische Literaturtheorie. Kontroversen im Bund prole-

tarisch-revolutionärer Schriftsteller. Neuwied–Berlin 1971
GRIMM, REINHOLD: Bertolt Brecht und die Weltliteratur. Nürnberg 1961
HABERMAS, JÜRGEN: Nachwort zu G. W. F. Hegel, Politische Schriften. Frankfurt a. M. 1966
Erkenntnis und Interesse. In: HABERMAS, Technik und Wissenschaft als Ideologie. Frankfurt a. M. 1968
HAMANN, RICHARD, und JOST HERMAND: Stilkunst um 1900. Berlin 1967
HEGEL, GEORG WILHELM FRIEDRICH: Sämtliche Werke. Hg. von HERMANN GLOCKNER. 26 Bde. 3. Aufl. Stuttgart 1949–1959
Wissenschaft der Logik. Bd. 1 und 2. Leipzig 1951 (= Philosophische Bibliothek. Bd. 56)
Ästhetik. Berlin 1955
Vorlesungen über die Geschichte der Philosophie III. In: HEGEL, Werke Bd. 20. Hg. von EVA MOLDENHAUER und KARL MARKUS MICHEL. Frankfurt a. M. 1971
Ästhetik Bd. I und II. Hg. von FRIEDRICH BASSENGE. Frankfurt a. M. o. J.
HENRICH, DIETER: Kunst und Kunstphilosophie der Gegenwart. In: Immanente Ästhetik. Ästhetische Reflexion, Lyrik als Paradigma der Moderne. Hg. von W. ISER. München 1966
HESELHAUS, CLEMENS: Deutsche Lyrik der Moderne von Nietzsche bis Ivan Goll. Düsseldorf 1961
HINCK, WALTER: Die deutsche Ballade von Bürger bis Brecht. Göttingen 1968
HÖGEL, MAX: Bertolt Brecht. In: Lebensbilder aus dem Bayerischen Schwaben Bd. 8. Hg. von GÖTZ FREIHERRN VON PÖLNITZ. München 1961
HOLTHUSEN, HANS EGON: Versuch über Brecht. In: HOLTHUSEN, Kritisches Verstehen. München 1961
HOLZ, HANS HEINZ: Prismatisches Denken. In: Über Walter Benjamin. Frankfurt a. M. 1968
HORKHEIMER, MAX, und THEODOR W. ADORNO: Dialektik der Aufklärung. Philosophische Fragmente. Amsterdam 1947
HUELSENBECK, RICHARD: En avant dada. Die Geschichte des Dadaismus. Hannover 1920
HULTBERG, HELGE: Die ästhetischen Anschauungen Bertolt Brechts. Kopenhagen 1962
HUPPERT, HUGO: Erinnerungen an Majakovskij. Frankfurt a. M. 1966
JAUSS, HANS ROBERT: Das Ende der Kunstperiode. Aspekte der literarischen Revolution bei Heine, Hugo und Stendhal. In: JAUSS, Literaturgeschichte als Provokation. Frankfurt a. M. 1970
Der Kampf gegen den Formalismus in Kunst und Literatur, für eine fortschrittliche deutsche Kultur. Berlin 1951
[Referat von Hans Lauter, Diskussion und Entschließung von der 5. Tagung des ZK der SED vom 15.–17. März 1951]
KAYSER, WOLFGANG: Das sprachliche Kunstwerk. 8. Aufl. Bern–München 1962
KITTSTEINER, HEINZ-DIETER: Die «geschichtsphilosophischen Thesen». In: Alternative 56/57 (1967)
KOMMERELL, MAX: Gedanken über Gedichte. 2. Aufl. Frankfurt a. M. 1956
KORSCH, KARL: Kernpunkte der materialistischen Geschichtsauffassung. Eine quellenmäßige Darstellung. Berlin–Leipzig 1922

Die materialistische Geschichtsauffassung. Eine Auseinandersetzung mit Karl Kautsky. In: Archiv für die Geschichte des Sozialismus und der Arbeiterbewegung (Hg. von CARL GRÜNBERG) 14 (1929)
Marxismus und Philosophie. Hg. von ERICH GERLACH. Frankfurt a. M. 1966
Karl Marx. Hg. von GÖTZ LANGKAU, Frankfurt a. M. 1967
Die Sozialisierungsfrage vor und nach der Revolution. In: KORSCH, Schriften zur Sozialisierung. Frankfurt a. M. 1969
Warum ich ein Marxist bin. In: Sozialistisches Jahrbuch 2: Gegen den Dogmatismus in der Arbeiterbewegung. Berlin 1970 (= Rotbuch. 23)
Krise des Marxismus (1931). In: KORSCH, Die materialistische Geschichtsauffassung und andere Schriften. Hg. von ERICH GERLACH. Frankfurt a. M. 1971
Ein undogmatischer Zugang zum Marxismus. In: Politikon 38 (1971)
Karl Korsch. Lehrer Bertolt Brechts. In: Alternative 41 (1965)
KORSCH, KARL, und BERTOLT BRECHT: Briefwechsel, 2 Mappen (1933–1938, 1939–1948 + n. d.) im Internationaal Instituut voor Sociale Geschiedenis (IIvSG), Amsterdam
KOSIK, KAREL: Die Dialektik des Konkreten. Eine Studie zur Problematik des Menschen und der Welt. Frankfurt a. M. 1970
KRAHL, HANS-JÜRGEN: Konstitution und Klassenkampf. Zur historischen Dialektik von bürgerlicher Emanzipation und proletarischer Revolution. Frankfurt a. M. 1971
KREUTZER, LEO: Heine und der Kommunismus. Göttingen 1970
LEFÈBVRE, HENRI: Critique de la vie quotidienne I, Introduction. 2. Aufl. Paris 1958
La vie quotidienne dans le monde moderne. Paris 1968
LENIN, WLADIMIR I.: Drei Quellen und drei Bestandteile des Marxismus. Berlin 1966
Materialismus und Empiriokritizismus. In: LENIN, Werke Bd. 14. Berlin 1970
Ausgewählte Werke Bd. I. Frankfurt a. M. 1971
LENK, KURT (Hg.): Ideologiekritik und Wissenssoziologie. 2. Aufl. Neuwied–Berlin 1964
Marx in der Wissenssoziologie. Neuwied–Berlin 1972
LETHEN, HELMUT: Neue Sachlichkeit 1924–1932. Stuttgart 1970
LIEBKNECHT, KARL: Meinungsverschiedenheiten in der deutschen Sozialdemokratie. In: Die Rätebewegung I. Hg. von GÜNTER HILLMANN. Reinbek 1971 (= Rowohlts Klassiker. 277/278/279)
LINDNER, BURKHARDT: «Natur – Geschichte». Geschichtsphilosophie und Welterfahrung in Benjamins Schriften. In: Text + Kritik 31/32 (1971)
LÖWITH, KARL: Von Hegel zu Nietzsche. 5. Aufl. Stuttgart 1964
LUKÁCS, GEORG: Geschichte und Klassenbewußtsein. Berlin 1923
Deutsche Realisten des 19. Jahrhunderts. Berlin 1951
Kunst und objektive Wahrheit. In: Deutsche Zeitschrift für Philosophie Bd. II, Jg. 2/1954
LUXEMBURG, ROSA: Die russische Revolution. Frankfurt a. M. 1963
Programmrede. In: Der Gründungsparteitag der KPD. Protokolle und Materialien. Hg. von HERMANN WEBER. Frankfurt a. M. 1969

Programm des Spartakusbundes. In: Der Gründungsparteitag der KPD. Protokolle und Materialien. Hg. von HERMANN WEBER. Frankfurt a. M. 1969

MARCUSE, HERBERT: Die Gesellschaftslehre des sowjetischen Marxismus. Berlin–Neuwied 1964

Über den affirmativen Charakter der Kultur. In: MARCUSE, Kultur und Gesellschaft I. Frankfurt a. M. 1965

MÄRTEN, LU: Wesen und Veränderung der Formen und Künste. Resultate historisch-materialistischer Untersuchungen. Weimar 1949

MARX, KARL: Grundrisse der Kritik der Politischen Ökonomie. Berlin 1953

Karl Marx-Ausgabe. Hg. von H.-J. LIEBER und B. KAUTSKY. Darmstadt 1960f

Texte zu Methode und Praxis II: Pariser Manuskripte 1844. Hg. von GÜNTHER HILLMANN. Reinbek 1968 (= Rowohlts Klassiker. 209/210)

MARX, KARL, und FRIEDRICH ENGELS: Die deutsche Ideologie. Berlin 1960

Werke. Berlin 1970 = MEW

MATTENKLOTT, GERT: Bilderdienst. Ästhetische Opposition bei Beardsley und George. München 1970

MAYER, GÜNTER: Zur Dialektik des musikalischen Materials. In: Alternative, Jg. 12/1969, Nr. 69

MAYER, HANS: Bertolt Brecht und die Tradition. Pfullingen 1961

Brecht in der Geschichte. Frankfurt a. M. 1971

MENSCHING, GÜNTHER: Totalität und Autonomie. Untersuchungen zur philosophischen Gesellschaftstheorie des französischen Materialismus. Frankfurt a. M. 1971

MEYER, THOMAS: Einleitung zu Wladimir I. Lenin, Hefte zu Hegels Dialektik. München 1969

MITTENZWEI, WERNER: Die Brecht-Lukács-Debatte. In: Das Argument, Jg. 10/1968, Nr. 46

Erprobung einer neuen Methode. Zur ästhetischen Position Bertolt Brechts. In: Positionen. Beiträge zur marxistischen Literaturtheorie. Leipzig 1969

MÜLLER, KLAUS-DETLEF: Die Funktion der Geschichte im Werk Bertolt Brechts. Studien zum Verhältnis von Marxismus und Ästhetik. Tübingen 1967

MUENZ-KOENEN, INGEBORG: Brecht in westdeutschen Publikationen. In: Weimarer Beiträge 1/1969, Jg. 15. Berlin–Weimar 1969

NEGT, OSKAR: Marxismus als Legitimationswissenschaft. Zur Genese der stalinistischen Philosophie. Einleitung zu: Abram Deborin und Nikolaj Bucharin, Kontroversen über dialektischen und mechanistischen Materialismus. Frankfurt a. M. 1969

Empirie und Klassenkampf. In: Politikon 38 (1971)

OELMÜLLER, WILLI: Die unbefriedigte Aufklärung. Frankfurt a. M. 1969

PIECK, WILHELM, GEORGI DIMITROV und PALMIRO TOGLIATTI: Die Offensive des Faschismus und die Aufgaben der Kommunisten im Kampf für die Volksfront gegen Krieg und Faschismus. Referate auf dem VII. Kongreß der Kommunistischen Internationale (1935). Berlin 1957

PLESSNER, HELMUTH: Die Legende von den zwanziger Jahren. In: Merkur XVI/1962

PREISENDANZ, WOLFGANG: Der Funktionsübergang von Dichtung und Publizistik bei Heine. In: Die nicht mehr schönen Künste. Grenzphänomene des Ästhetischen. Hg. von Hans Robert Jauss. München 1968 (= Poetik und Hermeneutik. III)

Rasch, Wolfdietrich: Bertolt Brechts marxistischer Lehrer. In: Merkur 188 (1963)

Richter, Hans: Begegnungen in Berlin. In: Avantgarde Osteuropa 1910–1930, Katalog der Ausstellung. Berlin 1967

Riedel, Manfred: Bertolt Brecht und die Philosophie. In: Neue Rundschau 1 (1971)

Rosenbauer, Hansjürgen: Brecht und der Behaviorismus. Bad Homburg–Berlin–Zürich 1970

Scharang, Michael: Zur Emanzipation der Kunst. Benjamins Konzeption einer materialistischen Ästhetik. In: Ästhetik und Kommunikation 1 (1970)

Zur Emanzipation der Kunst. Neuwied–Berlin 1971

Schmidt, Alfred: Der Begriff der Natur in der Lehre von Marx. Frankfurt a. M. 1962

Schöne, Albrecht: Theatertheorie und dramatische Dichtung. In: Euphorion 52 (1958)

Über Politische Lyrik im 20. Jahrhundert. 2. Aufl. Göttingen 1969

Schuhmann, Klaus: Der Lyriker Bertolt Brecht 1913–1933. Berlin 1964 (= Neue Beiträge zur Literaturwissenschaft. 20)

Schumacher, Ernst: Die dramatischen Versuche Bertolt Brechts 1918–1933. Berlin 1955

Drama und Geschichte. Bertolt Brechts «Leben des Galilei» und andere Stücke. Berlin 1968

Serge, Victor: Beruf: Revolutionär. Erinnerungen 1901 – 1917 – 1941. Frankfurt a. M. 1967

Sohn-Rethel, Alfred: Geistige und körperliche Arbeit. Frankfurt a. M. 1970

Stein, Lorenz von: Geschichte der sozialen Bewegung in Frankreich von 1789 bis auf unsere Tage Bd. II: Die industrielle Gesellschaft. Der Sozialismus und Kommunismus Frankreichs von 1830 bis 1848. München 1921

Steinweg, Reiner: Das Lehrstück – ein Modell des sozialistischen Theaters. In: Alternative, Jg. 14/1971, Nr. 78/79

Das Lehrstück. Brechts Theorie einer politisch-ästhetischen Erziehung. Stuttgart 1972

Sternberg, Fritz: Der Dichter und die Ratio. Erinnerungen an Bertolt Brecht. Göttingen 1963

Szondi, Peter: Theorie des modernen Dramas. Frankfurt a. M. 1959

Taubes, Jacob: Kultur und Ideologie. In: Spätkapitalismus oder Industriegesellschaft? Hg. von Theodor W. Adorno. Stuttgart 1969

Tretjakov, Sergej M.: Feld-Herren. Der Kampf um eine Kollektivwirtschaft. Berlin 1931

Hanns Eisler. In: Sinn und Form, Sonderheft Hanns Eisler. Berlin 1964

Woher und Wohin? Perspektiven des Futurismus. In: Ästhetik und Kommunikation 4 (1971)

Der neue Lev Tolstoj. In: Ästhetik und Kommunikation 4 (1971)

Die Arbeit des Schriftstellers. Aufsätze – Reportagen – Porträts. Hg. von Heiner Boehncke. Reinbek 1972 (= das neue buch. 3)

TROTZKI, LEO: Zum Selbstmord Wladimir Majakowskis. In: Die Aktion, Jg. XX/1930, H. 1/2
Literatur und Revolution. Berlin 1968
VALÉRY, PAUL: Über Kunst. Frankfurt a. M. 1959
Zur Theorie der Dichtkunst. Frankfurt a. M. 1962
VÖLKER, KLAUS: Brecht und Lukács. Analyse einer Meinungsverschiedenheit. In: Alternative 67/68 (1969)
Brecht-Chronik. Daten zu Leben und Werk. München 1971
VÖLKER, PAUL GERHARD: Skizze einer marxistischen Literaturwissenschaft. In: M. L. GANSBERG und P. G. VÖLKER, Methodenkritik der Germanistik. Stuttgart 1970
WILLETT, JOHN: Das Theater Bertolt Brechts. Eine Betrachtung. Reinbek 1964 (= Rowohlt Paperback. 32)
ŽDANOV, ANDREJ A.: Über Kunst und Wissenschaft. Berlin 1951

Namenregister

Bertolt Brecht

Kalendergeschichten
Erschienen als rororo Taschenbuch Band 77

Drei Groschen Roman
Erschienen als rororo Taschenbuch Band 263

Die Geschäfte des Herrn Julius Caesar
Romanfragment. Erschienen als rororo Taschenbuch Band 639

Lehrstücke
Der Jasager und Der Neinsager / Die Maßnahme / Die Ausnahme und die Regel / Die Rundköpfe und die Spitzköpfe / Das Badener Lehrstück vom Einverständnis
Erschienen als rororo Taschenbuch Band 889

Die Mutter
Ein Stück. Erschienen als rororo Taschenbuch Band 971

Bertolt Brechts Hauspostille
Erschienen als rororo Taschenbuch Band 1159

Gesamtauflage der Werke von Bertolt Brecht
in den rororo Taschenbüchern: 1,1 Million Exemplare

Bertolt Brecht
in Selbstzeugnissen und 70 Bilddokumenten
dargestellt von Marianne Kesting
Erschienen als rowohlts monographien Band 37

Rowohlt

Georg Lukács

Russische Literatur – Russische Revolution

Puschkins Platz in der Weltliteratur / «Boris Godunow»
Tolstoi und die Probleme des Realismus / Tolstoi und die westliche Literatur
Dostojewskij
Der Große Oktober 1917 und die heutige Literatur
Fadejew, «Die Neunzehn»
Makarenko, «Der Weg ins Leben»
Scholochow, «Der stille Don» / «Neuland unterm Pflug»
Solschenizyn, «Ein Tag im Leben des Iwan Denissowitsch»

Am Beispiel der Klassiker der vorrevolutionären russischen Literatur, der sowjetischen Dichter der Revolutionsepoche und des Kritikers des Stalinismus, Solschenizyn, analysiert Lukács Übereinstimmung und Widersprüche zwischen engagierter Dichtung und gesellschaftlichen Verhältnissen.
Ausgewählte Schriften III [rde 314]

Ferner liegen vor:

Georg Lukács «Ausgewählte Schriften» in Taschenbuch-Ausgaben:
I: Die Grablegung des alten Deutschland
Essays zur deutschen Literatur des 19. Jhs. [rde 276]
II: Faust und Faustus
Vom Drama der Menschengattung zur Tragödie
der modernen Kunst [rde 285]
IV: Marxismus und Stalinismus
Politische Aufsätze [rde 327]

Rowohlt

Rowohlt Paperback

Marxismus und Literatur

Eine Dokumentation in drei Bänden
Herausgegeben mit einer Einführung und Anmerkungen
von Fritz J. Raddatz
Rowohlt Paperback Band 80, 81 und 82. Je ca. 330 Seiten
Eine Dokumentation, die die wesentlichen Texte zusammenfaßt, die von marxistischer Seite zum Thema Literatur und Kunst existieren. Sie enthält einerseits die schon klassisch gewordenen Äußerungen marxistischer Theoretiker wie beispielsweise Friedrich Engels' berühmten Brief an Miss Harkness, Gorkis erste Definition des sozialistischen Realismus, Georg Lukács' Briefwechsel mit Anna Seghers u. a. m. Andererseits wurden Texte aufgenommen, die als Verlautbarungen, Konferenzbeschlüsse oder offizielle Parteidokumente Wichtigkeit erlangten. Dabei sind natürlich nicht nur Zeugnisse aus dem deutschen Sprachraum berücksichtigt worden.
Der Band wird schließlich zeigen, daß sich aus einer ursprünglich monolithischen Konzeption der Literatur eine sehr widersprüchliche Diskussion entwickelte, die in ihren Folgen keineswegs begrenzt blieb auf ideologische Fragen, sondern vielmehr als Ansatzpunkt zu realen politischen Veränderungen verstanden werden muß, wie etwa die inzwischen berühmt gewordene Kafka-Konferenz in Liblice in engem Zusammenhang mit den politischen Entwicklungen in der ČSSR zu sehen ist.

Rowohlt

Texte zur Diskussion des Marxismus

Louis Althusser / Etienne Balibar
Das Kapital lesen Bd. I + II [rde 336 + 337]

Michail Bakunin
Gott und der Staat und andere Schriften
Texte des Sozialismus und Anarchismus [rk 240]

Eduard Bernstein
Die Voraussetzungen des Sozialismus
und die Aufgaben der Sozialdemokratie
Texte des Sozialismus und Anarchismus [rk 252]

Ernst Bloch
Karl Marx und die Menschlichkeit
Utopische Phantasie und Weltveränderung [rde 317]
Freiheit und Ordnung. Abriß der Sozialutopien
Mit Quellentexten [rde 318]

Hans Christoph Buch (Hg.)
Parteilichkeit der Literatur oder Parteiliteratur?
Materialien zu einer undogmatischen Ästhetik [dnb 15]

Nikolaj Bucharin
Ökonomik der Transformationsperiode
Texte des Sozialismus und Anarchismus [rk 261]

Milovan Djilas
Die unvollkommene Gesellschaft
Jenseits der «Neuen Klasse» [rororo 1377]

Friedrich Engels
Studienausgabe
Texte des Sozialismus und Anarchismus Band 1 u. 2 [rk 292; rk 293]
– Band 3 und 4 [rk 295, rk 296 – März 1973]
– Debatte um Engels
1. Weltanschauung, Naturerkenntnis, Erkenntnistheorie [rk 294]
2. Philosophie der Tat, Emanzipation, Utopie [rk 297 – April 1973]

Friedrich Engels
in Selbstzeugnissen und 70 Bilddokumenten
dargestellt von Helmut Hirsch [rm 142]

Frantz Fanon
Die Verdammten dieser Erde
Vorwort: Jean-Paul Sartre [rororo aktuell 1209]

Ernst Fischer
Auf den Spuren der Wirklichkeit
Sechs Essays [RP 62]
– Die Revolution ist anders
Ernst Fischer stellt sich zehn Fragen kritischer Schüler
[rororo aktuell 1458]

Die Frühsozialisten 1789–1848 II
Texte des Sozialismus und Anarchismus [rk 280]

Roger Garaudy
Marxismus im 20. Jahrhundert [rororo aktuell 1148]
Die ganze Wahrheit
oder Für einen Kommunismus ohne Dogma [rororo aktuell 1403]
Kann man heute noch Kommunist sein? Eine historisch-dialektische
Analyse [RP 72]

Garaudy / Metz / Rahner
Der Dialog
oder Ändert sich das Verhältnis zwischen Katholizismus und
Marxismus?
[rororo aktuell 944]

Ernesto Che Guevara
Brandstiftung oder Neuer Friede? Reden und Aufsätze
Hg. und mit einem Nachwort versehen von Sven G. Papcke
[rororo aktuell 1154]
Aufzeichnungen aus dem kubanischen Befreiungskrieg 1956–1959
Mit einem einleitenden Text von Fidel Castro [RP 71]

Robert Havemann
Dialektik ohne Dogma? Naturwissenschaft und Weltanschauung
[rororo aktuell 683]
Fragen, Antworten, Fragen
Aus der Biographie eines deutschen Marxisten [rororo 1556]

Günter Hillmann
Die Befreiung der Arbeit
Die Entwicklung kooperativer Selbstorganisation
und die Auflösung bürokratisch-hierarchischer Herrschaft [rde 342]

Werner Hofmann
Grundelemente der Wirtschaftsgesellschaft
Ein Leitfaden für Lehrende [rororo aktuell 1149]

Rowohlt

Texte zur Diskussion des Marxismus

Ho Tschi Minh
in Selbstzeugnissen und 70 Bilddokumenten
dargestellt von Reinhold Neumann-Hoditz [rm 182]

Joachim Israel
Der Begriff der Entfremdung
Makrosoziologische Untersuchung
von Marx bis zur Soziologie der Gegenwart [rde 359]

Leo Kofler
Perspektiven des revolutionären Humanismus [RP 70]

Lateinamerika – Ein zweites Vietnam?
Texte von Douglas Bravo, Fidel Castro, Régis Debray,
Ernesto Che Guevara u. a.
Hg. von Giangiacomo Feltrinelli [RP 66]

Wladimir Iljitsch Lenin
in Selbstzeugnissen und 70 Bilddokumenten
dargestellt von Hermann Weber [rm 168]

Georg Lukács
Russische Literatur – Russische Revolution
Puschkin / Tolstoi / Dostojewskij / Fadejew / Makarenko /
Scholochow / Solschenizyn
Ausgewählte Schriften III [rde 314]
– Marxismus und Stalinismus
Politische Aufsätze. Ausgewählte Schriften IV [rde 327]

Gespräche mit Georg Lukács
Hans Heinz Holz / Leo Kofler / Wolfgang Abendroth
Hg. von Theo Pinkus [RP 57]

Rosa Luxemburg
Schriften zur Theorie der Spontaneität
Texte des Sozialismus und Anarchismus [rk 249]
Einführung in die Nationalökonomie [rk 268]

Rosa Luxemburg
in Selbstzeugnissen und 70 Bilddokumenten
dargestellt von Helmut Hirsch [rm 158]

Mao Tse-tung
Theorie des Guerillakrieges oder Strategie der Dritten Welt
Einleitender Essay von Sebastian Haffner [rororo aktuell 886]

Hermann Peter Piwitt
Rothschilds
Roman [16]

Carl Einstein
Die Fabrikation der Fiktionen
Gesammelte Werke
in Einzelausgaben
Hg.: Sibylle Penkert [17]

Peter Turrini
Erlebnisse in der Mundhöhle
Roman [18]

Harold Pinter
Alte Zeiten
Landschaft
Schweigen
Drei Theaterstücke [20]

Nicolas Born
Das Auge des Entdeckers
Gedichte
Zeichnungen
von Dieter Masuhr [21]

Hartmut Lange
Theaterstücke 1960–72 [22]

James Baldwin
Eine Straße und kein Name [23]

Gruppe Cinéthique
Beiträge zur Theorie
und Praxis des Films
Hg.: Gloria Behrens,
Leo Borchard, Beatrix Schumacher,
Rainer Gansera
Mit ca. 40 Abbildungen [24]

Ronald D. Laing
Knoten [25]

Michael Schneider
Neurose und Klassenkampf
Materialistische Kritik der
Psychoanalyse [26]

Paul Nizan
Für eine neue Kultur
Aufsätze zu Literatur und Politik
in Frankreich [27]

John Barth
Ambrose im Juxhaus
Fiktionen für den Druck,
das Tonband
und die menschliche Stimme [28]

Ronald Fraser
Im Versteck [29]

William S. Burroughs
Die literarischen Techniken
der Lady Sutton-Smith
Reportagen,
Fiktionen, Essays,
Interviews
Hg.: Ralf-Rainer Rygulla [30]

Klaus Stiller
Die Räuber
Die Deutschen: Materialien I [31]

Lu Hsün
Der Einsturz
der Lei-feng-Pagode
Essays über Literatur und
Revolution in China [32]

Heinz Brüggemann
Literarische Technik
und soziale Revolution
Versuche über das
Verhältnis von
Kunstproduktion,
Marxismus und
literarischer Tradition
in den theoretischen Schriften
Bertolt Brechts [33]

Ron Padgett
Große Feuerbälle [34]

Günter Wallraff / Jens Hagen
Das Kraftwerk von Orsau
Chronik einer
Industrieansiedlung [37]

Umschlagentwurf Christian Chruxin und Hans-Gert Winter
Textlayout Gisela Nolte
Gesetzt aus der Garamond-Antiqua (Linofilm-Super-Quick)
Gesamtherstellung Clausen & Bosse, Leck/Schleswig